# guide du
# savoir-
# écrire

**Couverture**
- Maquette:
  KATHERINE SAPON

**Maquette intérieure**
- Conception graphique:
  ANDRÉ LALIBERTÉ

DISTRIBUTEURS EXCLUSIFS:

- Pour le Canada et les États-Unis:
  **LES MESSAGERIES ADP\***
  955, rue Amherst, Montréal  H2L 3K4
  Tél.: (514) 523-1182
  Télécopieur: (514) 939-0406
  \* Filiale de Sogides Ltée

- Pour la Belgique et le Luxembourg:
  **PRESSES DE BELGIQUE S.A.**
  Boulevard de l'Europe 117
  B-1301 Wavre
  Tél.: (10) 41-59-66
        (10) 41-78-50
  Télécopieur: (10) 41-20-24

- Pour la Suisse:
  **TRANSAT S.A.**
  Route des Jeunes, 4 Ter
  C.P. 125
  1211 Genève 26
  Tél.: (41-22) 342-77-40
  Télécopieur: (41-22) 343-46-46

- Pour la France et les autres pays:
  **INTER FORUM**
  13, rue de la Glacière, 75624 Paris Cédex 13
  Tél.: (33.1) 43.37.11.80
  Télécopieur: (33.1) 43.31.88.15
  Télex: 250055 Forum Paris

**JEAN-PAUL SIMARD**

# guide du savoir- écrire

LES ÉDITIONS VILLE-MARIE

**Les Éditions de l'Homme\***

CANADA: 955, rue Amherst, Montréal H2L 3K4

\*Division de Sogides Ltée

Du même auteur

**Rituel et langage chez Yves Thériault**, Montréal, Fides.
**Comment déborder d'énergie**, Montréal, Éditions de l'Homme.
**Se concentrer pour être heureux**, Montréal, Éditions de l'Homme.

© 1984 LES ÉDITIONS VILLE-MARIE
ET LES ÉDITIONS DE L'HOMME,
DIVISIONS DE SOGIDES LTÉE

*Bibliothèque nationale du Québec*
*Dépôt légal — 4e trimestre 1984*

ISBN 2-89194-103-9
ISBN 2-7619-0473-7

J'ai des visions comme ça, des tas de visions, des rêves qui se bousculent dans le grenier. Je sais bien que de deux choses l'une: ou tu vis, ou tu écris. Moi je veux *vécrire*. L'avantage, quand tu vécris, c'est que c'est toi le patron, tu te mets en chômage quand ça te plaît, tu te réembauches, tu élimines les pensées tristes ou tu t'y complais, tu te laisses mourir de faim ou tu te payes de mots, mais c'est voulu. Les mots, de toute manière, valent plus que toutes les monnaies. Et ils sont là, cordés comme du bois, dans le dictionnaire, tu n'as qu'à ouvrir au hasard...

Jacques GODBOUT, *Salut Galarneau!*

# INTRODUCTION

# POURQUOI UN LIVRE SUR L'ÉCRIT?

Cet ouvrage s'adresse à tous ceux qui veulent s'exprimer et communiquer par écrit. On conviendra que les besoins en ce domaine sont nombreux et variés. Qu'il s'agisse de l'étudiant, du professeur, de la secrétaire, du journaliste, du patron, de l'ingénieur, de la mère de famille, l'écrit s'avère un medium indispensable pour communiquer sur les plans personnel et social, de même que pour répondre aux exigences du métier ou de la profession. En fait, l'écrit touche pratiquement toutes les sphères de l'activité humaine.

Afin de répondre à ces divers besoins de communication, nous proposons au "scripteur" de perfectionner les techniques de base du savoir-écrire, c'est-à-dire: 1) les composantes de l'expression et de la communication; 2) la phrase: ce qu'elle est, comment élaborer et travailler la phrase; 3) comment structurer un paragraphe, un texte ou une dissertation; 4) comment clarifier la pensée et rendre son message efficace; 5) comment ponctuer; 6) comment présenter un travail écrit.

À cela s'ajoutent diverses mises en situation de communication écrite fréquemment rencontrées dans la vie: 1) comment informer: résumé, lettre d'affaires, lettre d'opinion, lettre personnelle, lettre de demande d'emploi, curriculum vitae, message publicitaire, prise de notes; 2) comment analyser une pensée, un texte, etc.; 3) comment raconter un fait, un événement; comment satisfaire son besoin d'imaginaire à travers le récit écrit.

La démarche méthodologique privilégiée dans notre ouvrage est fort simple. Elle se résume ainsi: INFORMATION (théorie) — ILLUSTRATION (exemples) — PRATIQUE (exercices). L'information donne des contenus notionnels jugés pertinents pour les pratiques de l'écrit. À ce niveau, nous n'avons pas la prétention d'avoir tout dit, non plus que d'avoir été exhaustif dans l'énumération des phénomènes linguistiques rattachés aux divers notions ou concepts utilisés. Nous croyons cependant en avoir donné suffisamment pour favoriser la compréhension et influencer la pratique. Ceux qui veulent pousser plus loin leur recherche auront avantage à consulter la bibliographie dans laquelle ils trouveront un choix judicieux d'ouvrages ou d'articles susceptibles de combler leurs besoins d'information.

Notre but est la vulgarisation. Quand nous faisons appel à des connaissances linguistiques, nous les définissons, décrivons ou illustrons, selon les besoins, pour les rendre accessibles au plus grand nombre de scripteurs. Il faut admettre, cependant, que s'il y a des données, des concepts, des termes techniques qu'on ne peut ignorer, il n'est pas nécessaire de connaître toutes les théories littéraires ou linguistiques pour écrire.

Les exemples que nous présentons sont nombreux et variés. Nous croyons au pouvoir de l'illustration pour faire comprendre. En plus d'illustrer la théorie, les exemples font voir jusqu'à quel point les techniques proposées se vérifient chez les bons auteurs. Mais avant tout, ils font essentiellement partie du processus d'apprentissage. Vous avez donc intérêt à les lire, à les observer, à les étudier et... à les imiter.

Puisque toute habileté se développe par la pratique, nous avons prévu de nombreux exercices d'application accompagnés du corrigé lorsque cela s'avérait utile ou nécessaire. C'est dans la multiplication des exercices de ce genre que l'habileté à écrire se développera. Ceux-ci s'adressent au scripteur moyen. L'enseignant qui veut aider ses élèves à mieux écrire pourra donc en faire un usage judicieux. À cette fin, ils sont présentés, la plupart du temps, en suggérant une démarche, et parfois une consigne et des indications méthodologiques. Il appartiendra au pédagogue de compléter l'approche didactique à la lumière de son expérience, de sa formation et de sa créativité. À ce sujet, précisons que la théorie a été conçue de façon à permettre aux enseignants de puiser facilement les éléments pouvant entrer dans l'élaboration de grilles de toutes sortes (d'objectivation, d'accompagnement, d'évaluation formative et sommative), ainsi que dans la création de scénarios de classe.

On remarquera que les exemples et les exercices que nous proposons ont été soigneusement choisis de façon à reproduire des situations réelles de communication écrite. Dans les exercices sur la phrase, nous avons éliminé le plus possible la phrase détachée. Les exercices se font à partir de paragraphes ou de fragments de textes suffisamment élaborés pour reproduire les conditions normales de l'expression de la pensée, qui nécessite habituellement plusieurs phrases. Pour ces mêmes raisons, les exemples comportent assez de texte et de contexte pour devenir signifiants.

Toute situation d'écriture n'est pas purement gratuite. Elle s'inscrit généralement dans un contexte de communication. Cela signifie qu'elle est motivée ou légitimée par le besoin ou la nécessité réelle, souvent impérieuse, de transmettre un message à quelqu'un. Voilà pourquoi nous avons considéré la langue dans sa fonction première, celle de la communication.

Ceci nous amène à souligner que l'école, par le truchement des programmes du ministère de l'Éducation, a fait un virage pédagogique important lorsqu'elle a axé l'apprentissage de la langue maternelle non plus uniquement sur la langue-objet, mais sur la langue-communication. Nous avons constamment tenu compte de cette orientation dans notre ouvrage; mais par-dessus tout nous avons voulu retrouver, au-delà des courants pédagogiques ou didactiques, **ce qui demeure fondamental à l'écrit**.

Puisse cet ouvrage combler le voeu que nous formulons!

1<sup>re</sup> partie

# LES TECHNIQUES DE BASE DU SAVOIR-ÉCRIRE

# 1

# ÉCRIRE POUR S'EXPRIMER
# ET COMMUNIQUER

**Il y a des mots qui sont des miroirs, des lacs optiques vers lesquels les mains se tendent en vain.**

ARAGON, *Le paysan de Paris.*

Nous avons assisté, ces dernières années, à une sorte de démocratisation de l'acte d'écriture. Fort heureusement, écrire n'est plus considéré comme une chasse gardée, un privilège de naissance réservé aux seuls dieux du verbe. Beaucoup plus de gens qu'auparavant s'expriment et ce, dans les situations les plus diverses.

Les occasions, dans la vie, sont nombreuses où l'on a à formuler par écrit sa pensée: billet à une personne pour lui dicter une conduite ou un comportement; article pour donner son opinion sur un événement, un fait, une théorie; lettre d'affaires, de civilité, d'opinion, de défense de ses droits; journal personnel, travaux d'étudiants, rapports, comptes rendus, et pourquoi pas des contes, des nouvelles ou des romans! Qu'il s'agisse de textes sociaux ou littéraires, l'écriture transcende la vie. Il n'y a pas un métier ou une profession qui puisse se passer de l'écrit. Le tableau qui figure ci-après dévoile quelques-unes des nombreuses situations où l'on doit faire usage du français écrit.

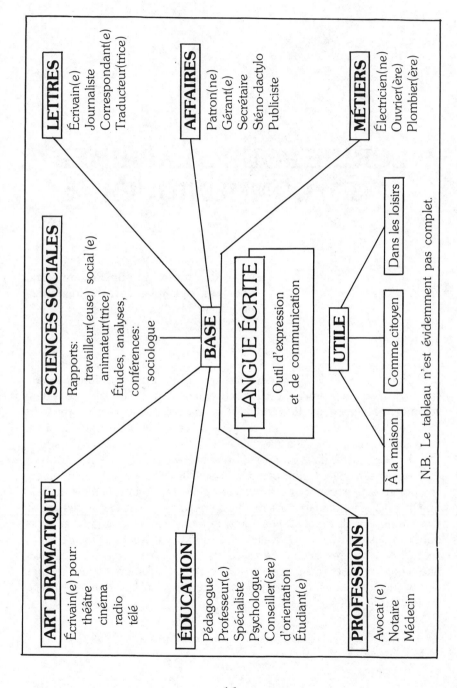

**LETTRES**
Écrivain(e)
Journaliste
Correspondant(e)
Traducteur(trice)

**AFFAIRES**
Patron(ne)
Gérant(e)
Secrétaire
Sténo-dactylo
Publiciste

**MÉTIERS**
Électricien(ne)
Ouvrier(ère)
Plombier(ère)

**SCIENCES SOCIALES**
Rapports:
travailleur(euse) social(e)
animateur(trice)
Études, analyses,
conférences:
sociologue

**BASE**

**LANGUE ÉCRITE**
Outil d'expression
et de communication

**UTILE**
À la maison    Comme citoyen    Dans les loisirs

**ART DRAMATIQUE**
Écrivain(e) pour:
théâtre
cinéma
radio
télé

**ÉDUCATION**
Pédagogue
Professeur(e)
Spécialiste
Psychologue
Conseiller(ère)
d'orientation
Étudiant(e)

**PROFESSIONS**
Avocat (e)
Notaire
Médecin

N.B. Le tableau n'est évidemment pas complet.

Soulignons les nombreux cas où l'écrit sert de substratum à l'oral: une conférence, un exposé, un commentaire oral, les nouvelles de la presse parlée sont la plupart du temps écrits avant d'être dits. On pourrait ainsi relever de nombreuses situations de communication orale qui ont comme support l'écrit.

# A. LES FONCTIONS DE L'ÉCRIT

## POURQUOI ÉCRIT-ON?

Les fonctions de l'écrit sont multiples. On écrit, en général, pour s'exprimer ou s'adresser à quelqu'un, se faire comprendre. L'écrit, comme le langage, devient alors une sorte de trait d'union qui nous relie aux autres. Il permet de s'affirmer, en même temps que de communiquer avec autrui. Voilà pourquoi on attribue généralement à l'écrit deux grandes fonctions. La **fonction expressive**: j'écris pour me faire comprendre, me faire lire; la **fonction communicative**: j'écris pour aller aux autres. La possibilité de s'exprimer et de communiquer est considérée comme l'une des caractéristiques fondamentales du comportement humain.

À ces deux fonctions principales, on peut en rattacher deux autres: la fonction créatrice et la fonction logique. La **fonction créatrice**, appelée aussi **poétique**, répond au besoin de faire du beau, de l'"'art". Ce besoin se concrétise le plus souvent dans les oeuvres littéraires. À ce niveau, les qualités formelles du langage prennent une grande importance. Le but de l'auteur est alors de créer un objet verbal qui, pourrait-on dire, se suffit à lui-même.

On place également dans la fonction créatrice la **pratique ludique** du langage: le plaisir de jouer avec les mots. Parfois le jeu est purement gratuit; mais souvent il sert à véhiculer des vérités. De grands humoristes tels Sol, Raoul Duguay, Queneau, Prévert et plusieurs autres ont exploité la fonction créatrice du langage.

La **fonction logique** a pour rôle de représenter et de traduire la pensée. Pour devenir "message", la pensée doit emprunter le canal des mots et des structures syntaxiques propres à la langue. L'écrit sert alors de support à la pensée qui devient communication grâce à lui. Mais il a aussi

17

ce rôle infiniment délicat et difficile d'en assurer la transparence. Voilà pourquoi la fonction logique convie à un travail incessant sur le matériau linguistique pour le faire correspondre le plus possible à la pensée. C'est au cours de ce travail que la pensée s'élabore, se précise; c'est à travers l'acte d'écriture même qu'elle prend forme. L'écrit, en effet, permet à la pensée de prendre conscience d'elle-même, de s'organiser, de se fixer à des fins communicatives.

Mais revenons aux deux grandes fonctions de l'écrit déjà évoquées: s'exprimer et communiquer.

## ÉCRIRE POUR S'EXPRIMER

S'exprimer semble répondre chez l'individu à un besoin vital. Ce besoin est si impérieux qu'on se demande si le mobile de tout acte d'écriture (ou de parole) ne serait pas d'abord l'expression. En ce sens, tout message écrit peut être dit expressif, parce qu'il porte évidemment la marque de son auteur, mais surtout parce qu'il en révèle jusqu'à un certain point l'identité.

Que veut-on, au juste, exprimer quand on écrit? Soi-même d'abord, c'est évident. On cherche à traduire ses désirs, ses préoccupations, ses intérêts, ses besoins. Même en décrivant ce qui est extérieur à nous, les êtres et les choses, les lieux et les événements, on cherche à se découvrir soi-même. C'est en même temps une façon de s'approprier le réel: en observant les choses qui nous entourent, en les nommant et en les décrivant, on les comprend mieux, ce qui permet, dans une certaine mesure, de les dominer.

Si le discours expressif amène à se révéler, c'est moins dans le but d'établir la communication avec autrui que pour mieux en être compris. En dévoilant son univers, on forme l'espoir qu'il sera partagé. Combien ont trouvé de cette façon leur équilibre parce qu'ils se sont racontés dans une lettre à un ami, confiés à leur journal intime! D'autres ont projeté leur manière d'être sur un personnage de roman qui est devenu, dans une sorte de complicité, le confident de leurs problèmes. C'est ainsi qu'on a parlé du rôle éminemment thérapeutique de l'écriture. Elle permet, dans une certaine mesure, de mieux supporter l'échec, de vivre équilibré et attaché à la vie. En ce sens, il ne fait aucun doute qu'écrire apporte de grands plaisirs et de grandes satisfactions.

Le désir d'écrire peut être aussi impérieux quand on ressent comme une nécessité le besoin de s'analyser. Tant d'ouvrages ont répondu à ce désir! Écrire devient alors une méthode de meilleure connaissance de soi-même, un moyen efficace de mettre de l'ordre dans sa vie. Beaucoup vivent intensément, mais ils sont dépassés par les forces conscientes et inconscientes qu'ils portent en eux. Un projet d'écriture les amène alors à introduire plus de clarté dans ce monde chaotique. C'est sans doute ce qui a permis à Montaigne, ce grand écrivain de la Renaissance, d'affirmer que son livre, les *Essais*, l'avait fait autant qu'il avait fait son livre.

## ÉCRIRE POUR COMMUNIQUER

Contrairement à la fonction expressive, la fonction communicative vise en premier lieu à atteindre l'interlocuteur pour l'informer ou agir sur lui de diverses façons. On parle en ce sens du caractère "transactionnel" de la communication. Celle-ci repose sur un processus reliant nécessairement un émetteur (destinateur) à un récepteur (destinataire). À l'écrit, cela se traduit par un échange auteur/lecteur.

C'est R. Jakobson, linguiste américain, qui a élaboré à ce sujet la théorie la plus claire et la plus pratique [1]. Il a notamment précisé ce qu'il appelle les "facteurs inaliénables de la communication verbale" dans un schéma qui a été, ces dernières années, largement utilisé par les pédagogues et les didacticiens de la langue maternelle. Ce schéma comprend six (6) facteurs ou composantes de la communication.

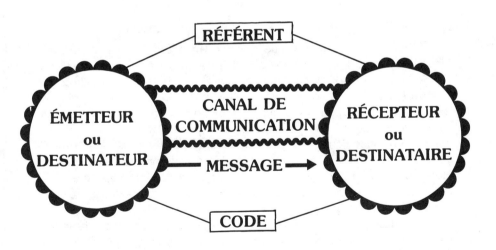

*Schéma général de la communication*

---

1. Roman JAKOBSON, *Essais de linguistique générale*, Paris, Éditions de Minuit, nº 17, coll. "Points", 1963.

Ces composantes ressortissent à tout mode ou à tout procès de communication. En faisant simplement varier le canal, on peut facilement les appliquer à l'écrit.

## L'ÉMETTEUR, C'EST CELUI QUI ÉCRIT LE MESSAGE

Il peut prendre divers noms: scripteur, rédacteur, écrivain, écrivant, auteur, artisan de l'écriture. Toutes ces personnes peuvent être, selon le cas, la secrétaire rédigeant une lettre ou une note de service, l'homme d'affaires écrivant un rapport ou un discours, le journaliste préparant une nouvelle ou un éditorial, le romancier ou la romancière écrivant un roman ou encore le poète composant un poème.

L'émetteur, cependant, n'est pas toujours un seul individu. Plusieurs personnes peuvent participer à l'élaboration d'un message écrit. C'est le cas de la lettre collective, de l'éditorial, du mémoire, souvent conçus en collégialité (groupe, association, mouvement, etc.). Mais si le message peut se concevoir en collaboration au niveau du contenu et des idées, il en va plus difficilement de la rédaction, l'acte d'écriture, en effet, se jouant davantage au niveau du "je". Voilà pourquoi une seule personne sera souvent mandatée pour écrire au nom du groupe.

### a) L'émetteur doit avoir une *intention* à communiquer

Celui qui écrit un message doit être motivé à le faire. Il doit être stimulé par une idée, une pensée à émettre que l'on appelle **intention**. Les facteurs qui motivent ou provoquent à écrire sont divers. Nous en avons déjà parlé à l'occasion de la fonction expressive de l'écrit. Ces facteurs sont la plupart du temps d'ordre psychologique. On les appelle "motivations". Ainsi, une émotion vigoureusement ressentie ou un événement profondément vécu peuvent naturellement trouver leur prolongement dans un texte écrit: lettre, article, journal personnel, roman, poème, pièce de théâtre. L'écrit permet en quelque sorte de "fixer" les êtres et les événements qui nous ont frappés, qui ont joué ou qui jouent un rôle important dans notre vie.

L'écriture peut aussi être mise au service d'une idée, d'une thèse que l'on cherche intentionnellement à propager. On veut écrire pour servir: on devient alors écrivain ou simplement scripteur comme on est militant au service d'une cause. On peut encore choisir d'apporter un témoignage que l'on estime apte à mieux faire comprendre la société de l'époque ou tel événement auquel on est mêlé. On contribue ainsi à élargir la vaste enquête sur le réel que constitue la littérature sous toutes ses formes.

Mais l'intention peut être aussi plus immédiatement pratique ou utilitaire. C'est le cas, par exemple, d'une lettre de demande d'emploi, d'un rapport, d'un compte rendu, d'un procès-verbal, d'un devoir d'étudiant, etc. L'écrit peut donc répondre aux intentions de communication les plus diverses.

## b) **L'émetteur et le phénomène de *distorsion* à l'écrit**

Si l'on veut bien comprendre le processus d'écriture, il faut faire une distinction entre l'idée (**idéation**, forme mentale) et la mise en forme de l'idée par l'écriture. Il y a pratiquement toujours une perte dans cette opération que l'on appelle **distorsion**.

L'une des manifestations les plus courantes de ce phénomène est sans aucun doute l'absence d'inspiration ou d'idée. Peut-être avez-vous déjà éprouvé les affres du manque d'inspiration devant une lettre à écrire à un ami, un créancier, une compagnie, une institution? Ou encore, vous avez douloureusement senti votre impuissance et votre stérilité lors d'un examen écrit? Le drame de **la page blanche** est un phénomène bien connu de ceux qui s'adonnent à la pratique de l'écrit. Mais rassurez-vous! De grands écrivains l'ont vécu, tel Paul Valéry qui avoue: "À mesure que l'on s'approche du réel, on perd la parole[2]."

Même lorsque la pensée est foisonnante, que l'on a, comme on dit, des idées, celles-ci ne sont pas automatiquement traduites en phrases. Il faut admettre que l'on ne pense pas nécessairement comme l'on écrit. C'est encore Valéry qui a décrit la pensée comme une langue "mais à vrai dire très particulière et dont les axiomes diffèrent beaucoup des axiomes du langage ordinaire[3]".

Force nous est de constater que la pensée ne travaille pas nécessairement selon les mêmes lois que la plume. Pour la plupart d'entre nous, les moyens linguistiques sont inférieurs à nos possibilités de conceptualisation. En d'autres mots, notre univers mental est beaucoup plus riche que nos moyens pour l'exprimer. Et même lorsque l'on y parvient, souvent les mots ne reflètent pas ce qu'on voulait dire.

Cette distance entre la pensée et son expression peut s'expliquer de diverses façons. Souvent elle est causée par l'absence de vocabulaire, le manque de pratique ou de technique: on ne sait par où commencer ou comment procéder. Les réflexions comme celle-ci sont fréquentes chez ceux qui s'adonnent à la pratique de l'écriture: "Je ne sais quoi dire et si je sais

2. Paul VALÉRY, *Cahiers*, tome 1, Paris, Gallimard, Bibliothèque de la Pléiade, 1973, p. 386.

3. *Op. cit.*

quoi dire, je ne sais pas comment le dire." Parfois un blocage psychologique paralyse le scripteur. Toutes sortes de censures pèsent sur lui: il se demande s'il sera crédible, ou bien une espèce de pudeur l'étreint devant le fait d'avoir à exprimer une opinion personnelle.

Cette situation, souvent traumatisante, peut cependant s'améliorer et même se corriger. Il existe, en effet, des techniques, comme celles que nous exposerons dans cet ouvrage, qui peuvent faciliter grandement l'accès au monde de l'écrit. Elles ne feront pas nécessairement de vous des écrivains — et pourquoi pas! —, mais certainement des écrivants, ou mieux encore des artisans de l'écriture. Elles vous permettront, en tout cas, de faire face à la plupart des situations où vous aurez à utiliser l'écrit.

### c) L'émetteur doit maîtriser le *code*

Celui qui écrit doit être capable de transmettre son message en le codant. À cette fin, il doit d'abord posséder certaines compétences de base comme **les habiletés psychomotrices** que l'on acquiert en général à l'école primaire; **la connaissance du code écrit** (lettres/graphèmes), les lois qui régissent le code (grammaire et orthographe); la compétence lexicale, c'est-à-dire la connaissance du vocabulaire qui s'acquiert par le dictionnaire et à partir de lectures ou d'auditions: conversations, conférences, cours, etc.

La **compétence lexicale** permet de choisir les mots qui décrivent avec le plus de précision et de justesse possible l'idée ou le sentiment que l'on veut exprimer ou communiquer. La **compétence syntaxique** permet de choisir le meilleur agencement des mots pour traduire ce qu'on veut transmettre. À cela s'ajoute la **compétence discursive**, c'est-à-dire l'habileté à trouver les meilleures stratégies linguistiques pour répondre aux fins de la communication que l'on poursuit: informer, convaincre, faire agir, divertir, émouvoir, etc.

## LE RÉCEPTEUR, C'EST LE LECTEUR

Un écrit peut s'adresser à un lecteur en particulier (lettre personnelle, billet, avis), mais souvent il postule l'existence de plusieurs lecteurs (article de journal, rapport, roman, poème, pièce de théâtre, etc.). À l'écrit cependant, la communication est la plupart du temps **différée**. Le récepteur devient rarement émetteur comme c'est le cas pour la communication orale, sauf lorsque l'écrit exige une réponse (lettre de demande d'emploi, d'information, etc.).

Mentionnons que le lecteur est soumis, lui aussi, au phénomène de **distorsion** dont nous parlions à propos du scripteur. Le lecteur reçoit un message qu'il doit déchiffrer, décoder. Or il peut exister une distance entre l'intention de l'émetteur et ce que le lecteur perçoit. Ce dernier peut lire des formulations qui sont plus ou moins bien ajustées au contenu objectif du message. Et cela s'explique.

La lecture est toujours un échange entre un être qui interprète des signes (lettres, mots, phrases) et un autre être qui a organisé ces signes en vue de communiquer ses sentiments, ses idées, ses connaissances. Or, la compréhension du message par le lecteur dépend en grande partie de l'habileté du scripteur à traduire, à expliciter, à nuancer sa pensée. Et même lorsque le message tend vers une interprétation claire et univoque, très souvent le lecteur se trouve, pour employer une expression de Roland Barthes, devant une "galaxie de signifiants" où lire, "c'est trouver des sens"[4]. Voilà pourquoi un message écrit est très souvent polysémique. Chaque phrase, expression ou mot que le lecteur décode peut présenter une signification apparente ou de "surface" et une ou plusieurs significations cachées ou "profondes". Il appartient précisément au lecteur de trouver ces sens ou ces significations.

## LE MESSAGE EST L'OBJET DE LA COMMUNICATION

A priori, le message d'un texte réfère au contenu, au sujet ou encore aux idées qu'il contient. Le message, c'est ce que l'auteur veut nous dire ou nous livrer. Pour s'en faire une idée plus juste, replaçons-le dans le contexte de la situation de communication, dont il est un des éléments.

Nous avons déjà défini le message comme étant "l'objet de la communication". En réalité, il serait plus exact de dire que le message, "c'est la communication en tant qu'objet". Il représente "l'énoncé écrit du contenu des informations que l'émetteur veut transmettre". C'est un **énoncé**, c'est-à-dire une suite d'éléments puisés dans un réservoir de signes par le scripteur qui les assemble selon certaines règles de combinaison. Cet énoncé doit ensuite être **déchiffré** ou **décodé** par le récepteur (lecteur). Il y a donc un rapport étroit entre message transmis et message reçu/compris. Ce dernier appartient à la fois au scripteur et au lecteur.

Le message est souvent appelé **discours**, qu'on définit comme étant "toute production écrite (ou orale) porteuse d'un message". Le discours, tout comme le message, est actualisé dans un contexte singulier de communication, impliquant, à divers degrés, un destinateur et un destinataire.

Ce contexte de communication peut varier à l'infini. La plupart du temps, cependant, il se résume à informer, analyser, convaincre, raconter ou répondre à un besoin d'imaginaire. On obtient alors divers types de

---

4. Roland BARTHES, *S/Z*, Paris, Éditions du Seuil, 1970, p. 12-17.

discours, informatif, analytique, argumentatif, narratif, dont chacun obéit à des lois spécifiques de fonctionnement que nous verrons plus loin. Ces types de discours se concrétisent à leur tour dans des formes particulières d'écrits: rapport, compte rendu, résumé, article, analyse, télégramme, lettre, dissertation, conte, roman, poème, etc.

# LE RÉFÉRENT, C'EST LE CONTENU DU MESSAGE

Le référent, c'est le contenu du message, c'est-à-dire les représentations de l'univers auxquelles renvoie le message. C'est également le contexte dans lequel se déroule ou auquel réfère la communication.

Le **contenu**, qu'il faut distinguer de l'"énoncé" du contenu de la communication, soit le message, peut être constitué des personnes, des objets, des lieux, des événements, des situations, des arguments, des sentiments évoqués par le message.

Le **contexte**, c'est l'ensemble des circonstances au milieu desquelles se déroule le message (qu'il soit oral ou écrit). Il faut entendre par là l'environnement physique, social et culturel dans lequel s'inscrit l'acte de communication et qui peut influencer la production d'un message écrit. C'est également les connaissances et les attitudes qu'ont l'émetteur et le récepteur face au référent.

### Les sortes de référents

Le référent peut être **situationnel** ou **réel**: je raconte un accident qui est arrivé ou encore j'évoque ou je décris une maison qui existe réellement. Il peut être aussi **textuel, fictif** ou **imaginaire**: j'imagine l'accident que je raconte ou encore j'évoque une maison fictive qui n'existe pas dans la réalité. Dans ce dernier cas, l'évocation est vraisemblable, mais n'est pas vraie.

Le référent peut être également **contextuel**. Cela se produit lorsque je fais appel à des connaissances implicites chez le lecteur. Par exemple, si j'écris un article sur la cybernétique destiné à des personnes spécialisées dans le domaine, il y a des termes, des notions, des concepts que je n'aurai pas à expliquer, parce que les lecteurs possèdent les connaissances nécessaires à la compréhension du message. Autre exemple: si j'écris sur la notion de "pouvoir politique", il se peut fort bien que les réactions qu'auront les personnes à la lecture de mon texte varient en fonction de leur nationalité, de leur allégeance politique ou de leur expérience. Tous ces aspects font partie du référent contextuel.

Terminons cette partie en précisant que le référent passe souvent pour l'objet ou l'essentiel de la communication. Il faut prendre conscience qu'en réalité il n'en est qu'un des éléments.

# LE CANAL EST LE "MEDIUM PHYSIQUE" DU MESSAGE

Le canal est le "medium physique" servant de support à la transmission du message. Pour l'écrit, il est de type scriptural et visuel. Ce peut être, selon les besoins, la feuille de papier, le journal, le livre. Le canal, c'est aussi les instruments utilisés pour écrire: le crayon, le stylo, la plume, la machine à écrire, le micro-ordinateur (avec traitement de texte).

Il arrive parfois que la mauvaise qualité du canal soit cause de distorsion du message écrit. Par exemple, un papier trop mince, sans consistance ou de couleur trop sombre (vert ou bleu foncé) peuvent gêner jusqu'à un certain point la lecture. Il en est de même pour le crayon ou le stylo: il faut veiller à la qualité de la mine utilisée (une mine trop dure engendre une écriture trop pâle) ou de l'encre (s'il s'agit du stylo). Il faut veiller également à la configuration des lettres (graphie). À la machine à écrire, le choix des caractères (type et grosseur), la qualité du ruban peuvent aussi influencer la réception du message.

# LE CODE EST CELUI DE LA LANGUE ÉCRITE

Le code (la langue), c'est le matériau linguistique qui permet d'exprimer ou de communiquer le message. Il est constitué de signes linguistiques et de leur combinaison. Ces "signes", c'est-à-dire les mots du dictionnaire, doivent être combinés, agencés selon les règles grammaticales ou syntaxiques régissant l'ordre des mots dans la phrase. De plus, ils doivent répondre aux règles grammaticales et de l'orthographe d'usage.

Au code se rattachent les concepts d'**encodage** (la formulation du message par le scripteur) et de **décodage** (la compréhension ou le déchiffrage du message par le lecteur). Pour permettre le décodage, les signes de la langue doivent être communs au scripteur et au lecteur. Ce dernier reçoit le message et, parce qu'il connaît le code, peut l'interpréter.

# LE FEED-BACK

Le schéma de la communication que nous venons de décrire doit être complété par ce que les psychosociologues et les cybernéticiens ont appelé "feed-back" (rétroaction ou information en retour). C'est la réaction de nature verbale ou non verbale du destinataire à la réception du message. Lorsque le message écrit a atteint le lecteur, celui-ci **réagit** en fonction de sa personnalité, de son comportement, de sa perception positive ou négative du contenu.

À l'oral, le feed-back est souvent immédiat. À l'écrit, cependant, il échappe au scripteur, parce que ce dernier est loin du lecteur et que, la plupart du temps, le message est différé.

## LES SIX FONCTIONS DE JAKOBSON

Tout message remplit certaines fonctions que plusieurs auteurs, en particulier Jakobson, Britton, Wright et Barret se sont appliqués à définir. Mais la théorie la plus intéressante est encore celle de Jakobson. À chacune des composantes du schéma de la communication, le linguiste américain nous propose de rattacher une fonction dont le rôle est d'orienter le langage selon les diverses fins qu'on lui assigne quand on communique.

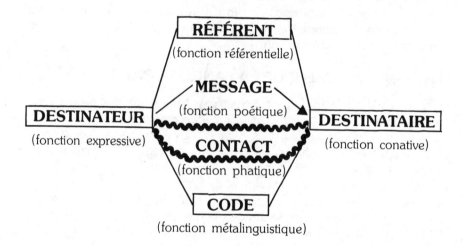

Jakobson conseille d'étudier le langage "dans la variété de ses fonctions". C'est ce que nous ferons au fil des pages qui suivront. Mais auparavant, illustrons-les par un exemple.

Voici une introduction classique d'un conférencier dans laquelle l'on retrouve successivement les six fonctions évoquées:

— **Bonjour, cher public! (Fonction phatique = de contact)**
— **Asseyez-vous! (Fonction conative)**
— **J'aimerais, en premier lieu, vous exprimer toute la joie que j'ai d'être avec vous ce soir. (Fonction expressive)**
— **Le sujet dont je vais vous entretenir est considéré comme le joyau des sciences humaines. (Fonction poétique)**
— **Ce sujet, c'est "la communication". (Fonction référentielle)**

**— Mais définissons d'abord ce qu'elle est. Selon Wright: "La communication est le moyen de transmettre des significations entre les individus". (Fonction métalinguistique)**

Décrivons maintenant chacune de ces fonctions.

a) **La fonction référentielle** (appelée parfois **dénotative**) est centrée sur le référent. Elle correspond aux informations objectives contenues dans tout message en général, mais on la retrouve en particulier dans les écrits scientifiques et ceux de la vie professionnelle: compte rendu, procès-verbal, note de service, résumé, etc. Elle existe aussi en littérature où elle se manifeste à travers les descriptions et les portraits marqués par une certaine objectivité.

b) **La fonction expressive** tend à valoriser l'émetteur (scripteur) en mettant l'accent sur l'expression de ses opinions, de ses jugements, de ses sentiments. Voilà pourquoi on la retrouve surtout dans les genres d'écrits comme la lettre personnelle, le journal intime, la critique littéraire et artistique, le commentaire. Elle est partout où le scripteur trahit sa personnalité.

c) **La fonction conative** permet d'agir sur le récepteur (lecteur) pour attirer son attention, le convaincre, le faire agir, le transformer, le toucher, etc. C'est ce qui se produit dans les discours politiques, la publicité et même parfois dans les dissertations où l'on doit prouver ou démontrer une idée, une thèse à quelqu'un.

d) **La fonction phatique** vise à faciliter le "contact". Elle agit sur deux plans: celui du message, en favorisant l'attention et l'intérêt du lecteur grâce à des stratégies linguistiques que nous étudierons plus loin (chapitre 3); celui du canal, en facilitant la lecture du récepteur par une écriture lisible, une ponctuation et une orthographe correctes, une typographie et une mise en page soignées.

e) **La fonction métalinguistique** consiste à expliciter le langage (le code) que l'on utilise, soit en définissant, soit en expliquant des termes ou des passages. On retrouve la fonction métalinguistique dans les dictionnaires qui sont essentiellement axés sur elle, les écrits didactiques et scientifiques. En général, chaque fois qu'on veut expliquer ou définir une idée, un concept, un terme, une expression dans un message, on utilise la fonction métalinguistique.

f) **La fonction poétique** vise en premier lieu le plaisir esthétique du langage, la mise en valeur du message. Cela se traduit par la recherche d'une plus grande qualité dans l'expression. On retrouve cette fonction surtout en littérature, mais aussi en publicité et dans d'autres types de messages, où diverses stratégies propres au message poétique sont mises en oeuvre pour "accrocher" le lecteur: images, figures, rythme, sonorités. Dans

27

la fonction poétique, ces stratégies ont souvent plus d'importance que le contenu du message lui-même.

Les fonctions référentielle, expressive, conative sont reconnues comme les fonctions principales du langage; les fonctions phatique, métalinguistique, poétique sont rangées parmi les fonctions secondaires. Cela n'implique pas pour autant qu'elles ne soient pas nécessaires.

Nous avons défini individuellement les fonctions pour mieux les comprendre. Mais à l'intérieur d'une situation de communication, il existe presque toujours un mixage à divers degrés de ces fonctions. Par exemple, je peux vouloir informer quelqu'un (fonction référentielle) pour modifier chez lui un comportement (fonction conative), et pour cela je choisis des mots ou expressions qui font image et qui frappent l'imagination (fonction poétique). L'exemple du conférencier que nous avons donné plus haut le montre bien.

Si un message peut présenter simultanément plusieurs fonctions, celles-ci existent cependant entre elles selon un rapport **hiérarchique**. Cela signifie que les fonctions impliquées dans un message n'ont pas toutes la même importance et que, la plupart du temps, l'une d'elles est dominante. Jakobson reconnaissait lui-même que "la diversité des messages réside non dans le monopole de l'une ou l'autre fonction, mais dans les différentes hiérarchies entre celles-ci". Aussi est-il difficile de trouver un texte utilisant une fonction à l'état pur.

D'autre part, toutes ces fonctions agissent en **synergie**, c'est-à-dire qu'elles se renforcent les unes les autres, contribuant ainsi à une meilleure portée du message.

# B. QUESTIONS À SE POSER QUAND ON ÉCRIT

Ces questions sont fondées sur les six composantes de la communication, plus le feed-back. Elles ont pour but d'amener le scripteur à tenir compte des facteurs essentiels d'une situation de communication et à assurer ainsi l'efficacité de son message.

# QUI EST L'ÉMETTEUR?

Dans la perspective de celui qui écrit, cela revient à dire: "Qui suis-je comme scripteur?", ou encore: "Quel est mon statut ou ma position face à mon message?"

Parfois le scripteur doit se présenter, se nommer ou s'identifier, comme il arrive dans certains types de messages: lettre, curriculum vitae, note (adresse et signature), etc. Parfois aussi, il doit se dissimuler derrière un pronom personnel. Pour choisir ce pronom, il doit déterminer la place, la position ou le statut qu'il occupe dans son message. À cette fin, il doit préciser si le texte sera écrit à la première ou à la deuxième personne. Par exemple, si on me demande mon opinion sur une idée, un fait, j'aurai le choix entre m'impliquer personnellement par l'utilisation du "je" ou me dissimuler derrière les pronoms impersonnels "il", "on", qui peuvent aussi représenter indirectement le "je". Si j'écris une dissertation, j'éliminerai d'emblée la première personne au profit de la troisième ("il", "on"); plus impersonnelle, la troisième personne convient mieux à l'objectivité qui caractérise ce type de message. Si j'écris une narration, je dois savoir que le récit peut être mené à la première ou à la troisième personne.

# QUI EST LE RÉCEPTEUR?

Il est important de connaître celui à qui l'on s'adresse. Dans certains types de discours comme le roman, le conte, le poème, il n'est pas nécessaire de connaître le lecteur, à moins que l'on n'écrive pour une clientèle déterminée. Par contre, dans une lettre de défense de ses droits ou de réclamation, l'écrit deviendra beaucoup plus convaincant et efficace si je connais le destinataire. Mais parfois, cette connaissance s'avère difficile. Plusieurs éléments peuvent échapper à l'intelligence de celui qui écrit, comme les intentions inconscientes ou inavouées de son lecteur.

Certains facteurs concourent cependant à faire connaître le destinataire d'un message écrit: son état (dans la vie sociale et professionnelle), sa formation, son expérience, ses options et allégeances politiques, religieuses ou autres, sa personnalité, son âge, son sexe, sa nationalité, sa connaissance de la langue. On peut ainsi dégager les règles suivantes concernant le récepteur d'un message écrit:

**Mon message
sera d'autant plus efficace
que je connaîtrai
celui à qui je m'adresse.**

29

De ce principe en découle un second:

**En écrivant,
je dois constamment me demander
si je n'ai pas perdu de vue
le destinataire de mon message.**

## QUELS RAPPORTS LE SCRIPTEUR ET LE LECTEUR ENTRETIENNENT-ILS?

Les rapports scripteur/lecteur exercent une influence certaine et parfois déterminante sur le message. Ce dernier peut varier, dans son contenu et sa formulation, selon le niveau et le type de relations que le scripteur entretient avec le lecteur. Ces rapports peuvent être de diverses sortes: amicaux, hiérarchiques (supérieur/inférieur), affectifs, sociaux, professionnels, protocolaires ou, au contraire, distants, froids, hostiles, agressifs.

L'identité de celui qui écrit comme de celui qui reçoit le message, l'idée que chacun se fait de l'autre, les événements qui ont précédé l'acte de communication comme les relations qu'ont eues auparavant les interlocuteurs, et surtout le contexte verbal dans lequel s'insère la communication peuvent conditionner grandement le message.

## QUESTIONS RELATIVES AU RÉFÉRENT

Ces questions ont trait à **la connaissance** et à **l'attitude** qu'ont l'émetteur et le récepteur à l'endroit du référent.

### a) Quelle *connaissance* l'émetteur et le récepteur ont-ils du référent?

Avant d'écrire, l'émetteur doit se demander s'il est suffisamment renseigné sur le sujet de son message. Quand il s'agit d'un texte écrit faisant appel au vécu, la part de recherche et de documentation est moins grande. Dans le cas contraire, une recherche s'impose à l'aide d'instruments ou de personnes ressources: dictionnaires de toutes sortes, encyclopédies, ouvrages et revues, articles sur le sujet, consultants.

L'émetteur doit également se demander quelle connaissance le lecteur a du référent. Si certains aspects ou éléments sont connus de lui, il ne sera pas nécessaire d'insister; dans le cas contraire, il devra lui donner toute l'information pertinente ou utile à la bonne compréhension du message. Retenez que, dans la plupart des cas, il vaut mieux écrire comme si celui auquel est destiné le message connaissait peu ou pas le sujet.

b) **Quelle *attitude* ont l'émetteur et le récepteur face au référent?**

L'attitude du récepteur et de l'émetteur peut jouer un rôle important dans le choix des stratégies linguistiques et psychologiques nécessaires à l'élaboration du message. Ainsi une attitude négative ou positive, subjective (émotive, affective) ou objective des deux partenaires peut concourir à orienter le message dans un sens ou dans l'autre, ou encore l'amener à le nuancer et à l'adapter.

c) **Dans quel *contexte* référentiel le message est-il écrit?**

Le contexte référentiel dans lequel on écrit est aussi d'une grande importance. Les mots possèdent une charge sociale, affective, politique ou culturelle certaine. Par exemple, un article sur la liberté politique écrit dans le contexte des événements dominés par le phénomène felquiste québécois de 1970 n'aurait pas eu la même portée qu'à l'époque actuelle. Le même article écrit en URSS n'aurait certainement pas le même impact qu'au Canada ou aux États-Unis.

D'où l'on peut dégager les règles suivantes:

> **Quand j'écris,**
> **il est important de tenir compte**
> **de la connaissance et de l'attitude**
> **qu'a le lecteur face au référent.**

> **Il est important également**
> **de tenir compte du contexte**
> **dans lequel s'insère le message.**

# QUESTIONS RELATIVES AU MESSAGE

Le message, c'est l'objet de la communication. C'est ce que l'auteur veut transmettre en communiquant. Il se manifeste à travers **l'intention** et **le type de discours** choisi. Ces deux éléments nous amènent à dégager les questions suivantes:

a) **Quelle est *l'intention* du message à communiquer?**

L'intention est le but poursuivi lorsqu'on écrit. Les intentions de communication sont multiples. Il est évidemment impossible de toutes les dénombrer, mais on peut les classer de façon générale comme suit: s'exprimer, informer, convaincre, faire agir, amuser, satisfaire un besoin d'imaginaire.

Les intentions peuvent être conscientes ou inconscientes. Les intentions inconscientes rendent souvent le message complexe. Mais pour être compris, il importe que l'intention soit le plus **explicite** possible. À cette fin, le message doit tendre à devenir **univoque**, c'est-à-dire qu'il doit être interprété par le scripteur et le lecteur dans le même sens. C'est dans la mesure où les intentions coïncident que la communication réussit.

Il existe cependant des cas où l'intention est de brouiller volontairement le message. Lorsque, par exemple, je dois évoquer un comportement, une idée, une situation sur lesquels je ne veux pas trop insister, je peux choisir de m'exprimer en termes vagues, généraux, de manière à ce que le lecteur ne comprenne pas clairement. Cette situation reste évidemment peu fréquente.

Retenons que l'intention est l'un des éléments les plus importants de la communication. Elle est l'agent déclencheur de tout acte de communication; à ce titre, elle représente la condition minimale pour communiquer.

On peut dégager les principes suivants:

**Le message
doit toujours être adapté
aux fins que je poursuis
dans la communication.**

**En cours d'écriture,
je dois constamment me demander
quels sont les éléments
de la situation de communication
qui peuvent m'amener à nuancer ou à modifier
mon intention.**

b) **Quel *type de discours* vais-je utiliser?**

Selon l'intention de communication, diverses formes de discours peuvent être utilisées:

— Si je veux **informer**, je peux rédiger un article, un compte rendu, un résumé, un rapport, une lettre, un curriculum vitae, etc.;

— Si je veux **analyser** un ouvrage, une idée, un problème, une situation, un film, je peux rédiger un article critique, une dissertation, une analyse littéraire, sociale, philosophique, une lettre d'opinion, un éditorial, un essai, etc.;

— Si je veux **argumenter**, je peux utiliser la dissertation ou toutes autres formes de discours qui en dérivent;

— Si je veux **raconter**, j'ai le choix entre le récit, le conte, la nouvelle, le roman.

## c) **Est-ce que je connais *les règles de fonctionnement* (le protocole) du discours utilisé?**

C'est l'aspect **discursif** du message. Voici quelques cas:

— J'ai à informer. Est-ce que je connais les règles d'élaboration d'un rapport, d'un compte rendu, etc.? J'ai à écrire une lettre d'affaires. Est-ce que j'en connais les différentes parties, les éléments constitutifs, ainsi que les règles qui en régissent la présentation (en-tête, date, vedette, salutation, mentions de références, etc.)? S'il s'agit d'une lettre de demande d'emploi, est-ce que je connais les lois d'élaboration de ce type de message et du curriculum vitae qui doit l'accompagner?

— J'ai à écrire un texte narratif (un récit ou un conte). Est-ce que je connais les lois qui en régissent le fonctionnement: les règles de la fiction, de la fabulation ou de la narration? Est-ce que je sais bâtir un programme narratif: intrigue, progression dramatique, dénouement? Est-ce que je sais décrire les lieux, les objets, présenter les personnages (caractères, jeu des affinités et des oppositions)? Dans un récit, le lecteur doit pouvoir se faire une idée de la succession des événements; ai-je l'intention de tenir compte de l'ordre séquentiel ou événementiel? La structure du discours doit aussi être organisée de telle façon que le lecteur se représente la situation: dans une narration, par exemple, un personnage non décrit, un événement ou un fait omis peuvent engendrer l'incompréhension.

## d) **Quelles sont *les stratégies linguistiques* propres au discours utilisé?**

1. Il y a d'abord les connaissances relatives au CODE:

Ces connaissances doivent évidemment déboucher sur les habiletés correspondantes. Elles sont d'ordre **lexical** (vocabulaire, terminologie propre au discours utilisé et au sujet traité), **sémantique** (signification des mots usuels et techniques), **syntaxique** (structure de phrases, structures grammaticales propres à articuler la pensée sous toutes ses formes), **prosodique** (certains signes prosodiques propres à l'oral sont, dans certains cas, manifestés à l'écrit, par exemple, lorsque j'ai à transcrire une conversation).

Il faut également tenir compte du **niveau de langue**. Il y a, à l'intérieur du code écrit, comme du code oral, des niveaux différents, appelés "registres". Si l'oral peut être familier (conversation entre amis) ou soutenu (exposé), l'écrit peut l'être aussi dans certains cas (lettre familière, lettre d'affaires ou note de service). Il ne s'agit pas de s'aligner nécessairement sur un modèle unique, les canons du "bon français". Il existe des **variétés linguistiques** qu'il importe de connaître pour communiquer: les maîtriser,

c'est posséder plusieurs façons de s'exprimer. Dans tous les cas, cependant, il est important qu'une certaine **cohérence** lexicale (niveau du vocabulaire) et syntaxique (niveau de l'articulation des phrases) soit maintenue pour assurer la viabilité du message.

2. Chaque type de discours utilisé a ses stratégies propres:

— Pour le discours informatif, ce sont les stratégies d'explicitation: la dénotation, la caractérisation, l'explicitation de termes (définitions, périphrases explicatives ou simples synonymes, tableaux, graphiques, schémas).

— Pour le discours argumentatif, ce sont les procédés linguistiques de la persuasion, de la suggestion et de la conviction.

— Pour le discours narratif, c'est la connaissance des modes et des temps du récit, des procédés de caractérisation, etc.

Cette liste n'est évidemment pas exhaustive. Elle sera complétée à l'occasion de l'étude de chacun de ces types de discours. Précisons toutefois qu'il serait plus juste de parler de stratégies dominantes plutôt que de stratégies propres, car la plupart des procédés énumérés ci-dessus, comme l'explicitation relative au discours informatif, peuvent être utilisés dans beaucoup d'autres formes de discours.

# LE FEED-BACK (OU RÉTROACTION) EST-IL PRÉVU?

On distingue deux sortes de feed-back: immédiat et différé.

Le **feed-back immédiat** est celui que je reçois quand je lis ou fais lire mon texte par un lecteur immédiatement après l'avoir écrit. Ce type de feed-back peut venir:

a) **du sujet lui-même**: ce dernier relit son texte pour voir s'il y a adéquation entre l'intention et la formulation de son message. Il en profite pour effectuer des corrections sur le matériau linguistique: changer un mot, refaire une phrase, corriger les fautes d'orthographe.

b) **d'une autre personne**: faire lire son texte par une autre personne s'avère une pratique très utile qui permet de voir immédiatement si le message est bon, clair et efficace.

Le **feed-back différé** est celui que je reçois plus tard, par exemple, après avoir écrit une lettre d'opinion, une note de service, ou encore lorsque, après avoir écrit un roman, je reçois verbalement ou par écrit des commentaires ou des critiques de la part de lecteurs.

Dans le cas où le scripteur fait lire son message par un ou plusieurs lecteurs pour connaître leur opinion, le feed-back exige évidemment de sa part certaines qualités comme la souplesse, la flexibilité et la capacité de modifier son message pour changer ce qui doit être changé. Si par orgueil, entêtement, ignorance ou paresse, le scripteur refuse de corriger son message, la recherche du feed-back devient inutile.

## EST-CE QUE J'UTILISE LES MOYENS PARA-LINGUISTIQUES?

Les moyens para-linguistiques sont des moyens extérieurs à la langue qui peuvent influencer la transmission d'un message écrit. Mentionnons-en quelques-uns: le souligné, les titres frappants, la couleur, les tableaux et graphiques, le type de caractère (à la dactylographie), l'illustration, l'espacement des caractères et des lignes. Bref, tout ce qui a trait à la présentation matérielle. Tous ces moyens jouent un rôle non négligeable dans la bonne compréhension d'un message.

En portant un regard d'ensemble sur les questions à se poser quand on écrit, on constate que certaines relèvent de **l'acte général de communication**, d'autres de **la dynamique** ou de **la situation de communication**, dont plusieurs éléments échappent en partie à l'emprise de la linguistique comme l'intention (démontrer, convaincre, expliquer, divertir, etc.), les rapports que les interlocuteurs (scripteur/lecteur) entretiennent entre eux, les connaissances explicites ou implicites qu'ils ont du référent. Tous ces éléments sont souvent difficiles à cerner, mais ils sont garants d'une communication complète et efficace.

Il existe d'autres modèles de questions permettant d'atteindre ces résultats. Le modèle de Lasswell, que nous présentons ci-après, constitue un exemple simplifié de questionnement axé sur les éléments essentiels de la communication.

## LA TECHNIQUE DES CINQ W DE LASSWELL

Dans sa théorie sur le processus de communication, Lasswell a élaboré une question-programme comprenant cinq **W** que l'on peut fort bien appliquer à l'écrit [5]:

| WHO says | QUI dit | (Émetteur) |
| WHAT through | QUOI | (Message) |
| WHAT CHANNELS to | par QUELS CANAUX | (Medium) |

5. H. D. LASSWELL, "The Structure and Function of Communication in Society", in L. BRYSON: *The Communication of Ideas*, New York, Harper and Row, 1948, p. 37-51.

| | | |
|---|---|---|
| WHOM with | à QUI | (Récepteur) |
| WHAT EFFECT? | avec QUEL EFFET? | (Efficacité) |

Cette question-programme de Lasswell a été reformulée et complétée par Richard Braddock [6]:

| | |
|---|---|
| WHO says | QUI DIT |
| WHAT to | QUOI |
| WHOM under | à QUI |
| WHAT CIRCUMSTANCES through | dans QUELLES CIRCONSTANCES |
| WHAT MEDIUM for | par QUEL CANAL |
| WHAT PURPOSE with | dans QUEL BUT |
| WHAT EFFECT? | et avec QUEL EFFET? |

Élaboré en 1948, donc avant celui de Jakobson (1960), ce modèle s'inspire de la formule ancienne du philosophe grec Aristote (384-322 av. J.-C.) et du rhéteur latin Quintilien (Ier siècle av. J.-C.) qui s'occupaient de la formation des orateurs de leur temps (émetteurs): **Quis, Quid, Quibus auxiliis, Cur, Quomodo, Quando**? Ce modèle vaut pour autant que, derrière ces questions, se profilent les éléments du processus de communication écrite dont nous avons parlé dans le modèle précédent.

# C. L'ORTHOGRAPHE DANS LE SAVOIR-ÉCRIRE

Revenons ici sur un aspect du code précédemment évoqué: l'orthographe. Autrefois, dans l'apprentissage de la langue maternelle, on accordait souvent la priorité à cette discipline, au détriment des autres aspects de l'écrit. Pour bien comprendre la place de l'orthographe dans l'apprentissage de la langue, il faut la placer dans le contexte de la communication, dont elle est un des éléments. Illustrons d'abord notre pensée par un exemple emprunté à l'oral.

---

6. Voir R. BRADDOCK, "An Extension of the Lasswell Formula", in *Journal of Communication*, 1958, n° 8, p. 88-93.

Supposez qu'un conférencier, en parlant à une salle, escamote des mots, fasse de mauvaises liaisons, prononce mal certains sons. Que se passe-t-il? Les auditeurs perçoivent difficilement le message, n'en saisissent que des bribes ou ne le comprennent pas du tout. Il en va de même de l'écrit. Les fautes d'orthographe sont une source importante d'**interférence**, une cause de **distorsion** du message, tout comme à l'oral une mauvaise prononciation ou à l'écrit une graphie illisible, une ponctuation incorrecte. Le contact se fait mal, le lecteur achoppe, et tout cela au détriment du message. Que penser alors de certains textes d'étudiants qui sont des tissus de fautes d'orthographe?

Beaucoup allèguent la difficulté de l'orthographe française pour légitimer les fautes. D'autres attendent nostalgiquement le jour où l'orthographe sera simplifiée. En réalité, ils ont tort. D'abord parce que la difficulté orthographique n'est pas une raison valable: on apprend dans d'autres domaines des notions, des règles qui sont parfois beaucoup plus difficiles que celles de l'orthographe. En second lieu, des millions de personnes écrivent sans faute dans le monde. Pourquoi pas vous? Finalement, il faut admettre qu'il y a des langues et dialectes qui sont encore beaucoup plus difficiles à maîtriser que le français.

Pour voir un peu plus clair dans ce domaine, il vaudrait peut-être mieux analyser l'attitude ou le comportement de quelqu'un qui tient compte de l'aspect orthographique dans son message.

## QUEL EST LE COMPORTEMENT ORTHOGRAPHIQUE D'UN SCRIPTEUR?

Quand j'écris un message, je peux adopter quatre types de comportement orthographiques [7]: les automatismes, le raisonnement, le recours à des agents extérieurs et l'analogie. Ces comportements valent pour l'orthographe d'usage et grammaticale.

### a) Le recours aux automatismes

L'automatisme engendré par la répétition et l'habitude est le comportement le plus important à acquérir, car c'est lui qui rend véritablement habile en orthographe.

Les automatismes sont le fruit de règles tellement assimilées qu'elles deviennent des réflexes. Si j'écris "les hommes", je mettrai probablement le

---

7. Gille Primeau a déjà dégagé les mêmes comportements orthographiques dans *Québec français*, déc. 1977, p. 37 et suivantes.

pluriel sans y penser. Il en serait de même en orthographe d'usage dans les cas de redoublement de consonnes, de finales de mots, etc.

En psychologie d'apprentissage, on admet que l'âge idéal pour l'acquisition des automatismes se situe entre cinq ans et la puberté. Les acquisitions orthographiques faites à cette période ont de fortes chances de demeurer. Il ne faut pas conclure cependant qu'après cet âge on ne peut rien apprendre. Loin de là!

### b) **Le recours au raisonnement**

Le recours au raisonnement fait intervenir la réflexion plus ou moins prolongée devant un fait de grammaire ou d'orthographe. Si j'écris le membre de phrase "les hommes que j'ai vus travailler", il est possible que je m'arrête quelques instants pour raisonner deux cas: 1) celui du participe: je devrai chercher le complément direct avec lequel s'accorde le participe passé employé avec "avoir"; 2) celui du verbe "travailler": ici j'hésiterai probablement entre les deux finales possibles "é" ou "er", pour choisir, si je connais la règle, l'infinitif. Précisons qu'un grand nombre de cas en orthographe ne se raisonnent tout simplement pas: c'est l'usage qui commande et il n'est pas toujours logique, croyez-moi!

### c) **Le recours aux agents extérieurs**

Pour résoudre certains cas d'orthographe difficiles et peu fréquents, je n'aurai parfois d'autre choix que de recourir à des agents extérieurs: dictionnaires, grammaires, ouvrages sur l'orthographe, personnes ressources. D'où la nécessité de posséder ce qu'on peut appeler les **outils numéro 1** pour écrire sans faute: le dictionnaire et la grammaire. En phase d'apprentissage, et même après, il faut s'efforcer de développer le "réflexe" de recours à ces instruments chaque fois qu'on hésite ou qu'on a un doute. Après quelques démarches, la règle finit par s'imposer.

### d) **Le recours à l'analogie**

Le recours à l'analogie peut aider à résoudre plusieurs cas d'orthographe. Si je bute devant le mot "cybernétique" que je n'ai jamais vu, je présumerai, puisqu'il s'agit d'un mot savant, qu'il commencera par "cy" et non "ci" (même si tous les mots savants ne prennent pas nécessairement un "y"). Dans des cas semblables, on choisit souvent par analogie la règle convenable.

Sur les quatre types de comportement que nous venons de décrire, deux remarques s'imposent: il faut développer le plus d'automatismes possible de façon à ne pas entraver inutilement le processus d'écriture. C'est un fait que beaucoup de personnes n'aiment pas écrire parce qu'elles font des fautes. D'autre part, il faut comprendre que toute l'orthographe ne peut être maîtrisée complètement. Il restera toujours des points obscurs, des zones grises. L'important, c'est d'en arriver à résoudre au moins les cas qui ont une grande incidence dans la pratique de l'écrit. Pour les autres, munissez-vous, comme nous l'avons dit, d'un bon dictionnaire et d'une bonne grammaire.

## UTILISEZ VOS FACULTÉS ORTHOGRAPHIQUES

Vous l'ignoriez peut-être, mais il existe trois facultés orthographiques qui peuvent accomplir en ce domaine des miracles: ce sont la mémoire, l'attention et la volonté.

La **mémoire** fait enregistrer les règles d'orthographe, de sorte que l'on ne recommence pas à se poser éternellement les mêmes questions. Après avoir été appliquées une ou deux fois, ces règles se fixent dans la mémoire. La seconde faculté, c'est l'**attention**. On convient qu'à peu près 89 p. 100 des fautes d'orthographe sont dues au manque d'attention. Il y a enfin la **volonté d'écrire sans faute**. Ceux qui ne veulent pas vraiment éliminer les fautes, ceux pour qui l'orthographe ne représente pas une valeur ne sauront jamais écrire... sans faute.

## SAVOIR SE RELIRE

Il n'y a pas que le manque de connaissances en orthographe qui fait commettre des fautes. Il y a aussi la nervosité, la fatigue, l'attention accordée prioritairement au contenu du message en phase d'écriture. Voilà pourquoi un travail de lecture et de relecture de son texte s'impose, une fois qu'il est écrit.

La première lecture peut porter sur les accents et la ponctuation.

La deuxième, sur la façon dont vous avez écrit chacun des mots et sur les accords.

Mais alors attention! Vous devez vous préoccuper des lettres alignées dans chaque mot et ne pas vous laisser prendre par le sujet ou l'histoire. Autrement, vous ne verriez pas les fautes.

Par-dessus tout, **sachez douter de vous**. N'hésitez pas, chaque fois que c'est nécessaire ou que vous avez un doute, à recourir au dictionnaire, à la grammaire ou à un bon ouvrage sur l'orthographe. Il en existe plusieurs.

Au besoin, faites faire une dernière lecture par une tierce personne. Malgré toutes ces précautions, vous serez étonné de constater que des fautes se soient encore dissimulées.

# D. RAPPORTS ENTRE L'ORAL ET L'ÉCRIT

## L'ORAL ET L'ÉCRIT: DEUX CODES DIFFÉRENTS

Le langage a d'abord été un système de communication orale. À ce titre, l'écriture est une manifestation dérivée ou secondaire du langage. On est donc tenté de penser, à la suite de Saussure, que l'écrit n'est que la représentation graphique de la langue parlée[8]. S'il est vrai de dire que l'écrit rend matériellement visible un énoncé oral (la parole), les deux codes n'accusent pas moins des différences essentielles: "On parle dans sa propre langue, on écrit dans une langue étrangère", écrit Sartre dans *Les Mots*. C'est un fait, on n'écrit pas comme on parle. Oralement, on s'adresse à un ou plusieurs interlocuteurs qui peuvent répondre sur-le-champ, ce qui permet d'ajuster constamment son message. Par écrit, on ne peut régler son message sur les réactions du récepteur, du moins sur ses réactions immédiates. On peut toujours se faire une certaine idée ou image de son destinataire. Ce dernier demeure cependant **éloigné**.

Les différences entre l'oral et l'écrit sont encore plus marquées sur le plan linguistique. Cela est dû au fait que l'écrit n'a pas suivi la même évolution que la langue parlée. Même s'il existe des rapports réciproques entre les deux formes, on est aujourd'hui en présence de deux langues possédant une syntaxe, une morphologie et une rhétorique souvent fort différentes. Le jeu syntaxique, par exemple, de la forme écrite est beaucoup plus complexe que celui de la forme parlée. Dans la langue parlée, l'affectivité précède souvent la pensée qui ne prend pas toujours le temps d'organiser la phrase. Elle admet des mots isolés, des raccourcis qui sont efficacement complétés par le ton utilisé. Elle fait aussi fréquemment usage de la répétition ou de la redondance et laisse beaucoup de place à l'implicite. La langue orale, au plan métalinguistique, s'accommode de gestes, d'attitudes corporelles, de mimiques; à cela s'ajoutent des éléments prosodiques: timbre, intensité du son, intonation, pause, accent.

---

8. Ferdinand de SAUSSURE, *Cours de linguistique générale*, Paris, Payot, 1960, p. 45.

La langue écrite, qui doit être explicite, exige des précisions, un contexte. Elle tend à l'explicitation maximale de tous les traits situationnels utiles à la compréhension du sens. Les mots doivent apparaître selon une séquence qui répond aux lois de la logique (du connu à l'inconnu) et de la syntaxe. Ils sont, en outre, soumis aux règles rigoureuses de l'orthographe.

## ÉCRIRE, C'EST QUELQUEFOIS PARLER

L'oral exerce, dans plusieurs cas, une influence directe sur l'écrit. Beaucoup de textes "populaires" que l'on retrouve dans les revues (*v.g. Châtelaine*) utilisent les ressources de la langue parlée: expressions spontanées, structures syntaxiques simplifiées, ellipses, termes populaires ou tirés de l'argot, etc. Ce genre de texte écrit/parlé est plus vivant, donne l'impression d'établir un dialogue avec le lecteur: il est essentiellement ouvert, flexible et dynamique. On pourrait dire, selon la belle formule de Claude Renard, que "c'est une façon de parler sans être interrompu".

Il y a aussi le cas du **dialogue écrit**, qui n'est en quelque sorte que la transposition scripturale de la langue parlée. Mentionnons le cas des revues qui reproduisent fréquemment sous forme d'articles les interviews réalisées avec des personnalités. Le dialogue écrit se retrouve évidemment dans les romans, les contes, les nouvelles, les pièces de théâtre, qui en font un large usage. Maints artifices sont alors mis en oeuvre pour traduire les intonations, les variations d'intensité, les changements de rythme, les gestes, les expressions, les mimiques, permettant ainsi de rendre l'émotion.

Dans toutes les formes d'écrits empruntant à l'oral, la difficulté reste toujours de rendre les traits "kinésiques" tels que les attitudes, les gestes, les mouvements, en fait, tous les éléments extra-linguistiques. L'un des aspects de l'apprentissage de l'écrit pourrait justement résider dans l'acquisition et la maîtrise des moyens linguistiques propres à traduire les traits situationnels qui accompagnent l'acte de communication. Ces traits sont éminemment utiles à la compréhension du sens par le lecteur absent.

## QUAND L'ÉCRIT SERT DE SUPPORT À L'ORAL

Il faudrait souligner, inversement, les très nombreux cas où l'écrit sert de support à l'oral. Tel politicien, tel président de compagnie fait souvent écrire ou écrit lui-même son discours, son exposé ou la conférence de presse qu'il donnera. Cette façon de procéder donne plus d'assurance, en même temps qu'elle permet d'éviter les écarts de langage, les mots équivoques susceptibles d'être mal interprétés par le public.

Cela ne veut pas dire qu'on ne doit jamais improviser. Il y a certes des moments où les discours spontanés sont meilleurs, plus adaptés à l'auditoire que les discours préparés. Mais dans bien des cas, cela ne peut remplacer un bon texte préparé par écrit, qui a subi le recul du temps, et qui a même reçu un premier feed-back parce qu'il a été lu au préalable par quelques lecteurs cibles.

Dans l'exposé oral, on a avantage à écrire le texte de base, au moins le schéma. Cela donne plus de sécurité, plus d'assurance et permet également d'éviter les omissions d'idées importantes. La préparation du texte oral à l'écrit vaut aussi pour nombre d'interventions en public, surtout lorsqu'on a le trac. Il est bon alors de prévoir quelques questions éventuelles de l'assistance et y répondre par écrit, de façon à ne pas être pris au dépourvu. Ce n'est pas se minimiser que de se préparer ainsi. L'habileté à improviser viendra de l'habitude et de l'expérience.

## LE PRESTIGE DE L'ÉCRIT

Même si l'oral demeure le medium le plus utilisé dans la vie quotidienne et professionnelle, l'écrit jouit d'un prestige incontestable. Sa force vient précisément de son caractère de permanence. Henri Lefebvre l'a bien montré: "La parole se déroule dans le temps. Les Grecs la disaient ailée. Rien de plus évanescent que ce phénomène temporel. À peine prononcée, la parole meurt. À peine énoncée, la pensée disparaît, si elle n'est pas reprise par une autre pensée ou par une mémoire. Et cependant ce phénomène évanescent, cet événement pur vient s'inscrire spatialement dans l'écriture[9]."

Du côté du scripteur, la phrase écrite, moins fugitive, se prête à une plus grande densité, à plus de nuance et à une plus grande perfection sur le plan formel: on a davantage le temps de la corriger, de la clarifier et de réfléchir sur son contenu. Mais encore faut-il savoir comment le faire. Combien de fois a-t-on démissionné parce que l'on ne sait pas comment élaborer et travailler une phrase ou un paragraphe?

Pour conclure, disons que celui qui sait écrire possède une supériorité incontestable sur celui qui en est incapable. Il est beaucoup plus libre. Il dispose, en tout cas, d'un outil pour s'exprimer, informer, faire valoir ses droits, traduire son imaginaire. Ceux qui savent écrire sont recherchés dans la société. Ils exercent un pouvoir de fascination certain: ce sont des **magiciens du verbe**.

---

9. Henri LEFEBVRE, *Le langage et la société*, Paris, Gallimard, coll. "Idées", 1966, p. 46.

# 2

# SAVOIR ÉCRIRE UNE PHRASE

> **La phrase, création infinie, variété sans limite, est la vie même du langage en action.**
>
> Émile BENVENISTE

> **La construction des phrases est le secret de l'art d'écrire.**
>
> Antoine ALBALAT

La phrase, selon Émile Benveniste, c'est "la vie même du langage en action [1]". En effet, pour s'exprimer ou communiquer, les idées doivent être traduites en mots ou en phrases. Ceux-ci sont ensuite décodés par un récepteur qui les mémorise ou les conserve pour s'en servir selon les besoins de la communication. Le processus est illustré dans le schéma suivant:

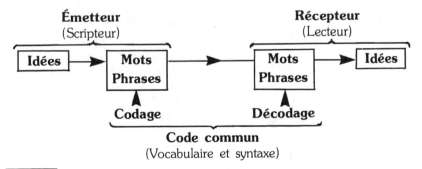

**Émetteur** (Scripteur)     **Récepteur** (Lecteur)

Idées → Mots Phrases → Mots Phrases → Idées

Codage     Décodage

**Code commun** (Vocabulaire et syntaxe)

---

1. Émile BENVENISTE, *Problèmes de linguistique générale*, Bibliothèque des sciences humaines, Paris, Gallimard, 1960, p. 130.

À la limite, je peux utiliser uniquement des mots isolés pour me faire comprendre. Ainsi, en disant à un interlocuteur: "Sortez!", ce dernier saura ce qu'il faut faire. Mais, s'il n'est pas prévenu, il se demandera pourquoi je lui intime cet ordre. Il me faudra alors lui en donner les raisons en élaborant davantage ma pensée. La communication, qu'elle soit orale ou écrite, ne peut se contenter de mots isolés. Il faut les relier les uns aux autres dans une suite ordonnée que l'on appelle **phrase**.

L'organisation d'une phrase obéit à deux critères: l'un est d'ordre logique (le sens), l'autre grammatical (l'agencement des mots). Pour que la phrase soit acceptable du point de vue de la communication, le rapport **sens/grammaticalité** doit être respecté. C'est ce rapport qui permet la compréhension du message véhiculé dans la phrase.

Une phrase est **grammaticale** si elle est construite selon les règles d'agencement des mots de la langue. Dans le cas contraire, on obtient une phrase **non grammaticale**. Pour s'en convaincre, examinons les deux phrases suivantes:

**(1) Pierre travaille dans la cour.**

**(2) Travaille cour la dans Pierre.**

La phrase (2) est agrammaticale parce que les mots ne suivent pas les règles d'agencement propres à la langue française. Voici trois autres phrases:

**(3) La terre est bleue comme une orange (Éluard).**

**(4) Après avoir tué son chien, il l'enterra vivant.**

**(5) Des idées vertes sans couleur dorment furieusement en silence (Chomsky).**

Ces phrases, pour être parfaitement correctes sur le plan grammatical, n'en sont pas moins dépourvues de sens, du moins si l'on réfère aux schèmes habituels de pensée. Une phrase grammaticale, en principe, n'a donc pas besoin d'avoir nécessairement du sens. Voilà pourquoi certains linguistes tendent à écarter toute notion de psychologie, de contenu, de sens dans la définition qu'ils donnent de la grammaticalité. Mais si l'on se place dans la perspective de la communication, on ne peut nier les liens indéfectibles qui existent entre la forme de la phrase et son sens; entre sa structure et les fins du discours ou les intentions de la communication.

# A. QU'EST-CE QUE LA PHRASE?

## DÉFINITION DE LA PHRASE

La phrase, comme le mot, est une réalité complexe. Georges Mounin en dénombre pas moins de deux cents définitions (*Clefs pour la linguistique*). C'est peut-être pour cette raison que la grammaire moderne, plutôt que de la définir, préfère dire ce que c'est que "faire des phrases" ou donner la liste des traits qu'on y retrouve. Notre intention ici n'est pas d'entrer dans les distinctions subtiles. Nous nous arrêterons à quelques définitions seulement.

### 1re définition:

**En grammaire traditionnelle, la phrase est un assemblage de mots formant un sens complet qui se distingue de la proposition en ce que la phrase peut contenir plusieurs propositions (phrase composée et complexe).**

*Dictionnaire de linguistique*, Larousse

### 2e définition:

**La phrase est un assemblage logiquement et grammaticalement organisé en vue d'exprimer un sens complet: elle est la véritable unité linguistique.**

Maurice GREVISSE, *Le bon usage*

**La phrase simple a *un seul verbe*; elle forme, dans le langage, l'élément le plus simple exprimant un sens complet: cet élément du langage est appelé proposition.**

Maurice GREVISSE, *Précis de grammaire française*

### 3e définition:

À la question "qu'est-ce qu'une phrase?", un groupe de quatre linguistes donne la définition suivante:

**Elle répond à des critères de *sens* ([Elle] est apte à représenter pour l'auditeur l'énoncé complet d'une idée conçue par le sujet parlant [Marouzeau]) et à des critères de forme: elle se termine par une ponctuation forte, généralement un point, et répond à une intonation déterminée[2].**

---

2. Jean-Claude CHEVALIER, Claire BLANCHE-BENVENISTE, Michel ARRIVÉ et Jean PETTARD, *Grammaire Larousse du français contemporain*, Paris, Larousse, 1964, p. 9.

## 4ᵉ définition:

La plupart des grammaires structurales définissent la phrase comme un énoncé composé d'un groupe sujet (GS) et d'un groupe verbal (GV).

Pour que toutes les conditions évoquées dans les définitions précédentes se retrouvent dans la phrase, celle-ci doit répondre aux critères suivants:

- elle doit avoir du sens;
- elle doit comporter l'énoncé complet d'une idée;
- elle doit contenir un sujet, un verbe et un prédicat (ce qu'on a à dire du sujet);
- elle doit avoir une structure complète (si je dis: "Parce qu'il est absent", la structure n'est pas complète; il n'y a donc pas de phrase);
- elle doit avoir au moins un verbe à mode personnel (c'est-à-dire qui se conjugue avec une personne); on élimine de ce fait les participes et les infinitifs;
- elle doit se terminer par une ponctuation forte (le point, le point-virgule, les deux-points, le point d'exclamation lorsqu'il a valeur de point).

À l'oral, la phrase est marquée par l'intonation qui est la prononciation d'une ponctuation forte, généralement un point.

A priori, ces critères semblent faciliter grandement le découpage de la phrase. Dans la pratique, cependant, l'opération n'est pas aussi facile. On se heurte aux problèmes suivants: Qu'est-ce que le sens? Dans quelle mesure y a-t-il énoncé complet d'une idée? Un même contenu ne peut-il pas s'exprimer en une phrase (Pendant que je travaille, les enfants s'amusent.) ou deux (Je travaille. Les enfants s'amusent.)? Et qu'advient-il lorsque le verbe n'est pas exprimé? D'autre part, si l'on réduit la phrase à une suite de mots terminée par un point, on n'est pas du tout satisfait. Essayons d'appliquer les critères de définition de la phrase aux trois exemples suivants.

## Exemple 1

**Mon premier fils est né. Une maladie de trente-six heures. Il a fallu mettre les fers. Antoine a disparu. On l'a retrouvé ivre mort, le quatrième jour. Couché, recroquevillé, grelottant de froid et de fièvre. Sur le sable mouillé. Dans les joncs. Au bord du fleuve.**

Anne HÉBERT, *Kamouraska*

46

Dans cet exemple, repérez les phrases qui n'apparaissent pas complètes et dites quels sont les éléments du discours qui manquent. Ne cédez pas à la tentation de dire qu'il y a des sous-entendus dans ce type de phrase; cette explication ne tient pas compte de la phrase telle qu'elle est composée.

## Exemple 2

Dans l'exemple qui suit, la phrase est tellement perturbée que l'on devrait plutôt parler d'"antiphrase". En effet, si l'on se base sur la ponctuation forte, il devient difficile de découper le texte en phrases puisque le point d'exclamation est affaibli du fait qu'il devient l'équivalent de la virgule, ce qui permet difficilement de déterminer le sens de la phrase.

> **J'étais en pleine digression! loin de mon sujet!... mon Colonel perdait le fil... vite à mon histoire! mon histoire!... ma propre histoire!... les dons que j'avais reçus, moi, du Ciel!... pourtant sur tous les tons j'avais insisté!... basta, qu'il se souvienne! que c'était moi le vrai seul génie! le seul écrivain du siècle! la preuve: qu'on parlait jamais de moi!... que tous les autres étaient jaloux! Nobel, pas Nobel, qu'ils avaient tous essayé de me faire fusiller!... et que je les emmerdais d'autant!... à mort! puisque c'était question de mort entre moi et eux!... que je leur ferai sauter leurs lecteurs! tous leurs lecteurs! que je les ferai se dégoûter de leurs livres! cabales, pas cabales! qu'il y avait pas de place pour deux styles!... c'était: le mien ou le leur!... le CRAWL ou la brasse!... vous pensez!... le seul inventeur du siècle! moi! moi! moi là, devant lui! le seul génial, qu'on pouvait dire! maudit pas maudit!...**

Louis-Ferdinand CÉLINE, *Entretiens avec le professeur Y*

## Exemple 3

L'exemple suivant a été choisi parce qu'il contient une phrase exceptionnellement longue. N'y a-t-il pas plusieurs idées dans ce texte, donc plusieurs phrases?

> **Et comme dans ce jeu où les Japonais s'amusent à tremper dans un bol de porcelaine rempli d'eau, de petits morceaux de papier jusque-là indistincts qui, à peine y sont-ils plongés, s'étirent, se contournent, se colorent, se différencient, deviennent des fleurs, des maisons, des personnages consistants et reconnaissables, de même maintenant toutes les fleurs de notre jardin et celles du parc de M. Swann, et les nymphéas de la**

**Vivonne, et les bonnes gens du village et leurs petits logis et l'église et tout Combray et ses environs, tout cela qui prend forme et solidité, est sorti, ville et jardins, de ma tasse de thé.**
Marcel PROUST, *Du côté de chez Swann*

Dans les exemples que nous avons choisis, il faut bien admettre qu'il s'agit de cas limites. Dans la pratique, les phrases que nous avons à élaborer pour écrire une lettre, un rapport, un compte rendu, une dissertation ou un essai ont avantage à n'être ni trop longues ni trop brèves. L'idéal est sans aucun doute la phrase moyenne. Elle est le mode d'expression et de communication le mieux adapté aux exigences de la pensée moderne.

# EXERCICES SUR LA PHRASE [3]

Le but des exercices suivants est de faire prendre conscience de la réalité linguistique de la phrase.

## Exercice 1

Découpez le texte suivant en phrases. À cette fin, basez-vous sur les unités de sens et séparez-les par une ponctuation forte en rétablissant les majuscules.

**Ça se faisait dans la nuit on ne pouvait pas le voir mais on l'entendait c'était un fracas d'enfer les blocs de glace se heurtaient, se rongeaient mutuellement des banquises larges comme le fleuve se mettaient en marche ces radeaux démesurés écrasaient tout sur leur passage mais les blocs de glace qui se trouvaient coincés sous cette carapace s'alliaient et résistaient à la fin, la banquise chevauchait un barrage dur et compact comme les chaussées de pierre qu'on aménage en travers des rivières pour en faire dévier le cours sous la roue des moulins tout s'immobilisait.**
D'après Louis CARON, *Le canard de bois*

## Exercice 2

Même consigne qu'à l'exercice précédent.

**En comprenant ce qu'est la peur, nous pouvons mieux saisir ce qu'est la sécurité affective Henri Wallon a démontré comment la**

---

3. Voir le corrigé des exercices à la fin du chapitre.

peur procède d'une difficulté au plan organique de maintenir l'équilibre sous l'effet de la peur, l'individu perd appui, devient maladroit, incoordonné, pris de vertige et de tremblements cette description dit bien ce qu'est l'incertitude, ce qu'est l'impossibilité de réagir d'une manière linéaire, c'est-à-dire adroitement la respiration se trouble, l'activité s'interrompt, l'esprit s'avère incapable de se fixer et d'adopter une attitude définie.

D'après Denis PELLETIER, *L'arc-en-soi*

## Exercice 3

Le texte suivant est tiré d'un roman de Victor-Lévy Beaulieu. Il est constitué d'une seule phrase et ne comporte que des virgules. Découpez-le en phrases comportant l'énoncé complet d'une idée et mettez la ponctuation forte (point, point-virgule ou deux-points) là où elle pourrait figurer.

ils riaient tous de moi parce que je faisais entrer mon Goulatromba dans ma maison, j'avais beau leur dire qu'il s'agissait de mon cheval et de ma maison il n'y avait rien à faire je passais pour être un fou même si je ne vois toujours pas pourquoi les gens me moquaient parce que j'hébergeais chez mon cheval, il me semble que c'est normal, les gens n'ont aucune question à me poser là-dessus, ça ne les regarde pas, même mon Annabelle a pris leur parti après m'avoir pourtant juré que j'étais le maître et qu'elle ne s'immiscerait jamais dans ma vie, qu'elle me laisserait libre d'accueillir qui je voudrais dans la maison du moment que je ne lui enlèverais pas sa chambre, celle du fond qu'elle a curieusement tapissée d'oiseaux bleus et décorée de grands rideaux de velours, je n'aurais pas dû me fier à Annabelle même si elle était la seule femme en qui j'avais confiance, je me disais, "tu la connais depuis si longtemps qu'elle n'osera jamais rien faire contre toi" (...)

Victor-Lévy Beaulieu, *La nuitte de Malcomm Hudd*

## Exercice 4

Ramenez les longues phrases de la description suivante à des phrases plus simples ou plus courtes. Procédez de la façon suivante: 1) repérez, en les soulignant, les verbes à mode personnel et les participes présents; 2) faites, à partir de chacun de ces verbes, des phrases comportant l'énoncé complet d'une idée accompagné d'une ponctuation forte. Vous pouvez ajouter des mots-liens, mais modifiez le moins possible l'énoncé.

## UN SOUTERRAIN

Une foule clairsemée de gens pressés, marchant tous à la même vitesse, longe un couloir dépourvu de passages transversaux, limité d'un bout comme de l'autre par un coude, obtus, mais qui masque entièrement les issues terminales, et dont les murs sont garnis, à droite comme à gauche, par des affiches publicitaires toutes identiques se succédant à intervalles égaux. Elles représentent une tête de femme, presque aussi haute à elle seule qu'une des personnes de taille ordinaire qui défilent devant elle, d'un pas rapide, sans détourner le regard.

Cette figure géante, aux cheveux blonds bouclés, aux yeux encadrés de cils très longs, aux lèvres rouges, aux dents blanches, se présente de trois quarts, et sourit en regardant les passants qui se hâtent et la dépassent l'un après l'autre, tandis qu'à côté d'elle, sur la gauche, une bouteille de boisson gazeuse, inclinée à quarante-cinq degrés, tourne son goulot vers la bouche entrouverte. La légende est inscrite en écriture cursive, sur deux lignes: le mot "encore" placé au-dessus de la bouteille, et les deux mots "plus pure" au-dessous, tout en bas de l'affiche, sur une oblique légèrement montante par rapport au bord horizontal de celle-ci.

Alain ROBBE-GRILLET, *Dans les couloirs du métropolitain*

# LES SORTES DE PHRASES

On distingue deux types de phrases: la **phrase simple** et la **phrase complexe**. Celles-ci constituent le point de départ de l'expression et de la communication parce qu'elles sont composées d'énoncés complets qui entrent directement dans l'élaboration d'un paragraphe ou d'un texte. Elles jouent en outre, sur le plan stylistique, un rôle important. Car c'est l'alternance plus ou moins régulière de ces deux types de phrases qui crée le rythme et permet d'éviter la monotonie.

# LA PHRASE SIMPLE

Pour comprendre la phrase simple, partons des exemples suivants:

(1) **Sortez! Restez!**
(2) **Où aller?**
(3) **Pierre!**
(4) **Vraiment!**

**(5)** **Un individu à l'allure louche se détacha promptement du groupe de visiteurs présents à la fête préparée en l'honneur de monsieur le maire.**

Les exemples que nous venons de donner permettent de considérer la phrase simple comme un ensemble de mots plus ou moins élaboré exprimant un sens complet. Cet ensemble est appelé **proposition**[4]. Il ne comporte qu'un verbe à mode personnel ou à l'infinitif. Mais le verbe peut être exprimé ou sous-entendu comme dans les phrases (3) et (4) citées plus haut:

**(3)** *Pierre!* **[s.-ent.: vous êtes là?] (phrase nominale)**

**(4)** **[s.-ent.: vous le pensez]** *Vraiment?* **(phrase adverbiale)**

Ces phrases sont constituées de petits énoncés qui se suffisent à eux-mêmes. Dans ce cas, on parle parfois de **phrase elliptique** (**incomplète** ou **courte**). Cela signifie qu'il manque un élément, généralement le sujet ou le verbe, parfois les deux.

La phrase elliptique correspond en général à une vision de la réalité dans laquelle les idées ou les faits se succèdent rapidement. Elle cherche à frapper le lecteur plutôt qu'à l'intégrer à un cheminement axé sur le raisonnement ou la démonstration logique. Voilà pourquoi elle est utilisée efficacement dans les dialogues, les ordres, les exclamations, les interrogations. L'économie de mots qu'elle représente permet d'éliminer la lourdeur, de présenter rapidement un fait, de faire ressortir une idée, un sentiment ("Rien d'impossible à cela", "Une folie, cette entreprise!" "Très efficace, cet instrument!"), d'évoquer brièvement un décor ("Pas un habitant, pas un chat... Personne!"). La phrase elliptique est utile chaque fois qu'il s'agit de s'exprimer avec spontanéité, vivacité et énergie.

En littérature, la phrase elliptique peut jouer un rôle intéressant, comme en témoigne le passage suivant d'Anne Hébert.

**Lotbinière, Sainte-Croix, Saint-Nicolas, Pointe-Lévis... Depuis combien de jours et de nuits... Me voici livrée au froid de l'hiver, au silence de l'hiver, en même temps que mon amour. Lancée avec lui sur des routes de neige, jusqu'à la fin du monde. Je ne sais plus rien de toi, que ce froid mortel qui te dévore. M'atteint en pleine poitrine. Pénètre sous mes ongles. Les longues nuits immobiles près de la fenêtre. Quelqu'un d'invisible, de fort et de têtu me presse contre la vitre. M'écrase avec des paumes gigantesques. Je suis broyée. J'étouffe et deviens**

---

4. On ne distingue la phrase de la proposition que lorsque la phrase peut comporter plusieurs propositions. Une proposition, c'est ce qui pourrait constituer une phrase, mais se trouve coordonné ou subordonné dans une phrase plus vaste.

**mince comme une algue. Encore un peu de temps et je ne serai plus qu'une fleur de givre parmi les arabesques du froid dessinées sur la vitre. Je veux vivre! Et toi? Dis-moi que tu vis encore? Ta force. Ta résolution inébranlable. Que le poids de notre projet te soit léger. Se change en flamme claire, te protège et te soutienne, tout au long du voyage... Ce n'est qu'une idée fixe à rallumer sans cesse, comme un phare dans la tempête. Notre fureur.**

Anne HÉBERT, *Kamouraska*

On imagine l'anxiété d'Élisabeth d'Aulnières qui suit en imagination le voyage de son amant, le docteur Nelson, s'en allant à Kamouraska pour assassiner son mari Antoine Tassy. Le style se fait, à certains moments, elliptique, syncopé, haletant à l'image même de la respiration du personnage.

## LA PHRASE COMPLEXE

Ce type de phrase représente l'instrument idéal pour traduire les nuances et les subtilités de la pensée. Elle permet d'écrire des phrases très élaborées, aptes à exprimer les idées les plus complexes. Aussi exige-t-elle du scripteur une vision totale de la réalité, une attitude mentale qui prend conscience de l'ensemble des idées, des faits, ainsi que des relations diverses qui les unissent: cause, conséquence, temps, comparaison, hypothèse, etc. Voilà pourquoi la phrase complexe est surtout utilisée dans l'élaboration de textes à caractère scientifique, argumentatif et analytique. Voyons comment elle fonctionne sur le plan syntaxique.

Cette phrase est appelée **complexe**[5] (ou **longue**) parce qu'elle comporte plusieurs propositions. Il y a autant de propositions qu'il y a de verbes à mode personnel ou conjugués. Pour construire des phrases complexes, notre langue a créé un système de mots de relations appelés par certains grammairiens "charnières grammaticales", "mots-outils", "mots de jonction" ou "marqueurs de relation". Ils sont de trois sortes: la conjonction de coordination, la préposition, la conjonction de subordination (à laquelle

---

5. Certains grammairiens, tel Galichet, distinguent trois types de phrase: "(...) l'unité syntaxique apte à exprimer une idée complète, c'est **la proposition** ou **phrase simple**. Le même jeu peut se répéter à l'étage supérieur: à son tour la proposition peut devenir l'un des termes ou une partie d'un des termes d'une unité plus riche qui est **la phrase complexe**. Enfin, il est possible de relier logiquement des propositions simples et des propositions complexes tout en les laissant grammaticalement indépendantes les unes des autres: c'est **la phrase composée**" (*Grammaire structurale du français moderne*, Montréal, HMH, 1973, p. 192).

il faut adjoindre le pronom relatif). Ces mots ont comme rôle d'expliciter les nombreux rapports qui peuvent exister entre les éléments de l'idée exprimée dans une phrase. Mais les conjonctions et les propositions ne sont pas les seuls mots à assurer la coordination et la subordination. Celles-ci peuvent être aussi marquées par d'autres termes comme le nom, par exemple. Nous en parlerons plus loin.

# B. COMMENT RELIER LES PHRASES ENTRE ELLES

## LA COORDINATION

La coordination permet de lier sur les plans syntaxique ou sémantique deux phrases, deux membres de phrase ou des unités qui sont la plupart du temps de même nature et de même fonction. Ce procédé offre beaucoup de possibilités au plan de l'expression. Il possède en outre un avantage marqué: celui d'assurer la cohérence entre les phrases et la pensée.

Dans l'exemple suivant, la coordination permet de relier entre elles deux phrases qui ont en commun d'exprimer différentes activités humaines:

**L'homme travaille. L'enfant joue.**
**L'homme travaille et l'enfant joue.**

La coordination peut également se faire en gardant les deux phrases séparées par un point. Ainsi les phrases:

**Madeleine part tous les matins. Elle doit se rendre à son travail.**

deviennent:

**Madeleine part tous les matins. En effet, elle doit se rendre à son travail.**

Sur le plan strictement grammatical, la coordination est assurée par des conjonctions. Mais si l'on se place dans une perspective stylistique ou rhétorique, on doit élargir le sens de la coordination pour y faire entrer des adverbes, des locutions adverbiales et même des noms, des expressions nominales et verbales qui peuvent aussi remplir ce rôle. En fait, **tout mot de liaison** peut à ce niveau assurer la coordination. Voyez à ce sujet la coordination lexicale (p. 55).

# LES SORTES DE COORDINATION

Il existe plusieurs façons d'exprimer la coordination dans une phrase. Nous ne mentionnerons ici que les principales. Chacune de ces coordinations peut à son tour traduire divers aspects comme la simultanéité, l'égalité, l'exclusivité, la négation, la concession, la manière, etc. Les nuances peuvent varier à l'infini.

## 1. Au niveau de la phrase:

a) **Pour unir deux idées, on peut utiliser la coordination s'exprimant par les formes suivantes:**
— et, avec, puis, comme, encore, aussi, même, ensuite, sans, non, ni, etc.
— ainsi que, aussi bien que, de même que, de plus, bien plus, en plus, au surplus, ni... ni, non plus, non moins que, non plus que, etc.

b) **Pour séparer deux idées, on a:**
— ou, ou bien, ou au contraire, etc.
— soit... soit, soit... ou, soit... ou bien, ou bien... ou bien, soit que... soit que, soit que... ou que, tantôt... tantôt, ni... ni, etc.

c) **Pour opposer deux idées, on a:**
— mais, certes, cependant, toutefois, seulement, quoique, pourtant, néanmoins, etc.
— malgré que, en dépit de, par contre, en revanche, au contraire, bien au contraire, tout au contraire, mais au contraire, d'ailleurs, du reste, au demeurant, au moins, du moins, en tout cas, s'il est vrai que, il se peut que, etc.

d) **Pour exprimer le lien causal, on a:**
car, tant, etc.

e) **La conséquence s'exprime par les formes consécutives suivantes:**
— donc, ainsi, aussi, alors, enfin, partant, conséquemment, etc.
— aussi bien, c'est pourquoi, dans ce cas, par suite, par conséquent, en conséquence, somme toute, tout compte fait, etc.

f) **Pour marquer la comparaison:**
plus... plus, moins... moins, tant... tant, autant... autant, tel(s)... tel(s), telle(s)... telle(s), etc.

## 2. Au niveau du discours:

a) **On peut vouloir marquer l'amorce de ce qu'on veut dire; on a alors les formules introductives:**

commençons par, d'abord, avant tout, le point de départ doit être, en premier lieu, d'une part, la première remarque porte sur, etc.

b) **Pour introduire une explication, un exemple, une illustration, on a:**

à savoir, soit, c'est-à-dire, en effet, par exemple, en d'autres termes, effectivement, examinons le cas de, etc.

c) **Si l'on veut marquer la transition entre deux idées, on utilise la coordination transitive:**

or, donc, etc.

d) **Pour marquer le rappel, on a:**

ainsi, de même, de là, d'où, pour cela, n'en restons pas à ce stade, ce n'est qu'un premier point, etc.

e) **Pour conclure, on a:**

il y a encore, sait-on que, je précise que, reste le fait que, etc.

La coordination peut être **lexicale**, c'est-à-dire assumée par un nom ou une expression nominale. En voici quelques-uns:

| | |
|---|---|
| réaction | effet |
| contrecoup | suite |
| impact | conséquence |
| portée | portée |
| répercussion | retombée |
| séquelle(s) | résultats |
| résultantes | fruit, etc. |

Exemples:

**Ce commerçant consacre beaucoup de temps à son commerce. L'une des premières conséquences est qu'il n'a plus de loisir.**

**J'ai congédié cet employé. La réaction ne se fit pas attendre.**

**Les prêts hypothécaires ont chuté de 2%. Les retombées dans le domaine de la construction ont été excellentes.**

**Ce document sur la vente est bon dans l'ensemble. Pour en connaître la portée, il faudra attendre plusieurs mois.**

**Je vous envoie une partie de l'analyse demandée. La suite vous parviendra d'ici quelques jours.**

Comme on peut le constater, les moyens linguistiques pour coordonner les phrases et les membres de phrases sont nombreux. Voyons-en maintenant les règles.

# LES RÈGLES DE LA COORDINATION

Il y a des cas où la coordination est obligatoire. Par exemple, dans certaines expressions comme "les us et coutumes", "les plans et devis", "cela ne me fait ni chaud ni froid". Dans d'autres cas, la coordination se justifie sur le plan stylistique seulement. Comparez entre elles les expressions suivantes:"Que de tours et de détours!" et "Que de tours, de détours" et "Que de tours! Que de détours!". On utilise encore la coordination pour marquer la liaison ou le rapport entre deux termes, deux membres de phrases, deux phrases ou, sur le plan sémantique, deux idées. Voici les principaux cas de coordination au niveau de la phrase:

1. La coordination entre les propositions d'une même phrase:

> **Je suis resté bouche bée, et je me suis assis.**
> **La terre est ronde, mais elle est aplatie aux pôles.**
> **Je ne suis pas sorti, car il faisait froid.**

2. La coordination de plusieurs propositions subordonnées dépendant d'une même principale:

> **Il me répondit que son offre valait la peine et qu'elle était finale.**
>
> **Quand il arriva et qu'il s'aperçut de son retard, il s'excusa auprès de l'assemblée.**

3. Coordination de plusieurs principales et plusieurs subordonnées:

> **Je crois et je suis persuadé que le travail est nécessaire à la santé et qu'il est un facteur d'équilibre.**

4. Lorsque deux propositions ont des éléments communs, ceux-ci peuvent être effacés. Dans la phrase:

> **Jacques est venu et Nadine est venue avec lui.**

le verbe peut être effacé:

> **Jacques est venu, et Nadine avec lui.**
> **Jacques et Nadine sont venus.**

5. On peut coordonner deux propositions juxtaposées:

> **L'homme travaille. L'enfant joue.**
> **L'homme travaille et l'enfant joue.**

> **Jean aime la lecture. Madeleine aime la lecture.**
> **Jean et Madeleine aiment la lecture.**

**L'écrivain écrit. Pour lui c'est valorisant.**

**L'écrivain écrit, car pour lui c'est valorisant.**

**Cet élève joue. Après il étudie.**

**Cet élève joue, après il étudie.**

Il existe des emplois incorrects de la coordination. Seules la pratique, une bonne connaissance de la langue et l'analyse permettent de détecter et corriger les vices de formes et de structures qui sont fréquents à l'écrit. Néanmoins, voici quelques cas fréquents de mauvaises coordinations:

## 1. L'emploi fautif de "que" pour coordonner:

**Voilà pourquoi vous devez faire attention et qu'il en sera toujours ainsi.**

Dans cet exemple, le second membre de phrase doit obéir à la même structure que le premier, puisqu'il lui est subordonnée. "Que" ne peut donc remplacer "pourquoi". Il faudrait écrire:

**Voilà pourquoi vous devez faire attention et il en sera toujours ainsi.**

Voici un autre exemple de mauvaise coordination avec "que":

**Vous serez récompensé dans la mesure où vous serez présent et que vous donnerez la pleine mesure de votre talent.**

Ici encore, le "que" fausse la structure exigée. Il faudrait écrire:

**Vous serez récompensé dans la mesure où vous serez présent et où vous donnerez la pleine mesure de votre talent.**

## 2. Deux verbes commandant une structure différente:

**Si vous affirmez que vous aimez et même raffolez des voyages, pourquoi n'en faites-vous pas?**

Il faudrait écrire:

**Si vous affirmez que vous aimez les voyages et que vous en raffolez, pourquoi n'en faites-vous pas?**

## 3. La coordination exigeant des verbes de modes différents:

**Aucun ne pense ni souhaite que les activités de cette compagnie seront interrompues.**

"Pense" exige le mode indicatif; "souhaite", le mode subjonctif. Il faut donc écrire:

**Aucun ne pense que les activités de cette compagnie seront interrompues et personne ne souhaite qu'elles le soient.**

4. **Les incohérences syntaxiques ou sémantiques dans la coordination:**

> **La plupart des personnes sont sujettes à ces maux et qui ont beaucoup de stress.**
>
> **Cette remarque m'a rendu bien triste et aussi que cet individu m'ait tenu des propos désobligeants.**
>
> **Elle avait l'air fatiguée et des rides sur le visage.**

Il faudrait écrire:

> **La plupart des personnes qui ont beaucoup de stress sont sujettes à ces maux.**
>
> **Cette remarque et cet individu qui m'a tenu des propos désobligeants m'ont rendu bien triste.**
>
> **Elle avait l'air fatiguée et des rides marquaient son visage.**

# LA JUXTAPOSITION

La juxtaposition peut être considérée comme une variante de la coordination. Il s'agit, en fait, d'une phrase dont on a enlevé les coordonnants. Partons de deux phrases simples qui ont, bien qu'aucun mot ne l'indique, un rapport entre elles:

> **Le travail est nécessaire à la santé.**
> **Un facteur d'équilibre.**

Le lecteur perçoit facilement dans ces deux phrases le rapport de cause entre les deux idées. Dans certains cas cependant, il doit faire un effort, car la relation n'est pas évidente. Nous traiterons davantage de cet aspect quand nous aborderons la parataxe.

# LA SUBORDINATION

La subordination apporte une information supplémentaire dans la phrase. Sur le plan syntaxique, l'information repose sur un rapport de dépendance entre une proposition principale et une proposition subordonnée. Celle-ci peut être introduite par un pronom relatif (qui, que, lequel, laquelle, etc.) ou par une conjonction (que, quand, lorsque, parce que, afin que, etc.), créant ainsi divers types de rapports: le temps, la cause, le but, la conséquence, la concession (ou l'opposition), la condition, la comparaison. Il est relativement facile de trouver dans une grammaire la liste des termes explicitant ces divers rapports.

Exemples:

Deux phrases indépendantes ou juxtaposées peuvent être subordonnées:

**1. par un pronom relatif:**

Je me suis acheté une auto.
Cette auto m'a causé des ennuis. ⎤ Je me suis acheté une auto
⎦ qui m'a causé des ennuis.

**2. par une conjonction, on peut avoir:**

a) une conjonctive:

Je suis persuadé.
Pierre va venir. ⎤ Je suis persuadé que
⎦ Pierre va venir.

b) une circonstancielle:

Il pleut.
L'ouvrier travaille à l'intérieur. ⎤ L'ouvrier travaille à l'in-
⎦ térieur parce qu'il pleut.

On peut rencontrer aussi la phrase comportant plusieurs subordonnées (relative, de temps, de cause, de lieu, etc.), de même que le cas de la subordination de la subordination, c'est-à-dire la dépendance d'une subordonnée à une autre subordonnée. On obtient ainsi des phrases complexes. Exemple:

Je voyais la rivière
qui séparait la plaine
où se trouvaient de nombreuses fermes.

Il y aurait beaucoup à dire concernant l'utilisation des subordonnées, notamment sur les aspects grammatical, syntaxique et stylistique. Nous ne pouvons mieux faire ici que de vous référer à l'excellent ouvrage déjà cité de G. Galichet (*Grammaire française expliquée*, 4ᵉ-3ᵉ, Montréal, HMH, pages 202 et suivantes), qui traite abondamment de ces aspects.

Les trois procédés, coordination, juxtaposition et subordination, jouent un rôle essentiel dans l'organisation d'un paragraphe ou d'un texte. Ce dernier, en effet, peut être défini comme une suite où "chaque phrase prend appui sur l'une au moins des phrases précédentes — de sorte que la compréhension de ce qui suit exige celle de ce qui précède[6]." Les relations qui permettent à différentes phrases de prendre appui les unes sur les autres peuvent être implicites ou explicites. Dans le premier cas, on a la parataxe, dans le second l'hypotaxe. La maîtrise de ces deux procédés s'avère éminemment importante dans l'apprentissage de l'écrit, car ce sont eux qui créent le texte.

___

6. O. DUCROT, cité dans *Linguistique et discours littéraire*, par Jean-Michel ADAM, Paris, Larousse, 1976, p. 197.

# DEUX PROCÉDÉS À MAÎTRISER POUR ÉCRIRE: LA PARATAXE ET L'HYPOTAXE

La façon dont les mots, les propositions et les phrases sont reliés les uns aux autres sur le plan syntaxique est double: les liens peuvent être marqués, c'est l'**hypotaxe**. À l'opposé, se trouve la **parataxe**, dans laquelle la découverte des liens logiques est laissée au lecteur.

## a) Le procédé de la parataxe (ou juxtaposition)

La parataxe, qu'on appelle aussi juxtaposition, est un procédé syntaxique qui consiste à juxtaposer des phrases sans marquer le rapport de dépendance qui les unit (par une préposition, conjonction, verbe copule, etc.). Il y a effacement des actualisateurs. Voici quelques exemples de phrases qui utilisent ce procédé.

### Exemples en littérature

**1. Quand le vent s'arrête tout à fait. Chose rare. Reprend son souffle un instant. Fait le mort. Le soleil s'arrête aussi. Toute vie suspendue. La respiration de l'air devient visible, vibre doucement. J'ai vu ça. Moi, Perceval, fils de John et de Bea Brown. Vu de mes yeux vu. Le jour respirer. La première fois je n'étais pas encore au monde. Vu par le nombril de ma mère comme par une petite fenêtre. La seconde fois c'était hier sur la grève. Un tel silence soudain. Même les mouettes saisies par ce silence incompréhensible. Ce pur souffle de l'air. Sans vent.**

Anne HÉBERT, *Les fous de Bassan*

**2. Tout m'avale. Quand j'ai les yeux fermés, c'est par mon ventre que je suis avalée, c'est dans mon ventre que j'étouffe. Quand j'ai les yeux ouverts, c'est par ce que je vois que je suis avalée, c'est dans le ventre de ce que je vois que je suffoque. Je suis avalée par le fleuve trop grand, par le ciel trop haut, par les fleurs trop fragiles, par les papillons trop craintifs, par le visage trop beau de ma mère. Le visage de ma mère. Le visage de ma mère est beau pour rien. S'il était laid, il serait laid pour rien. Les visages, beaux ou laids, ne servent à rien. On regarde un visage, un papillon, une fleur, et ça nous travaille, puis ça nous irrite. Si on se laisse faire, ça nous désespère. Il ne devrait pas y avoir de visages, de papillons, de fleurs. Que j'aie les yeux ouverts ou fermés, je suis englobée: il n'y a plus assez d'air tout à coup, mon cœur se serre, la peur me saisit.**

Réjean DUCHARME, *L'avalée des avalés*

**3. La nuit parle. La merveille de prophétiser. L'avenir est dans le rêve. Je me laisse déborder par le sens. Les mots viennent de l'envers et remettent tout à l'endroit. À leur entrée en scène, ils provoquent rires et applaudissements. Ils font un tour de piste et repartent, ni vus, ni connus. Ah! la cruauté d'Enée abandonnant Didon à Carthage! Ma liberté diminue, je subis la pression de la profondeur. Les émetteurs internes n'annoncent plus que des catastrophes, tremblements de chair et volcans qui se refroidissent sous le cerveau inepte. Jamais je ne me laisserai de nouveau enfermer dans un travail où ne reste que la forme vide du temps. Interdiction de revenir sur mes pas. Je continue dans le labyrinthe, sachant que je suis ainsi le plus court chemin d'un point à un autre. Le couteau rencontre la poitrine si doucement qu'il la perce seulement après quelques minutes.**

Pierre TURGEON, *La première personne*

Cette pratique discursive, naturelle au langage parlé, est fréquente en littérature moderne. Les liens syntaxiques et sémantiques se font chez le lecteur de façon implicite. La lecture peut devenir plus laborieuse, il est vrai, à certains moments. Mais l'art y trouve son compte, car la parataxe permet d'écrire des textes d'une grande densité et richesse, dans lesquels le lecteur participe, jusqu'à un certain point, au travail même d'écriture.

## Exemples dans le discours informatif

Dans le discours informatif, la parataxe permet plus de souplesse dans l'expression et une plus grande rapidité dans la présentation des idées. Exemples:

— dans l'essai:

**1. Socialisme: police. Occident: crise, récession, inflation, stagnation. Le choix de société entre le marasme et le marxisme. Statut de citoyen de seconde classe: vous avez un accent étranger. Ou vous ne parlez pas le langage préfabriqué, des partis, des médias, de la publicité, des cliques technocratiques. Un grain de sable dans ce désert de quatre milliards de grains de sable. Chacun, secrètement, avec les entrailles pareilles aux miennes. Zéro.**

Pétru DUMITRIU, *Zéro ou le point de départ*

**2. Le magistrat rend la justice; le philosophe apprend au magistrat ce que c'est que le juste et l'injuste. Le militaire défend la patrie. Le philosophe apprend au militaire ce que c'est qu'une**

**patrie. Le prêtre recommande au peuple l'amour et le respect pour les dieux; le philosophe apprend au prêtre ce que c'est que les dieux; le souverain commande à tous; le philosophe apprend au souverain quelle est l'origine et la limite de son autorité. Chaque homme a des devoirs à remplir dans sa famille et dans la société; le philosophe apprend à chacun quels sont ces devoirs. L'homme est exposé à l'infortune et à la douleur: le philosophe apprend à l'homme à souffrir.**

DIDEROT, *Essai sur les règnes de Claude et de Néron*

— dans une définition:

**TRAVAIL: effort, application pour faire une chose: travail manuel; travail intellectuel. Ouvrage qui est à faire: distribuer le travail aux ouvriers. Manière dont un objet est exécuté: bijou d'un beau travail. Occupation rétribuée: vivre de son travail. Etc.**

Petit Larousse illustré, article "Travail"

— dans un télégramme:

**Serai à Montréal demain. Prépare documents. Discussion en soirée. Retour le lendemain matin.**

— dans une note de service:

**Exécuter le travail tel qu'entendu. Relire les pages 6-9. Contacter le patron lorsque terminé.**

## b) Le procédé de l'hypotaxe (coordination et subordination)

Maîtriser l'hypotaxe c'est posséder l'art d'articuler des idées, de structurer un texte. En explicitant les rapports syntaxiques ou sémantiques (logiques) existant entre les phrases ou les propositions par des conjonctions de coordination ou de subordination, ou par tout autre terme (mot de rappel, nom, expression, locution, etc.), on assure la cohérence dans l'expression des idées et des sentiments.

Pour illustrer ce procédé, nous recourrons à Proust qui l'a utilisé abondamment. Les membres constituant la longue phrase sont liés entre eux, formant un tout indissoluble. Nous avons mis en italique les termes ou expressions assurant la coordination ou la subordination, de façon à faire voir les principaux rapports de dépendance existant entre les membres de phrases et les différentes propositions.

**Car de toutes les végétations familières et domestiques *qui* grimpent aux fenêtres, s'attachent aux portes du mur *et* embel-**

lissent la fenêtre, *si* elle est plus impalpable et fugitive, il n'y en a pas de plus vivante, de plus réelle, correspondant plus pour nous *à* un changement effectif dans la nature, *à* une possibilité différente dans la journée, *que* cette caresse dorée du soleil, *que* ces délicats feuillages d'ombre sur nos fenêtres, flore instantanée et de toutes les saisons *qui*, dans le plus triste jour d'hiver, *quand* la neige était tombée dans la matinée, venait *quand* nous étions petits nous annoncer *qu'*on allait pouvoir aller tout de même aux Champs-Élysées *et que* peut-être bien on verrait déboucher de l'avenue Marigny, sa toque de promenade sur son visage étincelant de fraîcheur et de gaîté, se laissant déjà glisser sur la glace malgré les menaces de son institutrice, la petite fille *que* nous pleurions, *depuis* le matin *qu'*il faisait mauvais, *à la pensée* de ne pas voir.

PROUST, *Contre Sainte-Beuve*, VI

Voici un autre exemple d'utilisation de l'hypotaxe. Ici, seuls les marqueurs importants de coordination et de subordination sont soulignés.

*On voudrait nous faire croire que* la diminution du nombre d'accidents observée pendant les trois premiers mois de l'année est due aux mesures de limitation de la vitesse. *En fait, il y aurait certainement eu* autant d'accidents *si*, durant cette période, il n'y avait pas eu un net ralentissement de la circulation *et si* les gens ne mettaient pas leur ceinture de sécurité. *L'explication selon laquelle* la limitation de la vitesse sur les routes *serait à l'origine de* la diminution du nombre d'accidents *ne peut donc être retenue.*

*Le français dans le monde,* décembre 1974

Comme on le voit, certains mots ou groupes de mots servent à révéler l'organisation du discours et à en faciliter la compréhension. Dans l'exemple précédent, cette fonction est remplie par:

## 1. des pronoms et des conjonctions:

- le pronom **on** ("on voudrait nous faire croire") laisse entendre qu'il s'agit d'une réponse apportée à une opinion émise antérieurement sur le rapport existant entre la diminution du nombre d'accidents et la limitation de la vitesse;
- la conjonction **si** ("En fait, il y aurait eu autant d'accidents si...") permet d'introduire le premier argument en le nuançant;

## 2. des déterminants (articles, adjectifs démonstratifs, possessifs, etc.):

- l'utilisation de l'article défini **la** ("la diminution", "l'explication selon laquelle...", "la limitation de la vitesse", etc.) permet au lecteur de dire qu'il s'agit d'un problème bien identifié auquel on réfère.

Dans la phrase suivante, plusieurs déterminants contribuent à la cohérence du discours: "Un comité a été chargé d'étudier la qualité des eaux du fleuve. Ce comité doit remettre les résultats de son étude dans un mois." L'article **un** indique que le comité est présenté au lecteur pour la première fois dans le texte ou l'article; le démonstratif **ce** réfère au comité dont on vient de parler dans la phrase précédente; le possessif **son** révèle la source d'où provient l'étude.

Il existe beaucoup d'autres procédés qui jouent un rôle dans l'organisation du discours. Par exemple:

- les marques d'accord des verbes et des adjectifs qui indiquent à quels mots le verbe ou l'adjectif se rapporte;
- les marqueurs de relation **et, ou, ni, mais, car, or, donc, d'abord, ensuite, enfin, en effet**, etc., contribuent à l'organisation logique du discours;
- certains mots ou expressions de rappel: **premièrement, ci-dessus, comme il vient d'être dit, en conclusion,** etc.

Il va sans dire que l'importance de l'hypotaxe est primordiale dans l'élaboration d'une idée à travers un paragraphe. Outre qu'elle assure la cohésion syntaxique et sémantique du texte, elle engendre aussi la clarté, l'une des conditions essentielles de la communication. Voilà pourquoi, dans la pratique de l'écrit, on ne saurait trop insister sur l'importance de maîtriser la parataxe et l'hypotaxe, car une grande partie du savoir-écrire dépend de ces deux procédés.

Leur utilisation cependant n'est pas facile et s'avère parfois délicate. En effet, si les mots de liaison sont utiles pour préciser les rapports logiques et grammaticaux entre les mots, les phrases et les idées, lorsqu'ils se répètent trop fréquemment, ils alourdissent la phrase; par contre, leur utilisation trop restreinte peut créer l'ambiguïté et le manque de clarté. La pratique et de nombreux exercices d'application vous permettront de trouver le juste équilibre.

En ce qui a trait à l'utilisation de l'hypotaxe (coordination et subordination), on pourrait donner les conseils suivants: lorsque le sens de la phrase est net et que les rapports entre les mots ne souffrent pas d'équivoque, il y a souvent avantage à supprimer les conjonctions de coordination et à les remplacer par des signes de ponctuation (virgule, point-virgule, deux-points) ou par la juxtaposition. Par exemple, la phrase:

**Tu devrais faire attention parce qu'on te surveille.**

peut devenir:

**Tu devrais faire attention: on te surveille.**

ou bien:

**Tu devrais faire attention. On te surveille.**

Ce procédé, au lieu d'affaiblir la phrase, la rend plus rapide et plus concise. Pour supprimer les conjonctions de subordination, il faut la plupart du temps modifier la phrase de façon à remplacer la proposition subordonnée par un membre de phrase équivalent. Ainsi la phrase:

**Tu réussiras, parce que tu as bien travaillé.**

devient:

**Ton travail garantit ta réussite.**

# EXERCICES

Comment faire les exercices? Voici un exemple.

**Consigne générale:**

L'enjeu des exercices consiste à faire disparaître les mots qui explicitent pour le lecteur les liens syntaxiques ou sémantiques entre les phrases et les propositions, tout en respectant le plus possible le texte et le sens.

**Exemple:**

Le texte suivant utilise le procédé de l'hypotaxe (coordination et subordination des phrases et des propositions). Nous le réécrirons en appliquant le procédé de la parataxe comme le demande la consigne.

**Lorsque les patients de la clinique d'hypertension de l'Institut de recherche clinique sont dans la salle d'attente, ils peuvent feuilleter quelques revues, bayer aux corneilles ou... jouer avec un ordinateur. Depuis le 26 mars dernier, on a mis à leur disposition deux appareils Apple 2, ces micro-ordinateurs qu'on dit domestiques.**

*Québec Science*, juin 1981, p. 16

En appliquant le procédé de la parataxe, le texte peut devenir:

**Les patients de la clinique d'hypertension de l'Institut de recherche sont dans la salle d'attente. Ils peuvent feuilleter quelques revues, bayer aux corneilles ou... jouer avec un ordinateur. Le 26 mars dernier, on a mis à leur disposition deux appareils Apple 2. Des micro-ordinateurs qu'on dit domestiques.**

Remarque:

Précisons qu'il n'est évidemment pas possible de faire disparaître tout lien syntaxique ou sémantique entre les phrases ou les propositions dans un texte, à moins de vouloir créer des phrases totalement incohérentes. Ainsi, dans l'exemple ci-dessus, le pronom personnel "ils" renvoie au mot "patients" de la phrase précédente; dans l'expression "des micro-ordinateurs", l'article "des" renvoie aux appareils Apple 2. D'autre part, on sait que le contexte référentiel lui-même contribue à assurer la cohérence sémantique. Cependant, pour répondre aux fins de l'exercice, il suffit de faire disparaître le plus possible de mots assurant ces liens syntaxiques ou sémantiques. Il s'agit, en somme, de faire des phrases juxtaposées.

Vous trouverez le CORRIGÉ des exercices qui suivent à la fin du présent chapitre.

## Exercice 5

Le texte suivant est très articulé et fait un usage abondant de l'hypotaxe (coordination et subordination). Réécrivez-le en appliquant le procédé de la parataxe (juxtaposition). Pour ce faire, éliminez les mots ou expressions qui marquent, sur les plans sémantique et syntaxique, les rapports de dépendance entre les phrases et les membres de phrase, partout où c'est possible. Vous pouvez, à l'occasion, modifier certains éléments de la phrase.

**Concilier les exigences de la vie moderne et le goût pour la cuisine traditionnelle n'est pas facile. Cependant il est possible d'y parvenir à condition de savoir s'organiser.**

**En premier lieu, il faut établir à l'avance le menu de la semaine. En effet, il n'est pas possible de faire ses courses tous les soirs. Les achats de la semaine seront faits en une seule fois, ce qui délivrera la ménagère du souci du ravitaillement pour le reste de la semaine.**

**En second lieu, il faut choisir des aliments qui puissent se conserver longtemps. Tout d'abord il y a les traditionnelles conserves qui peuvent rendre de grands services. Il y a aussi les semi-conserves que l'on peut garder chez soi pendant trois ou quatre jours. Enfin, on s'efforcera de simplifier la cuisine et de choisir les recettes les plus simples. On réservera pour le dimanche et les jours de fête les plats très raffinés et très longs à préparer.**

**Si l'on suit tous ces conseils, il est encore possible de manger chez soi de la bonne cuisine tout en continuant à travailler à l'extérieur.**

Michèle CARPENTIER, reproduit dans *Écrire et convaincre*

# Exercice 6

Nous avons transformé le passage suivant d'Anne Hébert en une longue phrase lourdement articulée. Réécrivez le passage en utilisant le procédé de la parataxe comme l'a fait Anne Hébert dans son roman. Il s'agit évidemment d'une reconstitution approximative.

**À trois heures de l'après-midi, la mer luit comme du fer-blanc au soleil, éclate dans nos yeux pendant qu'une sorte de torpeur engourdit la campagne et que le vent se couche au soleil, se réveille parfois et gronde sourdement, puis se couche à nouveau, de tout son long, dans les champs et sur la mer alors que le cri des oiseaux, comme apaisés et repus, reprennent de-ci de-là, sans grande conviction.**

D'après Anne HÉBERT, *Les fous de Bassan*, Paris, Seuil

# EXERCICES

Comment faire les exercices? Voici un exemple.

---

### Consigne générale:

L'enjeu des exercices consiste à faire voir au lecteur, par le moyen d'articulations (mots de liaison et de rappel), les liens syntaxiques et sémantiques qui sont sous-entendus ou implicites (entre les phrases et les membres de phrases), tout en respectant le plus possible le texte et le sens.

### Exemple:

Le texte suivant utilise le procédé de la parataxe (juxtaposition des phrases). Nous le réécrirons en appliquant le procédé de l'hypotaxe, comme le demande la consigne.

**La pièce est petite et ridicule. Une sorte de carton à chapeaux, carré, avec un papier à fleurs. Les rideaux de toile rouge sont tirés. On a oublié de fermer les jalousies. Il y a du soleil qui passe à travers les rideaux. Cela fait une lueur étrange, couleur jus de framboise, jusque sur le lit. Mes mains dans la lueur, comme dans une eau rouge.**

Anne HÉBERT, *Kamouraska*

En appliquant le procédé de l'hypotaxe, la phrase peut devenir:

**La pièce est petite et ridicule. Elle ressemble à une sorte de carton à chapeaux, carré, avec un papier à fleurs. Les rideaux de toile rouge sont tirés, laissant voir qu'on a oublié de fermer les**

---

> jalousies. **Le soleil qui passe à travers les rideaux fait une lueur étrange, couleur jus de framboise, jusque sur le lit. Mes mains dans la lueur sont comme dans une eau rouge.**

Vous trouverez le CORRIGÉ des exercices à la fin du présent chapitre.

## Exercice 7

Le texte qui suit utilise le procédé de la parataxe (ou juxtaposition). Réécrivez-le en appliquant le procédé de l'hypotaxe, c'est-à-dire en faisant apparaître entre les phrases les liens syntaxiques et sémantiques qui sont sous-entendus.

> **Ce fut un été chaud. Il passa. J'étais contente de le voir finir. Je me faisais une fête de la rentrée. J'avais économisé durant l'été. J'osai donc m'offrir un tailleur cher et élégant. J'allai chez un coiffeur "chic" qui me coupa les cheveux court. Je me croyais transformée. Personne ne s'aperçut de ma fausse "métamorphose". Je me fis une raison. À l'avenir, je ne me ruinerais plus pour des sottises, que nul n'appréciait.**
> Monique BOSCO, *La femme de Loth*

## Exercice 8

Même consigne qu'à l'exercice précédent.

> **Drôle de petite tache; une belle saloperie ce marbre, tout y reste marqué. Ça fait comme du sang. Daniel Dupont hier soir; à deux pas d'ici. Histoire plutôt louche: un cambrioleur ne serait pas allé exprès dans la chambre éclairée, le type voulait le tuer, c'est sûr. Vengeance personnelle, ou quoi? Maladroit en tout cas. C'était hier. Voir ça dans le journal tout à l'heure.**
> Alain ROBBE-GRILLET, *Les gommes*.

## Exercice 9

Même consigne qu'à l'exercice précédent.

> **Jacques faisait le boy-scout, il m'écrivait de Paris des lettres, une par semaine, dirigeait ma vie, mes études, régimentait mes pensées. Il ne voulait pas que j'abandonne. Je n'abandonnerais pas. Depuis si longtemps qu'il avait raison, il était le chef, il réussissait tout ce qu'il voulait, comme en se jouant. La vie lui était**

**une grande partie de bowling, avec dix quilles à terre, les yeux fermés. Moi, c'était plutôt le dalot, les yeux fermés.**

Jacques GODBOUT, *Salut Galarneau!*

# Exercice 10

Reformulez les six critères d'admissibilité suivants en des phrases complètes, de manière à former un paragraphe soutenu et articulé. Vous pouvez évidemment ajouter des mots-liens ou des expressions.

**Le ministère de l'Industrie, du Commerce et du Tourisme du Québec fixe ainsi les critères d'admissibilité des entreprises pour le programme de subvention axé sur l'intégration des diplômés de niveau collégial et universitaire:**

- **la conformité de la demande avec les objectifs du programme;**
- **le dynamisme et le potentiel d'expansion de l'entreprise;**
- **l'importance de la venue du diplômé pour l'avenir de l'entreprise;**
- **les possibilités d'intégration et de carrière offertes au diplômé;**
- **la pertinence de la formation professionnelle du diplômé, en fonction du poste à occuper;**
- **la possibilité d'assurer la continuité de l'emploi.**

# Exercice 11

a) Faites une phrase avec chacune des séries de mots suivantes:

**Soleil – journée – humeur – forme**

**Amour – amitié – sentiments – union – individus**

**Écologie – science – nature – environnement**

b) Faites un paragraphe cohérent à partir des phrases détachées suivantes qui ne semblent pas, a priori, avoir de relations entre elles. Respectez l'ordre de présentation des phrases. Vous pouvez utiliser des mots ou expressions pour les relier entre elles.

**Le téléphone sonne. Une nuit de sommeil. Le sport est nécessaire. L'amour du métier. Le succès couronne l'effort.**

# CONCLUSION

La construction des phrases est le secret de l'art d'écrire. Même si la phrase répond à des lois et à des règles dans son élaboration, il existe une infinité de façons de la construire. Cela dépend de la personnalité de chacun. Rappelons cependant que ce qui crée le bon texte, c'est l'alternance des phrases longues et brèves, complexes et simples. En principe, il n'y a pas de règles concernant l'utilisation de la phrase courte ou longue. Tout dépend des exigences de la pensée du scripteur, des besoins du destinateur et de la finalité du discours. Ce qui compte avant tout, c'est le rapport des phrases et de la pensée.

Mais rappelez-vous que l'habileté à écrire dépend en très grande partie de la maîtrise des deux procédés que nous avons étudiés: la parataxe et l'hypotaxe. Le texte, en effet, se présente comme une mosaïque de phrases reliées les unes aux autres formant un tout équilibré et harmonieux. Cet équilibre et cette harmonie ne peuvent résulter que de la façon de juxtaposer, coordonner et subordonner adéquatement les phrases et les membres de phrase. Mais alors, un juste équilibre s'impose. À moins de rechercher un effet particulier, il ne faut pas écrire un texte entier en utilisant uniquement soit la parataxe, soit l'hypotaxe. Ici encore, l'alternance des deux procédés s'avère particulièrement importante pour éviter la monotonie des structures identiques et assurer la variété, l'équilibre et l'harmonie.

# C. CORRIGÉ DES EXERCICES

## Exercice 1

**Ça se faisait dans la nuit. On ne pouvait pas le voir mais on l'entendait. C'était un fracas d'enfer. Les blocs de glace se heurtaient, se rongeaient mutuellement. Des banquises larges comme le fleuve se mettaient en marche. Ces radeaux démesurés écrasaient tout sur leur passage. Mais les blocs de glace qui se trouvaient coincés sous cette carapace s'alliaient et résistaient. À la fin, la banquise chevauchait un barrage dur et compact comme les chaussées de pierre qu'on aménage en travers des rivières pour en faire dévier le cours sous la roue des moulins. Tout s'immobilisait.**

Louis CARON, *Le canard de bois*

# Exercice 2

En comprenant ce qu'est la peur, nous pouvons mieux saisir ce qu'est la sécurité affective. Henri Wallon a démontré comment la peur procède d'une difficulté au plan organique de maintenir l'équilibre. Sous l'effet de la peur, l'individu perd appui, devient maladroit, incoordonné, pris de vertige et de tremblements. Cette description dit bien ce qu'est l'incertitude, ce qu'est l'impossibilité de réagir d'une manière linéaire, c'est-à-dire adroitement. La respiration se trouble, l'activité s'interrompt, l'esprit s'avère incapable de se fixer et d'adopter une attitude définie.

Denis PELLETIER, *L'arc-en-soi*

# Exercice 3 (ponctuation suggérée)

Ils riaient tous de moi parce que je faisais entrer mon Goula-tromba dans ma maison. J'avais beau leur dire qu'il s'agissait de mon cheval et de ma maison; il n'y avait rien à faire. Je passais pour être un fou même si je ne vois toujours pas pourquoi les gens me moquaient parce que j'hébergeais chez mon cheval. Il me semble que c'est normal. Les gens n'ont aucune question à me poser là-dessus. Ça ne les regarde pas. Même mon Annabelle a pris leur parti après m'avoir pourtant juré que j'étais le maître et qu'elle ne s'immiscerait jamais dans ma vie; qu'elle me laisserait libre d'accueillir qui je voudrais dans la maison du moment que je ne lui enlèverais pas sa chambre: celle du fond qu'elle a curieusement tapissée d'oiseaux bleus et décorée de grands rideaux de velours. Je n'aurais pas dû me fier à Annabelle même si elle était la seule femme en qui j'avais confiance. Je me disais: "tu la connais depuis si longtemps qu'elle n'osera jamais rien faire contre toi" (...)

D'après V.-Lévy BEAULIEU, *La nuitte de Malcom Hudd*

# Exercice 4

Une foule clairsemée de gens pressés marchent tous à la même vitesse. Ils longent un couloir dépourvu de passages transversaux.

Ce couloir est limité d'un bout à l'autre par un coude obtus. Les issues terminales sont entièrement masquées. Là les murs sont garnis, à droite comme à gauche, par des affiches publicitaires toutes identiques. Elles se succèdent à intervalles égaux. Elles représentent une tête de femme, presque aussi haute à elle seule qu'une des personnes de taille ordinaire. Comme celles qui défilent devant elle, d'un pas rapide, sans détourner le regard.

Cette figure géante, aux cheveux blonds bouclés, aux yeux encadrés de cils très longs, aux lèvres rouges, aux dents blanches, se présente de trois quarts. Elle sourit. Elle regarde les passants qui se hâtent. La dépassent l'un après l'autre. À côté d'elle, sur la gauche, une bouteille de boisson gazeuse, inclinée à quarante-cinq degrés, tourne son goulot vers la bouche entrouverte. La légende est inscrite en écriture cursive, sur deux lignes: le mot "encore" placé au-dessus de la bouteille, et les deux mots "plus pure" au-dessous, tout en bas de l'affiche, sur une oblique légèrement montante par rapport au bord horizontal de celle-ci.

D'après A. ROBBE-GRILLET, *Dans les couloirs du métropolitain*

## Exercice 5

Concilier les exigences de la vie moderne et le goût pour la cuisine traditionnelle n'est pas facile. Il est possible d'y parvenir. Il faut savoir s'organiser.

Établir à l'avance le menu de la semaine. Il n'est pas possible de faire ses courses tous les soirs. Les achats de la semaine seront faits en une seule fois. La ménagère sera délivrée du souci du ravitaillement pour le reste de la semaine.

Choisir des aliments qui puissent se conserver longtemps. Il y a les traditionnelles conserves qui peuvent rendre de grands services. Il y a les semi-conserves que l'on peut garder chez soi pendant trois ou quatre jours. On s'efforcera de simplifier la cuisine et de choisir les recettes les plus simples. On réservera pour le dimanche ou les jours de fête les plats très raffinés et très longs à préparer.

Il est encore possible de manger chez soi de la bonne cuisine tout en continuant à travailler à l'extérieur.

D'après Michèle CARPENTIER, dans *Écrire et convaincre*

## Exercice 6

Trois heures de l'après-midi. La mer luit comme du fer-blanc au soleil, éclate dans nos yeux. Une sorte de torpeur engourdit la campagne. Le vent se couche au soleil, se réveille parfois et gronde sourdement, puis se couche à nouveau, de tout son long, dans les champs et sur la mer. Les cris des oiseaux, comme apaisés et repus, reprennent de-ci de-là, sans grande conviction.

Anne HÉBERT, *Les fous de Bassan*

# Exercice 7

Ce fut un été chaud qui finalement passa. Aussi j'étais contente de le voir finir parce que je me faisais une fête de la rentrée. En effet, j'avais économisé durant l'été. J'osai donc m'offrir un tailleur cher et élégant. À cette fin, j'allai chez un coiffeur "chic" qui me coupa les cheveux court. Je me croyais alors transformée, mais personne ne s'aperçut de ma fausse "métamorphose". À regret, je me fis donc une raison, me disant qu'à l'avenir, je ne me ruinerais plus pour des sottises, que nul n'appréciait.

D'après Monique BOSCO, *La femme de Loth*

# Exercice 8

Implicitement, on sous-entend que Daniel Dupont est la victime. En appliquant le procédé de la parataxe, on pourrait lire approximativement:

(Il y a) une drôle de petite tache; (c'est maintenant devenu une) belle saloperie ce marbre, (parce que) tout y reste marqué. Ça fait comme du sang. (Il s'agit de) Daniel Dupont (qui a été agressé) hier soir, à deux pas d'ici. (Cette) histoire est plutôt louche: un cambrioleur ne serait pas allé exprès dans la chambre éclairée. Est-ce une vengeance personnelle, ou quoi? (Il) est (bien) maladroit en tout cas. (Le meurtre) c'était hier. (Mais) voir ça dans le journal tout à l'heure.

D'après A. ROBBE-GRILLET, *Les gommes*

# Exercice 9

Jacques faisait le boy-scout. Il m'écrivait de Paris des lettres, une par semaine, dans lesquelles il dirigeait ma vie, mes études, régimentait mes pensées. Car il ne voulait pas que j'abandonne. Mais je n'abandonnerais pas. Depuis si longtemps qu'il avait raison, qu'il était le chef et qu'il réussissait tout ce qu'il voulait, comme en se jouant. Si la vie lui était comme une grande partie de bowling, avec dix quilles à terre, jouant les yeux fermés, pour moi, c'était plutôt le dalot et, comme lui, les yeux fermés.

D'après Jacques GODBOUT, *Salut Galarneau!*

## Exercice 10

(...)

**D'abord la demande devra être conforme aux objectifs du programme. Le dynamisme et le potentiel d'expansion de l'entreprise seront également considérés. Mais la venue du diplômé pour l'avenir de l'entreprise sera importante. Dans cette perspective, on regardera les possibilités d'intégration et de carrière qui lui sont offertes; la pertinence de sa formation professionnelle en fonction du poste à occuper sera également considérée, de même que la possibilité d'assurer la continuité de l'emploi.**

## Exercice 11

Nous ne proposons pas de modèle pour cet exercice.

# 3

# COMMENT TRAVAILLER
# LA PHRASE

Voulez-vous être bon à l'écrit? Maîtrisez les cinq opérations linguistiques. Il est rare qu'une phrase écrite du premier jet satisfasse pleinement son auteur. Presque toujours un travail sur le matériau linguistique s'impose et ce, même chez les meilleurs écrivains. Un bon texte ne peut être que le résultat d'un certain travail de production. À partir des éléments de base ou des informations brutes contenus dans une phrase écrite d'un seul trait, un second travail s'impose pour adapter le mieux possible son message à l'intention du destinataire et aux finalités de la communication.

Il existe plusieurs techniques pour travailler la phrase. Aucune à notre point de vue n'est aussi efficace que celle des cinq opérations linguistiques: **l'addition, la soustraction, la permutation, la substitution** et **la transformation**. Ces opérations permettent, à un haut degré, le perfectionnement de l'expression écrite en général, parce qu'elles interviennent dans le processus même de l'écriture. C'est le travail que fait consciemment ou inconsciemment tout scripteur (romancier, poète, critique, journaliste, secrétaire, etc.). En effet, le travail de correction d'un texte consiste en majeure partie à ajouter, enlever, permuter, substituer, transformer les mots, les expressions d'une phrase. Nous étudierons chacune de ces opérations.

## A. COMMENT ENRICHIR LA PHRASE

### LE PROCÉDÉ DE L'ADDITION

L'addition (appelée parfois expansion) consiste à ajouter des éléments aux mots ou groupes de mots dans un énoncé. Cette opération permet d'enrichir, de nuancer, de préciser, d'expliquer, d'étoffer un mot, une phrase; elle permet également de préciser ou de mieux caractériser une idée, un concept, un sentiment. Dans la communication en général, elle apporte un supplément d'information. Il faut cependant prendre conscience qu'on ne peut dépasser certaines limites dans l'application de ce procédé. Ces limites sont fixées par l'usage et les exigences de la grammaire et du style.

## Exemples d'addition

On peut ajouter au groupe nominal sujet (GS) ou au groupe verbal (GV). Partons de la phrase: **Un accident est arrivé.**

**a) L'opération d'addition peut porter sur le groupe sujet (GS):**

— terme antéposé au sujet:

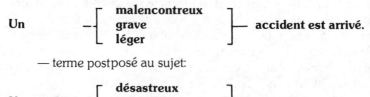

— terme postposé au sujet:

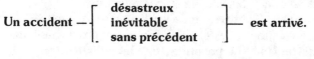

**b) L'opération peut porter sur le groupe verbal (GV):**

Un accident est
- vite arrivé   (adverbe intercalé)
- arrive rarement seul   (temps modifié/adverbe postposé)
- arrivé hier   (adjonction d'un adverbe)
- arrivé quand une automobile dépassa l'autre   (adjonction d'une proposition)

# COMMENT MAÎTRISER LE PROCÉDÉ DE L'ADDITION

Avant de procéder aux exercices d'addition, précisons que les cinq opérations linguistiques ne peuvent être maîtrisées qu'à travers la pratique. Voilà pourquoi nous vous présentons de nombreux exercices modèles. Le travail qu'ils supposent est analogue à celui que vous avez à faire dans toute composition ou rédaction.

Pour faciliter le travail dans les exercices sur l'addition que nous donnons ci-après, étudiez d'abord le procédé de caractérisation expliqué à la page 108. En appliquant le procédé d'addition, gardez un juste milieu, celui qui est déterminé par le bon goût et les règles de la syntaxe; dans chaque cas, choisissez le meilleur terme, celui qui rend et nuance le mieux la pensée.

D'aucuns diront que ces règles répondent à des concepts vagues. Bien malin, cependant, serait celui qui pourrait les préciser. On peut raisonnablement supposer qu'elles dépendent en grande partie du bon goût, mais surtout de la connaissance et de la pratique de la langue.

## Exercice 1

Travaillez les phrases énonciatives suivantes en ajoutant au GS (groupe sujet) et au GV (groupe verbal), de façon à les étoffer et à les enrichir:
- **Le soleil traverse la fenêtre de la cuisine.**
- **Pour vendre, il faut travailler.**
- **Il est sorti de son aventure.**
- **Le travail est recommandé pour la santé.**
- **La crise de l'énergie transforme notre existence.**

## Exercice 2

Dans le texte original, soulignez les ajouts par rapport au texte contracté, et dites ce qu'ils apportent au plan de l'information.

### Texte original

**Le paquebot flottait mollement sur les eaux lisses, comme une méduse à l'abandon. Un avion tournait avec l'insupportable vrombissement d'un insecte irrité dans l'étroit espace de ciel encaissé entre les montagnes. On n'était encore qu'au tiers d'une belle après-midi d'été, et déjà le soleil avait disparu derrière les arides contreforts des Alpes monténégrines semées de maigres arbres. La mer, si bleue le matin au large, prenait des teintes sombres à l'intérieur de ce long fjord sinueux bizarrement situé aux abords des Balkans.**

Marguerite YOURCENAR, *Nouvelles orientales*

### Texte contracté

**Le paquebot flottait sur les eaux. Un avion tournait dans l'étroit espace du ciel encaissé entre les montagnes. On n'était**

qu'au tiers d'une après-midi d'été et déjà le soleil avait disparu derrière les contreforts des Alpes monténégrines semées d'arbres. La mer, si bleue le matin au large, prenait des teintes à l'intérieur de ce long fjord sinueux situé aux abords des Balkans.

## Exercice 3

Voici une offre d'emploi écrite sans conviction, dans un style neutre. Elle gagnerait à être caractérisée davantage grâce au procédé de l'addition. Pour faire le travail, ne modifiez pas le texte de base.

**Nous recherchons des personnes pour représenter une compagnie qui vend des produits à domicile. Le vendeur ou la vendeuse devra avoir de la personnalité et aimer les défis. Pour le travail, nous offrons un programme de formation en vente directe et une rémunération. Inscrivez-vous.**

## Exercice 4

En appliquant le procédé de l'addition, rendez plus alléchante l'annonce classée suivante:

**3 1/2 pièces, avec balcon, portes-patio, chauffé, éclairé, meublé, situé près d'un centre d'achat, stationnement, buanderie et service de conciergerie, libre immédiatement.**

## Exercice 5

Rendez cette nouvelle journalistique plus tragique en appliquant le procédé de l'addition. Ne modifiez pas le texte de base.

**Un constable de la ville de X... a été blessé en fin de semaine alors qu'il se rendait sur les lieux d'un incendie. Il conduisait une camionnette du service des incendies et celle-ci est entrée en collision avec une automobile à l'intersection des rues X... et Y... L'agent a dû être hospitalisé souffrant de fractures aux côtes. Le camion du service des incendies serait, dit-on, une perte complète.**

## Exercice 6

Même consigne qu'à l'exercice précédent.

**Le directeur de la compagnie X... a été dénoncé pour avoir congédié deux travailleurs. Son geste est incompréhensible. Les travailleurs avaient les qualifications et possédaient l'expérience pour le travail auquel ils étaient affectés.**

**Des négociations sont menées pour les réintégrer dans leurs fonctions. Nous espérons un règlement du litige à la satisfaction des travailleurs.**

## Exercice 7

Composez un court article défendant ou dénonçant une idée, un fait, un événement, etc. Impliquez-vous émotivement dans votre texte.

# B. COMMENT ALLÉGER LA PHRASE

## LE PROCÉDÉ DE LA SOUSTRACTION

La soustraction est l'opération inverse de la précédente. Elle consiste à enlever des termes qui ne sont pas essentiels au fonctionnement de la phrase. La soustraction permet de donner plus de concision, de densité à la formulation de la pensée. On applique cette opération quand on veut aller à l'essentiel du message à communiquer. Sur le plan stylistique, la soustraction favorise l'allégement de la phrase en l'épurant de ses termes non essentiels ou redondants.

### Comment fonctionne le procédé de la soustraction

Pour enlever des éléments à l'intérieur d'un groupe de la phrase, on procède de la façon suivante:

- On peut réduire le groupe nominal:

Phrase initiale:  | Un habile artisan de l'Île d'Orléans | | sculptait. |

GN                                                    GV

En réduisant le groupe nominal on a:
  **(1) Un artisan de l'Île d'Orléans sculptait.**
  **(2) Un artisan sculptait.**

79

- On peut aussi éliminer des constituants du groupe verbal:

Phrase initiale:

| Un artisan | GV |
| --- | --- |

| GN | sculptait des personnages historiques pour le Musée québécois. |

En réduisant le groupe verbal on a:

**(1) Un artisan sculptait des personnages historiques.**
**(2) Un artisan sculptait.**

- On peut enlever un ou plusieurs constituants au groupe prépositionnel:

Phrase initiale:

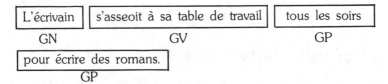

En éliminant le groupe prépositionnel on a:

**(1) L'écrivain s'assoit à sa table de travail tous les soirs.**
**(2) L'écrivain s'assoit à sa table de travail.**

Dans les exemples que nous venons de donner, il faut faire observer que la soustraction prive parfois le lecteur d'informations essentielles. Mais cela n'est pas le cas dans les applications stylistiques qui figurent ci-après.

## Applications stylistiques de la soustraction

La soustraction se révèle très utile au cours du travail de correction du matériau linguistique. En voici quelques exemples:

a) **Soustraction par élimination de termes inutiles ou redondants.**

**Mon ami[,] [il] est arrivé essoufflé, exténué[,][fatigué] de son long voyage [effectué] en Floride.**

**La pratique du sport est fortement recommandable. [On ne peut mieux faire que de vous inciter à vous y adonner.] Le sport stimule les fonctions respiratoires et cardio-vasculaires.**

Dans le dernier exemple, c'est une phrase complète qui est redondante puisqu'elle apporte exactement la même information que la première et qu'il n'y a vraiment pas lieu d'insister.

b) **Soustraction par réduction de syntagme ou d'expression.**

Rigoureusement parlant, la soustraction consiste à enlever des mots qui ne sont pas nécessaires au sens de la phrase. Mais le procédé peut aussi être utilisé pour réduire ou contracter des expressions ou des phrases comme dans l'exemple suivant:

> **[Il n'y a pas très longtemps] (Récemment) j'ai rencontré monsieur Tremblay, [qui est un homme très sérieux et très riche] (homme très sérieux et riche). [J'ai voulu l'aborder pour lui dire] (Je lui ai dit) que des gens viendraient pour [lui demander de bien vouloir assurer] (solliciter) sa participation à la foire culturelle.**

Voici un exemple de correction par mode de soustraction appliqué à un texte littéraire [1].

## UN COIN DE FOIRE

### TEXTE IMPRIMÉ
Rien *de plus* intéressant *que* l'arrivée des roulantes de saltimbanques. *Parmi ces véhicules*, il en est *qui sont* d'un luxe inouï; *on aperçoit des* rideaux brodés aux fenêtres, *et dans* l'intérieur *tout est* reluisant de glaces et de dorures. Mais ce qui *nous* séduit *de préférence*, c'est la vieille et classique roulante d'un vert *de* poireau, mal assise sur ses roues, *ayant* ses vasistas fermés par un méchant *morceau* de calicot et sur les brancards *de laquelle* sèchent *quelques* torchons. Sur le devant *est* accrochée une cage *éreintée* où une perruche déchiquète *une feuille* de salade.

### TEXTE REFAIT
Rien d'intéressant comme l'arrivée des roulantes de saltimbanques. Il en est d'un luxe inouï: rideaux aux fenêtres, intérieur reluisant de glaces et de dorures. Ce qui séduit, c'est la vieille et classique roulante, d'un vert poireau, mal assise sur ses roues, les vasistas fermés par du méchant calicot, et sur les brancards des torchons qui sèchent. Sur le devant s'accroche une cage où une perruche déchiquète de la salade.

---

1. Exemple d'Antoine ALBALAT, cité dans *L'art d'écrire*, de René et Jeanine ÉTIEMBLE, p. 363.

Comme on le constate, l'élimination des mots ou expressions en italique rend le texte plus concis, moins traînant, moins amplifié.

c) **La soustraction peut accroître la force expressive de la phrase.**

La soustraction, en contractant la phrase et en présentant l'idée dans sa matérialité brute, en accroît la densité et la force. Elle rend les notations rapides. Voilà pourquoi elle est fréquemment utilisée:

• dans la description:

Exemples:

a) **Quinze jours de voyage. Longues routes désertes. Forêts traversées. Petites auberges de village. Le lard salé et la mélasse me donnent mal au coeur. Parfois, il y a des punaises dans le bois du lit. Il pleut à travers la capote de la voiture.**
Anne HÉBERT, *Kamouraska*

b) **Une discothèque à Knoxville dans le Tennessee. À l'intérieur, une cage, des cobayes écoutent de la musique. Ni plus ni moins fort que les habitués humains des lieux. Bilan: après 88 heures d'écoute d'une musique tonitruante, échelonnée sur plusieurs jours, 25% des cellules de l'oreille interne chez ces animaux soumis à la rude épreuve de 125 décibels sont totalement détruites. Mais, dira-t-on, il s'agit là d'un cas exceptionnel.**
D'après Claude REBOUX, *Sciences et avenir,*
n° 300, février 1972, p. 100-106

• dans la narration:

Exemples:

a) **Aujourd'hui, maman est morte. Ou peut-être hier, je ne sais pas. J'ai reçu un télégramme de l'asile: "Mère décédée. Enterrement demain. Sentiments distingués." Cela ne veut rien dire. C'était peut-être hier.**
Albert CAMUS, *L'étranger*

b) **Il refit trois fois la même manoeuvre, poussant à fond dans les descentes et les plats, levant le pied dans les côtes. À chaque côte, la 403 regagnait un peu sur lui. Elle ne fut plus qu'à cent mètres. Il y eut un plat, en ligne droite, un poids lourd au milieu de la ligne droite allant dans le même sens qu'eux et un autre poids lourd, à l'extrémité de la ligne droite, venant en sens** inverse. **La 403 n'était qu'à cinquante mètres. L'aiguille du compteur était sur 120. Le poids lourd portait sur son arrière le chiffre 85. Duc passa sur la gauche de la route. La 403 klaxonna pour réclamer le passage. Duc resta sur la gauche jusqu'à hauteur de l'arrière du camion.**

Roger VAILLAND, *La fête*

• dans le dialogue:

Exemple:

### L'ÉTRANGER

— **Qui aimes-tu le mieux, homme énigmatique, dis? ton père, ta mère, ta soeur ou ton frère?**

— **Je n'ai ni père, ni mère, ni soeur, ni frère.**

— **Tes amis?**

— **Vous vous servez là d'une parole dont le sens m'est resté jusqu'à ce jour inconnu.**

— **Ta patrie?**

— **J'ignore sous quelle latitude elle est située.**

— **La beauté?**

— **Je l'aimerais volontiers, déesse et immortelle.**

— **L'or?**

— **Je le hais comme vous haïssez Dieu.**

— **Eh! qu'aimes-tu donc, extraordinaire étranger?**

— **J'aime les nuages... les nuages qui passent... là-bas... là-bas... les merveilleux nuages!**

BAUDELAIRE, *Le spleen de Paris*

## COMMENT MAÎTRISER LE PROCÉDÉ DE LA SOUSTRACTION

Voici une série d'exercices qui portent sur une application importante de la soustraction, l'allégement de la phrase. Vous trouverez le CORRIGÉ à la fin du chapitre.

### Exercice 8

Donnez plus de concision aux phrases ci-dessous, en enlevant le plus possible de mots, tout en respectant l'idée principale.

Exemple:

| | |
|---|---|
| **Si nous dispensons aux autres des louanges, c'est le plus souvent dans l'espoir qu'ils nous en retourneront d'équivalentes.** | **Nous ne dispensons aux autres des louanges que dans l'espoir qu'ils nous en retourneront d'équivalentes.** |

(D'après LA ROCHEFOUCAULD)

**1.** L'argent peut nous rendre d'excellents services quand nous savons comment nous en servir; mais il nous entraîne souvent dans des voies difficiles et nous fait commettre des erreurs.

**2.** Un secret, ce n'est pas quelque chose qui ne se raconte pas. Mais c'est une chose qu'on raconte à voix basse et séparément. (D'après Marcel PAGNOL)

**3.** Le bonheur exige que l'on ne soit pas trop conscient des problèmes et des adversités de l'existence ou de la vie. (D'après Paul VALÉRY)

## Exercice 9

Éliminez ce qui engendre les redondances ou les tautologies dans les phrases qui suivent:

**1.** L'automobiliste était légalement dans son droit. **2.** Ces renseignements ont été divulgués publiquement. **3.** Ils causent ensemble chaque fois qu'ils se voient. **4.** Ces gens ne peuvent se suffire à eux-mêmes. **5.** Tous les représentants syndicaux ont voté la proposition à l'unanimité. **6.** Ils ont volé une auto qui ne leur appartenait pas. **7.** J'hésite entre deux solutions différentes. **8.** Cette solution comporte deux alternatives. **9.** Le député a prononcé une courte allocution. **10.** Cette compagnie a le monopole exclusif de ce produit. **11.** Le ministre s'est refusé à toute communication sur les négociations actuellement en cours. **12.** Nous analyserons les phases successives du phénomène.

## Exercice 10

En appliquant le procédé de la soustraction, éliminez les termes ou expressions qui sont inutiles ou qui alourdissent la phrase.

**À partir de l'endroit où il habite, le résident du condominium "Le Saguenay" se trouve dans une position qui lui permet d'admirer jusqu'à s'en griser complètement un paysage beau et grandiose, d'une beauté qu'on dit sauvage et primitive, reconnu par tous comme l'un des plus beaux paysages au monde. Il lui est également possible d'embrasser du regard dans une vue panora-**

mique la magnifique ville de Chicoutimi, voir couler la majes-
tueuse rivière Saguenay encaissée de hautes montagnes
abruptes et escarpées, ou laisser sa vue sollicitée librement par
les monts Valin, d'une splendeur et d'une beauté qu'on ne peut
comparer.

## Exercice 11

Réécrivez la narration qui suit sous la forme d'une nouvelle journalistique pour la chronique des "faits divers". La scène se passe dans un
cabaret de Montréal.

D'un coup d'oeil, Weston jugea la situation. Il en avait vu bien
d'autres dans l'armée. Cette brute était capable de fracturer le
crâne de Lebeuf. Il fut debout en un clin d'oeil. Thérèse
s'agrippa à sa manche, voulut le retenir:

— Ken, je vous défends d'y aller. Qu'il se débrouille tout seul!

Weston lui rabattit violemment le poignet contre le coin de la
table. Thérèse poussa un cri de douleur. Quand l'Américain
arriva, il était temps. La bouteille allait s'écraser sur le crâne de
Jules qui se débattait contre trois nouveaux assaillants. Ken
saisit la brute par derrière. Un coup de genou aux reins pendant
qu'il lui immobilisait le bras culbuta le gorille par terre, hurlant
de douleur. Mais entre temps, un autre garçon, le "suave" qui
avait servi la prétendue tournée *on the house*, frappa Ken à la
tête avec un objet dur. Un flot de sang s'échappa de son sourcil
gauche. D'un coup de pied dans le ventre, Ken se débarrassa de
cette crapule. Ensuite, il ne se rendit plus clairement compte de
ce qui se passait. Le plancher tanguait sous ses pas. Il vit Lebeuf
saisir un type par les pieds et faucher une demi-douzaine d'assaillants avec cette arme improvisée. Il se souvint d'avoir saisi
un jeune homme blond à la gorge, d'avoir tracé avec ses ongles
trois raies sanglantes dans la figure d'un autre... Puis, finalement,
un souffle d'air frais lui cingla la figure. Il se trouvait dehors, ti-
tubant, la tête en feu, lancinante, l'oeil gauche tuméfié. Il ouvrait
la bouche pour reprendre haleine. Un liquide tiède et visqueux
lui glissa sur la langue. "C'est du sang", songea-t-il. Il aperçut
alors Lebeuf, debout au milieu du trottoir, un ais de tonneau à
la main, qui se préparait à foncer de nouveau dans la salle, sans
doute pour lui porter secours. À quelques pas plus loin, adossée
à la muraille, Gisèle sanglotait convulsivement. Ken lâcha un
cri. Tout en surveillant l'entrée, Lebeuf se précipita vers son ami:

— Ça va, toi?

Il eut un geste pour soutenir Weston en lui voyant la figure
couverte de sang.

> — *It's O.K. I'm all right.*
> — **Merci, mon vieux. J'oublierai pas ça. Le maudit gorille avec sa bouteille...**
> — *Forget it.*
> — **On ferait peut-être aussi bien d'aller à l'hôpital. Ç'a l'air d'une maudite poque que t'as là.**
> **Weston s'épongea la figure de son mouchoir:**
> — *It's O.K.* **Je vais chercher Thérèse et rentrer à la maison.**

Gérard BESSETTE, *La bagarre*

# C. COMMENT ASSURER PRÉCISION ET EXACTITUDE

## LE PROCÉDÉ DE LA SUBSTITUTION

La substitution (appelée aussi commutation) consiste à remplacer un élément (terme ou expression) de la phrase par un autre pouvant remplir la même fonction. Cette opération joue un grand rôle dans la transformation d'une expression ou d'une phrase de façon à les rendre plus précises, plus conformes à la pensée ou à l'intention du message. Elle permet, en outre, de formuler une idée de plusieurs façons, et de choisir ainsi la meilleure. Elle est aussi très utile pour le choix du terme juste, évocateur, convaincant.

## Comment fonctionne le procédé de la substitution

a) **La substitution peut s'appliquer à l'un des mots constituant un groupe.**

Partons de la phrase suivante:

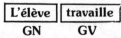

• **dans le groupe nominal on peut substituer le déterminant:**

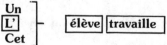

86

- dans le groupe verbal on peut substituer le verbe:

b) **La substitution peut s'appliquer au constituant entier d'un groupe.**

Exemple:
- **substitution d'un groupe verbal**

soit la phrase:

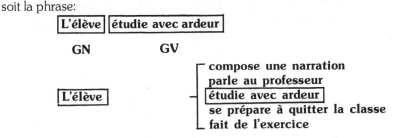

- **substitution d'un groupe prépositionnel**

soit la phrase:

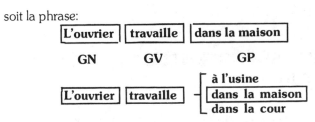

Le procédé de substitution est très utile dans le travail de correction de la phrase. Considérons deux cas qui se prêtent bien à l'application de ce procédé et qui ont une grande incidence dans la pratique de l'écrit: 1) le remplacement des termes vagues par des termes plus précis; 2) le remplacement des subordonnées qui alourdissent la phrase.

Le remplacement des **termes vagues** est sans doute l'un des premiers exercices de style auxquels nous avons été habitués à l'école. Les termes vagues les plus courants sont sans contredit les noms "chose", "sens", "moyen", "monde", les pronoms "cela", "quelque chose", les verbes "avoir" et "être", "faire", "trouver", "rencontrer". Il en existe évidemment beaucoup d'autres. La pensée et l'expression y gagnent si l'on remplace ces termes vagues par d'autres plus précis. La meilleure façon de procéder est de développer le souci du mot juste. Si le terme exact ne vous vient pas à l'esprit au moment de l'écriture, reprenez-vous lors du travail de relecture. C'est le moment idéal pour le faire, car votre texte, une fois écrit, donne une meilleure idée de l'intention et des fins que vous poursuivez.

Quant aux **subordonnées**, elles peuvent avantageusement être remplacées par un adjectif ou un participe-adjectif suivi ou non d'un complément (ex.: un homme que l'on avertit en vaut deux = averti); par un nom (ou un groupe du nom) complément ou apposition (ex.: c'était un pauvre homme qui n'avait pas de travail et pas d'argent = sans travail et sans le sou); par un adjectif possessif (ex.: les victoires que vous avez remportées vous honorent = vos victoires); par un infinitif ou éventuellement son groupe (ex.: voici le travail que vous devez faire = à faire); par une indépendante (ex.: tu vois cet homme qui travaille consciencieusement = Tu vois cet homme. Il travaille consciencieusement.); par un participe présent (ex.: je l'ai vu au moment où il traversait la rue = traversant la rue).

Il faut bien admettre que le procédé de la substitution recoupe parfois celui de la soustraction, notamment quand il s'agit de soustraction par réduction de syntagmes ou d'expressions. Mais notre but ici n'est pas d'entrer dans les distinctions subtiles. Qu'à certains moments l'on fasse de la soustraction plutôt que de la substitution, cela importe peu; ce qui compte, c'est la clarté du message.

# COMMENT MAÎTRISER LE PROCÉDÉ DE LA SUBSTITUTION

## Exercice 12

Substituer au mot souligné un terme plus précis.

**1. Le travail est une *chose* biologiquement nécessaire. 2. Le garçon de table s'empressa de servir les *gens*. 3. Il est arrivé après l'heure. *Cela* a indisposé le patron. 4. Elle veut devenir une grande sportive. *C'est* louable. 5. Il n'est pas allé à son travail: il a *eu* des difficultés. 6. Elle *a* des illusions sur son avenir. 7. Il *fait* le "cent mètres" en onze secondes. 8. Dans ses yeux *il y avait* une vive intelligence. 9. Sur le sable doré de la plage, *il y a* des baigneurs. 10. La télévision est un *moyen* efficace d'information.**

## Exercice 13

Remplacez les propositions subordonnées par un terme ou une expression moins lourds.

**1. Elle a jeté sur nous un regard qui faisait voir son inquiétude. 2. Cette machine automatique permet des opérations qui se font en même temps. 3. Le fonctionnaire qui a fait ce rapport a été renvoyé. 4. Les décisions que nous avons prises sont les meilleures. 5. Voici un roman que vous devriez lire. 6. Elle a témoigné en disant qu'elle n'avait aucune responsabilité dans cette affaire. 7. Un témoin que l'on soupçonne de complicité. 8. C'est une personne difficilement abordable. 9. Je souhaite qu'il vienne. 10. Elle fut debout bien avant que le soleil se lève. 11. Il a été renvoyé parce qu'il était négligent dans son travail. 12. Nous en reparlerons quand vous reviendrez. 13. Quand on a de la volonté, on réussit. 14. Je l'ai aperçu au moment où j'arrivais à la maison. 15. Nous risquons, si nous suivons vos conseils, de perdre beaucoup de temps. 16. Lorsqu'il n'a rien à faire, il devient malade.**

Réécrire la principale et la subordonnée en deux indépendantes.

**17. Cet athlète qui vient d'accomplir une longue course a besoin de reprendre son souffle. 18. Je vous ai formulé une proposition que vous ne pourrez refuser.**

Remarque:

Il ne faut pas conclure qu'il faut bannir de son texte toute proposition subordonnée. Il y a un juste équilibre à observer.

## Exercice 14

Dans le texte suivant, remplacez les mots soulignés par des termes (ou des expressions) dont le sens serait le plus équivalent possible. En d'autres mots, si vous aviez à remplacer ces termes, lesquels choisiriez-vous?

**Nous avons vu que dans un *monde* où les *transformations se précipitent*, le vieillissement s'accélère, non point sans doute celui de l'homme, dont la *vie* moyenne s'est au contraire *étendue* par *l'action conjuguée* de la médecine et de l'hygiène, mais celui des *oeuvres* de l'homme: machines, idées, institutions, etc. L'adaptation *rapide* à des *situations* nouvelles devient ainsi une *loi impérieuse* de l'*action*. Ceci *implique* l'importance que prend *aujourd'hui* la jeunesse. Quand l'évolution se précipite, l'expérience donne de moins en moins de sécurité.**

Gaston BERGER, *Encyclopédie française*, tome XX,
Le monde en devenir

# D. COMMENT VARIER LES TOURNURES

## LE PROCÉDÉ DE LA PERMUTATION

La permutation est une opération par laquelle on déplace des groupes de mots dans une phrase. On sait que certains groupes de mots sont mobiles, c'est-à-dire qu'ils peuvent être permutés sans briser la structure syntaxique; il n'en va pas ainsi pour d'autres. Le travail s'effectue évidemment avec ceux qui sont permutables. Ce procédé permet de dissiper la monotonie ou l'uniformité en variant les tournures et peut contribuer à des fins d'expression comme la mise en relief d'une idée ou d'un sentiment.

Exemples:

Dans la phrase suivante **J'irai en France en mai,** on obtient trois aspects différents de l'action selon que l'on déplace les termes "France" et "mai":

**(1) J'irai en France en mai.(annonce du voyage)**

**(2) En mai, j'irai en France.(accent mis sur le temps)**

**(3) En France, j'irai en mai.(insistance sur le lieu)**

Dans une phrase, l'ordre normal des termes est celui que l'on suit naturellement quand rien ne vient en perturber le déroulement. C'est encore celui que l'instinct ou une connaissance sommaire de la langue permet de respecter. On connaît à ce sujet l'attitude célèbre de monsieur Jourdain, dans Molière, qui hésitait entre ces trois formes: "Belle marquise, vos beaux yeux me font mourir d'amour"; "D'amour mourir me font, belle marquise, vos beaux yeux"; "Me font vos beaux yeux mourir, belle marquise, d'amour".

Monsieur Jourdain aurait dû savoir que le français nomme d'abord le **sujet**, ensuite le **verbe**, qui représente l'action, et enfin l'**objet** de cette action et les **circonstances**. La séquence normale d'une phrase devient donc: sujet + verbe + complément d'objet direct (ou attribut) + complément d'objet indirect + complément circonstanciel [2].

Exemples:

> **Christine enseigne la grammaire. (s + v + c.o.d.)**
>
> **Christine est un bon professeur. (s + v + a)**
>
> **Christine enseigne la grammaire à ses élèves. (s + v + c.o.d. + c.o. ind.)**
>
> **Christine enseigne la grammaire à ses élèves quand ils en ont besoin pour écrire. (s + v + c.o.d. + c.o. ind. + c. circ.)**

S'il s'agit de propositions, on énonce d'abord la **principale**, puis les **subordonnées**.

Cet ordre est évidemment rigoureux. Dans la pratique de l'écrit, cependant, la phrase ne peut être réduite dans tous les cas à une structure unique à laquelle il faut à tout prix se plier. Voilà pourquoi il vaudrait mieux, avec MM. Wagner et Pinchon

> **ne parler d'ordre *normal* que par rapport à un type de phrase bien défini. L'ordre *sujet-verbe-complément d'objet* est normal dans les phrases attributives du type: *ils aperçurent une voile à l'horizon*. En revanche, dans les phrases interrogatives à sujet pronominal ainsi que dans les propositions incises, c'est l'ordre *verbe-sujet* qui est normal. Il en résulte que des phrases du type *Tu vas où?* ou du type *Pardon, qu'il me dit* représentent des variantes expressives de *Où vas-tu? — Pardon! me dit-il.* [3]**

Dans beaucoup de cas, on peut utiliser à bon escient plusieurs possibilités de formulation offertes par la grammaire et la syntaxe. Ces possibilités sont d'autant plus intéressantes que l'ordre des mots a une incidence stylistique importante: en plus d'assurer la variété et l'harmonie de la phrase, il permet d'obtenir des effets remarquables dans l'expression de la pensée et des sentiments. En voici un exemple avec le procédé de mise en relief.

## LA PERMUTATION COMME PROCÉDÉ DE MISE EN RELIEF

L'une des utilisations les plus fréquentes de la permutation est sans aucun doute la **mise en relief**. Souvent, à cause de leur position dans la

---

2. Le complément circonstanciel, en particulier de lieu et de temps, jouit cependant d'une grande autonomie quant à sa place dans la phrase. Il échappe à l'ordre logique qui lui attribuait la dernière place.

3. R. L. WAGNER et J. PINCHON, *Grammaire du français classique et moderne*, p.503.

phrase, les mots les plus chargés de sens perdent leur valeur et leur effet et sont ainsi soustraits à l'attention du lecteur. Grâce à la permutation, on peut leur donner tout l'effet voulu.

La règle générale de la mise en relief pourrait se formuler ainsi: un mot produit d'autant plus d'effet qu'il ne se trouve pas à la place qu'il occupe habituellement dans la phrase ou qu'il rompt l'ordre classique.

a) **En tête de phrase, tout élément antéposé qui prend la place du sujet acquiert de la valeur. Exemples:**
- une circonstance:

  ***Dans un monde en pleine évolution,* il est bien difficile de vivre sans stress et sans soucis.**

- une action:

  ***Arrivés à destination,* nous prîmes une heure de repos.**

- une qualification:

  ***Rares* sont ceux qui n'échappent pas à la crise économique.**

- un complément d'objet:

  ***Les nombreuses difficultés* qu'il a connues l'ont rendu craintif.**

b) **Placé à la fin de la phrase, un terme prend également du relief.**

  **Ça devient agaçant à la fin, *ta manie.***

On peut constater qu'il existe une infinité d'ordres possibles obtenus par le procédé de la permutation (inversion, antéposition, postposition) et qui présentent une haute valeur expressive, affective ou stylistique. En principe, l'ordre des mots dans la phrase doit avoir assez de souplesse pour favoriser l'expression de la pensée et des sentiments.

## COMMENT MAÎTRISER LE PROCÉDÉ DE LA PERMUTATION

### Exercice 15

Relevez les inversions dans le passage suivant et dites ce qu'elles apportent au plan stylistique.

**Que s'est-il passé depuis que le 8 mm fidèle et sautillant compagnon de tant de veillées familiales s'est transformé soudain en super 8? Un peu d'histoire s'impose. Tiré bibli-**

quement des "côtes" du format 16 mm, le 8 mm fut lancé en 1938 à l'exposition de Paris par l'omnipotente compagnie Eastman Kodak. Destiné au grand public, c'était en fait une pellicule 16 mm à double perforation coupée en deux. La cinématographie familiale était née. Alors fleurit, pendant plus de trois décennies, une filmographie spontanée, méconnue et muette.

Fulvio CACCIA, *Perspectives*, 25 juillet 1981, p. 4

## Exercice 16

Réécrivez le passage d'Anne Hébert en permutant des termes ou des expressions de manière à varier les tournures.

Ces lourds cheveux qu'elle a, la Petite, il vaudrait mieux les lui couper. Il n'y a qu'un remède pour chasser cette vermine. Couic, couic, boucle après boucle. Les cheveux de la Petite sont coupés ras. Le plancher de la cuisine est jonché d'une bourre dorée. La jolie tête tondue que voilà! On dirait un forçat! La Petite fouille sur le tas de balayures pour retrouver ses boucles blondes. Les casseroles de cuivre rouge brillent, alignées sur le mur. La cuisinière dit qu'un oignon cru, coupé en rondelles, dans une soucoupe, c'est bon pour chasser les maringouins. Je vous jure que j'entends la cuisinière grogner cela, penchée sur son fourneau noir et brûlant.

Anne HÉBERT, *Kamouraska*

## Exercice 17

Même consigne qu'à l'exercice précédent.

La pomme de terre contient environ 80% d'eau, 18% de glucides (essentiellement de l'amidon), pratiquement pas de lipides, et très peu de protéines, environ 2%. Elle représente un bon apport en potassium, mais est très pauvre en calcium: 11 mg pour 100 g, ce qui l'oppose aux légumes verts. La teneur en vitamine C est assez élevée au moment de la récolte, mais une bonne partie est détruite au cours du stockage, et une partie encore plus importante lors de la cuisson. Elle constitue donc presque uniquement un apport en glucides, c'est-à-dire une source d'énergie: elle fournit 80 calories pour 100 g. On peut dire que 350 g de pommes de terre (pesées avant cuisson) fournissent autant de calories que 100 g de pain ou 70 g de biscottes, de pâtes alimentaires, ou de riz.

Henri DUPIN, *Les aliments*

# E. COMMENT VARIER LA FORME DES PHRASES

## LE PROCÉDÉ DE LA TRANSFORMATION

La transformation est une opération par laquelle on change ou on modifie la forme d'une phrase ou d'une expression. Les transformations les plus courantes sont celles qui touchent la syntaxe de la phrase. On peut ainsi obtenir des phrases de type **déclaratif, interrogatif, exclamatif, impératif**. Les phrases peuvent également emprunter diverses formes: **affirmative, négative, active, passive, emphatique, neutre**.

Exemples:

Les *types* de phrases
- **(1) Hélène a fait un beau voyage. (phrase déclarative)**
- **(2) Hélène a-t-elle fait un beau voyage? (phrase interrogative)**
- **(3) Fais donc ton possible! (phrase impérative)**
- **(4) Cette femme est étonnante! (phrase exclamative)**

Les *formes* de phrases
- **(5) Jacques a bien fait le travail demandé. (phrase affirmative)**
- **(6) Jacques n'a pas bien fait le travail demandé. (phrase négative)**
- **(7) Le chat mange la souris. (phrase active)**
- **(8) La souris est mangée par le chat. (phrase passive)**
- **(9) Vous, sortez immédiatement! (phrase emphatique ou d'insistance)**
- **(10) Je travaille ici. (phrase neutre)**

Il existe également d'autres procédés de transformation sur le plan syntaxique qui jouent un rôle important dans la pratique de l'écrit. Ce sont les procédés de la **pronominalisation** et de la **nominalisation**. Nous nous attarderons davantage à ces deux procédés.

# LA PRONOMINALISATION

La pronominalisation (ou transformation pronominale) consiste à remplacer un élément d'une phrase donnée (généralement le groupe nominal) ou le contenu d'une phrase entière par un pronom. Ce pronom — appelé parfois pronom de rappel — est très utile à l'écrit. Il permet d'éviter les répétitions, les mots trop rapprochés, de scinder une phrase fortement articulée et lourde en plusieurs phrases. En voici un exemple:

**La chute de la neige est subordonnée à un abaissement de la température suffisant pour provoquer la congélation en fins cristaux des gouttelettes dues à la condensation de la vapeur d'eau.**

Si l'on applique le procédé de la pronominalisation, cette phrase peut être transformée de la façon suivante:

**La chute de la neige est subordonnée à un abaissement de la température. *Cela* est suffisant pour provoquer la congélation en fins cristaux des gouttelettes dues à la condensation de la vapeur d'eau.**

Au lieu de rappeler le nom, comme c'est le cas dans l'exemple précédent, le pronom peut servir à l'annoncer:

**Il faut *les* connaître, vos droits. Vous pourriez en bénéficier.**

Si le procédé de la pronominalisation est utile pour éviter la répétition, il comporte cependant certains dangers qu'il faut souligner ici. Dès que l'on vient de parler de deux personnes ou de deux objets au moins, on court le risque de créer une ambiguïté pour le lecteur. Ainsi en est-il dans la phrase suivante:

**L'homme se promène avec son chien. *Il le* précède.**

Qui précède l'autre? L'homme ou le chien? Dans ces cas, le scripteur doit se mettre à la place du lecteur et se demander s'il y aura danger de mal interpréter le sens. Pour dissiper toute équivoque, il aurait fallu écrire dans la phrase précédente:

**L'homme se promène avec son chien. Ce dernier le précède.**

Afin d'éviter les erreurs d'interprétation, observez les règles suivantes:

a) **Ne jamais renvoyer par l'utilisation d'un pronom ("il", "lui", "celui-ci") à un mot trop éloigné, surtout si l'on a parlé d'autre chose auparavant. Au besoin répéter le nom, comme dans l'exemple suivant:**

> La transformation d'*énergie* solaire en chaleur et en électricité est rendue possible, grâce à des systèmes de concentration du rayonnement solaire (chauffage des locaux, climatisation). Ou directement, grâce aux cellules photo-électriques. Indirectement, *cette énergie* est libérée par l'incinération de déchets organiques (...)
>
> Joël de ROSNAY, *Le macroscope*

b) **On peut aussi remplacer le nom par un synonyme:**

> *L'homme*, pris d'un délire soudain, fonça sur les invités aveuglément, bousculant les uns, frappant les autres. *L'énergumène* fut maîtrisé dix minutes plus tard par les gardiens.

## LA NOMINALISATION

La nominalisation est la transformation qui convertit deux phrases en une seule, dans laquelle l'une des deux phrases devient un syntagme (groupe) nominal. Par exemple, dans les deux phrases suivantes (1) **Diane l'aime** et (2) **Le bibelot qui est sur la table**, la phrase (1) peut être nominalisée au profit de la seconde: **L'amour de Diane pour le bibelot qui est sur la table**. La première phrase a été réduite à un groupe nominal. Dans ce cas, il y a évidemment enchâssement d'une phrase dans l'autre.

Considérons un autre cas fréquent de la nominalisation, celui qui consiste à transformer un syntagme verbal en nom ou groupe nominal.

Exemples:

> **(1) Ouvrez la boîte en poussant simplement au centre du couvercle.**

Le syntagme verbal nominalisé, la phrase devient:

> **Ouvrez la boîte par une simple poussée au centre du couvercle.**

> **(2) Ils ont toujours lutté pour faire connaître leurs droits.**

Le syntagme verbal nominalisé, la phrase devient:

> **Ils ont toujours lutté pour la reconnaissance de leurs droits.**

> **(3) Le patron m'a mis à pied en prétextant fallacieusement des économies.**

Le syntagme verbal nominalisé, la phrase devient:

> **Le patron m'a mis à pied sous le faux prétexte de l'économie.**

Le procédé de la nominalisation rejoint une caractéristique fondamentale de la langue française qui marque en effet quelque prédilection pour l'espèce nominale. Georges Galichet écrit à ce propos:

> **La langue française tend de plus en plus à envisager le monde sous l'espèce de l'être, là où d'autres langues l'envisagent sous l'espèce du procès. Cette tendance à exprimer les événements, et même les actions, par des noms plutôt que par des verbes, s'est particulièrement accentuée au cours du XIX<sup>e</sup> siècle. Elle se manifeste surtout dans la langue écrite (...) Par là, notre langue se distingue d'une langue comme l'allemand qui, elle, présente les événements dans leur existence, dans leur "substance".**[4]

La transformation, comme tous les autres procédés que nous avons vus, suppose de la part du scripteur l'aptitude à effectuer des choix constants basés sur la connaissance des diverses ressources linguistiques offertes par le code. Ces connaissances s'acquièrent par la lecture et la pratique. Les exercices qui suivent vous y aideront.

## COMMENT MAÎTRISER LE PROCÉDÉ DE LA TRANSFORMATION

### Exercice 18

Mettez dans les parenthèses le bon pronom ou le bon synonyme.

> **La terre obéit à un mouvement de rotation sur elle-même: (pronom) se fait en un jour. (pronom) obéit aussi à un mouvement simultané de déplacement autour du soleil. (synonyme) se fait en un an.**

### Exercice 19

Trouvez le bon mot de rappel à la fin du paragraphe.

> **Avec sa thèse du "choc du futur", Toffler nous propose un autre scénario plus dramatique. À en croire Toffler, l'ordinateur et l'automation, entre autres innovations technologiques, provoquent dans notre société des changements si soudains que les gens ne parviennent pas à s'adapter psychologiquement au matraquage incessant de l'information et aux modifications et rup-**

---

4. Georges GALICHET, *Physiologie de la langue française*, Paris, PUF, "Que sais-je?", 1964, p. 118.

tures qui interviennent perpétuellement dans leur vie. Ce (mot de rappel) a été présenté de façon si poignante (...)

Herbert A. SIMON, *Le nouveau management*

## Exercice 20

Faites quatre phrases avec la longue phrase suivante, en utilisant des pronoms de rappel.

**La société industrielle qui a mis sur le marché, en moins d'un siècle, des produits fort importants, destinés à combler les besoins fondamentaux de l'homme, n'a pas réussi cependant à diminuer le prix de revient de ces produits qui sont la nourriture, la santé, l'école, l'auto.**

## Exercice 21

Reliez les phrases du texte suivant par un pronom, un rappel du nom ou un synonyme.

**Un équilibre existe. (...) justifie la répartition des richesses. (...) impose à chacun des devoirs, soit des devoirs communs, soit des devoirs liés à la place dans la société. Ainsi, la vraie distinction n'est pas à faire entre riches et pauvres, mais entre vice et vertu. C'est de cette (...) entre vice et vertu que découlent les oppositions précédemment relevées. À partir de là, on comprend le danger que représentent les mauvais pauvres. (...) sont des facteurs de déséquilibre. Aussi ne distingue-t-on pas très nettement entre "mauvais pauvre" et "mauvais ouvrier". Puisque l'on ne fait référence qu'à leur conduite, il n'est pas possible de voir que (...) travaille et que (...) ne travaille sans doute pas. C'est d'ailleurs là le rôle de la distinction établie (riches/pauvres): (...) ne permet ni de voir pourquoi les riches sont riches ni de distinguer entre ouvrier et clochard.**

## Exercice 22

Appliquez le procédé de la nominalisation aux phrases suivantes.

**1. Cette maison *a été construite* en 1950. Aucune réparation n'a été effectuée depuis. 2. Il faut *connaître* vos droits. Vous pourriez en bénéficier un jour. 3. *En voyant* son amie, elle éclata en sanglots. 4. *En vous taisant*, vous paraissez *avouer*. 5. *Pour que l'entreprise réussisse*, il faut d'abord investir. 6. *Comme la nuit tombait*, ils ne purent terminer le match. 7. *En augmentant***

*les prix,* les commerçants gagnent plus. 8. *Parce que l'examen approche,* il ne dort plus.

# F. CORRIGÉ DES EXERCICES

(Les exercices 1 à 7 ne comportent pas de corrigé)

## Exercice 8

1. L'argent rend d'excellents services, mais fait commettre des erreurs. 2. Un secret, c'est une chose qu'on raconte à voix basse et séparément. (Marcel Pagnol) 3. Le bonheur exige que l'on ne soit pas trop conscient des problèmes de l'existence. (Paul Valéry)

## Exercice 9

1. L'automobiliste était (légalement) dans son droit. 2. Ces renseignements ont été divulgués (publiquement). 3. Ils causent (ensemble) chaque fois qu'ils se voient. 4. Ces gens ne peuvent se suffire (à eux-mêmes). 5. Tous les représentants syndicaux ont voté la proposition (à l'unanimité). 6. Ils ont volé une auto (qui ne leur appartenait pas). 7. J'hésite entre deux solutions (différentes). 8. Cette solution comporte une (deux) alternative. 9. Le député a prononcé une (courte) allocution. 10. Cette compagnie a le monopole (exclusif) de ce produit. 11. Le ministre s'est refusé à toute communication sur les négociations (actuellement) en cours. 12. Nous analyserons les phases (successives) du phénomène.

## Exercice 10

De l'endroit où le résident du condominium "Le Saguenay" habite, il peut admirer jusqu'à s'en griser un paysage grandiose, d'une beauté sauvage et primitive, reconnu comme l'un des plus beaux au monde. Il peut embrasser dans une vue panoramique la magnifique ville de Chicoutimi, voir couler le majestueux Saguenay encaissé de montagnes abruptes et escarpées, ou laisser sa vue sollicitée par les Monts Valin, d'une splendeur et d'une beauté incomparables.

## Exercice 11

(Corrigé suggéré)

Une bagarre générale a éclaté hier dans un cabaret de Montréal. L'affaire a commencé au moment où un certain Jules Lebeuf fut sauvagement agressé par un inconnu qui menaçait de lui fracturer le crâne avec une bouteille de bière. Un ami de la victime, un Américain du nom de Ken Weston, malgré les protestations d'une femme nommée Thérèse qui l'accompagnait, se porta immédiatement au secours de Lebeuf en lui rabattant violemment le poignet, juste au moment où la bouteille allait lui fracasser le crâne. Une bataille générale s'ensuivit. Ken Weston fut à son tour frappé à la tête. Le sang gicla alors abondamment. Son ami Lebeuf, saisissant l'un des hommes par les pieds, s'en fit une arme improvisée et faucha une demi-douzaine d'assaillants. Puis les deux hommes se retrouvèrent dehors. Weston, la figure couverte de sang, déclina l'offre de Jules Lebeuf d'aller se faire soigner à l'hôpital et préféra rentrer à la maison avec son amie Thérèse.

## Exercice 12

1. Le travail est un acte biologiquement nécessaire. 2. Le garçon de table s'empressa de servir les clients. 3. Il est arrivé après l'heure. Son retard a indisposé le patron. 4. Elle veut devenir une grande sportive. Son ambition est louable. 5. Il n'est pas allé à son travail: il a rencontré des difficultés. 6. Elle se fait (ou entretient) des illusions sur son avenir. 7. Il court le "cent mètres" en onze secondes. 8. Dans ses yeux brillait une vive intelligence. 9. Sur le sable doré de la plage sont étendus (couchés ou allongés) des baigneurs. 10. La télévision est un medium efficace d'information.

## Exercice 13

1. Elle a jeté sur nous un regard inquiet. 2. Cette machine automatique permet des opérations simultanées. 3. Le fonctionnaire auteur de ce rapport a été renvoyé. 4. Les décisions prises par nous sont les meilleures. 5. Voici un roman à lire. 6. Elle a témoigné de son innocence dans cette affaire. 7. Un témoin soupçonné de complicité. 8. C'est une personne difficilement abordable. 9. Je souhaite sa venue. 10. Elle fut debout bien avant le lever du soleil. 11. Il a été renvoyé à cause de sa négligence dans son travail. 12. Nous en reparlerons à votre retour. 13. Avec de la volonté, on réussit. 14. Je l'ai aperçu en arrivant à la

maison. **15. Nous risquons, en suivant vos conseils, de perdre beaucoup de temps. 16. Le désoeuvrement le rend malade. 17. Cet athlète vient d'accomplir une longue course. Il a besoin de se reposer. 18. Je vous ai formulé une proposition. Vous ne pouvez la refuser.**

# Exercice 14

**Nous avons vu que dans une société où les changements se pressent (se succèdent/se font brusquement), le vieillissement s'accélère, non point sans doute celui de l'homme, dont l'existence moyenne s'est au contraire allongée par le jeu (le travail/l'effort, etc.) conjoint (combiné/unifié) de la médecine et de l'hygiène, mais celui des réalisations de l'homme: machines, idées, institutions, etc. L'adaptation accélérée à des conditions (circonstances) nouvelles devient ainsi une nécessité impérative (pressante) de l'agir (l'activité). Ceci sous-entend l'importance que prend actuellement la jeunesse. Quand l'évolution se précipite, l'expérience donne de moins en moins de sécurité.**

D'après Gaston BERGER, *Encyclopédie française*, tome XX

# Exercice 15

**Nous vous donnons les trois inversions, les commentaires vous appartiennent: "Tiré bibliquement...", "Destiné au grand public...", "Alors fleurit...".**

# Exercices 16 et 17: pas de corrigé.

# Exercice 18

**La terre obéit à un mouvement de rotation sur elle-même: celui-ci se fait en un jour. Elle obéit également à un mouvement simultané de déplacement autour du soleil. L'accomplissement se fait en un an.**

# Exercice 19

**Le mot de rappel est "scénario".**

# Exercice 20

**La société industrielle a mis sur le marché, en moins d'un siècle, des produits fort importants. Ceux-ci sont destinés à combler les besoins fondamentaux de l'homme. Cette société**

n'a cependant pas réussi à diminuer le prix de revient de ces produits. Ces derniers sont la nourriture, la santé, l'école, l'auto.

La dernière phrase pourrait être fondue avec la précédente pour éviter la répétition abusive du pronom de rappel.

# Exercice 21

Les mots suggérés sont: "il", "cet équilibre", "distinction" (ou "opposition"), "ils" (ou "ces derniers"), "l'un", "l'autre", "elle".

# Exercice 22

1. Aucune réparation n'a été effectuée depuis *la construction* de cette maison en 1950. 2. Vous pourriez bénéficier de *la connaissance* de vos droits un jour. 3. À *la vue de* son amie, elle éclata en sanglots. 4. *Votre silence* ressemble à un *aveu* (ou paraît un aveu). 5. *Pour le succès* de l'entreprise, il faut d'abord investir. 6. À *la tombée de* la nuit, ils ne purent terminer le match. 7. *Avec l'augmentation* des prix, les commerçants gagnent plus. 8. À *l'approche des* examens, il ne dort plus.

# 4

# LA PHRASE
# POUR COMMUNIQUER

**La phrase ne sert pas uniquement à véhiculer des contenus, mais aussi à établir une "relation sociale".**
D'après HALLIDAY

**C'est l'effort conjugué de l'auteur et du lecteur qui fera surgir cet objet concret et imaginaire qu'est l'oeuvre de l'esprit.**
Jean-Paul SARTRE,
*Qu'est-ce que la littérature?*

Nous avons vu, au chapitre précédent, quelques transformations d'ordre syntaxique et stylistique. La phrase peut également subir d'autres types de transformations selon le mode de communication qu'elle établit entre l'émetteur (scripteur) et le récepteur (lecteur). Ces transformations correspondent aux fonctions linguistiques de Jakobson, lesquelles peuvent générer diverses "modalités" de phrases. Ainsi, le scripteur peut vouloir: 1) informer (fonction référentielle); 2) s'exprimer (fonction expressive ou émotive); 3) agir sur le destinataire (fonction conative); 4) faciliter le contact (fonction phatique); 5) vouloir définir ou expliquer une chose (fonction métalinguistique); 6) vouloir viser la forme esthétique du message (fonction poétique).

À partir de ces fonctions, nous dégagerons six types de phrases.

- **La phrase informative**
- **La phrase expressive**

- **La phrase incitative**
- **La phrase contact**
- **La phrase explicative**
- **La phrase poétique ou esthétique**

Ces types de phrases répondent aux principaux besoins de communication personnelle et sociale rencontrés dans la vie d'un individu.

Rappelons que, dans une phrase ou un texte, on peut retrouver plusieurs fonctions, à divers degrés. Souvent, cependant, une fonction en particulier domine. Il en est de même pour les différentes stratégies linguistiques utilisées dans ces fonctions. L'incidence ou l'occurrence de certaines stratégies linguistiques peut être plus forte dans tel type de discours que dans tel autre.

# A.  LA PHRASE INFORMATIVE

## a)  Qu'est-ce que la phrase informative?

Pour expliquer la phrase informative, partons de la phrase déclarative utilisée pour affirmer, déclarer, annoncer, décrire, etc. La phrase informative répond à ces mêmes fins, mais en y ajoutant l'intention d'informer. Dans ce type de phrase, à l'état pur cela s'entend, on ne perçoit la présence ni du destinateur ni du destinataire. Ceux-ci s'effacent au profit des informations **objectives** que transmet le message. Il n'y a donc pas de place pour le commentaire ou le jugement personnel.

On utilise ce genre de phrase dans **l'information** en général (articles de journal ou de revue), pour **la communication scientifique** (comptes rendus d'expériences, résumés), en **littérature** (les descriptions et les portraits objectifs), dans **les écrits de la vie professionnelle** (notes de service, procès-verbaux, comptes rendus de réunions, etc.). Le message qui en résulte doit nécessairement être clair et univoque, c'est-à-dire qu'il ne doit s'interpréter que dans un sens.

# Exemples de phrases informatives:
## • dans l'article:

Après plus de 80 ans de recherches, les scientifiques semblent approcher du but dans la lutte contre la maladie hollandaise des ormes.

La disparition progressive de ces arbres magnifiques a commencé aux Pays-Bas, en 1919. À l'époque, les chercheurs pensaient que ces arbres avaient été empoisonnés par les gaz utilisés contre les soldats pendant la Première Guerre mondiale.

Il a fallu une vingtaine d'années pour se rendre compte que la maladie hollandaise était causée par un champignon microscopique, transporté d'arbre en arbre par certains insectes de la famille des coléoptères.

La Presse canadienne

## • dans le compte rendu (ou le procès-verbal):

Le 27 mai 1981, l'Assemblée des gouverneurs de l'Université du Québec a résolu:

pour l'ensemble des institutions

− d'émettre des diplômes à 596 finissants, ce qui porte le nombre total de diplômés de l'Université du Québec à 45 854;

− de constituer une commission permanente pour la révision des règlements de l'Université du Québec, d'en définir la composition et le mandat et d'en désigner les membres;

− d'ajuster les subventions à verser aux établissements du réseau pour les années 1980-81 et 1981-82;

− de modifier le guide pour la présentation des états financiers annuels.

*Réseau*, Revue de l'Université du Québec, vol 13, n° 1

## • dans la description:

Sur le plancher ciré, les chaussons de feutre ont dessiné des chemins luisants, du lit à la commode, de la commode à la cheminée, de la cheminée à la table. Et, sur la table, le déplacement des objets est aussi venu troubler la continuité de la pellicule (de poussière); celle-ci, plus ou moins épaisse suivant l'ancienneté des surfaces, s'interrompt même tout à fait çà et là: net, comme tracé au tire-ligne, un carré de bois verni occupe ainsi le coin arrière gauche, non pas à l'angle même de la table, mais parallèlement à ses bords, en retrait d'environ

**dix centimètres. Le carré lui-même mesure une quinzaine de centimètres de côté. Le bois, brun-rouge, y brille, presque intact de tout dépôt.**

A. ROBBE-GRILLET, *Dans le labyrinthe*

La phrase informative se retrouve évidemment dans beaucoup d'autres formes d'écrits.

# b) Procédés linguistiques propres à la phrase informative

## L'EFFACEMENT DU "JE"

Le discours informatif est caractérisé par la mise en veilleuse du "je" et du "nous", au profit des pronoms de la troisième personne, des pronoms neutres, des tournures impersonnelles et du vocabulaire neutre en général. Ce type de discours, étant le langage des faits, laisse peu de place à l'interprétation. Il faut donc éviter les verbes qui expriment un jugement personnel comme "penser que", "croire que", "estimer que", etc.

Dans le discours informatif, il arrive parfois que l'on remplace son opinion par celle d'autrui. Les stratégies les plus courantes sont alors: la proposition incise ("dit-il", "pense-t-il") et certaines expressions ("d'après lui", "selon cet auteur", etc.).

Le texte suivant est un bon exemple d'effacement du "je". Le deuxième paragraphe en particulier, par sa forme impersonnelle, constitue un excellent subterfuge pour camoufler le pronom personnel de la première personne:

**Ainsi, il n'est pas indifférent, par exemple, de savoir que Proust, dans sa description des clochers de Martinville, a remanié un article intitulé *Journées en automobile* publié dans *le Figaro* du 19 novembre 1907, comme le démontre M. Guyon. Une fois l'antériorité du texte bien établie, on peut constater les remaniements et les "progrès" réalisés en sept années, les uns au point de vue de la clarté et de la correction, les autres au point de vue de la simplification et de la concentration de l'exposé.**

**Est-ce connaître le style que de voir en quoi un exposé est précis et nuancé? Ne le considère-t-on pas, dans ce cas, comme une technique exercée par chaque écrivain avec plus ou moins**

**de bonheur? Faut-il s'étonner de l'opposition des critiques à une définition aussi limitée?**

Bernard DUPRIEZ, *L'étude des styles*

# EXERCICES

## Exercice 1

Dans l'exemple précédent, relevez les stratégies utilisées par l'auteur pour éliminer la présence du "je".

# LA DÉNOTATION

Pour que le message informatif soit clair et objectif, il doit s'appuyer sur la dénotation. C'est elle qui précise clairement l'objet auquel renvoie le scripteur, car elle réfère au sens et à la signification des mots. La dénotation diffère de la connotation qui vise les aspects plutôt affectifs suscités par le mot, ce qu'il suggère (voir p. 139)[1].

**Exemple:**

| | sens connotatif | sens dénotatif |
|---|---|---|
| **Neige** | rêve, froid, nord, skis, patins... | Eau congelée qui tombe en flocons blancs légers. (Larousse) |
| **Joual** | langue bâtarde, dégradation du français; ou au contraire: langue caractéristique du peuple québécois. | Parler populaire à base de français fortement contaminé par l'anglais, utilisé au Québec. (Larousse) |

Le type de phrase qui privilégie la dénotation se révèle plus objectif: c'est la phrase que l'on retrouve en général dans les dictionnaires ou les textes scientifiques.

---

1. Ce n'est pas sans raison que la fonction référentielle du langage est parfois appelée "fonction dénotative".

107

## Exercice 2

Décrivez ou définissez un objet en utilisant le procédé de la dénotation.

## Exercice 3

Décrivez un fait ou un événement (d'ordre social, politique, culturel, etc.) de façon neutre et objective, c'est-à-dire sans faire intervenir de mots ou procédés qui pourraient trahir votre présence ou votre point de vue.

# LA CARACTÉRISATION

Le besoin de caractérisation et d'explication est relié à celui de la clarté qui est propre au message informatif. Pour clarifier, divers moyens linguistiques peuvent être utilisés. En voici quelques-uns:
— l'adjectif:
le rôle de l'adjectif dans le discours informatif n'est pas de modifier le caractère neutre ou objectif de la phrase, mais de la rendre plus explicite, plus nuancée;
— l'adverbe suivi de son complément:

> **ex. Beaucoup de spécialistes compétents font partie de la recherche.**

— le complément du nom et de l'adjectif:

> **ex.: L'homme de la rue est peu informé.**
> **Une histoire triste à faire pleurer.**
> **La rue était noire de monde.**

— les relatives explicatives:

> **ex.: Un endroit qui vous charme à tous coups.**

— les appositions:

> **ex.: Le spécialiste, celui qu'on attendait, est arrivé hier.**
> **L'homme, cet inconnu.**

— les compléments circonstanciels exprimant les aspects de la cause, du temps, du lieu, de la manière, du but, etc.
— la périphrase et le synonyme:

> **ex.: La messagère du printemps (l'hirondelle).**

— la comparaison:

> **ex.: La phrase "Il travaille bien" est moins précise que "il travaille comme un spécialiste".**

— tous les adverbes ou locutions adverbiales exprimant le temps, le lieu, la manière, etc.

> **ex.: Il faut parler suffisamment haut.**
> **Il est arrivé en retard.**

108

**Tous les matins, il fait du jogging.**
— l'attribut:

**ex.: Le soleil est ravissant cet après-midi.**
**Il devient habile comme son père.**

Dans l'utilisation de la caractérisation, une remarque s'impose. Sous prétexte que ce procédé apporte plus de clarté et de précision, il ne faut pas conclure que chaque terme doit nécessairement être accompagné d'adjectifs, de compléments du nom ou de l'adjectif, de relatives explicatives. Souvent un terme bien choisi dit assez en lui-même, et la nécessité de caractériser n'est pas la même dans tous les cas.

## Exercice 4

Dans le texte suivant, l'auteur déifie en quelque sorte la nature qu'il découvre lors de son passage à Tipasa, ville d'Algérie. Relevez les exemples de caractérisation, et remarquez ce qu'ils apportent au plan de l'information.

**Au printemps, Tipasa est habitée par les dieux et les dieux parlent dans le soleil et l'odeur des absinthes, la mer cuirassée d'argent, le ciel bleu écru, les ruines couvertes de fleurs et la lumière à gros bouillons dans les amas de pierres. À certaines heures, la campagne est noire de soleil. Les yeux tentent vainement de saisir autre chose que des gouttes de lumière et de couleurs qui tremblent au bord des cils. L'odeur volumineuse des plantes aromatiques racle la gorge et suffoque dans la chaleur énorme.**
Albert CAMUS, *Noces*

Voir le CORRIGÉ des exercices à la fin du chapitre.

## Exercice 5

Dans le texte suivant, relevez les exemples de caractérisation et remarquez ce qu'ils apportent au plan de l'information.

**À 3 500 km au nord d'Ottawa, en plein désert arctique, à mi-chemin entre Washington et Moscou, on peut voir, du haut des airs, un drapeau du Canada grand comme un terrain de football. C'est le toit de l'usine Polaris, la mine la plus septentrionale au monde.**

**On est juste à la verticale de l'étoile Polaire, quelques minutes au nord du pôle magnétique: toutes les boussoles du monde indiquent ce point que nous avons survolé tantôt. La nôtre est devenue folle, inutile. Depuis une heure, le pilote fait le point à l'aide d'un astrolabe...**

L'avion s'immobilise sur la piste glacée, dans un silence effarant, devant un gros soleil psychédélique suspendu jour et nuit sur l'horizon tout blanc, tout bas. On recouvre les moteurs de housses molletonnées pour leur éviter de fatals refroidissements.

On se réfugie dans une bulle chaude et colorée, une espèce de nid au creux duquel vivent quelque 200 employés de Cominco, l'entreprise qui exploite le gisement de Polaris: 25 000 000 de tonnes de minerai de zinc et de plomb enfouies dans un sol gelé dur sur plus d'un kilomètre de profondeur.

Cette bulle douillette et confortable a coûté 12 000 000 de dollars. Il y a, un peu partout, des plantes vertes qui, dans le flash éblouissant de l'été arctique, vont pousser de plusieurs centimètres par jour. Il y a une piscine, des saunas, des bains tourbillon, des petits salons presque élégants où des gars, torse et pieds nus, jouent aux dames et regardent la télévision qui leur apporte, via le satellite Anik, des images et des nouvelles des pays *chauds.*

Georges-Hébert GERMAIN, "Notre Arabie sous la neige",
*L'actualité*, octobre 1982

## Exercice 6

Écrivez un texte d'information (compte rendu objectif, résumé, article, description objective), dans lequel vous appliquerez les stratégies propres au discours informatif.

# B. LA PHRASE EXPRESSIVE

## a) Qu'est-ce que la phrase expressive?

Habituellement, quand on dit d'une phrase qu'elle est expressive, on veut signifier qu'elle est bien écrite sur le plan formel ou encore qu'elle est remplie d'**effets stylistiques**. Ici cependant, nous donnons à l'épithète **expressive** une autre acception: celle que l'on entend quand on réfère à la **fonction expressive** du langage, où le message est centré sur l'émetteur (voir p. 27). La phrase qui sert à véhiculer ce type de message est dite **expressive**.

Contrairement à la phrase informative, la présence du destinateur est ici fortement marquée. La phrase est empreinte de **subjectivité**. Le "je" est présent de façon directe ou indirecte et il peut emprunter toutes les formes possibles allant du "nous", pluriel de politesse, aux tournures totalement impersonnelles qui peuvent trahir aussi le destinateur. L'accent est mis sur l'expression des émotions, des sentiments, des besoins du sujet parlant, sur la manifestation de ses jugements. Le scripteur donne sa propre vision des choses. La phrase **expressive** reflète la personnalité même de l'individu qui écrit.

Dans les exemples qui suivent, la phrase expressive est caractérisée par l'emploi de la première personne ("moi", "je", "mon"), par l'utilisation de procédés révélant la présence du scripteur et par l'expression de sentiments personnels.

## Exemples de phrases expressives:

### • dans la lettre:

La lettre est certainement l'une des situations d'écriture qui se prêtent le mieux à l'implication personnelle du scripteur dans son message, étant donné qu'il s'agit essentiellement d'un acte de communication dont le mouvement va en général du destinateur au destinataire. Exemple:

> **Monsieur,**
>
> **Permettez-moi, en cette fin d'année, de vous assurer de mon attachement et de vous présenter les voeux les plus sincères que je forme pour votre bonheur et pour celui de votre famille.**
>
> **Je vous prie de croire, Monsieur, en l'assurance de mes sentiments respectueux.**
>
> *Savoir s'exprimer*, France-Amérique

### • dans le compte rendu critique:

Dans le compte rendu, la phrase expressive permet au commentateur de s'impliquer personnellement dans sa critique en faisant connaître ouvertement et directement son appréciation ou son point de vue. Contrairement au compte rendu "objectif", la critique revêt ici un caractère personnel. Exemple:

> **Je ne sais pas si vous vous en êtes aperçu, mais l'année romanesque qui se termine est une des plus riches qui se soient vues au Québec depuis assez longtemps. Il faut le dire. Ça fera de la peine aux pessimistes, et il est important qu'ils en aient. Les pes-**

simistes, comme les optimistes, sont des gens qui ne voient jamais rien tant ils sont occupés à démontrer qu'ils ont raison.

La preuve de ce que j'avance, c'est que je vois sur ma table sept ou huit romans que j'ai flairés, parcourus, et qui mériteraient pour une raison ou une autre d'être signalés. J'en choisis deux: le premier parce qu'il est d'Yves Beauchemin dont le premier roman, *L'Enfirouâpé*, m'avait tout particulièrement intéressé; le deuxième parce que son auteur, Robert Lalonde, a remporté le prix Robert-Cliche. Ça tombe pile, ils sont bons tous deux, chacun dans son genre qui est fort différent de l'autre. (...)

Gilles MARCOTTE, *L'actualité*, août 1981

## • dans le roman:

Dans le roman, la phrase expressive permet à l'auteur (ou au narrateur) d'exprimer ou de décrire directement ses sentiments, ses attitudes, ses comportements. Exemple:

Quand le printemps revint, puis l'été, mon envie de bougeotte me reprit. Je marchais souvent le long de la plage; je me baignais. C'est là que j'aperçus vers midi une fille étendue près d'une tente de camping. Quand je passai devant elle, elle se releva, me demanda l'heure. Je fis semblant de posséder une montre, relevai la manche de mon pull, regardai mon poignet nu et lui dis une heure approximative. Elle me remercia. Mais je restai devant ce corps enfariné par le sable, devant cette figure dont les cheveux étaient ramenés sur la nuque au moyen d'une serviette. Je parlai; je dis n'importe quoi, qu'il était dangereux de se baigner dans les eaux du port à cause d'anciens pieux de fer qui émergeaient au ras de l'eau. Elle me remercia à nouveau. Je continuai de lui parler de la saleté de la mer, du sable plein de morceaux de verre; j'insistai pour qu'elle fît attention le soir. Était-elle armée? Il y avait beaucoup de rôdeurs, hommes et chiens. J'arrivais doucement à la dégoûter de son camping. Oui, elle avait peur. Et quand je fis semblant de la quitter, elle me retint. Nous restâmes trois jours ensemble. Je me fis prévenant, bricoleur, amusant. Je nettoyai son scooter; je remplaçai les piquets de sa tente; je fabriquai un petit foyer fort réussi avec des pierres et du grillage; c'est moi qui allais chercher l'eau douce. Comme elle souffrait de ses mollets à cause de la natation, je la massais. La nuit, nous n'étions que deux amoureux. J'avais enfin trouvé un corps à ma convenance, poncé par le sable, d'une peau fine et tendue. Les vêtements lui allaient mal. Elle n'était elle-même que nue, offerte à mes mains et aux

**vagues. Nous étions alors sur cette plage, peu fréquentée à cause de la proximité du port, comme deux naufragés; nous pouvions jouer au paradis terrestre, malgré l'odeur de poussière charriée par le vent. Parfois, des enfants venaient s'amuser autour de nous; nous étions un peu leur cible. Pourquoi ne pas rire de leur insolence ou de leur méchanceté? Je dus revenir dans mon hôtel; il était temps que je donne une explication de mon absence. Quand je retournai à la nuit au campement, elle était partie. Elle n'avait pas voulu me connaître au-delà de ses baisers. Près de la dune, elle avait abandonné un mouchoir brodé de son prénom: Lisette. C'est tout.**

J. CAYROL, *Les corps étrangers*

L'auteur peut aussi s'impliquer dans son roman de façon indirecte, sans l'aide d'aucune marque trahissant sa présence. Dans ce cas, il le fait habituellement à travers un ou des personnages par lesquels il transmet sa vision de la réalité.

## • dans une description:

Dans la description, la phrase expressive permet à l'auteur de se situer et de réagir personnellement face à l'objet décrit. Elle traduit alors la correspondance, parfois cette espèce de complicité qui s'établit entre lui et l'objet de sa description. Exemple:

**Il était, quelque part, un parc chargé de sapins noirs et de tilleuls, et une vieille maison que j'aimais. Peu importait qu'elle fût éloignée ou proche, qu'elle ne pût ni me réchauffer dans ma chair ni m'abriter, réduite ici au rôle de songe: il suffisait qu'elle existât pour remplir ma nuit de sa présence. Je n'étais plus ce corps échoué sur une grève, je m'orientais, j'étais l'enfant de cette maison, plein du souvenir de ses odeurs, plein de la fraîcheur de ses vestibules, plein des voix qui l'avaient animée. Et jusqu'au chant des grenouilles dans les mares qui venait ici me rejoindre. J'avais besoin de ces mille repères pour me reconnaître moi-même, pour découvrir de quelles absences était fait le goût de ce désert, pour trouver un sens à ce silence fait de mille silences, où les grenouilles mêmes se taisaient.**

SAINT-EXUPÉRY, *Terre des hommes*

Question:

Dans les exemples qui précèdent, relevez des indices de l'implication de l'auteur dans son message.

# b) Procédés linguistiques propres à la phrase expressive

Le scripteur peut s'impliquer directement ou indirectement dans son message. Les procédés linguistiques les plus courants sont alors:

## L'ÉNONCÉ À LA PREMIÈRE PERSONNE

— "je doute que...", "je dirais que...", "il me semble que...", etc.

## L'UTILISATION D'ADVERBES OU D'EXPRESSIONS TRADUISANT DES NUANCES PERSONNELLES

— certainement, peut-être, sûrement, etc.; "il est certainement intelligent", "il viendra peut-être", "ta soeur viendra sûrement te voir";
— "tu sauras, mon cher ...", "c'est un vrai lion".

## L'UTILISATION DE L'ADJECTIF ET DE L'ATTRIBUT

a) **Les adjectifs révèlent la perception qualitative ou quantitative que se fait le scripteur de la réalité: vision optimiste, pessimiste, valorisante, dévalorisante, appréciative, dépréciative, minimisante, grossissante, etc.:**
— "une infinité de solutions s'offrent à lui", "ce fut une délicieuse soirée", "il a un tempérament exécrable".

b) **L'attribut traduit l'état d'âme, les attitudes, les comportements du scripteur:**
— "je me sens incompris", "il se croit brave", etc.

## L'UTILISATION DE VERBES OU D'EXPRESSIONS EXPRIMANT JUGEMENTS ET OPINIONS

— "je pense que", "on peut supposer que" (derrière le "on", il faut voir le "je");
— "à mon avis", "ma conception du projet serait...", etc.

# L'EMPLOI DE L'EXCLAMATION ET DE L'INTERJECTION

Ces deux procédés ressortissent d'abord à l'oral, mais ils peuvent être facilement transcrits à l'écrit. Ils manifestent, dans ce cas, les sentiments ou les attitudes immédiates et spontanées du scripteur au moment où il écrit: "Eh bien! cela s'entend parfaitement", "Comme je suis heureux de pouvoir vous écrire ces mots!", etc.

L'exclamation, souvent réduite à une interjection, répond à la même structure que celle de la phrase interrogative (les adverbes et pronoms exclamatifs sont les mêmes que les interrogatifs: quel, combien, etc.). Une différence cependant existe au niveau de l'intonation exprimée à l'écrit par le point d'exclamation: "Quelle horreur!", "Combien se sont fait jouer!", "Comment peut-on en arriver à poser de tels gestes!". Soulignons que les interjections (Quoi! Oh! Hélas!, etc.) et les structures exclamatives (Quelle famille!, Bon débarras!, Mes félicitations!) ont une valeur hautement expressive.

# LE VOCABULAIRE MÉLIORATIF ET DÉPRÉCIATIF

Certains mots servent à désigner et à caractériser une réalité tout en ayant une connotation méliorative, dépréciative ou péjorative. Leur emploi révèle évidemment l'attitude, les sentiments de l'utilisateur quant à ce dont on parle. Nous vous présentons ci-après deux approches différentes d'une réalité semblable: l'une est dépréciative, l'autre méliorative.

a) **Mais Grand-Mère Antoinette domptait admirablement toute cette marée d'enfants qui grondaient à ses pieds. (D'où venaient-ils? Surgissaient-ils de l'ombre, de la nuit? Ils avaient son odeur, le son de sa voix, ils rampaient autour du lit, ils avaient l'odeur familière de la pauvreté...)**

**"Ah! Assez, dit Grand-Mère Antoinette, je ne veux plus vous entendre, sortez tous, retournez sous les lits... Disparaissez, je ne veux plus vous voir, ah! quelle odeur, mon dieu!"**

**Mais elle leur distribuait avec quelques coups de canne les morceaux de sucre qu'ils attendaient la bouche ouverte, haletant d'impatience et de faim, les miettes de chocolat, tous ces trésors poisseux qu'elle avait accumulés et qui jaillissaient de ses jupes, de son corsage hautain. "Éloignez-vous, éloignez-vous", disait-elle.**

**Elle les chassait d'une main souveraine (plus tard, il la verrait marchant ainsi au milieu des poules, des lapins et des vaches, semant les malédictions sur son passage ou recueillant quelque bébé plaintif tombé dans la boue), elle répudiait vers l'escalier —**

leur jetant toujours ces morceaux de sucre qu'ils attrapaient au hasard — tout ce déluge d'enfants, d'animaux, qui, plus tard, à nouveau, sortiraient de leur mystérieuse retraite et viendraient encore gratter à la porte pour mendier à leur grand-mère...

Marie-Claire BLAIS, *Une saison dans la vie d'Emmanuel*

b) **Mais, peu à peu, le charme agissait aussi sur elle. Elle finissait par sourire, l'imagination éveillée, entrant dans ce monde merveilleux de l'espoir. Il était si doux d'oublier pendant une heure la réalité triste! Lorsqu'on vit comme des bêtes, le nez à terre, il faut bien un coin de mensonge, où l'on s'amuse à se régaler des choses qu'on ne possédera jamais. Et ce qui la passionnait, ce qui la mettait d'accord avec le jeune homme, c'était l'idée de la justice.**

ZOLA, *Germinal*

# EXERCICES

## Exercice 7

Dans l'exemple a), dégagez les éléments dépréciatifs; dans l'exemple b), dégagez les éléments mélioratifs.

## Exercice 8

En vous inspirant des stratégies que nous venons de présenter, relevez, dans le texte suivant, les indices qui trahissent la personnalité de l'auteur.

**À ce moment, le concierge est entré derrière mon dos. Il avait dû courir. Il a bégayé un peu: "On l'a couverte, mais je dois dévisser la bière pour que vous puissiez la voir." Il s'approchait de la bière quand je l'ai arrêté. Il m'a dit: "Vous ne voulez pas?" J'ai répondu: "Non." Il s'est interrompu et j'étais gêné parce que je sentais que je n'aurais pas dû dire cela. Au bout d'un moment, il m'a regardé et il m'a demandé: "Pourquoi?" mais sans reproche, comme s'il s'informait. J'ai dit: "Je ne sais pas." Alors, tortillant sa moustache blanche, il a déclaré sans me regarder: "Je comprends." Il avait de beaux yeux, bleu clair, et un teint un peu rouge. Il m'a donné une chaise et lui-même s'est assis un peu en arrière de moi. La garde s'est levée et s'est dirigée vers la sortie. À ce moment, le concierge m'a dit: "C'est un chancre qu'elle a." Comme je ne comprenais pas, j'ai regardé l'infirmière et j'ai vu qu'elle portait sous les yeux un bandeau qui faisait le**

**tour de la tête. À la hauteur du nez, le bandeau était plat. On ne voyait que la blancheur du bandeau dans son visage.**
Albert CAMUS, *L'étranger*

## Exercice 9

Écrivez un texte à caractère expressif (lettre personnelle, critique, compte rendu, description) dans lequel vous vous impliquerez fortement en utilisant les stratégies propres à la phrase expressive.

# C. LA PHRASE INCITATIVE

## a) Qu'est-ce que la phrase incitative?

La phrase incitative est utilisée pour convaincre, persuader, prouver, faire agir, divertir, amuser, demander, interroger, etc. Écrire devient ici un moyen d'action visant à modifier la pensée ou le comportement d'autrui. La phrase incitative relève donc de la fonction conative du langage qui est une fonction essentiellement transactionnelle. C'est le discours à la deuxième personne qui domine. D'autres fonctions, comme la fonction expressive (ou émotive), peuvent être présentes dans la phrase incitative. Cela est dû en grande partie au fait que **persuader** l'autre, en lui intimant un ordre, c'est souvent faire appel à ses sentiments.

## b) Procédés linguistiques propres à la phrase incitative

Certains procédés déjà vus à propos de la phrase expressive peuvent être utilisés pour agir sur le destinataire (lecteur). C'est le cas de **l'exclamation** et de **l'interjection**. À cela s'ajoutent d'autres procédés qui remplissent aussi ce rôle: **l'apostrophe** qui permet d'entrer en contact avec quelqu'un en l'interpellant de façon inattendue: "Hé, l'ami!", "Monsieur!"; certaines **phrases ou expressions lexicalisées**: "Attention!", "Silence!", "Sens unique", "Défense de fumer", "Gare au chien", "Je vous ordonne de...", "Je veux que...". Tous ces procédés qui ressortissent normalement à l'oral peuvent être transposés à l'écrit.

Ajoutons à ces formes certains procédés de **la suggestion** utilisant les figures de style: métaphore, comparaison, litote, euphémisme, hyperbole et, en général, les mots chargés d'évocation et de connotation. Nous verrons les figures de style en détail lors de l'étude de la phrase poétique. Pour le moment, nous nous attarderons à certains procédés qui ont une haute valeur conative ou incitative. Ce sont: **l'interrogation, l'impératif, l'argumentation, les formules régulatoires, l'humour, le dialogue**.

## L'INTERROGATION

L'interrogation est un acte de communication par lequel celui qui parle (ou écrit) pose une question à son interlocuteur dans le but, soit de demander une information, soit de créer des rapports interpersonnels. Dans les deux cas, elle possède une valeur incitative (ou conative) très grande.

Pour former une interrogation, il suffit d'ajouter à la phrase déclarative des mots ou expressions qui ont pour rôle d'introduire l'interrogation: pronoms ou adjectifs interrogatifs (Qui? Que? Quoi? Lequel?); des expressions interrogatives (Est-ce que? Qui est-ce qui? Qui est-ce que? Qu'est-ce qui? Qu'est-ce que?); des adverbes (Combien? Comment? Où?); des conjonctions (Quand? Pourquoi?). On peut aussi construire une interrogation en postposant tout simplement le sujet. Par exemple, la phrase

> **(1) Est-ce que tu viendras demain? (utilisation d'une expression interrogative)**

peut devenir:

> **(2) Viendras-tu demain? (sujet postposé)**

Il arrive aussi que l'interrogation se fasse à partir d'une phrase déclarative à laquelle on ajoute une marque seulement de l'interrogation, soit le point d'interrogation (l'intonation à l'oral):

> **(3) Tu viendras demain?**

L'emploi de l'interrogation est très utile à l'écrit. Dans le discours littéraire, elle permet de rendre plus vivante une séquence narrative:

> **Elle déposa sa pelote de laine, ses aiguilles et le reste du barda sur un banc, couvrit la table d'une longue nappe jaune or.**
>
> **"J'ai fait du pain, hier, avant que tu arrives.**
>
> **— Oui?**
>
> **— Tu en veux?**
>
> **— Peut-être..."**
>
> **Il y eut un cliquetis d'ustensiles.**
>
> **"Tu as entendu le loup tout à l'heure? demanda-t-elle. Dans deux ou trois semaines, on sera en plein automne.**

118

**– Ça t'inquiète?**

Jacques BENOÎT, *Jos Carbone*

L'interrogation peut être utilisée à bon escient pour faire une transition. Dans l'exemple qui suit, la transition figure au début du deuxième paragraphe.

**Là est la "fonction" essentielle de la hiérarchie: elle exprime l'unité d'une telle société tout en la rattachant à ce qui lui apparaît comme l'universel, à savoir une conception de l'ordre cosmique, qu'elle comporte ou non un Dieu ou un roi comme médiateur. Si l'on veut, la hiérarchie "intègre" la société par référence aux valeurs.**

**Cet ordre est-il vraiment réel, exprime-t-il l'existence sociale vécue? En un sens, non (...)**

Fernand DUMONT, *Le lieu de l'homme*

L'interrogation peut encore être utilisée pour présenter des arguments:

**L'être humain n'est-il pas, par définition, rebelle à toute mesure? Comment peut-on prétendre en saisir toute la complexité? Et que faire de l'émotivité qui a souvent pour effet de fausser les résultats?**

Jean-Louis GAUTHIER, *Châtelaine*, février 1981

De façon générale, l'interrogation est utile pour impliquer le lecteur:

**Mais qu'est-ce au juste que le film noir? me demanderez-vous. La réponse n'est pas simple. Du cinéma violent? Souvent, mais pas toujours, même si le crime y est un ingrédient essentiel. Intrigues policières, criminelles, donc racontées avec réalisme souvent, parfois aussi avec une certaine ambiguïté quant aux personnages et aux valeurs véhiculées. De tout cela se dégage une vision du monde insécurisante et cauchemardesque, une vision qui nous enveloppe sensuellement.**

La Presse canadienne

# L'IMPÉRATIF

L'impératif est un procédé par lequel l'émetteur tend à imposer au destinataire un comportement déterminé. Il peut donc être utilisé chaque fois qu'on veut impliquer quelqu'un d'une façon ou d'une autre dans le processus de communication. À ce titre, il constitue l'une des manifestations les plus caractéristiques de la fonction conative. Voilà pourquoi l'impératif est fréquemment utilisé en publicité. Exemples: "CONTRÔLEZ l'apparence de votre peau avec...", "Allez-y, touchez-les!" (annonce de fixatif pour cheveux).

L'impératif est aussi utile quand on veut inciter quelqu'un à poser un geste, à agir, ou au contraire à aller dans le sens de l'omission, c'est-à-dire à éviter de poser un geste:

**Marche deux heures tous les jours, dors sept heures toutes les nuits; couche-toi dès que tu as envie de dormir; lève-toi dès que tu es éveillé. Ne mange qu'à ta faim, ne bois qu'à ta soif, et toujours sobrement. Ne parle que lorsqu'il le faut; n'écris que ce que tu peux signer; ne fais que ce que tu peux dire. N'oublie jamais que les autres comptent sur toi et que tu ne dois pas compter sur eux. N'estime l'argent ni plus ni moins qu'il ne vaut: c'est un bon serviteur et un mauvais maître. Pardonne d'avance à tout le monde, pour plus de sûreté; ne méprise pas les hommes, ne les hais pas davantage et n'en ris pas outre mesure; plains-les. Efforce-toi d'être simple, de devenir utile, de rester libre.**

A. DUMAS, fils

Dans le texte suivant de l'écrivain français Colette, la maman invite sa petite fille à l'observation des choses qui l'entourent. L'impératif entre ainsi dans un processus de connaissance:

**"Son grand mot "Regarde" signifiait: "Regarde la chenille velue, pareille à un petit ours doré! Regarde la première pousse du haricot, le cotylédon qui lève sur sa tête un petit chapeau de terre sèche. Regarde la guêpe qui découpe, avec des mandibules en cisailles, une parcelle de viande crue... Regarde la couleur du ciel au couchant, qui annonce vent et tempête. Qu'importe le grand vent de demain, pourvu que nous admirions cette fournaise d'aujourd'hui! Regarde, vite, le bouton de l'iris noir est en train de s'épanouir. Si tu ne te dépêches pas, il ira, il ira plus vite que toi."**

Beaucoup d'autres exemples de l'utilisation de la phrase impérative pourraient être apportés. Mentionnons toutefois les cas les plus courants: **l'injonction** ("Faites ce que je vous dis..."), **les instructions** (directives adressées à quelqu'un ou mode d'emploi d'un produit), **la prescription** ("Prenez deux comprimés trois fois par jour"), **la consigne** ("Pour faire ce travail, lisez attentivement la démarche à suivre, faites la recherche demandée, puis écrivez votre texte"), **le conseil** ("Dépêchez-vous, vous pourriez être en retard"), les recettes de cuisine ("Coupez en cubes... ajoutez... passez au hachoir... assaisonnez..., etc.), **la circulaire** et, bien sûr, **l'avertissement** ("En avril, ne vous découvrez pas d'un fil") et **la menace** ("Attends que je te retrouve!"). Bref, l'impératif sert chaque fois qu'il s'agit d'imposer au destinataire un comportement déterminé.

# L'ARGUMENTATION

L'argumentation consiste à convaincre le lecteur de quelque chose. Son fonctionnement peut donc être décrit à la lumière de la théorie de la communication: il fait intervenir un émetteur, un récepteur, un message, codé par le premier, décodé par le second. Ce message est construit de façon à susciter l'adhésion du récepteur. Nous verrons plus en détail les lois de l'argumentation au chapitre 9.

## Caractéristiques de la phrase argumentative

a) **Elle emprunte aux différentes fonctions du langage:**

- à la fonction référentielle:
    - l'objectivité;
    - la logique de l'argumentation: force, ordre, cohérence;
    - l'illustration par des faits et des exemples;

- à la fonction expressive:
    - l'implication personnelle de l'émetteur;
    - sa conviction personnelle;
    - sa vision de la réalité;

- à la fonction poétique:
    - les procédés de rhétorique et les procédés de la suggestion que nous détaillerons plus loin: évocation, connotation, figures, images, etc. (voir p. 139 et suivantes).

b) **Les procédés linguistiques de la phrase argumentative:**

La liste que nous donnons ici n'est évidemment pas exhaustive:

- les formules *introductives*:
    - nous allons commencer par...
    - j'aimerais rappeler que...
    - la première remarque portera sur..., etc.

- les formules oppositives:
    - par contre, à l'opposé, en dépit de, malgré, plutôt que, etc.
    - je m'oppose à, je m'inscris en faux contre, je trouve inacceptable, etc.

- les formules concessives:
    - mais, certes, bien entendu, quand même, etc.

— il est vrai que, il est exact que, on admet que, je concède, il ne fait aucun doute que, il se peut que, etc.

- les formules qui expriment la réserve:
  - mais
  - cependant
  - toutefois
  - néanmoins
  - pourtant
  - d'ailleurs, etc.

- les formules qui introduisent la condition ou la supposition:
  - si
  - en admettant que
  - dans l'hypothèse où
  - en supposant que, etc.

- les formules qui expriment la conséquence:
  - si... alors
  - en admettant que
  - dans l'hypothèse où
  - en supposant que, etc.

- les formules d'insistance:
  - même
  - à plus forte raison
  - d'autant plus que
  - non seulement... mais..., etc.

Nous nous sommes limité ici aux articulations majeures de l'argumentation. Chacun des termes ou expressions peut à son tour être nuancé davantage[3].

Ainsi pouvons-nous distinguer deux niveaux d'analyse du discours argumentatif: 1) celui des **microstructures argumentatives** correspondant aux unités d'argumentation noyautées par les termes ou expressions que nous avons énumérés ci-dessus; 2) celui des **macro-**

---

3. On pourra consulter à ce sujet les travaux de O. DUCROT sur les nombreuses nuances rattachées à l'utilisation des conjonctions **car, parce que, puisque, mais,** de l'adverbe **décidément,** de la locution adverbiale **d'ailleurs** (*Les mots du discours,* Éditions de Minuit, 1980). Sur l'utilisation de **mais** et **quand même** dans l'expression de la concession, on peut se référer aux études de J.C. CHEVALIER ("Langue française", n° 42, "Oui mais non mais" et dans "Pratiques", n° 28, "Quelques éléments pour une étude de la concession").

**structures argumentatives** correspondant aux procédés rhétoriques d'argumentation dont il sera question dans le chapitre sur l'écrit argumentatif.

## L'INJONCTION

L'injonction vise à influencer directement la conduite des autres, sans se préoccuper de ce qu'ils vont penser, qu'ils soient d'accord ou non. Contrairement à la persuasion qui tient compte de celui qu'on veut persuader, dans l'injonction on ne se préoccupe pas des attitudes et des opinions. C'est le type de message que l'on rencontre dans les règlements, les lois, les commandements, les instructions, les consignes; ou encore dans les avis de convocation, les réquisitions, les mandats d'arrestation, et même les recettes de cuisine. Tout ce qui peut régir, réglementer ou statuer quant à nos rapports avec les autres relève de l'injonction.

Le langage de l'injonction utilise les formules régulatoires: constructions impératives pour dicter une conduite (ordre aussi bien que défense), tournures impersonnelles. Exemples:

**Venez ici. Allons, venez!**
**Que personne ne sorte!**
**Attends un peu que je t'attrape!**
**Il est interdit de passer!**

## LES CONSIGNES ET INSTRUCTIONS

La phrase incitative trouve dans les consignes et les instructions un lieu de prédilection.

## a) **La consigne**

La consigne est une prescription exposant une série d'opérations à accomplir dans une situation donnée. Elle est évidemment écrite de façon personnelle. Il existe des consignes en cas d'incendie, de naufrage, des consignes de gardien, etc. Voici un exemple de consigne pédagogique reliée à l'apprentissage de la langue maternelle:

> **Transformez en phrases interrogatives négatives les phrases affirmatives suivantes, en employant successivement, pour chaque phrase, la tournure avec inversion du sujet et la tournure "est-ce que".**

Cherchez dans votre environnement des exemples de consignes.

## b) **Les instructions**

Nous avons déjà défini les instructions comme des directives adressées à quelqu'un ou comme le mode d'emploi d'un produit. Précisons que les instructions sont très voisines de la consigne. Il est relativement facile d'en trouver des exemples: elles accompagnent bon nombre d'objets que vous achetez.

## LA CIRCULAIRE

Une circulaire est un écrit adressé à plusieurs personnes à la fois. Elle prend souvent la forme d'une lettre imprimée. Les sujets sont extrêmement variés: information, compte rendu, note, instructions, etc. Dans ce type d'écrit, la phrase incitative est utilisée chaque fois qu'il s'agit de convaincre ou de faire agir.

## COMMENT ÉCRIRE DES ORDRES

Une injonction ne se commente pas. C'est une prescription impérative. C'est à prendre ou à laisser. Il n'en va pas de même des ordres qui n'obligent pas péremptoirement le destinataire, mais où il y va de l'intérêt même de celui qui donne l'ordre. Le cas se présente souvent dans le domaine de la gestion. Qu'il s'agisse d'une entreprise, d'une industrie ou d'une institution, plusieurs personnes sont amenées à formuler quotidiennement des ordres par écrit. Ceux-ci peuvent prendre la forme de la simple **note de service,** de **la directive** ou de **la circulaire.** Dans chaque cas, il s'agit essentiellement d'une *information* commandant une *action*.

Dans le cas de la directive ou de la circulaire, le texte est plus élaboré que la simple note. L'ordre vise alors un double objectif: faire connaître et faire comprendre la décision. À cette fin, l'ordre doit comprendre une consigne, c'est-à-dire qu'il doit fournir des renseignements sur la manière dont il doit être exécuté, et renseigner sur les buts, les objectifs ou les finalités de l'action. C'est donc dire que la priorité dans ce type de message est accordée au destinataire.

Pour que l'ordre soit bien interprété et bien exécuté, il doit répondre à certains autres critères:

a) **L'ordre doit être univoque, c'est-à-dire interprété dans le même sens par le destinateur et le destinataire.** Si l'ordre est équivoque, les actions qui s'ensuivront entraîneront la confusion.

b) **L'ordre doit être adapté aux possibilités d'action du destinataire**: il ne doit pas dépasser les capacités physiques et mentales du destinataire, autrement il perdrait toute crédibilité; à l'impossible nul n'est tenu.

c) **La formulation doit adoucir l'ordre**: l'acceptation d'un ordre est toujours quelque chose de pénible et provoque souvent chez celui qui le reçoit un réflexe de défense; il faut donc avoir le sens de l'humour.

d) **L'ordre doit tenir compte de la personnalité du destinataire ou des caractéristiques sociales, psychologiques et culturelles du groupe.**

e) **L'ordre doit tenir compte des circonstances dans lesquelles il est donné.**

f) **L'ordre doit tenir compte de l'aspect syndical**: s'il s'agit d'un patron donnant un ordre à un ou à des employés, il doit tenir compte des implications syndicales de l'ordre de façon à éviter les confrontations inutiles.

g) **L'ordre doit être complet**: il doit comporter tous les renseignements nécessaires à l'information et à l'exécution; autrement, il risque d'être mal interprété.

Sur le plan linguistique, la formulation d'un ordre utilise les procédés suivants: 1) la phrase positive ou négative (ordre ou défense); 2) l'impératif: nous en avons parlé plus haut; 3) le futur: "Vous irez demain matin", "Vous ferez ce travail rapidement"; 4) le subjonctif: "Qu'il vienne!"; 5) l'interrogation: "Vous vous taisez?"; 6) l'adverbe: "Doucement, s'il vous plaît". Il existe évidemment d'autres procédés propres à la phrase incitative qui peuvent servir à donner des ordres. Nous en avons déjà parlé (voir page 117).

## LE DIALOGUE

Le dialogue se définit essentiellement en fonction d'un destinateur et d'un destinataire. C'est sur la base d'un échange verbal impliquant deux personnes exprimant des idées, des opinions, des sentiments qui entraînent des réponses que se crée le dialogue. À ce titre, il appartient d'emblée à la fonction conative ou incitative du langage. Voyons-en les caractéristiques.

a) **L'oralité du message**

Le dialogue relève d'abord de la langue orale. Mais il arrive souvent qu'on le transpose dans l'écrit. Dans ce cas, il peut être réel (conversation qui a eu lieu dans la réalité) ou fictif (imaginé dans le roman). Il emprunte alors les caractéristiques linguistiques mêmes de la langue orale:

— les procédés linguistiques et prosodiques:

• les structures grammaticales et les unités lexicales propres au langage parlé (niveau populaire);

• l'utilisation de la première et de la deuxième personne, les interrogations et les exclamations;

• les éléments prosodiques de la langue parlée: accent d'intensité, pauses, débit, volume, prononciation, de même que les gestes et les mimiques sont exprimés soit par la ponctuation, soit par l'utilisation d'expressions décrivant l'attitude du personnage: "sortez, s'écria-t-il...", "je vous supplie, dit-il, d'une voix faible...", "j'accepte, dit-il, après un moment de silence...", "ne me laissez pas, dit-il en tremblant...";

— le style direct:

Dans le style direct, l'échange verbal se fait entre un locuteur et un interlocuteur. Les énoncés sont reproduits exactement, ce qui n'est pas le cas pour le style indirect qui ne rapporte pas les énoncés sous leur forme exacte. Nous développerons plus longuement cet aspect dans le chapitre sur l'écrit narratif.

b) **La progression**

La progression est une qualité importante du dialogue. Chaque réplique doit entraîner la suivante dans une continuité selon un mouvement naturel. On évite, de ce fait, le coq-à-l'âne, les ruptures, le manque de logique.

## Exemple de progression dans le dialogue

Il s'agit d'un passage de *Poussière sur la ville* dans lequel le chauffeur de taxi apprend à Alain le suicide de sa femme.

> **Jim tourne sa casquette dans ses mains. Il n'a pas refermé la porte derrière et le vent s'engouffre dans la cage de l'escalier. Sa bouche tremblote. Je ne l'ai jamais vu ainsi.**
> **— Qu'est-ce qu'il y a Jim?**

Il ne relève pas la tête. Il ne me regarde pas. Puis, sa voix qui n'a plus aucune grossièreté:

— Il faut que vous veniez, vite.

— Où? Un malade?

Il acquiesce d'un signe de tête à peine perceptible et retourne dans la rue. Je prends mon pardessus au vol et je descends. Dans la voiture de Jim, je l'interroge:

— Qu'est-ce?

— Un accident.

— Grave?

— Oui.

Je me demande s'il fait la bête ou s'il ne sait rien.

— Mais qu'est-ce que c'est enfin?

Sa bouche qui tremblote encore. Je ne l'ai jamais vu ému. Que se passe-t-il?

— Votre...

Il a vu tout de suite que j'ai compris. Madeleine, que j'ai laissée partir seule avec lui! Mais nous ne sommes pas sur le chemin de la gare.

— Où est-elle?

Là encore je comprends avant qu'il ne me réponde. Nous nous rendons à la maison de Richard.

— Elle est blessée?

Il contracte la lèvre et fait le gros dos.

— Mais parle, tête d'âne! Elle est blessée?

Un mouvement imperceptible de la tête. Je lui saisis le bras et lui crie sans comprendre:

— Morte? Morte?

Il ne répond pas. Morte! C'est impossible. Elle pleurait dans mes bras il y a quinze minutes. On s'est trompé. Madeleine ne peut pas être morte. Je reste stupéfié et refuse d'accepter cette nouvelle. Mais si elle est morte, c'est qu'il l'a tuée, tuée!

— Il l'a tuée, Jim. Hein, Jim, il l'a tuée! Mais parle!

— Non.

— Alors, c'est un accident?

— Non.

— Mais quoi alors. Quoi, Jim?

— C'est elle qui avait l'arme.

— C'est elle qui...

Je m'abandonne sur la banquette. Où a-t-elle pu se procurer une arme? C'est une machination de la ville. On porte le grand coup. On veut m'assassiner. Ses larmes! Je lui ai dit qu'elle me

127

parlait comme si elle partait définitivement. "Soigne-toi". Son dernier effort pour se redresser. Un revolver. La police. Des gens. Toute la ville a dû entendre ce coup de revolver. Et lui?
— Elle s'est tuée elle-même, Jim? Elle-même?
— Oui.
— Et lui? Richard?
— Blessé seulement. Pas grave je crois.

André LANGEVIN, *Poussière sur la ville*

Comme on le voit, le dialogue peut être classé parmi les moyens d'action, car il permet à deux interlocuteurs de s'influencer réciproquement, grâce à l'échange verbal sur lequel il est fondé. À l'écrit, le dialogue opère surtout à l'intérieur de la fiction narrative. Cela se produit quand l'auteur fait parler dans un récit deux personnages. C'est le cas dans l'exemple que nous venons de donner. La technique du dialogue sera complétée au chapitre sur l'écrit narratif (p. 426).

## L'HUMOUR

L'humour est souvent utilisé dans la phrase incitative pour influencer, faire agir en amusant. On se sert de l'humour pour faire rire, mais aussi pour mieux faire passer une idée, un message. L'humour est donc essentiellement **communication**: il ne peut exister qu'en relation avec une conscience qui perçoit le message à déchiffrer. Ce message, cependant, n'est pas livré de façon ordinaire, car l'humour a horreur de la ligne droite; il se sert constamment de détours. Voilà pourquoi on parle du caractère doublement codé de l'humour qu'on définit comme un message **sursignifiant**. Il est, selon la belle formule de Dominique Noguez, à la fois "signe du jeu et jeu du signe".

### Quelques stratégies de l'humour

#### a) La vision humoristique de la réalité

L'humoriste a une façon particulière de voir la réalité. Souvent son message ne contient pas de jeux de mots, mais il est original; le ton peut être spirituel, drôle ou comique. Chaque humoriste a sa façon particulière de voir les choses. Quelques exemples suffiront à le reconnaître.

Voici une épigramme célèbre de Voltaire adressée à l'un de ses ennemis:

**L'autre jour, au fond d'un vallon,**
**Un serpent piqua Jean Fréron.**
**Que pensez-vous qu'il arriva?**
**Ce fut le serpent qui creva.**

Qui ne connaît pas l'humour de Jacques Prévert? En voici un exemple extrait de *Choses et autres*:

**Souvent, au bois, un cerf traversait une allée.**
**Un peu partout, les gens mangeaient, buvaient,**
**prenaient le café. Un ivrogne passait et hurlait:**
**"Dépêchez-vous! Mangez sur l'herbe, un jour ou**
**l'autre, l'herbe mangera sur vous!"**

Lisez ce passage savoureux de Noël Audet:

**J'sens oui que je ferais des bassesses devant sa majesté pour l'obtenir. Il y a toujours quelque part une femme trop belle pour vous, qui ne jetterait même pas un oeil sur vous, vous auriez beau vous maquiller en Pierrot pour lui donner le change, fendre la statue de la liberté pour rétablir l'esclavage à son usage, ou vous coucher peau d'ours à la descente de son lit, rien à faire. Elle passerait son chemin la tête haute, les yeux pleins de douceur mais fixant quelque chose ou quelqu'un au-delà de vous, ne vous voyant tout simplement pas, parce que pour elle vous n'existez pas, c'est clair. Vous n'êtes pas de calibre à l'émouvoir. Je sais, on se console tous en disant: je suis pas son type! Pas son type et comment que non, même pas un type pan-toute à ce compte-là, puisque non seulement elle ne vous dit pas quelque chose du genre: ç'aurait peut-être été possible dans d'autres circonstances sous d'autres cieux, que sais-je. Non elle ne dit rien, elle ne vous voit pas, pou! À ce moment-là vous feriez n'importe quoi, y compris vendre votre âme au diable (en passant, j'ai essayé, mais c'est un truc qui ne marche pas: je n'ai rien reçu en retour) pour devenir ne serait-ce que l'ombre de sa hanche, ou la corde à linge qui porte sa chemise, ou l'anneau du collier du maître de son chien.**

*Quand la voile faseille*

Nous pourrions ainsi multiplier les exemples, mais voyons plutôt quelques stratégies linguistiques de l'humour.

## b) L'utilisation ludique du langage

L'utilisation ludique du langage consiste le plus souvent à jouer sur le sens et la forme des mots. À cette fin, les procédés suivants sont fréquemment utilisés:

129

## • la polysémie

La polysémie consiste à utiliser un même mot pris dans une acception différente. On peut le faire lorsque le mot a plusieurs significations comme c'est le cas du verbe "réfléchir" dans la phrase suivante de Cocteau: "Les miroirs feraient bien de réfléchir avant de nous renvoyer notre image."

La publicité utilise fréquemment l'humour pour influencer le client ou attirer son attention. Dans l'exemple suivant:

**Bell et bien écossais (whisky de marque Bell's)**

le mot "Bell" a deux significations: il réfère à la marque de whisky (Bell's') et à l'épithète "bel" (beau), jouant ainsi sur l'expression populaire "bel et bien". Le même procédé est appliqué dans le passage suivant:

> **C'est fou toute la broue qu'on fabrique avec la bière! À longueur de semaine, on en fait mousser l'excellence et... la virilité avec de beaux gars qui jouent fort fort au tennis, fabriquent une belle belle voiture sport (!) ou marquent au fer rouge de la "mâlitude" un grand bloc de glace vierge, le plus souvent sous le regard joyeux et complice de quelques filles venues là par hasard compléter le tableau.**
>
> Francine MONTPETIT, *Châtelaine*, septembre 1981

Deux termes polysémiques contribuent dans ce passage à créer un effet d'humour intéressant:

"broue":  — sens propre (la broue de la bière)
            — sens figuré (le battage publicitaire)
"mousser":  — sens propre (la bière mousse)
            — sens figuré (on met en évidence...)

Dans l'exemple suivant, découvrez le terme où la polysémie joue. Ce terme constitue en même temps la clé de l'histoire:

> **Depuis des années, un tas de recherches scientifiques a conclu que la consommation de pot, tel que la marijuana, peut causer certains problèmes à ceux et celles qui s'y adonnent.**
>
> **On a alors prouvé que le pot peut causer des dommages irréparables au cerveau, sans oublier certains effets sur le corps humain.**
>
> **Mais jamais de toute l'histoire scientifique, une recherche n'aura causé autant d'émoi que celle que s'apprête à publier le service canadien des pénitenciers!**
>
> **Cette recherche en est arrivée à la conclusion que la drogue est une matière de grande consommation dans tous les pénitenciers du pays. Ça, tout le monde ou presque le savait.**

**Mais ce que les autorités du service canadien des pénitenciers ont appris pour la première fois est encore plus grave et elles vont tout tenter pour enrayer la consommation du pot dans ses établissements pénitenciers parce que le pot a la mauvaise réputation de brûler les cellules...**

Marcel RIVARD, *Le quotidien*, 8 octobre 1981

- **l'antithèse**

On peut créer par l'antithèse des effets d'humour susceptibles d'influencer le comportement du lecteur, comme cela se produit sans doute dans les deux annonces que voici:

**Comment être infidèle sans tromper personne (annonce d'une marque de cognac)**
**Le gros livre des petites médecines (titre d'un compte rendu de volume)**

- **le calembour**

Littré définit le calembour comme un "Jeu de mots fondé sur des mots se ressemblant par le son, différant par le sens. Comme quand M. Bière dit que le temps était bon à mettre en cage, c'est-à-dire **serein** (serin)".

a) **Le calembour peut jouer sur la polysémie du mot comme nous l'avons vu précédemment:**

**Ne dévorez pas vos livres, vous ne pourriez plus les relire. (affiche dans une bibliothèque)**
**Une bonne farce à faire. (mayonnaise Kraft)**
**Garçon, ce steak est innocent! (pas coupable)**
**Le serrurier a pris la clé des champs.**
**Le potier en a ras le bol de vos erreurs.**

b) **Le calembour peut aussi être fondé sur l'homonymie.** Un homonyme est un mot qui a la même forme orale (homophone): **seins** de glace / **saints** de glace; il peut aussi avoir la même forme écrite: **grève** (plage) / **grève** (arrêt de travail). Les homonymes n'ont pas nécessairement de lien au niveau du sens.

**On la tirait, on l'attirait. (Queneau)**
**Vers, vert, ver? Non, Verres! (titre d'un article sur le choix des verres, *Châtelaine*, septembre 1981)**

Vous remarquerez que, dans tous ces exemples, le calembour a comme rôle d'agir de différentes façons sur le lecteur.

# EXERCICES

Ces exercices vous amèneront à produire des phrases incitatives dans le but d'influencer le destinataire.

## Exercice 10

Rédigez un slogan publicitaire comportant des conseils, des recommandations, des suggestions (phrases impératives — style conatif).

## Exercice 11

Rédigez un court texte dans lequel vous donnerez des conseils à quelqu'un qui veut visiter votre région pour la première fois.

## Exercice 12

Rédigez un court texte (ex.: lettre d'opinion) pour convaincre des lecteurs éventuels de la pertinence d'une idée (sur le plan personnel, social ou autre) qui vous tient à coeur.

## Exercice 13

Imaginez un dialogue entre deux êtres vivant un conflit personnel ou interpersonnel.

## Exercice 14

Composez une circulaire (ou une directive) dans laquelle vous annoncerez des élections à votre école, ou une activité dans votre compagnie, ou encore un voyage organisé, une fête, etc. Vous voulez avoir le plus de participants possible.

## Exercice 15

Rédigez une note de service comportant un ordre à des employés.

# D. LA PHRASE CONTACT

## a) Qu'est-ce que la phrase contact?

Ce type de phrase relève de la fonction phatique du langage. Elle vise à établir, maintenir ou interrompre le contact soit physique, soit psychologique. L'exemple classique à l'oral est sans aucun doute le terme "allo?" utilisé pour s'assurer que son interlocuteur est présent au début d'une conversation téléphonique. Il existe beaucoup d'exemples de la fonction phatique dans les conversations quotidiennes: "Attention!", "Dis, Pierre?", "Vous m'entendez?".

Sur le plan grammatical, la phrase contact se présente comme une phrase simple, parfois elliptique, souvent réductible à un mot ou à une expression qui n'a la plupart du temps aucune fonction syntaxique. Mais il arrive aussi que seul un élément d'une phrase remplit la fonction phatique: "Vous savez que...". Cet élément peut évidemment s'analyser sur le plan grammatical.

## b) Moyens linguistiques pour mettre en cause le destinataire

Les mots ou expressions les plus propres à susciter l'attention ou l'adhésion du lecteur sont, pour la plupart, empruntés à l'oral. Ils peuvent cependant être transposés dans l'écrit:

— les expressions comme "N'est-ce pas?", "Hein?", etc;

— l'apostrophe: "Monsieur!", "Jean!";

— l'interjection: "Eh! Monsieur...";

— certaines formules d'appel ou de salutation: "Monsieur", "Monsieur le Directeur", "Veuillez agréer l'expression de mes sentiments distingués" (dans une lettre);

— certaines tournures n'ont d'autre rôle que de maintenir le contact: "Vous savez tous que...", "Vous n'êtes pas sans savoir que...", "Me direz-vous", "Objectez-vous", etc.; les commentaires sur la température peuvent aussi remplir ce rôle;

— les mots qui sollicitent le destinataire comme "Attention!", "Soyez prêt!" sont des expressions très utilisées dans la consigne. Dans le sous-titre d'article qui suit, l'expression "Mais attention!" n'a d'autre fonction que de solliciter le lecteur:

**"Mais attention! les enfants des manuels ne ressemblent pas aux vrais."**

*L'actualité*, octobre 1982

— dans cet autre exemple, l'interrogation a pour rôle de mettre en cause le lecteur (fonction conative), mais peut-être plus encore de créer le contact en attirant son attention (fonction phatique):

**Saviez-vous que Simenon avait une fille superbe qui s'appelait Marie-Jo? Moi non plus.**

Madeleine OUELLETTE-MICHALSKA, *Châtelaine*, sept. 82

— les mots vides et redondants (comme dans le langage téléphonique):

**"... Chéri... écoute... allô!... Chéri... laisse... allô... laisse-moi parler. Ne t'accuse pas. Tout est de ma faute. Si, si... souviens-toi de dimanche et du pneumatique..."**

J. COCTEAU, *La voix humaine*

Dans le texte écrit, la phrase contact peut être utilisée chaque fois qu'on veut attirer l'attention du lecteur sur le message. Elle constitue donc un bon moyen de favoriser les rapports scripteur/lecteur.

# E. LA PHRASE EXPLICATIVE

## QU'EST-CE QUE LA PHRASE EXPLICATIVE?

Jakobson souligne qu'il y a une différence entre le langage qui sert à décrire la réalité et le langage qui, se repliant sur lui-même, s'autodéfinit: le "langage-objet", parlant des objets, et le "métalangage" parlant du langage lui-même [4].

Souvent, à l'intérieur d'un texte, on doit expliquer ou définir le sens d'un mot, d'un concept, ou encore analyser, commenter une idée, un objet, un fait, une hypothèse pour permettre au lecteur une meilleure compréhension du message. On dispose alors de deux stratégies principales: **l'explication** et **la définition**.

---

4. Roman JAKOBSON. *Essais de linguistique générale*, p. 217.

# L'EXPLICATION

Elle consiste à apporter un supplément d'information au message lui-même. Dans un discours, certains mots ou groupes de mots peuvent servir à révéler le sens d'un mot qu'on sait ou qu'on croit inconnu du récepteur. Ces mots ou groupes de mots sont:

## a) l'apposition

L'apposition s'applique "au mot ou au groupe de mots qui, placé à la suite d'un nom, désigne la même réalité que ce nom, mais d'une autre manière (identité de référence) et en est séparé par une pause (dans la langue parlée) et une virgule (dans la langue écrite)" (*Dictionnaire de linguistique*, Larousse). Exemples:

**La drosophile, mouche qui se reproduit très rapidement, facilite l'étude en laboratoire des lois de la génétique.**

**Henri-Paul, le maire de la ville.**

L'apposition joue un rôle important dans la phrase explicative. Elle sert à décrire, préciser ou rappeler un trait (caractérisation) de la chose ou de la personne désignée; elle permet aussi, et ce n'est certes pas une fonction secondaire, de dissiper l'équivoque, ce qui assure la clarté et l'efficacité du message.

## b) le synonyme

Il y a synonymie lorsque plusieurs termes désignent la même chose et qu'on peut en principe employer l'un à la place de l'autre (A. Delas). Rigoureusement parlant, il est vrai de dire qu'il n'y a pas deux mots ou expressions qui ont exactement le même sens. Jugez-en par vous-même à partir des mots suivants que nous avons repérés dans un dictionnaire de synonymes: cours d'eau, ruisseau, rivière, fleuve; vent, brise, bise, zéphir; gêné, handicapé; parler, causer. Si on regroupe entre eux les mots qui ont une parenté sémique et qu'on les utilise dans un contexte précis, on constatera qu'ils peuvent s'éloigner beaucoup par le sens. Il n'en est pas de même pour d'autres termes où la nuance est parfois très ténue: majuscule, capitale; résoudre, solutionner; mésaventure, désagrément, etc.

Sur le plan linguistique, certaines expressions peuvent introduire l'explication: "Ce que vous appelez communément...", "Entendu au sens de...", "C'est-à-dire", "Qu'entendez-vous par là?", "Qu'est-ce à dire?", etc.

Soulignons que l'explication prend parfois beaucoup d'envergure et peut faire l'objet de tout un écrit. C'est ce qui se produit dans l'explication de texte (poème, roman, film, etc.).

## LA DÉFINITION

La définition d'un mot vise d'abord son sens dénotatif, c'est-à-dire la signification la plus objective, la plus rigoureuse, celle que l'on retrouve en général dans les dictionnaires ou les lexiques. Mais on peut aussi donner une définition qui va dans le sens connotatif, c'est-à-dire une définition personnelle qui exploite le pouvoir de suggestion et d'évocation d'un mot.

Exemples:

a) **Définition objective ou dénotative: celle du dictionnaire**

(Nous ne donnons ici qu'une partie de la définition.)

**AMOUR. n.m. (...) Disposition favorable de l'affectivité et de la volonté à l'égard de ce qui est senti ou reconnu comme bon, diversifié selon l'objet qui l'inspire. (Robert)**

b) **Définition personnelle subjective**

**Aimer ce n'est pas se regarder l'un l'autre, mais c'est regarder ensemble dans la même direction. (A. de Saint-Exupéry)**

La définition personnelle peut être parfois humoristique :

**Étudiants: futurs chômeurs!**

c) **Définition personnelle objective**

Dans ce cas, la définition est différente de celle du dictionnaire mais revêt quand même un caractère rigoureux, scientifique. Exemples:

**Toutefois, la bio-écologie moderne (expression utilisée pour distinguer l'écologie scientifique de l'écologie populaire, la première faisant l'objet du présent article) joue un grand rôle si l'on songe au fait que l'écologie est une branche de la biologie associée maintenant à de nombreuses disciplines classiques comme l'anthropologie, la sociologie et l'économie.**
Revue *Impact*, Science et société (Unesco), oct.-déc. 1980

**L'intention de cette étude est de formuler une définition de ce que doit être la communication interpersonnelle dans une famille. Le noyau familial se compose de quatre sous-systèmes: parent-enfant, époux, frères et soeurs, et individus. Les trois premiers sous-systèmes comprennent la communication entre au moins deux personnes qui ont eu des expériences émotionnelles communes. Entre ces sous-systèmes et à l'intérieur de chacun, il y a des types différents de communication. Les expériences émotionnelles communes ont une forte influence sur la**

**façon dont les membres de la famille communiquent entre eux et sur ce qu'ils apprennent dans leurs contacts au cours des années.**
*Santé mentale au Canada*, mars 1979, vol. 27, n° 1

**Cette invention récente, désignée par un acronyme anglais (L.A.S.E.R.) signifie Light Amplification by Stimulated Emission of Radiation, soit amplification de lumière par émission stimulée.**
*Québec Technologie*, mars-avril 1981

**Qu'entend-on par orgue authentique? Pour répondre correctement à cette question, il faut rappeler tout d'abord que la facture d'orgue, à l'instar de celle du violon, est séculaire et qu'on ne saurait déroger aux procédés anciens de fabrication sans porter atteinte à l'essence même de l'instrument. Le violon a eu ses Stradivarius, ses Amati; l'orgue, ses Schnitger, ses Silbermann. On a longtemps pensé que les célèbres luthiers de Crémone avaient conservé jalousement un secret qui leur avait permis de donner à leurs violons une si belle sonorité. Aujourd'hui, on sait que c'était leur art. Le parallèle s'applique admirablement aux grands organiers du XVIIᵉ siècle dont le métier sûr et le grand art, après un siècle d'égarement, se sont retransmis jusqu'à nous.**

**L'orgue authentique, c'est tout instrument ancien ou moderne qui a été conçu selon les principes séculaires régissant la facture d'orgue en vue d'une répartition équilibrée des sons.**
Revue *Forces*, 3ᵉ trimestre, n° 52, 1980

L'explication et la définition empruntent aux caractéristiques de la fonction référentielle l'objectivité et l'absence du "je" (ce dernier n'est cependant pas toujours absent). L'objectivité exige que la définition ou l'explication soient claires et distinctes. Cela signifie qu'elles doivent être formulées de façon précise, en évitant les termes vagues, obscurs, abstraits. L'idée doit être présentée avec les caractéristiques que le lecteur reconnaît. Cela va de soi, car lorsqu'on définit ou explique, n'est-ce pas pour mieux faire comprendre?

# EXERCICES

## Exercice 16

Donnez votre propre définition de l'amour, de l'amitié, de la communication, ou choisissez n'importe quel autre terme ou concept et comparez-le avec celle qu'en donnent les dictionnaires.

**Exercice 17**

Expliquez chacun des éléments de la définition que vous avez donnée à l'exercice précédent.

# F. LA PHRASE POÉTIQUE OU ESTHÉTIQUE

## a) Qu'est-ce que la phrase poétique ou esthétique?

La phrase poétique ou esthétique doit être définie dans le contexte de la fonction poétique où le message est considéré comme **objet verbal.** La phrase est alors utilisée à des **fins esthétiques.** Toute la force créatrice du langage, toutes les ressources qu'offrent la langue et la poésie (images, sonorités, rythmes, etc.) concourent à la beauté formelle du message.

Le plaisir esthétique n'est cependant pas le seul but visé par la phrase poétique. Celle-ci rejoint tout autant **l'efficacité** du message. Car l'utilisation des moyens linguistiques pour rendre la phrase poétique fait que le lecteur ne reste pas indifférent. Le message frappe son imagination, sa sensibilité. Grâce aux images, aux sonorités, au rythme, le lecteur peut saisir davantage les nuances de la pensée exprimée ou communiquée. Voilà pourquoi la phrase poétique est fréquemment utilisée en publicité (voir le message publicitaire, p. 327). Le discours politique et bien d'autres formes de discours en font également leur profit. La phrase poétique n'est donc pas le seul fait de la poésie; elle peut transcender à peu près tout type de message. Mais encore faut-il distinguer entre l'utilisation réfléchie des figures et des ressources linguistiques qui exploitent la force créatrice du langage et le style "fleuri" et "précieux". Nous parlerons de cet aspect lorsque nous aborderons les figures de style.

# b) Moyens pour rendre la phrase poétique ou esthétique

## LA CONNOTATION ET L'ÉVOCATION

Alors que la dénotation renvoie à la signification référentielle du mot (celle du dictionnaire), **la connotation** réfère aux résonances affectives et intellectuelles ainsi qu'aux valeurs qu'il prend. En d'autres termes, la connotation c'est tout ce qu'un mot peut suggérer, impliquer, évoquer en dehors de sa signification propre (ou dénotation). D'aucuns seraient portés à croire que la connotation n'existe que dans les textes littéraires. En réalité, plusieurs mots utilisés quotidiennement sont chargés d'un sens subjectif agréable ou désagréable.

Dans la connotation, de multiples rapports de ressemblance et de signification s'établissent entre le mot et la chose signifiée par le biais du processus d'association (qu'il ne faut pas confondre avec l'association d'idées[5]). À titre d'exemple, voici un passage dans lequel Jean-Paul Sartre explique les connotations qu'évoque chez lui le nom de "Florence":

> **(...) Florence est ville et fleur et femme, elle est ville-fleur et ville-femme et fille fleur tout à la fois. Et l'étrange objet qui paraît ainsi possède la liquidité du *fleuve*, la douce ardeur fauve de l'or et, pour finir, s'abandonne avec *décence* et prolonge indéfiniment par l'affaiblissement continu de l'e muet son épanouissement plein de réserves. À cela s'ajoute l'effort insidieux de la biographie. Pour moi, Florence est aussi une certaine femme, une actrice américaine qui jouait dans les films muets de mon enfance et dont j'ai tout oublié, sauf qu'elle était longue comme un long gant de bal et toujours un peu lasse et toujours chaste, et toujours mariée et incomprise, et que je l'aimais, et qu'elle s'appelait Florence. Car le mot, qui arrache le prosateur à lui-même et le jette au milieu du monde, renvoie au poète, comme un miroir, sa propre image.**
>
> Jean-Paul SARTRE, *Qu'est-ce que la littérature?*

Autre exemple. Si l'on prononçait devant vous le mot **Audi** (marque d'auto), quelles sont les évocations ou connotations qui vous viendraient à

---

5. Barthes nous invite "à ne pas confondre la connotation et l'association d'idées: celle-ci renvoie au système d'un sujet; celle-là est une corrélation immanente au texte(...)" (S/Z, p. 14-15). Chez Barthes la connotation c'est tout ce qui (dans le texte, l'image ou un autre code) favorise l'éclosion de significations non dénotatives chez le récepteur.

l'esprit? Vous ne voulez pas risquer? Eh bien lisez cette annonce, elle vous en suggérera:

**L'allure.**

**À première vue, elle est si élégante, si raffinée, qu'on sait tout de suite qu'il s'agit d'une Audi.**

**Mais au cours des années, cette allure a pris une signification plus profonde.**

**Elle est devenue un symbole.**

**Symbole de la qualité de fabrication minutieuse de l'Audi.**

**Symbole de la technique devenue un art.**

**Symbole du bon goût et du luxe discret qui sont la marque des voitures européennes.**

Si par hasard vous avez perdu le goût de voyager, vous ne pourrez résister ou rester insensible à l'annonce qui suit:

*Une merveille vous attend.*

*Il y a les îles*
*et la mer au bleu profond,*
*accueillante...*
*Il y a les journées sous le soleil,*
*il y a les nuits cristallines,*
*il y a les gens et l'histoire...*
*Cette année découvrez la Grèce. Elle vous*
*ira à ravir, sous quelque facette que vous*
*l'abordiez. Venez y passer des vacances*
*comptant parmi les plus avantageuses que*
*l'Europe puisse vous offrir.*
*Cette année, découvrez*
*la Grèce... et une partie*
*de vous-même.*

Et comme noblesse oblige, terminons par un exemple en poésie. Voici ce que suggère **la neige** à Anne Hébert:

**La neige nous met en rêve sur de vastes plaines, sans traces ni couleur**

140

**Veille mon coeur, la neige nous met en selle sur des coursiers d'écume**

**Sonne l'enfance couronnée, la neige nous sacre en haute mer, plein songe, toutes voiles dehors**

**La neige nous met en magie, blancheur étale, plumes gonflées où perce l'oeil rouge de cet oiseau**

**Mon coeur; trait de feu sous des palmes de gel file le sang qui s'émerveille.**

Anne HÉBERT, *Mystère de la parole*

# EXERCICES

## Exercice 18

Relevez et expliquez les évocations ou connotations contenues dans les trois exemples précédents.

## Exercice 19

Dites ce qu'évoquent chez vous les mots ou expressions suivants: fédéralisme, indépendantisme, communisme, capitalisme, avortement, pollution, les droits de l'homme, justice, égalité, hiver, automobile.

## FIGURES, RYTHME ET SONORITÉS

Figures, rythme et sonorités. Triade indissoluble. Trois procédés indispensables pour rendre une phrase belle et esthétique. Ces procédés jouent un rôle non pas seulement dans l'expression en général, mais dans notre façon même de penser et de sentir.

## Les figures de style et les images sont au coeur de l'expression

Les figures de style, que l'on appelle communément "images", ne sont pas l'apanage des textes littéraires. Elles sont, au contraire, au coeur même du langage quotidien. Qu'il s'agisse du langage parlé à la maison, dans la rue, au travail, du langage publicitaire, les figures de style jouent un rôle essentiel dans le développement et l'expression de la pensée et des sentiments. À tel point qu'il serait pratiquement impossible de s'exprimer sans elles. Comment, en effet, expliquer le froid, la force, la beauté et bien d'autres concepts de la vie sans faire appel aux images? On dira volontiers:

"Il fait un froid de loup", "Il est fort comme un lion", "Elle est belle comme une fleur", "Le feu de l'amour", "Le soir de la vie", "La mémoire du coeur", etc. Ou bien on désignera le mot concret par l'une de ses qualités: "C'est une petite pas possible!", en parlant d'une auto (désignation métonymique). Dans l'expression des idées abstraites ou concrètes, les figures jouent un rôle irremplaçable. En les rendant plus sensibles, elles les rendent plus compréhensibles.

Jacques Lacan a montré comment notre inconscient lui-même est structuré comme un véritable langage. Il s'exprime par métaphore et par métonymie dans une véritable chaîne allégorique. Voilà pourquoi les figures de style ont, dans l'expression, une **fonction** à la fois **psychologique et linguistique.**

De façon générale, la figure peut être définie comme un processus qui apporte un supplément de signification dans la communication. Elle fonctionne comme un procédé inattendu, original que le destinataire perçoit en tant que tel. Par rapport au langage simple, elle crée un langage nouveau. Voilà pourquoi on définit généralement la figure comme un "écart" par rapport à la norme, celle de la langue neutre.

Soulignons que le **caractère de nouveauté** est essentiel pour qu'il y ait véritablement figure. Les expressions usées comme "beau comme un coeur", "patte de table", "fondre en larmes", "émoussée par le temps" sont des **clichés**, et ne peuvent être considérées comme de véritables figures. "Le cliché, écrit Bernard Dupriez, est une image si employée qu'elle évoque immédiatement son signifié, si usitée que le phore a perdu son pouvoir originel de signifiance; il n'évoque plus que le thème, immédiatement; la présence de la figuration n'est plus perceptible [6]".

Comme la figure de style est intimement liée à la personnalité, à l'imagination et à la créativité de chacun, il en existe une infinité. Néanmoins, des auteurs, comme Fontanier et Jean Dubois, ont élaboré une typologie très détaillée des différentes figures [7]. Nous nous contenterons de présenter ici les plus courantes; celles que l'on utilise dans la pratique quotidienne de l'écrit [8].

---

6. Bernard DUPRIEZ, *Gradus*, article "image".
7. Pierre FONTANIER, *Les figures du discours*, Paris, Flammarion, 1968; Jean DUBOIS et al. (groupe), *Rhétorique générale*, Paris, Éditions du Seuil, 1982.
8. Important: voir l'utilisation publicitaire des figures de style (p. 332 et suiv.).

# LA COMPARAISON

Pour expliquer la comparaison, partons de la phrase suivante:

**Cet homme est fort comme un lion.**
   (1)      (4)    (3)     (2)

Le rapprochement entre "homme" et "lion", termes qui représentent en soi deux réalités différentes, se fait sur la base d'une qualité ou d'un aspect qui leur est commun: la force (4). Grâce à ce rapprochement, on se fait une meilleure idée de la force de l'homme désigné.

Étudions maintenant la structure de la comparaison. En se référant à l'exemple mentionné plus haut, on remarque que cette figure comprend essentiellement quatre éléments:

(1) le terme comparé (l'élément que l'on compare);

(2) le terme comparant (l'élément qui sert de point de comparaison);

(3) le terme comparatif (le mot-outil: celui qui unit les deux éléments);

(4) la qualité ou propriété commune (qui peut être sous-entendue).

Le mécanisme de production de la comparaison est simple et donc facile à comprendre. Mais que savons-nous de son utilité?

La comparaison peut être utilisée à bon escient dans le discours **argumentatif** et **informatif**. Lors d'une démonstration, d'un raisonnement ou encore dans la présentation d'une information, la comparaison peut venir appuyer l'idée en servant d'exemple pour l'illustrer, la préciser, la nuancer, la concrétiser. Elle peut facilement rendre accessible une idée abstraite. Exemple:

> **Parmi les hommes, la société dépend moins des convenances physiques que des relations morales. Une famille est une société naturelle d'autant plus stable, d'autant mieux fondée, qu'il y a plus de besoins, plus de causes d'attachement...**
>
> **Ainsi la société, considérée même dans une seule famille, suppose dans l'homme la faculté raisonnable; tandis que la société des bêtes qui, comme les abeilles, se trouvent ensemble sans s'être cherchées, ne suppose rien...**
>
> BUFFON, *Histoire naturelle*

Par ailleurs, la comparaison peut trouver une place de choix dans le **discours littéraire** où elle sert à rendre un sentiment plus expressif, une scène, un paysage plus pittoresques ou poétiques. Appréciez les très belles comparaisons dans ce poème de Baudelaire:

> **Tout l'hiver va rentrer dans mon être...**
> **Et comme le soleil dans son enfer polaire,**
> **Mon coeur ne sera plus qu'un bloc rouge et glacé,**

> **Mon esprit est pareil à la tour qui succombe**
> **Sous les coups du bélier infatigable et lourd...**
> **Ce bruit mystérieux (du bois qu'on décharge)**
> **sonne comme un départ.**
>
> BAUDELAIRE, extrait de *Chant d'automne*

Étudions les comparaisons utilisées par Baudelaire en dégageant, pour chacune, les quatre éléments qui les constituent.

| Actualisation des comparaisons | | | |
|---|---|---|---|
| **Termes comparés** | **Termes comparants** | **Termes comparatifs** | **Qualités ou propriétés communes** |
| Mon coeur | soleil | comme | froid/glacé |
| Mon coeur | bloc | ne sera plus | rouge/glacé |
| Mon esprit | tour | pareil à | succombe/meurt |
| bruit mystérieux | bois qu'on décharge | comme (sous-entendu) | bruit/fracas |
| bruit mystérieux | départ | comme | bruit/sonnerie |

Rappelons que, pour qu'il y ait véritablement figure de style, il faut que la comparaison marque un rapport de ressemblance inattendu entre les deux termes comparés. Dire "Il est rusé comme un renard", "Elle ressemble à sa mère" sont des comparaisons, mais non de véritables figures de style. Dans le premier exemple, la comparaison est un cliché, dans le second, il s'agit d'une simple constatation.

## Procédés linguistiques propres à la comparaison

Les mots ou les expressions qui peuvent introduire une comparaison sont multiples et variés:

- les conjonctions ou locutions conjonctives:
  comme, ainsi que, à mesure que, aussi bien que, de même que, selon que, suivant que, si et comme si;

- les corrélatifs:
  — "que" mis en corrélation avec des adjectifs ou des adverbes de com-

paraison: aussi, autant, si, tant, autre, meilleur, mieux, moindre, moins, plus, tel, etc.;
— autant... autant, tel... tel, comme... ainsi, plus... plus, moins ... moins, moins... plus, plus... moins, d'autant plus que... d'autant moins que;

• les adjectifs comparatifs:
    pareil à..., semblable à..., identique à..., etc.;

• les verbes comparatifs:
    avoir l'air, sembler, paraître, etc.

## EXERCICES

### Exercice 20

Composez des phrases dans lesquelles entrera une comparaison utilisant les divers procédés linguistiques que l'on vient d'énumérer.

### Exercice 21

Cherchez une comparaison pour dire: **a)** que quelqu'un a un très grand appétit; **b)** qu'il dort profondément; **c)** qu'il n'aime pas travailler. Dans chacun des cas, vous essaierez de trouver le cliché et une figure originale.

### Exercice 22

Inventez des comparaisons que vous placerez dans des phrases se rapportant à des arbres en automne ou en hiver, à un fleuve, à des nuages, à un coucher de soleil, à un orage, au froid, à la neige, à une automobile, à l'amour.

## LA MÉTAPHORE

L'une des figures les plus présentes dans l'usage que l'on fait du langage est sans aucun doute la métaphore. À la base de cette figure, on retrouve une comparaison ou une analogie entre deux termes sur la base d'une propriété commune; mais cette comparaison ou cette analogie se fait, comme on dit communément, dans l'esprit, c'est-à-dire sans le support d'un terme comparatif (comme, pareil à, semblable à, etc.).

Il faut distinguer deux degrés dans la métaphore:

a) Il y a d'abord **la métaphore au premier degré** qui consiste en une simple **identification** ou **comparaison métaphorique** dans laquelle on retrouve seulement le terme comparé et le terme comparant sur la base d'une propriété commune. Exemples:

> **Cet homme est un lion. (Aristote à propos d'Alexandre)**
> **L'homme est un roseau pensant. (D'après Pascal)**
> **J'ai trouvé dans cette femme la perle rare.**
> **Cri de bête, la guerre frappe. (F. Ouellette)**
> **La laine des moutons sinistres de la mer.**

Les exemples abondent en publicité:

> **Algemarin aime votre corps (produit pour le bain)**
> **Un bon tuyau sur l'énergie (Gaz Métropolitain)**
> **Mettez du tigre dans votre moteur (Essence)**

Dans les métaphores publicitaires, l'élément comparé est la plupart du temps présenté de façon visuelle. On verra, par exemple, la bouteille renfermant le produit pour le bain identifié **Algemarin**; un immense tuyau vu en contre-plongée relié à la compagnie **Gaz Métropolitain**; un tigre émergeant du moteur dont on vient de faire le plein d'essence.

b) Il y a aussi **la métaphore au second degré** dans laquelle on ne retrouve ni le terme comparé, ni le terme comparatif. Il n'y a que le comparant. C'est le vrai type de métaphore, celui qui nous situe au coeur même du langage poétique. Ce dernier, en effet, est essentiellement métaphorique. Pour bien comprendre la métaphore au second degré, partons du vers célèbre de Paul Valéry:

> **Ce toit tranquille où marchent des colombes**

Dans les métaphores utilisées par Valéry, il n'y a aucune référence explicite à l'objet comparé. Seul le contexte référentiel du poème peut nous en faire découvrir la signification. Et que nous révèle-t-il? La façon sereine avec laquelle Valéry considère la Méditerranée et les voiliers qui y voguent. Il en serait de même du vers suivant d'Émile Nelligan:

> **Ce fut un grand Vaisseau taillé dans l'or massif**

Dans ce vers du *Vaisseau d'or*, le contexte nous révèle que le "Vaisseau" représente le poète lui-même, tandis que "l'or" symbolise la matière noble entre toutes, le génie poétique.

## Quels sont les termes porteurs de la métaphore?

Les supports grammaticaux et sémantiques les plus courants de la métaphore sont:

1. le nom:

> **Cueillez dès  aujourd'hui les roses de la vie (Ronsard)**

2. l'adjectif:

**Il était pétrifié d'horreur**
**La douceur fleurie des étoiles (Rimbaud)**

3. le verbe:

**Le remords le rongeait**
**La neige parle à l'enfant**

Encore une fois faut-il distinguer entre le cliché et la véritable métaphore. Ainsi, les expressions "une poupée de luxe", "le soir de la vie", "pétillant d'esprit", "fondre en larmes", "mettre des bâtons dans les roues" sont des clichés, ou ils le sont devenus à l'usage. La métaphore, comme les autres figures, doit avoir un caractère inattendu et frapper l'imagination du lecteur.

# EXERCICES

## Exercice 23

Dans les exemples utilisés pour étudier la métaphore, dégagez les éléments comparés, les éléments comparants, la qualité ou propriété commune.

## Exercice 24

Découvrez les métaphores, et à l'occasion les comparaisons, dans le poème suivant de Gaston Miron.

### PLUS BELLE QUE LES LARMES

**Jeune fille plus belle que les larmes**
**qui ont coulé plus qu'averses d'avril**
**beaux yeux aux ondes de martin-pêcheur du matin**
**où passent les longs courriers de mon désir**
**mémoire, ô colombe dans l'espace du coeur**
**mes mains sont au fuseau des songes éteints**
**je me souviens de sa hanche de navire**
**je me souviens de ses épis de frissons**
**et sur mes fêtes et mes désastres**
**je te salue toi la plus belle**
**et je chante**
    *L'homme rapaillé*

## LA MÉTONYMIE

Tout comme la métaphore, la métonymie se retrouve fréquemment dans l'expression d'une idée, d'un sentiment. Alors que la comparaison et la métaphore reposent sur un rapport de ressemblance, la métonymie met en cause un autre type de rapport, celui du lien logique ou de la contiguïté existant entre deux termes [8]. Ce lien est constitué la plupart du temps par une relation permettant de prendre:

- l'effet pour la cause:

    **Cet écrivain vit de sa plume (la cause = la plume; l'effet = vivre)**

- le signe pour la chose signifiée:

    **Chaque jour il prend le 129 (le signe = le 129; la chose signifiée = l'autobus)**
    **C'est une Christian Dior (signe = la marque; la chose = la cravate)**
    **Le fleurdelysé l'a emporté (signe = fleurdelysé; la chose signifiée = l'équipe de baseball)**

- l'abstrait pour le concret:

    **C'est l'avarice en personne (l'abstrait = l'avarice; le concret = la personne)**

- la matière pour l'objet:

    **C'est un bronze (la matière = bronze; l'objet = la statue)**
    **Elle porte un beau vison (la matière = le vison; l'objet = le manteau)**

- le contenant pour le contenu:

    **Boire un verre (le verre = le contenant; le contenu = ce qu'il y a dedans)**

- la partie pour le tout:

    **Une voile à l'horizon (partie = voile; tout = bateau)**

    ou bien le contraire

- le tout pour la partie:

    **L'homme prit une cigarette (tout = homme; partie = main)**

---

8. On distingue parfois synecdoque et métonymie. Comme cette différence n'influence aucunement le comportement de celui qui écrit, nous les confondrons ici.

• la conséquence pour la cause:

> **Cet enfant, le bonheur de mes jours (conséquence = bonheur; cause = enfant)**

# EXERCICES

## Exercice 25

Précisez le type de rapport concerné dans les exemples suivants:

1. **Le quatrième violon dans cet orchestre est superbe.**
2. **J'ai beaucoup aimé cette toile de Picasso.**
3. **Les fines tasses savent apprécier l'arôme délicat du café frais grillé.**
4. **La classe impériale de CP Air s'étend maintenant à tout le Canada.**
5. **L'Angleterre brûle, l'Irlande jeûne, l'inflation galope" (titre d'article dans *L'actualité*)**
6. **"L'université déconnectée" (titre d'article dans *Châtelaine*)**
7. **Je me suis acheté une Toyota.**
8. **J'apprécie les programmes du petit écran.**
9. **Il a pris la route ce matin.**
10. **Andrée est en panne.**
11. **J'ai lu tout Camus.**

## Exercice 26

Relevez les métonymies dans les vers suivants de Jules Laforgue, et précisez le type de rapport mis en cause.

> **Un clavecin joue en face**
> **Un chat traverse la place**
> **La province qui s'endort**
> **Plaquant un dernier accord**
> **Le piano clôt sa fenêtre**
> **Quelle heure peut-il bien être?**

## LE TRANSFERT DE CLASSE

Cette figure consiste à transférer de classe un mot qui normalement appartient à une classe déterminée. Le langage quotidien utilise fréquemment ce type de figure lorsqu'il change en substantifs des verbes, des adjectifs, des locutions, etc. La poésie en fait également un fréquent usage.

On pourrait classer ainsi les transferts de classe les plus courants:

a) **la nominalisation de verbes, d'adverbes, d'adjectifs, de locutions, de propositions:**

> **Le boire et le manger**
> **Ses phrases sont parsemées de "comment".**
> **Le penser ne doit pas se séparer du faire.**
> **Le vierge, le vivace et le bel aujourd'hui (Mallarmé)**
> **Il faut se moquer des "qu'en-dira-t-on".**
> **"Soyons toujours prêts" est notre devise.**
> **Les affiches claires sont blanches dans le sombre du temps. (Vallès)**
> **Renée disparaissait dans la vague blancheur de son peignoir. ( les Goncourt)**
> **Le bleu du ciel m'enchante.**

b) **l'adjectivation du nom:**

> **Quand l'homme se fait nuit (Fernand Ouellette)**
> **Leur folie de machine (Apollinaire)**

c) **la verbalisation:**

> **Qu'il a mort le soleil**
> **Quand l'homme se fait nuit (F. Ouellette)**
>
> **Les tramways feu vert sur l'échine**
> **musiquent au long des portées**
> **De rail leur folie de machine (Apollinaire)**

Le syntagme verbal "qu'il a mort" est obtenu par la création d'un verbe "avoir mort", comme on dirait "avoir faim" ("Qu'il a faim...").

## LA LITOTE, L'HYPERBOLE, L'EUPHÉMISME

Mentionnons ensemble trois figures de style qui jouent un rôle important dans l'appréciation qualitative de la réalité et dans la façon de la mettre en relief. Il y a d'abord **la litote** qui consiste à dire peu pour exprimer beaucoup:

> **Va je ne te hais point (Corneille)**
> **C'est une petite pas possible (automobile)**
> **Il n'a pas une mauvaise opinion de lui-même**
> **Ce vin n'est pas mauvais**
> **C'est pas bête, ton truc**

**L'hyperbole**, contrairement à la litote, consiste à dire beaucoup pour exprimer peu:

**Ce n'est pas la fin du monde**
**C'est un pygmée**
**C'est la bonté même**
**Je suis mort de fatigue**

**L'euphémisme** consiste à adoucir sa pensée qui autrement serait déplaisante pour le destinataire. Il est facile de trouver des exemples d'euphémismes. Le langage quotidien en est farci. On dira fréquemment:

**Il a disparu (pour "il est mort")**
**Mesure de rattrapage (pour "hausse de taxes")**
**Il a une tumeur (pour "le cancer")**
**Une personne de l'âge d'or (pour "une vieille personne")**
**Chef de famille monoparentale (pour "mère célibataire")**
**Bénéficiaires de l'aide sociale (pour "assistés sociaux")**

# LA PERSONNIFICATION

La personnification consiste à "faire d'un être inanimé ou d'une abstraction un personnage réel" (Littré). Pour illustrer la personnification, voici un très bel exemple emprunté à Proust: "L'habitude venait me prendre dans ses bras et me portait jusque dans mon lit comme un petit enfant" (*Du côté de chez Swann*).

La personnification est souvent difficile à distinguer de la métonymie et de la métaphore dont elle constitue un cas particulier, comme en témoignent les exemples suivants:

**Chicoutimi l'a emporté haut la main (métonymie)**
**La neige parle à l'enfant (métaphore)**

Quelquefois on utilisera la majuscule pour marquer la personnification.

# L'ANTITHÈSE

L'antithèse est une figure de style qui éclaire et précise les idées en juxtaposant les contraires. Bernard Dupriez la définit en disant qu'elle consiste à "présenter, mais en l'écartant ou en la niant, une idée inverse, en vue de mettre en relief l'idée principale" (*Gradus*). Le rôle de l'antithèse peut être comparé à celui des contrastes ou des jeux d'ombre et de lumière en peinture. Elle crée le relief et fait ainsi mieux ressortir l'idée ou le sentiment exprimé. Exemples:

**Je suis un fils déchu de race surhumaine. (Alfred Des Rochers)**
**Le Canada est le paradis de l'homme d'affaires, c'est l'enfer de l'homme de lettres. (J. Fournier)**
**Qu'est-ce que l'homme dans la nature? Un néant à l'égard de**

151

l'infini, un tout à l'égard du néant; un milieu entre rien et tout. (Pascal)

Ce n'est pas en s'amusant qu'on devient sérieux.

# L'ÉNUMÉRATION, L'ACCUMULATION, LA GRADATION

Ces trois figures sont essentiellement des procédés d'amplification. **L'énumération** consiste à ajouter plusieurs aspects, détails, faits, preuves qui sont de nature à expliciter ou à développer davantage une idée qui figure en général avant l'énumération. Exemple:

> **Alors circulèrent dans la ville les premières brochures contenant des conseils sur la manière de se protéger le mieux possible contre la bombe atomique. Premièrement: il fallait se jeter à plat ventre par terre. Deuxièmement: se cacher le visage. Troisièmement: éviter les éclats de verre.**
>
> Gabrielle ROY, *Alexandre Chenevert*

**L'accumulation** consiste à ajouter des termes, ou des syntagmes de même nature et de même fonction, parfois de même sonorité finale (J.-M. Klinkenberg). Exemples:

> **(...) et là se fait entendre un perpétuel piétinement, caquettement, mugissement, beuglement, bêlement, meuglement, grondement, rognonnement, mâchonnement, broutement des moutons et des porcs.**
>
> JOYCE, *Ulysse*

> **Elle commençait sous les pieds, l'Exposition, par ce déballez-moi de bronzes d'art, de géraniums, de filles, de soldats, de bourgeois, de gosses, de grandes eaux, d'Annamites, de Levantins, d'étrangers frais débarqués et de voyous venus de la Butte, par ce pandémonium étonné, goguenard, bruyant, traînant la patte...**
>
> ARAGON, *Les voyageurs de l'impériale*

L'énumération et l'accumulation ne sont pas toujours nettement distinctes. Selon Bernard Dupriez (*Gradus*), l'énumération a une fonction plus logique que l'accumulation, celle-ci, en effet, pouvant facilement sauter d'un point de vue ou d'un aspect à l'autre.

**La gradation** consiste à "présenter une suite d'idées ou de sentiments dans un ordre tel que ce qui suit dise toujours un peu plus ou un peu moins que ce qui précède, selon que la progression est ascendante ou descendante" (Fontanier).

Exemples de gradation ascendante:

> **Va, cours, vole et nous venge! (Corneille)**

152

**Ah! Oh! Je suis blessé, je suis troué, je suis perforé,**
**Je suis administré, je suis enterré.**

A. JARRY, *Ubu roi*

Dans le dernier exemple, il y a progression dans la gradation des faits:"blessé" est moins grave qu'"enterré". Le mouvement va du moins au plus, la gradation est donc ascendante.

Exemples de gradation descendante:

**Un souffle, une ombre, un rien, tout lui donnait la fièvre. (La**
**Fontaine)**
**Le lait tombe; adieu, veau, vache, cochon, couvée... (La Fontaine)**

Avant l'accident, le rêve de Perrette avait pris la voie ascendante, c'est-à-dire de la couvée au veau.

# LA RÉPÉTITION, LE PLÉONASME, L'ALLITÉRATION, L'ONOMATOPÉE

Normalement, on ne doit pas répéter le même mot ou la même expression à court intervalle (nous verrons les lois de la répétition dans le chapitre sur le style). De même, la répétition dans un message est normalement contraire au principe d'économie de l'information. Mais on peut parfois s'écarter de la norme et rechercher un certain "effet" en répétant un même mot, une même expression, une même phrase (pléonasme ou redondance), un même son (allitération). Cela devient une figure de style, lorsque cette répétition est motivée ou justifiée. L'effet recherché peut viser à donner plus de force ou plus d'expression à une idée, à un sentiment.

Exemple de pléonasme:

**Moi, je l'ai vu, de mes yeux vu, ce qui s'appelle vu.**

Le pléonasme est vicieux (tautologie) dans des expressions comme "monter en haut", "prévenir d'avance", "assez satisfaisant", etc.

Exemples de répétition:

**Ce qu'il faut à tout prix qui règne et qui demeure**
**Ce n'est pas la méchanceté, c'est la bonté. (Verlaine)**

**Le train court on ne sait où**
**Avec ses pattes longues comme**

le train court on ne sait où
longues longues c'est dire comme
multivague vogue le train
sur belles railles bien en chair
ah vive le chemin de fer
roi des mâles et des malins
le train court court court court court court...
(Raymond Queneau)

Mon jeu, mon seul jeu, était le jeu le plus pur: la nage (Valéry)
Les grands matches c'est beau en grand! (Annonce)
Je suis heureux de me trouver dans la capitale de ce pays qui n'a pas de problème avec la France, et avec qui la France n'a pas de problème (attribué au général de Gaulle).

Parlons un peu de **l'allitération** qui est une forme importante de la répétition. On la définit généralement comme le retour de sons identiques ou similaires en vue de produire un effet. Voilà pourquoi on l'appelle aussi "harmonie imitative". Vous connaissez le célèbre vers de Racine "Pour qui sont ces serpents qui sifflent sur vos têtes?" C'est l'exemple classique de l'allitération. Celle-ci peut cependant avoir un sens plus étendu, comme le précise Bernard Dupriez: elle sert alors "à désigner toutes les figures de sonorité autres que la rime (musication, cacophonie, harmonie imitative)" (*Gradus*). Elle peut également ne servir qu'à faire résonner une phrase comme dans l'exemple suivant qui réfère au titre d'un ouvrage: "Comment *déborder d'énergie*". Mais si le procédé peut être utilisé pour produire un effet, il faut, ici encore, éviter d'en faire un usage abusif.

Exemples d'allitération:

L'insecte net gratte la sécheresse (Paul Valéry)
Tout m'afflige et me nuit, et conspire à me nuire (Racine)
Voici que décline la lune lasse vers son lit de mer étale (Senghor)

Automne malade et adoré
tu mourras quand l'ouragan soufflera sur les roseraies (Apollinaire)

"Vers, vert, ver? Non, Verres!" (titre d'un article sur le choix des verres, *Châtelaine*, septembre 1981)

Porc? Non... thon! (annonce publicitaire)

Comment déborder d'énergie (titre d'un volume)
"L'été s'en va, l'automne est là" (titre d'article)

Les Pros d'Esso: à l'enseigne du bon boulot (annonce publicitaire)

**Le train part tard**

**"Après bien des efforts, le coche arrive au haut!" (La Fontaine)**
**À tout seigneur, tout honneur**

**Voici, à la bonne franquette,**
**la meilleure trempette**
**jamais faite**
**par les cuisines**
**de Kraft...**
  **(annonce)**

**L'onomatopée** porte sur le mot. C'est la "formation d'un mot dont le son est imitatif de la chose qu'il signifie" (Littré). Exemples: coucou, toc-toc, tutu, glouglou, vroum, coin-coin, tic-tac, frou-frou, miaou, floc, cuicui, etc. Sur le plan grammatical, les onomatopées doivent être considérées comme des mots et non comme des bruits, car elles possèdent une signification. Leur graphie de même que leur prononciation sont homologuées.

## EXERCICE

### Exercice 27

Expliquez les répétitions (pléonasmes, allitérations) dans les exemples utilisés précédemment et dites ce qu'elles apportent au plan du message.

## L'ELLIPSE

L'ellipse consiste à supprimer un ou plusieurs mots (article, nom, pronom, conjonction, proposition), de façon à donner plus de vigueur, de rapidité ou de vivacité à l'expression de la pensée et des sentiments. L'ellipse est une figure fréquemment utilisée. On la retrouve:

- dans le langage quotidien:

 **Viens vite, que je te parle.**

- dans les ordres:

 **Pouvez disposer.**

- dans le style télégraphique:

 **Mère décédée. Enterrement demain. Sentiments distingués.**
 **(Camus,** L'étranger**)**

155

• en publicité:

> **Jeune homme distingué désire connaître fille bien. (petites annonces)**

Nous avons déjà vu le procédé de l'ellipse à l'occasion de l'étude de "la phrase elliptique". Nous vous y renvoyons.

## L'INVERSION

L'inversion consiste à permuter un mot ou groupe de mots qui devraient suivre l'ordre logique ou normal de la phrase. Il faut distinguer les cas où l'inversion est obligatoire et les cas où l'on cherche à créer un effet. Dans les exemples suivants, l'inversion est obligatoire:

> **Viendrez-vous?**
> **Cet homme est-il coupable?**
> **L'argent, dit-on, ne fait pas le bonheur.**

Dans l'interrogation et la proposition incise, l'inversion est une exigence syntaxique. Elle n'a donc pas valeur de figure. Par contre, je peux rechercher un effet comme dans les exemples suivants:

> **Quinze enfants il a eus.(Joyce, *Ulysse*)**
> **Terrible est la menace qui pèse sur notre économie.**
> **Parce qu'il est le chef, il se croit tout permis.**
> **En octobre, il sera trop tard.**
> **Tandis que la Princesse causait avec moi, faisaient précisément leur entrée le duc et la duchesse de Guermantes.(Proust, *À la recherche du temps perdu*)**

Appréciez l'utilisation de l'inversion dans cette description de Victor Hugo:

> **Là, j'ai eu un magnifique spectacle: devant moi, sous la lueur fantastique d'un ciel crépusculaire, s'élevait et s'élargissait, au milieu d'une foule de maisons basses à pignons capricieux, une énorme masse noire, chargée d'aiguilles et de clochetons; un peu plus loin, à une portée d'arbalète, se dressait isolée une autre masse noire, moins large et plus haute, une espèce de grosse forteresse carrée, flanquée à ses quatre angles de quatre longues tours engagées, au sommet de laquelle se profilait je ne sais quelle charpente étrangement inclinée qui avait la forme d'une plume gigantesque posée comme sur un casque au front du vieux donjon; cette croupe, c'était une abside; ce donjon, c'était un commencement de clocher; cette abside et ce commencement de clocher, c'était la Cathédrale de Cologne.**

Le rôle de l'inversion est, la plupart du temps, de mettre en évidence ou en relief une information (fait, idée, sentiment, émotion), de façon à attirer l'attention du lecteur. Il va de soi que plus l'inversion est inattendue, plus l'effet est grand.

# EXERCICE

## Exercice 28

Dans la description de Victor Hugo, relevez les inversions.

## LE RYTHME

Le rythme est une qualité importante de la phrase dont il assure équilibre et variété. Il tient dans l'ordonnance et la disposition en **groupes rythmiques** des phrases et des membres de phrases. Ces groupes sont rendus sensibles par la ponctuation qui indique la disposition des coupes ou des pauses. Le rythme résulte également de la longueur variable des phrases, de l'alternance des phrases longues et brèves.

Pour prendre conscience du rythme, lisez lentement, à haute voix, les deux textes ci-après dont le rythme est remarquable.

> **L'ombre, comme un parfum, s'exhale des montagnes et le silence est tel que l'on croirait mourir. On entendrait ce soir, le rayon d'une étoile remonter en tremblant le courant du zéphir.**
>
> **Contemple. Sous ton front que tes yeux soient la source qui charme de reflets ses rives dans sa course... Sur la terre étoilée surprends le ciel, écoute le chant bleu des étoiles en la rosée des mousses.**
>
> Paul FORT, *Ballades de la nuit, IV*

> **Qui donc a inventé de mettre le soleil dans notre verre comme si c'était de l'eau qui tient tout ensemble. Exprimant cette grappe qui s'en est de longs mois gorgée? Qui donc a inventé de mettre le feu dans notre verre, le feu même et ce jaune-et-rouge qu'on remue dans le four avec un crochet de fer.**
>
> **Et la braise du patient tison?**
>
> **C'est un dieu sans doute et non pas un homme qui a inventé de joindre, comme pour notre sang même, le feu à l'eau!**
>
> Paul CLAUDEL, *Cantique de la vigne*

Pour apprécier pleinement le rythme de ces deux textes poétiques, il faudrait faire intervenir, en plus des groupes rythmiques, la notion d'accent.

Nous n'insisterons pas sur cet aspect. Voyons plutôt un exemple de rythme dans le discours informatif. Nous avons choisi ce très beau passage de Fernand Dumont:

> **Depuis que les hommes parlent, depuis qu'ils écrivent, ils ont voulu ramener le mutisme de l'univers et leurs sauvages intentions intimes à des horizons repérés et à des angoisses fondées. Habiter le monde, ce fut peut-être d'abord un long cri jeté dans une nuit sans frontières, comme celui qui vient encore au promeneur égaré dans les bois. Puis ce fut, sans doute aussi, la lente récupération des articulations de ce cri et des rivages qu'il tentait d'atteindre. Le lieu de l'homme, on a toujours cru que ce devait être la culture: un habitacle où la nature, nos rapports avec autrui, les lourds héritages de l'histoire seraient confrontés avec les intentions de la conscience dans un dialogue jamais achevé.**
>
> Fernand DUMONT, *Le lieu de l'homme*

Dans ce passage, le rythme est assuré par l'équilibre des phrases et des sous-phrases, les coupes et les pauses marquées par la ponctuation.

Parfois, c'est l'absence de rythme qui devient significative. Il reflète alors la volonté de créer non pas un mouvement équilibré qui entraîne le lecteur dans sa foulée, mais d'opérer une brisure rythmique qui sollicite le lecteur différemment, comme en témoigne l'introduction suivante d'un article d'une revue populaire:

> **"L'année dernière les femmes battues, ç'a été un sujet bien à la mode. Aujourd'hui les gens sont fatigués d'en entendre parler. "Quoi, ce n'est pas réglé votre affaire?" nous dit-on. Eh bien non, ce n'est pas réglé. Et puis, on n'a pas inventé de nouveaux coups ni de nouvelles blessures. Désolées!"**
>
> Marie-Claire DUMAS, "Violence à la maison", dans *Châtelaine*, février 1983

L'effet d'arythmie est obtenu ici en appliquant à l'écrit l'une des caractéristiques de l'oral, la spontanéité: l'auteur veut donner au lecteur l'impression qu'en écrivant, il lui parle directement.

Précisons, en terminant, qu'il existe très peu de règles sur le rythme. Celui-ci dépend bien davantage d'une disposition intérieure du sujet écrivant. Cette disposition, innée chez certains, peut cependant être développée en lisant de bons auteurs.

## LES SONORITÉS

Nous avons déjà vu la figure de sonorité appelée "allitération" et les différents effets qu'on peut en obtenir. En dehors de cette figure, il existe une règle d'utilisation des sonorités qui s'appelle **l'euphonie.** Celle-ci consiste à disposer les mots de telle façon que leur sonorité plaise. Elle est le contraire de **la cacophonie,** définie comme un "vice d'élocution qui consiste en un son désagréable, produit par la rencontre de deux lettres ou de deux syllabes, ou par la répétition trop fréquente des mêmes lettres ou des mêmes syllabes (ex.: "En l'entendant parler") (LITTRÉ). Pour prendre conscience de la valeur de l'euphonie, récitez lentement ce fameux vers de Racine (extrait de *Phèdre*), en faisant porter toute votre attention sur les sonorités:

> **Ariane, ma soeur, de quel amour blessée**
> **Vous mourûtes aux bords où vous fûtes laissée.**

Appréciez également le choix des phonèmes dans cet extrait d'un poème de Guillaume Apollinaire:

> **Sous le pont Mirabeau coule la Seine**
> **Et nos amours**
> **Faut-il qu'il m'en souvienne**
> **La joie venait toujours après la peine**
> **Vienne la nuit sonne l'heure**
> **Les jours s'en vont je demeure.**

Dans le discours informatif, le jeu des sonorités est certes moins rigoureux, mais aussi nécessaire.

# EXERCICE

## Exercice 29

L'auteur du texte suivant, Félix-Antoine Savard, a soigneusement choisi ses termes, créé ses images; le rythme également fait l'objet d'une recherche constante et concourt à créer l'admirable beauté qui caractérise ce texte. Lisez-le attentivement une fois, puis: 1) relevez les images; 2) dites ce qui fait la beauté du rythme. Vous trouverez le corrigé à la fin du chapitre.

### Les oies sauvages

1. **Il y aurait un beau poème à faire sur ces ailes transcontinentales, sur ce vol ponctuel et rectiligne, sur ce règlement de voyage, sur cette fidélité aux roseaux originels.**
2. **À réfléchir aussi sur cette ténacité d'amour qui anime le dur travail des plumes et darde contre vents et brouillards ce front d'oiseau têtu, obstiné, invincible, sur cette chair raidie, imperturbable, qui vole, c'est-à-dire l'emporte sur**

sa propre pesanteur et participe à l'agilité du désir, enfin, sur cette orientation lucide, infaillible à travers les remous de l'inextricable nuit.

3. Elles nous arrivent le printemps, la nuit, sur le vent du sud, par les hautes routes de l'air.

4. Par les hautes routes de l'air, par ce grand large aérien d'où, sans autre condescendance que pour l'escale traditionnelle dans quelque prairie marine, sans autre but qu'un nid dans les roseaux de la toundra, superbes, elles dédaignent d'instinct les villes, les champs, les eaux, les bois, et toute nature et toute humanité et tout ce qui n'entre pas dans leur dessein d'amour.

5. Elles s'avancent par volées angulaires, liées ensemble à l'oie capitale par un fil invisible. Inlassablement, elles entretiennent cette géométrie mystérieuse, toutes indépendantes, chacune tendue droit vers sa propre fin, mais, en même temps toutes unies, toutes obliques, sans cesse ramenées, par leur instinct social, vers cette fine pointe qui signifie: orientation, solidarité, pénétration unanime dans le dur de l'air et les risques du voyage.

6. C'est une démocratie qu'il nous serait utile d'étudier pour le droit et ferme vouloir collectif, pour l'obéissance allègre à la discipline de l'alignement, pour cette vertu de l'oie-capitaine qui, son gouvernement épuisé, cède à une autre, reprend tout simplement la file, sans autre préoccupation que sa propre eurythmie, sans autre récompense que le chant de ses ailes derrière d'autres ailes et la victoire de l'espace parcouru.

Félix-Antoine SAVARD, *L'abatis*

# G. CORRIGÉ DES EXERCICES

## Exercice 1

L'utilisation de formules impersonnelles: "il n'est pas indifférent", "comme le démontre M. Guyon", "on peut constater les remaniements", "ne le considère-t-on pas...?", "Faut-il s'étonner...?".
L'emploi de l'interrogation qui marque tout le deuxième paragraphe:

en donnant indirectement son point de vue, l'auteur évite de trahir sa présence.

## Exercice 2

Pas de corrigé.

## Exercice 3

Pas de corrigé.

## Exercice 4

**"habitée par les dieux", "cuirassée d'argent", "bleu écru", "couvertes de fleurs", "à gros bouillons", "noire de soleil", "de lumière", "de couleurs", "volumineuse" "aromatiques", "énorme".**

## Exercice 5

Exemples de caractérisation:

**"À 3500 km au nord d'Ottawa", "en plein désert arctique", "à mi-chemin entre Washington et Moscou", "du haut des airs", "grand comme un terrain de football", "l'usine Polaris", "la plus septentrionale au monde", "juste à la verticale", "l'étoile Polaire", "quelques minutes au nord du pôle magnétique", "que nous avons survolé tantôt", "folle, inutile", "glacée", "dans un silence effarant", "gros", "psychédélique suspendu jour et nuit", "tout blanc", "tout bas", "molletonnées", "fatals refroidissements", "chaude et colorée", "une espèce de nid", "de zinc et de plomb", "gelé dur sur plus d'un kilomètre", "de profondeur", "douillette et confortable", "vertes", "éblouissant", "de l'été arctique", "de plusieurs centimètres", "petits", "presque élégants", "torse et pieds nus", "des pays chauds".**

## Exercice 6

Pas de corrigé.

## Exercice 7

a) Les éléments dépréciatifs:

**"domptait", "cette marée d'enfants", "qui grondaient à ses pieds", "ils rampaient", "ils avaient l'odeur familière de la pau-**

vreté", "retournez sous les lits", "ah! quelle odeur", "avec quelques coups de canne", "la bouche ouverte", "haletant d'impatience et de faim", "les miettes de chocolat", "tous ces trésors poisseux", "Éloignez-vous, éloignez-vous", "Elle les chassait", "semant les malédictions sur son passage", "quelque bébé plaintif tombé dans la boue", "elle répudiait", "leur jetant", "qu'ils attrapaient au hasard", "ce déluge d'enfants, d'animaux", "leur mystérieuse retraite", "gratter à la porte pour mendier".

b) Les éléments mélioratifs:

"le charme", "par sourire", "l'imagination éveillée", "ce monde merveilleux de l'espoir", "si doux d'oublier", "un coin de mensonge", "l'on s'amuse à se régaler", "ce qui la passionnait, ce qui la mettait d'accord", "l'idée de la justice".

## Exercice 8

Tous ces indices sont réductibles à l'emploi du pronom personnel sous toutes ses formes. Notons l'utilisation une seule fois de l'adjectif possessif "mon" (1$^{re}$ ligne).

## Exercices 9 à 22

Pas de corrigé.

## Exercice 23

| Actualisation de la métaphore | | | |
|---|---|---|---|
| **Phrases** | **Éléments comparés** | **Éléments comparants** | **Qualités ou propriétés communes** |
| Cet homme est un lion | homme | lion | force |
| L'homme est un roseau pensant (Pascal) | homme | roseau pensant | fragilité |
| J'ai trouvé dans cette femme la perle rare | femme | perle | précieuse/ recherchée |
| Cri de bête, la guerre frappe (F. Ouellette) | guerre | cri de bête | monstrueux |
| La laine des moutons sinistres de la mer | mer/vagues/ écumes | laine des moutons sinistres | aspects laineux/ blancheur |

162

| | | | |
|---|---|---|---|
| Algemarin aime votre corps (produit pour le bain) | Algemarin | aime (objet personnifié) | capacité d'aimer |
| Un bon tuyau sur l'énergie (Gaz Métropolitain) | renseignement/ information | tuyau | tous les deux véhiculent un contenu |
| Mettez du tigre dans votre moteur | Essence (moteur) | tigre | puissance |
| Ce toit tranquille où marchent des colombes (Valéry) | mer et voiliers | toit tranquille/ colombes | surface tranquille/blancheur et forme des voiles et des colombes |
| Ce fut un grand Vaisseau taillé dans l'or massif (Nelligan) | poète | Vaisseau en or massif | grandeur/ valeur |

## Exercice 24

"ondes de martin-pêcheur du matin"
"longs courriers"
"colombe"
"dans *l'espace* du coeur"
"fuseaux des songes éteints"
"hanches de navire"
"épis de frissons"

## Exercice 25

1. Instrument/instrumentiste. 2. Support/produit fini. 3. Objet/personnes qui en usent. 4. Caractéristique/compagnie. 5. Pays/habitants. 6. Institution/personnel à tous les niveaux. 7. Marque/auto. 8. Partie/tout. 9. Route/voyage. 10. Conducteur/auto. 11. Auteur/oeuvre.

## Exercice 26

| | RAPPORTS |
|---|---|
| Le clavecin est mis pour l'artiste | instrument/instrumentiste |
| La place est mise pour la pièce | lieu public/lieu privé |
| La province est mise pour les habitants | pays/habitants |
| Le piano est mis pour le pianiste | objet/personne |

## Exercice 27

Pas de corrigé.

## Exercice 28

Pas de corrigé.

## Exercice 29

Les métaphores:
- (2) "cette ténacité d'amour"
  "ce front d'oiseau têtu, obstiné, invincible"
  "l'agilité du désir"
  "cette orientation lucide, infaillible"
  "les remous de l'inextricable nuit"
- (3) "les hautes routes de l'air" (3$^e$ et 4$^e$)
- (4) "ce grand large aérien"
  "sans autre condescendance"
  "superbes, elles dédaignent"
  "leur dessein d'amour"
- (5) "leur instinct social"
  "le dur de l'air"
- (6) "une démocratie"
  "l'oie-capitaine"
  "son gouvernement"
  "le chant de ses ailes"

Les métonymies:
- (1) "ces ailes transcontinentales"
- (2) "le dur travail des plumes"
  "cette chair... qui vole"
- (5) "cette géométrie mystérieuse"

Les répétitions:
- (1) "Il y aurait un beau poème à faire
  sur ces ailes...
  sur ce vol...
- (2) "À réfléchir
  sur cette fidélité...
  sur cette ténacité...
  sur cette chair
  sur cette orientation

(3) "Elles nous arrivent...
le printemps, la nuit
par les hautes routes..."
(4) Par les hautes routes
par ce grand large aérien...
et toute nature et toute humanité et tout ce qui..."
(5) "toutes unies, toutes obliques
(6) "pour le droit...
pour l'obéissance...
pour cette vertu
"sans autre préoccupation que...
sans autre récompense que
"le chant de ses ailes derrière d'autres ailes"

Les gradations:

(2) "Ce front d'oiseau têtu, obstiné, invincible"
"sur cette orientation lucide, infaillible"
(5) "orientation, solidité, pénétration"

Énumération:

(4) "les villes, les champs, les eaux, les bois, et toute nature"

Ellipse:

(2) À réfléchir..."

Antithèse:

(4) "prairie marine"

Inversion:

(5) "Inlassablement, elles entretiennent..."

# 5

# SAVOIR ÉCRIRE
# UN PARAGRAPHE

L'apprentissage de l'écrit ne se limite pas au travail de la phrase, car c'est à partir du moment où l'on sait faire un paragraphe que l'on commence vraiment à écrire. Qu'il s'agisse de composer une lettre personnelle, une lettre d'affaires, de préparer un compte rendu ou d'élaborer une dissertation, le paragraphe se retrouve au coeur même de l'écrit.

## A. QU'EST-CE QU'UN PARAGRAPHE?

Un seul énoncé, en général, ne suffit pas à exprimer complètement une idée. Celle-ci doit être développée en plusieurs phrases dont l'ensemble constitue le paragraphe. La représentation typographique permet de repérer facilement le paragraphe, car le premier mot est disposé en retrait, ce qui correspond à l'alinéa (le fait d'aller à la ligne); c'est en même temps l'indice de la cohérence sémantique qui le caractérise.

Le paragraphe doit correspondre, en principe, à une phase relativement importante dans le développement d'une idée, d'un événement ou d'un fait; ce peut être une étape dans un raisonnement, un point dans une argumentation, un moment dans une narration ou un aspect dans une description. Le paragraphe possède donc une certaine densité. C'est pourquoi on fait rarement un paragraphe avec une seule phrase courte. Il découle de cette règle qu'il ne faut pas non plus multiplier indûment les alinéas comme beaucoup de scripteurs le font.

Soulignons à ce propos la tendance de plus en plus fréquente de ne pas aller à la ligne (alinéa) et de commencer à écrire le paragraphe à la marge. On procède le plus souvent ainsi dans les écrits commerciaux, administratifs, diplomatiques, politiques, économiques, etc. Que faut-il penser de cet usage? Il est certain qu'il va à l'encontre de la tradition. On le fait sans doute pour des raisons d'ordre pratique. Par exemple, pour l'économie de temps et d'espace. On peut difficilement s'opposer à cette pratique généralisée. L'important c'est de bien délimiter visuellement les paragraphes en laissant un double ou même un triple interligne entre les paragraphes de façon à compenser l'espace laissé normalement par l'alinéa.

Mais qu'est-ce qu'un paragraphe?

Les ouvrages qui traitent du paragraphe le définissent, en général, comme une **organisation répondant à une structure logique.** Cette conception traditionnelle rigide ne rend pas compte de la réalité. En effet, si un grand nombre de paragraphes comportent un développement logique, beaucoup d'autres, au contraire, manifestent une grande souplesse et une grande flexibilité au plan de la structure. Ouvrez, par exemple, une revue, un journal, parcourez un roman ou un recueil de contes, vous serez étonné de l'infinie diversité des paragraphes.Dans plusieurs cas, il semble que le découpage du texte se fasse de façon plus ou moins arbitraire, au gré de l'inspiration. Pour certains, cette façon de procéder représente un abus; il faut admettre cependant que le découpage libre des paragraphes reflète aussi l'art et la personnalité du scripteur et, à ce titre, il est pleinement justifié.

Pour rendre compte du caractère multiforme du paragraphe, nous distinguerons deux catégories: le paragraphe **ouvert** (ou **libre**) et le paragraphe **fermé** (ou **logique**). Dans le premier, le développement se caractérise par une grande liberté au plan de la structure; dans le second, le développement répond à des lois et des règles précises.

## LES SORTES DE PARAGRAPHES

### Le paragraphe ouvert (ou libre)

Le paragraphe **ouvert** (ou **libre**) se caractérise par une grande flexibilité, l'absence de contraintes dans son développement. Il semble obéir au mouvement de l'âme du scripteur, au cheminement de sa pensée à travers la conscience dont il épouse souvent les incertitudes et les hésitations. Il reflète, dans ce cas, moins le résultat de la pensée que son élaboration.

167

Dans le paragraphe ouvert, l'idée principale ne correspond pas nécessairement à des critères d'organisation logique, mais bien davantage à des **critères esthétiques**: les besoins de la fiction, du rythme, du dialogue dans le discours littéraire, ou encore à des **critères utilitaires**, comme ceux que l'on retrouve dans les textes diplomatiques, politiques, administratifs.

Son utilité est peut-être plus grande encore dans certains textes destinés à la masse des lecteurs. La grande souplesse ou flexibilité qui le caractérise en fait un instrument privilégié pour faire passer un message, vulgariser un thème, soutenir l'attention du lecteur peu enclin aux longues périodes, surtout s'il n'a pas l'habitude de lire souvent et longuement.

Exemples de paragraphes ouverts

Le paragraphe ouvert présente un aspect morcelé, brisé; les alinéas se multiplient au gré de l'auteur. On le rencontre:

* dans le roman (le conte ou la nouvelle):
— au cours d'une narration:

> **Quand pour la première fois le Troublé en parla, on se gaussa de lui dans le hameau.**
>
> **Tant que l'idée semblait étrange, et pas du tout de celles qui sont les vraies idées, propres à croire.**
>
> **Mais on se dit que c'était le Troublé, et que l'idée ne valait que ça.**
>
> **Puis les nuits vinrent qui étaient les nuits de pêche, les nuits longues et bleues, avec toutes les étoiles et le chant doux qui monte du fond de la mer, alors on oublia bien que le Troublé avait ouï le son d'une fleur.**
>
> **Mais lui ne l'oublia pas.**
>
> **Il retrouva Daumier qui se fit sérieux pour l'entendre.**
>
> Yves THÉRIAULT, *Contes pour un homme seul*

— au cours d'un dialogue:

> **Hyacinthe était lourd comme un rocher. Marie-Moitié se serait envolée si elle avait ouvert les bras.**
>
> **— On se sent bien, dit-elle.**
>
> **— C'est un répit.**
>
> **— Vous ne voulez pas que j'allume?**
>
> **— Pour chasser la nuit?**
>
> **— Pour vous voir.**
>
> **— Je vous vois très bien ainsi.**
>
> **Puis, un peu plus tard, Marie-Moitié reprit:**

— **Je passerais ma vie comme ça.**
— **C'est trop beau pour être vrai.**
— **De quoi avez-vous peur?**
— **Je n'ai peur que de ma colère.**
Louis CARON, *Le canard de bois*

L'ensemble de la tirade, la portion de dialogue découpée dans le texte constitue le paragraphe.

• dans l'essai:

Voici comment un critique littéraire introduit une étude d'*Agaguk*, roman d'Yves Thériault:

> **Quelle panique me saisit au tournant de la page et me jette dans l'effroi?**
> **M'éparpille.**
> **M'enfarge.**
> **Relire *Agaguk*.**
> **En même temps et autrement Claude Mauriac et Marcel Proust.**
> **Repérer l'Oedipe...**
> **Répondre à la question de Gérard Bessette:**
> **Peut-on dire qu'*Agaguk* est *aussi* un roman oedipien, c'est-à-dire un roman où l'Enfant manifeste de l'hostilité envers le parent du même sexe à cause d'un attachement de nature érotique au parent du sexe opposé?**
> Yves LACROIX, "Lecture d'*Agaguk*", dans *Voix et Images*,
> vol. V, n° 2, hiver 1980

L'utilisation de l'alinéa et de la phrase syncopée permet ici à l'auteur de varier et de présenter de façon originale — non conventionnelle — son étude. Dans l'exemple suivant, l'auteur a découpé son paragraphe de présentation en trois parties. La disposition de la deuxième phrase en alinéa permet de mettre en évidence une idée qui lui est chère.

> **Je voudrais aussi, dans ces notes, rendre hommage à l'homme d'incommensurable génie que fut Jules Verne.**
> **Mon admiration pour lui est infinie.**
> **Dans certaines pages du *Voyage au centre de la terre*, de *Cinq Semaines en ballon*, de *Vingt mille lieues sous les mers*, de *De la Terre à la lune* et de *Autour de la Lune*, de *l'Île mystérieuse*, d'*Hector Servadac*, il s'est élevé aux plus hautes cimes que puisse atteindre le verbe humain.**
> Raymond ROUSSEL, *Comment j'ai écrit certains de mes livres*

● en science ou dans un rapport:

le paragraphe ouvert peut être utilisé à bon escient dans l'écrit informatif, comme en témoignent les trois exemples suivants:

1.

### DÉFINITION DE LA CELLULE
#### La cellule animale

Chez l'homme, la vie se traduit par de nombreuses propriétés telles que l'existence de mouvements, de phénomènes de synthèse, et souvent de reproduction. Ces propriétés sont retrouvées au niveau des organes, des tissus, et des cellules.

Ainsi la cellule possède toutes les propriétés de l'Homme.

C'est la plus petite partie de matière vivante qui, isolée, peut conserver les propriétés fondamentales de l'être vivant qui la possédait. Au XIXe siècle, on a formulé la théorie cellulaire qui s'exprime en deux points:

— tout être vivant est constitué de cellules;

— tout être vivant est issu de cellules.

L'étude de la cellule fait l'objet d'une science particulière: la *cytologie.*

La cytologie est née avec l'observation au microscope faite par le Hollandais Zacharie Jansen au XVIIe siècle. Elle a progressé grâce au microscope électronique, dont le grossissement (2 000 à 200 000) permet d'étudier l'ultrastructure des *organites* de la cellule.

C. PATIN et J.C. BOISSIN, *Éléments de biologie*

2.

*Exemple 1: La communication téléphonique*

Elle se déroule en deux temps:

— dans un premier temps le destinateur décroche le combiné et forme un numéro sur le cadran; ce faisant il transmet un message codé d'impulsions à un central téléphonique qui trie les appels; ainsi les éléments de la première partie de cette communication se définissent comme suit:

destinateur: un individu,

destinataire: central téléphonique,

message: numéro demandé,

code: impulsions électriques codées,

référent: situation spatiale du destinateur,

canal de communication: le fil reliant le combiné au central.

On sait, hélas, que dès ce premier temps, de nombreux "bruits" peuvent entraver la communication (interférences, parasites, lignes encombrées ou coupées).

La communication s'établit lorsque retentit la sonnerie.

— dans un second temps la communication s'établit entre le destinateur et son destinataire:

soit unilatéralement (horloge parlante),

soit bilatéralement.

Le message, le code et le(s) référent(s) sont alors différents.

Francis VANOYE, *Expression Communication*

3.

Les prêts en cours

Le total de tous les prêts en cours atteignait donc, au 31 décembre 81, le sommet de 9,4$ milliards, en progression de 9,8% par rapport à l'année précédente. Ce total se répartissait de la façon suivante:

- 613$ millions à l'agriculture et 7$ millions à la pêche (6,6%);
- 1,05$ milliard aux coopératives, commerces et industries (11,1%);
- 5,45$ milliards à l'habitation (57,5%);
- 85$ millions aux municipalités, commissions scolaires et autres corps publics (1,9%) et
- 2,17$ milliards aux individus et aux familles (22,9%) pour le financement de dépenses reliées au budget familial, à l'achat d'automobiles ou de biens durables, à l'éducation et à d'autres besoins.

Journal *Finance*.

Dans ce dernier exemple, la phrase de départ annonçant le total des prêts de même que l'énumération détaillée en cinq points constituent le paragraphe.

## Le paragraphe fermé (ou logique)

Le paragraphe fermé ou logique est celui qui permet de penser et de communiquer avec ordre et méthode. Il obéit à des lois de fonctionnement, à des stratégies d'élaboration centrées sur l'idée exprimée. Sa structure reflète sa cohérence sémantique. Dans ce type de paragraphe, le développement se déploie de façon progressive, selon une certaine longueur (habituellement de 5 à 25 lignes), jusqu'au dénouement, c'est-à-dire la conclusion. C'est le paragraphe classique, celui de la dissertation, de l'essai, de l'ouvrage scientifique. Mais on le retrouve aussi dans le conte et le roman, car il y a dans ces types de discours des paragraphes qui suivent un développement logique comme nous le verrons plus loin.

Nous étudierons de façon particulière le paragraphe fermé ou logique, non seulement parce qu'il est utile, mais parce qu'il représente une ascèse à laquelle tout scripteur devrait se soumettre pour apprendre à écrire.

### Caractéristiques du paragraphe fermé (ou logique)

#### a) L'unité de sens

Ce qui caractérise fondamentalement le paragraphe fermé, c'est l'unité de sens. On dit habituellement: un paragraphe pour chaque idée et une idée dans chaque paragraphe. Cette **idée**, appelée **principale**, est annoncée dans la première phrase: ce peut être un argument, un sentiment, un aspect d'une description, un moment d'un récit, etc. Toutes les autres unités de sens (ou idées secondaires) gravitent autour de cette unité et la complètent sémantiquement. C'est la loi de **la convergence.**

## EXERCICES

## Exercice 1

Dans le texte qui suit, les paragraphes ont été fondus. Reconstituez-les, en vous basant sur les unités de sens (il y a 6 paragraphes).

**En 1968, six ans avant la publication des *Dents de la mer*, une enquête a été menée en Australie pour déterminer le mot qui provoquait chez les gens la réaction la plus vive. On a proposé dans le questionnaire des termes comme *meurtre, mort, amour, viol* et *poisson*. Mais aucun n'a soulevé autant d'émotion que le mot *requin*. La publication du livre, et plus tard, le lancement du film ont fait naître en Amérique du Nord la même peur panique du requin, semant dans les esprits des images si terrifiantes que beaucoup refusèrent de se baigner cette année-là. Et juste au moment où nous commencions à nous remettre de notre terreur, Hollywood a lancé *Les dents de la mer II*. Heureusement, dans le cas du requin, la fiction dépasse de loin la réalité. Le baigneur moyen a seulement une chance sur cinq millions d'être blessé par un requin. Mais les mythes et les préjugés ont la vie dure. Officier de la marine américaine et chercheur scientifique, David Baldridge est l'un de ceux qui s'efforcent de dissiper ces préjugés. Il a récemment passé au peigne fin, en ordinateur, le dossier de la marine américaine sur les attaques perpétrées par**

**des requins, qui est sûrement le plus complet du monde en son genre. Excluant les désastres aériens et maritimes de son étude, il a analysé les 1165 cas d'attaques attestées. Voici, à la lumière de ses conclusions, quelques-unes des exagérations et des idées fausses couramment admises. Les requins attaquent environ 100 personnes chaque année, et infligent à la plupart des blessures mortelles. Pour le monde entier, la moyenne annuelle des attaques attestées s'établit à 28 ces dernières années et, grâce à l'amélioration des soins médicaux, la proportion des morts a baissé régulièrement, passant de 46 pour cent en 1940 à un taux de 10 à 20 pour cent aujourd'hui. La plupart des attaques se produisent dans moins d'un mètre et demi d'eau. Sur le plan purement statistique, c'est vrai, mais cela ne fait que refléter la répartition générale des nageurs dans la mer. Il n'y a pas lieu d'en conclure qu'il est moins dangereux de nager en eau plus profonde.**

D'après *Sélection du Reader's Digest*, juin 1981, p. 89-90

Vous trouverez le CORRIGÉ des exercices à la fin du chapitre.

## b) L'enchaînement logique des idées

Dans le paragraphe fermé, les idées s'enchaînent selon une hiérarchie que l'on appelle **progression**. Celle-ci fait évoluer l'idée principale vers le but ultime, sa démonstration. Le résultat est souvent marqué par une phrase-conclusion qui revient à dire: c'est ce qu'il fallait démontrer. La conclusion n'est cependant pas toujours exprimée.

La progression se retrouve non seulement dans le texte informatif ou l'essai, mais aussi dans les détails d'une description ou dans les étapes d'une narration. Elle existe également dans la présentation d'exemples, d'arguments qui vont, en général, du plus faible au plus fort, du moins convaincant au plus convaincant.

# Exercice 2

Reconstituez logiquement le paragraphe suivant dont les différentes phrases vous sont données pêle-mêle.

## Paragraphe A

**— Elle imagine lui raconter des histoires tellement passionnantes que, d'une nuit à l'autre, le roi l'épargne afin de pouvoir entendre la suite.**

**— Schéhérazade décide de sauver les femmes du royaume et elle se présente au tyran.**

— Après mille et une nuits de ce régime, il s'incline devant Schéhérazade et renonce à son voeu sanguinaire.

— Un roi perse avait juré d'épouser chaque nuit une nouvelle femme qui serait mise à mort le lendemain matin.

Les Mille et une nuits

## Paragraphe B

— La production et la consommation deviennent de véritables mètres étalons par quoi on mesure la plupart des valeurs, y compris la fécondité.

— Cette foi urbaine se manifeste de la façon suivante:

— La ville, comme tout autre produit de la technique, est vendue au nouveau venu avec un mode d'emploi. Mais ces instructions sont ainsi conçues qu'elles mystifient le "non-croyant", c'est-à-dire celui qui n'a pas encore souscrit aux différents dogmes.

— Elle fait grand cas d'une durée de vie prolongée par les soins de la médecine, des résultats universitaires et des diplômes, de l'avancement et de la réussite professionnelle.

D'après Yvan ILLICH, Libérer l'avenir

## Exercice 3

Faites le plan des paragraphes suivants:

## Paragraphe A

J'ajouterai un dernier mot. Le choix d'une politique économique, comme d'une politique tout court, repose sur une idée de l'homme. Dans le débat ouvert aujourd'hui, l'idée de confiance et l'idée de méfiance s'affrontent. Les hommes ne sont pas suffisamment raisonnables pour qu'on puisse, par exemple, supprimer le Code de la route et s'en remettre à la sagesse des conducteurs. De même est-il bon, dans l'ordre économique, de disposer de mécanismes qui régissent le quotidien, nous laissent l'esprit libre pour les grandes questions et nous défendent au besoin contre nos propres faiblesses. La confiance en l'homme est cependant un idéal irremplaçable en même temps qu'un facteur essentiel de notre avenir. La politique économique ne doit donc pas enserrer l'homme dans des mécanismes tels qu'ils fermeraient la voie à plus de confiance, méritée par plus de raison.

Pierre MASSÉ, Le plan ou l'anti-hasard

**Paragraphe B**

On a démontré que les photos aériennes permettaient d'identifier clairement les différentes cultures. Vous pouvez distinguer un champ de seigle d'un champ d'orge ou d'avoine, une ferme qui cultive des haricots d'une autre qui se livre à la culture du riz ou du blé. On peut, en outre, distinguer une culture saine d'une culture affectée par la sécheresse ou assiégée par des parasites. Cette méthode utilise des films dotés de sensibilités spectrales diverses, et une quantité de "détecteurs à distance" qui examinent simultanément le même endroit de la surface terrestre en lumière visible ou en lumière infrarouge. Il n'y a pas de raison de penser que cette technique, appliquée pour le moment à l'aide de vols d'avion, ne pourrait pas être utilisée tout aussi efficacement en se servant de véhicules orbitaux. Il faudrait donc recueillir ces informations sur les récoltes à l'échelle du monde et de manière continue. Les plantes ne changent pas seulement d'apparence quand elles poussent; quelques régions favorisées par le temps peuvent être prêtes pour une récolte exceptionnelle, alors que d'autres régions souffrent de sécheresse ou d'inondations. Ce n'est qu'en observant continuellement l'évolution d'une région donnée qu'il sera possible d'arriver à une prévision réaliste des récoltes qu'on peut escompter pour la saison en cours. Or, si cette étude globale devait être effectuée par avion, on aurait au bout du compte une note d'essence pharamineuse; l'utilisation d'un satellite sur orbite à longueur d'année fera faire de sérieuses économies. L'océanographie, elle aussi, bénéficiera des vols orbitaux. De grandes possibilités découleront de mesures continues effectuées dans ce domaine à l'échelle du globe, par l'observation de phénomènes comme l'état de la mer. Les mouvements des glaces, la température de l'eau, la salinité (déterminée par polarimétrie), et la coloration de l'eau de l'océan. (Des traînées vertes indiquent un contenu important en plancton, donc la possibilité d'alimenter une plus grande population de poissons.)

Wernher von BRAUN, *Voici l'espace*

# Exercice 4

Voici six idées qui vous sont données en vrac. Composez un paragraphe en les distribuant selon un ordre logique. Vous pouvez ajouter des mots ou des expressions pour faire le lien entre les phrases, mais ne modifiez pas l'énoncé des idées qui vous sont données.

- **La confiance en soi.**
- **Faire son chemin dans la vie.**
- **Le succès est le couronnement de l'effort.**
- **Utiliser ses ressources personnelles.**
- **Chacun veut réussir.**
- **La peur du travail.**

## Exercice 5

Les phrases suivantes n'ont en apparence aucun lien entre elles. Composez un paragraphe en les reliant logiquement les unes aux autres. Vous pouvez ajouter des mots ou des expressions pour faire le lien entre les phrases.

**Le téléphone sonne. Une nuit de sommeil. Le sport est nécessaire.**

**L'amour du métier. Le succès est le couronnement de l'effort.**

# B. TYPOLOGIE DES PARAGRAPHES FERMÉS (OU LOGIQUES)

Essentiellement, la structure d'un paragraphe de type fermé ou logique se présente comme suit: l'idée principale est énoncée; cette idée est suivie du développement qui emprunte divers cheminements; elle se termine par une conclusion ou une transition selon le cas. C'est ce qu'illustre le tableau suivant.

# Tableau
## des principales structures
## d'un paragraphe de type fermé ou logique

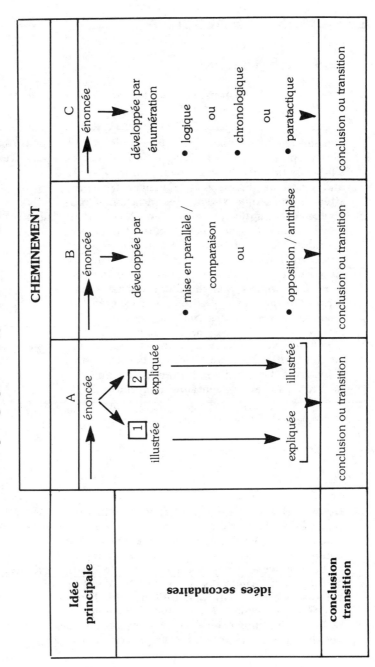

# LE PARAGRAPHE DE TYPE A

## Cheminement complet

1<sup>er</sup> cas: idée principale énoncée→ illustrée→expliquée [conclusion]

| | |
|---|---|
| Devant les problèmes de la vie moderne, de plus en plus de gens s'intéressent à l'éthique et s'interrogent sur le sens des valeurs. Depuis | idée principale énoncée |
| une vingtaine d'années au Québec, des diversités se remarquent dans les croyances religieuses et les options morales. Il devient évident que le monolithisme n'existe plus et plusieurs membres de la communauté québécoise font connaître ouvertement leurs positions. Une so- | illustrée |
| ciété qui bouge est une société qui évolue et, dans une société en perpétuel réajustement, il est clair que des oppositions s'affrontent, des tensions se créent, des ruptures se vivent, des débats émotifs s'engagent. Le temps permettra | expliquée |
| à chacun et à chacune, à travers les luttes et les difficultés, de mieux se comprendre, d'accepter le pluralisme grandissant au Québec, mais surtout de l'intégrer dans leur vie. | conclusion |

Nicole LIRETTE, *Vie pédagogique*, juin 1981

| | |
|---|---|
| Dès le début des temps modernes, et singulièrement depuis un siècle, une des tâches principales de la pensée occidentale a consisté à dénoncer et à analyser la crise de l'homme. | idée principale énoncée |
| Crise religieuse, crise sociale, crise de civilisation...: ces étiquettes, et combien d'autres semblables, sont sur des milliers de livres et s'étalent dans les journaux. Leur énumération s'est muée en une grammaire qui a envahi depuis longtemps les propos quoti- | illustrée |

| | |
|---|---|
| diens. Nous avons pris l'habitude d'envisager la politique, l'amour, les relations des pères et des fils, tous les rapports avec autrui comme étant, pour l'essentiel, des crises à nouer et à dénouer. De là nous est venue peu à peu une attitude fondamentale: nous n'avons plus guère d'espoir d'en sortir. De diagnostics d'abord plus ou moins apeurés, nous avons fait un pis-aller et finalement un principe de vie. | expliquée |
| Nulle pensée n'est désormais reçue comme authentique, aucun homme n'est reconnu digne du dialogue si on n'y peut pres sentir quelque irrémédiable déchirement. | conclusion |

Fernand DUMONT, *Le lieu de l'homme*

| | |
|---|---|
| | idée principale énoncée |
| Grand, il l'est d'abord par l'écriture. La prose de François Mauriac ne fut jamais plus chaude, plus souple, plus chatoyante, et plus dépouillée en même temps, que dans ce livre. Elle exprime tout ce qui doit être dit avec une merveilleuse aisance. Elle est, totalement, la voix d'un homme et la voix d'une race. Je me dis, en fermant les *Nouveaux mémoires intérieurs,* que plus jamais on n'écrira le français avec cette particulière perfection. | illustrée |
| Sans doute les ressources de la langue ne sont-elles pas épuisées, de nouveaux écrivains la plieront à leurs besoins, mais il me semble qu' avec François Mauriac disparaîtra une certaine race d'écrivains, une façon d'écrire le français qui, des préfaces de Racine à notre siècle, s'était maintenue à peu près sans brisure. Où trouver aujourd'hui, ailleurs que chez Mauriac, cette mélodie continue, aux souples inflexions, qu'on a si longtemps reconnue comme la marque du bien écrire en France? Gide et Valéry l'avaient conservée, ou plutôt réinventée; mais chez Aragon et Malraux, les deux seuls prosateurs français qui tiennent aujourd'hui compagnie à | expliquée |

| | |
|---|---|
| Mauriac dans un certain ordre de grandeur, on voit bien que l'écriture se transforme, s'adapte à des usages nouveaux. Dans l'oeuvre de François Mauriac, et tout particulièrement dans ces *Nouveaux mémoires intérieurs*, une très grande tradition de style brille de tous ses feux, et s'apprête à mourir. | conclusion |

Gilles MARCOTTE, *Les bonnes rencontres*

**2e cas: idée principale énoncée ➤ expliquée ➤ illustrée ➤ conclusion**

| | |
|---|---|
| Mais ce qui fait du dauphin un animal idéal... | idée principale énoncée |
| c'est son extraordinaire gentillesse. Cette gentillesse n'est pas faiblesse. | expliquée |
| Il est capable, d'un seul coup de sa puissante mâchoire, d'assommer un requin de bonne taille en le frappant dans les ouïes. Il possède, en outre, une double rangée de crocs très acérés... et il pourrait, s'il le voulait, broyer bras ou jambes à ceux qui le capturent. | illustrée |
| Mais de mémoire d'homme, il n'a jamais tourné ses armes contre notre espèce. | conclusion |

Robert MERLE, cité dans *La pratique de l'expression française orale et écrite*, de Robert Besson

| | |
|---|---|
| À quoi tient cette immense faveur de la télévision? | idée principale énoncée |
| Précisément à ce qu'elle apporte un spectacle "total" et même, si elle est bien dirigée, une culture relativement complète. | expliquée |
| Pour l'ouvrier qui a besogné toute la journée devant son tour ou devant sa fraiseuse, pour le conducteur de camion ou le commerçant écrasé de responsabilités et de fatigue, il n'est pas question de lectures studieuses... La télévision apporte précisément une documentation variée, éloquente et vivante qu'il suffit d'absorber. Elle répond à cet immense et spontané désir d'ap- | illustrée |

| | |
|---|---|
| prendre qui est celui de tant "d'hommes de bonne volonté" de notre époque... mais avec une souplesse et une "attractivité" inégalables. | conclusion |

Pierre DEVAUX, *op. cit.*

| | |
|---|---|
| "L'astronomie a pour objet de faire connaître les astres, leur constitution, leurs positions relatives et les lois de leurs mouvements", dit le gros Larousse du XX$^e$ siècle. De toutes les | idée principale énoncée |
| sciences naturelles, elle est celle qui présente le plus long enchaînement de découvertes. | expliquée |
| Sonder le ciel, c'est un peu sonder le passé et le futur de l'homme; c'est interroger le temps et la lumière; c'est tenter de se situer par rapport au reste de l'univers; c'est chercher le pourquoi et le comment de la vie... et de la mort. C'est plonger au coeur des grandes énigmes qui de tout temps ont passionné les humains: la terre est-elle la seule planète habitée? Qu'y a-t-il au-delà des galaxies? De quoi sont-elles constituées? La vie est-elle possible ailleurs? Si les ovnis existent, d'où viennent-ils donc? Et voilà | illustrée |
| que la plus vieille des sciences de la terre nous mène tout droit en pleine science-fiction! | conclusion |

Monique de GRAMONT, *Châtelaine*, mars 1980

| | |
|---|---|
| | idée principale énoncée |
| Qu'est-ce au juste que travailler? Ouvrons Littré: "travailler: Se donner de la peine pour exécuter un ouvrage". La définition ne nous semble pas excellente. Pourquoi "se donner de la peine"? Ne peut-on travailler dans la joie? Fermons le dictionnaire et prenons des exemples. | expliquée |
| Un verrier travaille; que fait-il? Il reçoit une pâte amorphe et lui impose une forme utile. Que fait | |

181

| | |
|---|---|
| le mineur? Il déplace une matière première (charbon, fer) et la livre aux hommes qui la transforment en force, en chaleur, en outils. Que fait le cultivateur? Il ouvre la terre, la prépare à recevoir la semence, puis apporte celle-ci jusqu'au lieu où elle pourra germer. Que fait le romancier? Il met en récits la matière humaine recueillie par ses observations et, comme le verrier, de cette pâte informe, tire une oeuvre d'art. Que fait l'écolier? Il essaie de faire siennes les connaissances acquises avant lui par l'humanité; il met de l'ordre dans son esprit; il *se tait*. | illustrée |
| Travailler, c'est imposer aux matériaux et aux êtres donnés par la nature des transformations ou déplacements qui les rendent plus utiles ou plus beaux; c'est aussi étudier les lois de ces transformations, les préparer ou les diriger. | conclusion |

André MAUROIS, *Un art de vivre*

## Cheminement incomplet

Ce type de cheminement est appelé incomplet parce que l'une des deux phases du développement (illustration ou explication) est omise. Cette omission cependant ne doit pas être considérée comme un manque. Parfois la pensée s'accommode très bien de cette démarche.

1<sup>er</sup> cas: idée principale énoncée ► illustrée ► conclusion

| | |
|---|---|
| La voiture, devenue le symbole par excellence de la liberté et de l'indépendance de chacun, exige pourtant en retour un tribut très élevé. | idée principale énoncée |
| La conduite automobile est l'un des principaux facteurs d'accroissement du stress, du rythme cardiaque et de l'hypertension. Les gaz d'échappement polluent l'atmosphère. Les terrains de stationnement envahissent les villes, souvent au détriment des êtres humains. Dans *Autocritique*, Pauline Gagnon mentionne qu'il y a, à | |

| | |
|---|---|
| Montréal, 12 fois plus de surface asphaltée que de verdure! Les paysages sont modifiés par la présence des rubans d'asphalte qu'il faut constamment dérouler plus loin pour assouvir la fringale de ces automobilistes-avant-tout que beaucoup d'entre nous sommes devenus. La fausse sensation de sécurité créée par la quasi-perfection de notre réseau routier moderne nous empêche de voir que l'auto tue davantage les 16-20 ans que n'importe quelle maladie. | illustrée |
| En considérant ce douteux bilan, on se prend à rêver du jour où la prudence au volant ne suscitera plus la risée d'acrobates insouciants, hommes ou femmes... | conclusion |

Denyse PERREAULT, *Châtelaine*, fév. 1981

| | |
|---|---|
| Le château semblait abandonné depuis long-temps. | idée principale énoncée |
| Les toits paraissaient plier sous le poids des végétations qui y croissaient. Les murs, quoique construits de ces pierres schisteuses et solides dont abonde le sol, offraient de nombreuses lézardes où le lierre attachait ses griffes. Deux corps de bâtiments réunis en équerre à une haute tour et qui faisaient face à l'étang, composaient tout le château, dont les portes et les volets pendants et pourris, les balustrades rouillées, les fenêtres ruinées paraissaient devoir tomber au premier souffle d'une tempête. La brise sifflait alors à travers ces ruines auxquelles la lune prêtait, par sa lumière indécise, le caractère et la physionomie d'un grand spectre. | illustrée |
| Il faut avoir vu les couleurs de ces pierres granitiques grises et bleues mariées aux schistes noirs et fauves, pour savoir combien est vraie l'image que suggérait la vue de cette carcasse vide et sombre. | conclusion |

BALZAC, *Les Chouans*

| | |
|---|---|
| Bien que cette définition se veuille très générale, elle n'en demeure pas moins fort incomplète, car la normalisation s'attache à définir et à simplifier l'ensemble de l'activité humaine. | idée principale énoncée |
| Cette définition indique mieux la préoccupation des personnes qui ont entrepris les premiers travaux de normalisation. On peut se demander si ces pionniers pouvaient se douter qu'un jour viendrait où la plupart des objets créés, des performances établies, des unités de mesure employées, seraient analysés, définis, classifiés, homologués, bref, normalisés. | expliquée |
| À l'ère technologique, la normalisation devient un outil nécessaire aussi sa définition est-elle à repenser. | conclusion |

Jean-Pierre FONS, *Vie pédagogique*, avril 1981

| | |
|---|---|
| | idée principale énoncée |
| Seules, les sociétés sans culture s'ennuient. Nous appelons culture, un ensemble cohérent de représentations diffuses chez tous les membres d'une société et magnifiées par quelques-uns d'entre eux, poètes, philosophes, artistes, représentations par lesquelles l'homme se conçoit comme nécessité et non comme hasard, comme élément d'un ordre et non comme fruit de la contingence. | expliquée |
| En somme, une culture, qu'elle soit d'inspiration religieuse ou marxiste, c'est l'image multiforme qu'une société se fait d'un état supérieur de l'homme. | conclusion |

Richard SINDING, "Politique et culture", *Le Monde*, 14 janvier 1974

| | |
|---|---|
| Un thème très répandu aujourd'hui, et non moins irréfléchi en son fond, travaille un peu dans le même sens. C'est l'idée que les choses de l'art appartiennent au domaine des loisirs et du divertissement. | idée principale énoncée |
| Ce serait une sorte de surcroît facultatif et futile pour occuper des heures creuses, dans les intervalles de ce qui compte vraiment. Du même ordre de valeur que les exercices sportifs, les voyages d'agrément, les jeux de cartes ou les quilles. Et pas de différence entre un spectacle de music-hall ou de strip-tease et l'exécution d'une pièce de Shakespeare ou du Tannhäuser. Il en résulte même une tendance à méconnaître ce que l'art a de laborieux et de sérieux pour l'artiste lui-même. | expliquée |
| On jette sur son activité un reflet de la frivolité qu'on croit celle de son domaine social. | conclusion |

Étienne SOURIAU, *Clefs pour l'esthétique*

| | |
|---|---|
| L'activité touristique joue aujourd'hui un rôle croissant dans l'économie: elle est l'objet d'un véritable engouement. | idée principale énoncée |
| De récents sondages sur l'aménagement du territoire ont montré que, dans la plupart des régions, la population considérait le tourisme comme un atout souvent plus déterminant que l'agriculture ou l'industrie. C'est là une révolution mentale considérable qui n'est, il est vrai, pas assortie de la conscience de l'ampleur des moyens nécessaires pour jouer cet atout. | expliquée |
| Il en est pourtant du tourisme comme de la mine: il ne suffit pas d'avoir reconnu un gisement; encore faut-il le rendre exploitable. | conclusion |

Oliver GUICHARD, *Aménager la France*

| | |
|---|---|
| L'humoriste se détache de la vie pour la considérer en spectateur. Devant lui s'agitent des marionnettes dont il suffit de voir les ficelles pour s'apercevoir que leur comportement n'a qu'une gravité surfaite ou illusoire. La vie réelle perd de son aspect sérieux et devient un sujet de railleries pour qui sait la regarder avec indifférence. L'humour implique donc un désintérêt de la réalité extérieure; il est le point de vue de l'homme qui regarde l'agitation du monde de son balcon. | idée principale énoncée |
| | expliquée |
| | conclusion |

Yvonne DUPLESSIS, *Le Surréalisme*

# EXERCICES

Composez les paragraphes suivants dont nous vous suggérons les idées.

## Exercice 6

Sur le modèle du cheminement **A 1**, développez les idées suivantes chacune sous forme de paragraphe:

**Le choix d'une carrière – Les dangers de la pollution.**

Démarche: vous formulez l'idée principale, vous l'illustrez, vous l'expliquez et vous concluez.

## Exercice 7

Sur le modèle du cheminement **A 2**, développez les idées suivantes chacune sous forme de paragraphe:

**Les bienfaits du sport – L'amour illumine la vie.**

Démarche: vous formulez l'idée principale, vous l'expliquez, vous l'illustrez et vous concluez.

## Exercice 8

Faites un paragraphe sur le sujet suivant:

**"La justice est-elle la même pour tous?"**

Démarche suggérée: définissez le concept de "justice" à l'aide du dictionnaire (ou donnez votre propre définition), ensuite illustrez, expliquez et concluez.

# LE PARAGRAPHE DE TYPE B
## Développement par mise en parallèle ou comparaison

La mise en parallèle ou comparaison peut se faire de plusieurs façons:

a) **par *coordination* des éléments comparés ou mis en parallèle**

Cette coordination peut être faite par l'intermédiaire
— de corrélatifs:
  - **d'une part... d'autre part...**
  - **non seulement... mais encore...**
  - **autant... autant...**
  - **tant... tant...**
  - **soit... soit...**
  - **ou bien... ou bien...**
  - **tantôt... tantôt...**
  - **en premier lieu... en second lieu...**
  - **d'abord... ensuite... etc.**
— d'adverbes, de conjonctions ou de locutions:

  **et, puis, aussi, ainsi que, aussi bien que, aussi, bien plus, en plus, au surplus, même, ensuite, ni... ni, non plus, non moins que, non plus que, sans, non, etc.**

Exemple:

| | Idée principale énoncée |
|---|---|
| **Le rôle de l'éducation, dans l'évolution actuelle de la société, est double.** | |
| **D'une part, il est déterminé par l'ensemble des orientations d'une communauté. Il affiche ainsi une tendance "naturelle" à reproduire ces orientations. Cela signifie, concrètement, que l'éducation *actuelle* ne peut qu'accélérer, par un effet d'inertie, la désorganisation de la communauté québécoise si les orientations ne sont pas réexaminées bientôt. D'autre part, l'éducation peut jouer un rôle créateur ou régénérateur des politiques sociales et culturelles.** | **Mise en parallèle ou comparaison** |
| **Ce rôle constitue, à notre avis, la dimension essentielle de l'éducation qui assume ainsi une part active et nécessaire dans l'évolution d'une communauté.** | **Conclusion** |

Yves BERTRAND et Paul VALOIS, dans *L'éducation de demain*, gouvernement du Québec

187

Plan du paragraphe:
1. Idée principale: "Le rôle de l'éducation... est double."
2. Le parallèle:
   a)"d'une part, il est déterminé par l'ensemble..."
   b)"d'autre part, l'éducation peut jouer un rôle..."
3. La conclusion: "Ce rôle constitue..."

b) **par *juxtaposition* des éléments comparés ou mis en parallèle**

Dans ce cas, la comparaison ou mise en parallèle se fait sans intermédiaire linguistique.

Exemple:

> **Microscope, téléscope: ces mots évoquent les grandes percées scientifiques vers l'infiniment petit et vers l'infiniment grand. Le microscope a permis une vertigineuse plongée dans les profondeurs du vivant, la découverte de la cellule, des microbes et des virus, les progrès de la biologie et de la médecine. Le téléscope a ouvert les esprits à l'immensité du cosmos, tracé la route des planètes et des étoiles, et préparé les hommes à la conquête de l'espace. Aujourd'hui, nous sommes confrontés à un autre infini: l'infiniment complexe. Mais cette fois, plus d'instrument. Rien qu'un cerveau nu, une intelligence et une logique désarmés devant l'immense complexité de la vie et de la société.**

Joël de Rosnay, *Le macroscope*

Plan du paragraphe:
1. L'idée principale: "Microscope, télescope: ces mots évoquent..."
2. Le parallèle:
   a) "Le microscope a permis une vertigineuse..."
   b) "Le télescope a ouvert les esprits..."
3. La conclusion: "Aujourd'hui, nous sommes confrontés..."

c) **la comparaison ou le parallèle peut se faire en faisant *interférer* les deux éléments impliqués dans le procédé**

Exemple:

> **Toute division de l'humanité en deux groupes ou, comme on dit encore, en deux "classes" est dangereuse, et en somme artificielle. Tel fils de bourgeois est, de goûts et de manières, un prolétaire qui ne vit heureux que dans la compagnie des moteurs.**

**Tel ingénieur est Fils de Marie quand il voyage et Fils de Marthe dans son usine. Mais il est tout de même vrai que les travaux les plus durs sont épargnés aux uns, alors qu'ils sont la vie quotidienne des autres et que de là sont nées de grandes haines. Est-il possible de porter remède à un mal qui est aussi vieux que l'humanité? Les révolutions y ont toujours échoué. Elles y échoueront toujours parce qu'elles négligent l'homme éternel et le dogme le plus vrai, qui est celui du péché originel.**

André MAUROIS, *Un art de vivre*

Plan du paragraphe:
1. L'idée principale: la division de l'humanité en deux "classes" est dangereuse.
2. Le parallèle dont les éléments interfèrent:
   a) interférence entre les deux classes: bourgeois/ingénieurs;
   b) interférence entre le travail effectué par "les uns" et "les autres".
3. La conclusion: un mal qui est aussi vieux que l'humanité.

### d) **on peut rencontrer le cas de comparaison ou mise en parallèle** *multiple*

La mise en parallèle se fait alors par **addition**: on énumère en série des aspects, des avantages, des conséquences, des arguments ou des exemples en rapport avec une idée énoncée.

Exemple:

**Ouvrant sur ces deux voies par où le sens vient à nous, le poème, la science, l'action veulent aussi en être les réconciliations. "Le beau, disait Baudelaire, est fait d'un élément éternel, invariable, dont la quantité est extrêmement difficile à déterminer et d'un élément relatif, circonstancié qui sera, si l'on veut, tour à tour ou tout ensemble l'époque, la mode, la morale, la passion". Pour sa part, la science est une dialectique sans cesse refaite de figures de l'esprit et de suggestions de la matière sans que jamais la rencontre, pourtant progressivement affinée, supprime l'irréductibilité des deux termes. De même, le travail fabrique le sens tandis que le loisir l'accueille, mais dans une complémentarité qui joue à des niveaux divers où les deux raisons de vivre échangent leurs motivations.**

Fernand DUMONT, *Le lieu de l'homme*

Plan du paragraphe:
1. L'idée principale: Ouvrant sur ces deux voies...
2. Parallèle multiple:
   a) "Le beau est fait d'un élément éternel, invariable..."

b) la science est une dialectique...
c) le travail fabrique le sens...

**C'est une idée désormais conquise que l'homme n'a point de nature mais qu'il a — ou plutôt qu'il est — une histoire. Ce que l'existentialisme affirmait, et qui fit scandale, on ne sait trop pourquoi, naguère, apparaît comme une vérité qu'on peut voir annoncée en tous les grands courants de pensée contemporaine. Par le behaviorisme, qui nie, avec Naville, "l'hérédité des traits mentaux, des talents, des capacités"; par le marxisme, qui reconnaît avec Wallon que, "de tous les êtres vivants, l'homme est à sa naissance le plus incapable, condition de ses progrès ultérieurs"; par la psychanalyse qui confirme, selon l'expression de Lagache, que "l'idée d'instincts se développant pour eux-mêmes ne correspond à aucune réalité humaine"; par le culturalisme enfin, relevant à la fois du marxisme et de la psychanalyse, lequel liquide les derniers doutes et fait briller en pleine lumière ce que l'individu doit à l'environnement dans l'édification de la personne.**

Lucien MALSON, *Enfants sauvages*

Plan du paragraphe:
1. L'idée principale:  C'est une idée désormais conquise...
2. Parallèle multiple:
   a) le point de vue de l'existentialisme;
   b) le point de vue du behaviorisme;
   c) le point de vue du marxisme;
   d) le point de vue de la psychanalyse;
   e) le point de vue du culturalisme.

## Développement par opposition ou antithèse

a) **L'opposition ou antithèse peut être introduite par une conjonction. un adverbe ou des locutions (conjonctives, adverbiales, prépositives):** mais, cependant, toutefois, seulement, pourtant, par contre, en revanche, néanmoins, et pourtant, au contraire, bien au contraire, mais au contraire, d'ailleurs, du reste, au reste, au demeurant, par ailleurs, au moins, du moins, en tout cas, etc.

Exemple:

**Certes, il n'est pas toujours aisé de dire dans quel sens se trouve le progrès, matériel ou moral, et d'affirmer que tel phénomène, telle évolution y conduit à coup sûr. Ce n'est plus seulement affaire de prospective, mais d'idéologie. Par contre, il**

est plus facile de s'apercevoir que cette même évolution n'y conduit pas et aboutirait au contraire à une régression flagrante. Si l'on manque en effet d'éléments de comparaison pour apprécier le progrès, les références passées sont là pour nous aider à détecter un danger là où il se trouve.

Bernard OUDIN, *Plaidoyer pour la ville*

Plan du paragraphe:
1. L'idée principale se dégage de l'ensemble du paragraphe: la difficulté d'apprécier le progrès.
2. L'opposition est la suivante:
   a) il n'est pas facile de dire dans quel sens va le progrès;
   b) par contre, il est plus facile de s'apercevoir que l'évolution ne conduit pas au progrès.
3. La conclusion: les références passées peuvent nous aider à reconnaître le danger relié au progrès.

Il est dangereux de trop faire voir à l'homme combien il est égal aux bêtes, sans lui montrer sa grandeur. Il est encore dangereux de lui trop faire voir sa grandeur sans sa bassesse. Il est encore plus dangereux de lui laisser ignorer l'un et l'autre. Mais il est très avantageux de lui représenter l'un et l'autre. Il ne faut pas que l'homme croie qu'il est égal aux bêtes, ni aux anges, ni qu'il ignore l'un et l'autre, mais qu'il sache l'un et l'autre.

PASCAL, *Les pensées*

Plan du paragraphe:
1. L'idée principale: grandeur et misère de l'homme.
2. L'opposition est la suivante:
   a) "Il est dangereux de trop faire voir à l'homme..."
   b) "Mais il est très avantageux..."
3. La conclusion: "Il ne faut pas..."

b) **Dans l'opposition ou l'antithèse, les éléments peuvent interférer comme dans la comparaison.**

La haine et l'amour sont deux contraires. Et c'est pour cela que l'on passe souvent de l'un à l'autre. Ainsi il arrive que le oui qui sent sa faiblesse se convertisse en non: mais c'est l'aveu de sa défaite, comme la plus grande victoire et la plus rare, c'est que le non se convertisse en oui. Mais il y a un amour qui est au-delà de l'amour et de la haine, transcende ces deux contraires et montre dans l'amour qui a la haine pour contraire un amour encore insuffisant et imparfait qui rencontre en elle ses

191

**limites et qui fait de la haine elle-même une volonté d'amour toujours impuissante et toujours déçue.**

Louis LAVELLE, *Conduite à l'égard d'autrui*

Plan du paragraphe:
1. Idée principale: La haine et l'amour sont deux contraires.
2. L'opposition:
   a) le "oui" se convertit souvent en "non";
   b) il y a un amour qui est au-delà de la haine.

# EXERCICES

## Exercice 9

Comparez l'automobile à l'avion comme moyen de transport. Démarche suggérée: 1) faites le plan; 2) rédigez.

## Exercice 10

Opposez les deux idées suivantes: se maîtriser soi-même est souvent frustrant, par contre, tout se permettre peut entraîner dans des situations encore plus difficiles. Faites le plan et rédigez.

# LE PARAGRAPHE DE TYPE C

## Développement par énumération *logique*

Dans le développement par énumération logique, toutes les idées s'enchaînent les unes les autres selon une progression telle que l'on ne peut interchanger ou permuter une phrase. Le développement se poursuit inexorablement vers la conclusion.

Exemple:

a) **dans le discours informatif**

Dans ce type de discours, le développement du paragraphe peut se faire selon une progression linéaire, c'est-à-dire selon l'ordre logique de présentation des idées ou des faits, ou encore en procédant par regroupement d'idées qui ont des points communs entre elles.

Observez, dans les exemples qui suivent, la logique dans la succession ou la présentation des idées.

| | |
|---|---|
| En 1966, à Montréal, le Planétarium Dow ouvre ses portes. Il va rappeler aux Québécois que le ciel au-dessus de leur tête a des choses à leur apprendre et des histoires extraordinaires à raconter. Comment donc sont choisis les thèmes des spectacles qui y sont présentés? "Je suis un grand épureur de journaux", avoue le sympathique directeur du Planétarium, Auray Blain. | idée principale |
| Et j'ai pour ce faire de bonnes raisons: la presse écrite charrie tous les grands courants idéologiques qui marquent notre siècle; elle rapporte les événements, les découvertes faites par des scientifiques de toutes disciplines; elle se fait l'écho des préoccupations, des interrogations du public. C'est pour moi la meilleure source d'inspiration qui soit. Chaque spectacle tente de transmettre aux spectateurs l'ABC de l'astronomie, ses tout premiers rudiments: comment repérer les étoiles les plus brillantes et les principales constellations. Puis le spectacle développe un thème précis, fouille un aspect particulier du ciel: "L'étoile des mages", "Éclipse 79", "La planète volée", "Algol, l'oeil du diable", etc. L'équipement spécial du Planétarium nous permet de faire passer visuellement une foule d'informations techniques difficiles à comprendre autrement. | développement logique |
| C'est un merveilleux outil de travail et je ne doute pas qu'il ait pu donner à beaucoup de Québécois le goût de scruter le ciel en sortant d'ici. | conclusion |

Monique de GRAMONT, *Châtelaine*, mars 1980

Dans les formes de publicité les plus courantes, chaque fois que la publicité veut provoquer l'action d'un individu (ou d'un groupe d'individus), elle est conçue et réalisée de telle sorte qu'elle déclenche chez celui-ci une série d'opérations ressortissant aux différents stades de son activité. Pour se décider à agir éventuellement, l'individu doit tout d'abord porter son attention sur le but à poursuivre; il doit comprendre les moyens d'y parvenir, délibérer, décider et enfin exécuter; il envisage le but et les moyens en exerçant ses facultés de mémoire; il décide, après avoir pesé le pour et le contre en fonction de la croyance qu'il a acquise; il agit, enfin, dans le sens du maximum de satisfaction avec le minimum d'efforts, d'autant plus rapidement et infailliblement qu'une pression plus impérieuse le pousse à l'action. Une publicité est d'autant plus efficace qu'elle utilise un nombre restreint d'arguments, sélectionnés par ordre d'importance du point de vue du public à atteindre; qu'elle met en valeur ces arguments à l'aide de moyens se combinant dans le temps et l'espace; qu'elle est conçue et réalisée de manière à agir sur la grande masse des individus (en négligeant les "atypiques").

Article *Publicité* du Grand Larousse Encyclopédique en dix volumes

Cette vision intégrera un certain nombre de valeurs, celles précisément qui sont aujourd'hui bafouées. Citons-les en vrac: liberté, mais la liberté entendue comme la faculté de se protéger, par la vigilance de l'esprit critique, contre les infiltrations insidieuses des idéologies; indépendance, mais l'indépendance entendue comme la possibilité intellectuelle et juridique de participer à toutes les décisions qui règlent le sort de chacun; innocence du plaisir, mais ce mouvement de déculpabilisation ira de pair avec un affermissement du jugement permettant à chacun de faire le départ entre les plaisirs qui renforcent le vouloir-vivre et les plaisirs qui le diminuent (drogue, alcoolisme); culte de la variété (dans les couleurs, les sons, l'architecture, etc.); sens de la solidarité et de la communication; restauration des valeurs de fête; sentiment de la nature.

Richard SINDING, "Politique et culture", *Le Monde*, 14 janvier 1974

Cependant, avec toute sa rationalité, l'État de bien-être n'est pas un État où règne la liberté parce qu'il restreint systématiquement: a) le temps libre "techniquement" utilisable; b) la quantité et la qualité des marchandises et des services "techniquement" accessibles aux besoins vitaux des individus; c) l'intelligence (consciente ou inconsciente) qui pourrait concevoir et réaliser les possibilités de l'autodétermination.

Herbert MARCUSE, *L'homme unidimensionnel*

La plupart des normes existantes peuvent être regroupées de la façon suivante:

1. les normes ayant un rapport avec la sécurité et implicitement avec les performances (ex.: poutres de soutien de

    **pont, câbles d'ascenseurs, isolation des outils électriques portatifs, gilets de sauvetage, etc.);**

2. **les normes traitant exclusivement de performances (ex.: excellence de fonctionnement, durée);**

3. **les normes traitant de commodité (ex.: symbolique dans les dessins techniques; représentation conventionnelle des mouvements des organes et des symboles de circuits logiques);**

4. **les normes traitant de bien-être et de qualité (ex.: qualité de l'air et de l'eau; mesure du bruit aérien et évaluation de ses effets sur l'homme).**

*Vie pédagogique*, avril 1981

## b) **dans le discours littéraire**

— la narration

Dans le discours narratif, le développement suit fréquemment l'ordre des événements tels qu'ils se présentent dans la réalité. Exemple:

**Elle ouvrit *la fenêtre*, se pencha sur le seuil et ferma les yeux. Son corps oscilla dans la lumière. Il y avait longtemps qu'elle songeait à cette issue, mais elle perdait toujours courage au dernier moment. Elle ouvrit les yeux. La ville étincelait comme une crevasse criblée de soleil. Fermés à la lumière chaude de midi, les volets étaient repliés sur les façades de pierre et de brique comme des paupières closes. Au loin, le fleuve sinuait autour des grandes bâtisses qui longeaient le port. Prise de vertige, la nausée l'envahit et elle appuya ses coudes à la croisée. Les rues désolées s'étendaient à perte de vue et les jardins assoiffés d'eau étalaient leur surface plane et sablonneuse, gorgés de pavots d'Orient, de lavande séchée et de mimosas. Elle regarda en bas. C'était aujourd'hui qu'il fallait mourir, aujourd'hui qu'il fallait prendre possession de tout ce monde immobile. Elle imagina son corps ramassé en boule, le vague émoi qui suivrait, les voix sorties de leur langueur, les visages moites penchés sur une catastrophe. Dans le silence inhumain de midi, elle s'était jetée dans le vide. Elle sursauta. Personne ne venait, elle était seule sur le pavé, le crâne fracassé. La chaleur et le soleil les avaient tous chassés. Son corps pourrissait dans la lumière et les mouches volaient au-dessus de son cadavre. Son front se couvrit de sueur et elle referma doucement la fenêtre, d'un geste furtif.**

Diane GIGUÈRE, *Le temps des jeux*

— la description

La description se fait généralement par énumération logique. L'auteur procède alors de façon ordonnée, empruntant diverses démarches: description allant du général au particulier, présentation des éléments ou caractéristiques tels que le regard les découvre dans la réalité, présentation des notations sensorielles les unes après les autres (visuelles, auditives, olfactives, etc.), description de l'objet physique, puis de son impact psychologique, etc. Exemple:

> **De l'autre côté de la rivière, dans une vaste prairie naturelle, la clarté de la lune dormait sans mouvement sur les gazons où elle était étendue comme des toiles. Des bouleaux çà et là dispersés dans la savane, tantôt, selon le caprice des brises, se confondait avec le sol en s'enveloppant de gazes pâles, tantôt se détachaient du fond de craie en se couvrant d'obscurité et formant comme des îles d'ombres flottantes sur une mer immobile de lumière. Auprès, tout était silence et repos, hors la chute de quelques feuilles, le passage brusque d'un vent subit, les gémissements rares et interrompus de la hulotte; mais au loin, par intervalles, on entendait les roulements solennels de la cataracte du Niagara, qui, dans le calme de la nuit, se prolongeaient de désert en désert et expiraient à travers les forêts solitaires.**

CHATEAUBRIAND, *Essai sur les révolutions*

# Développement en forme de *syllogisme**

Le syllogisme vient de la logique ancienne. Il procède comme suit: de deux prémisses (la majeure et la mineure), on déduit une conclusion. Exemple:

**Tous les hommes sont mortels.(majeure)**
**Or Pierre est un homme.(mineure)**
**Donc Pierre est mortel.(conclusion)**

Ce type de raisonnement, il va sans dire, est d'une très grande rigueur. Voilà pourquoi il est fréquemment utilisé dans la démonstration et l'argumentation (voir page 379), autant à l'oral qu'à l'écrit. Mais il peut aussi être efficacement appliqué à l'élaboration logique d'un paragraphe. Dans ce cas, les articulations "or" et "donc" sont souvent sous-entendues. Dans l'exemple qui suit, le raisonnement est complet.

---

* Le développement logique d'un paragraphe peut aussi se faire sur le modèle dialectique (voir page 382).

| | |
|---|---|
| L'un des facteurs de l'uniformisation du monde contemporain, c'est l'identité du processus d'évolution des sociétés modernes. | idée principale énoncée |
| Les sociétés évoluent presque toutes dans le même sens et à partir des mêmes causes: le progrès technique. | L'évolution des sociétés est conditionnée par le progrès technique |
| Or, le progrès technique est uniforme: ce sont les mêmes inventions, les mêmes procédés d'utilisation de l'énergie, de domination ou de transformation de la matière. Ce dont l'Europe a, la première, offert le spectacle, avec la première moitié du XIX$^e$ siècle, s'est ensuite reproduit trait pour trait dans tous les pays qui se sont à leur tour industrialisés, au Japon ou aux Indes, dans la même succession d'industries. | Or ce progrès est uniforme |
| Partout, cette révolution technique a engendré les mêmes conséquences, les mêmes bouleversements sociaux, le passage d'une société presque exclusivement agraire et repliée sur elle-même, compartimentée en milliers ou dizaines de milliers de petites cellules villageoises, à une société qui s'industrialise, s'urbanise, se modernise. | Donc l'évolution est uniforme |

René RÉMOND, *Le XX$^e$ siècle*

# Développement par énumération *chronologique*

## a) S'il s'agit d'un récit

Dans le cas d'un récit (récit de presse, récit littéraire), le développement suit généralement la chronologie des faits et des événements comme le montre l'exemple suivant:

> Les lecteurs de *L'Odyssée* se souviennent de la scène émouvante et longuement préparée du chant XIX où Ulysse, de retour à Ithaque, est reconnu par sa vieille nourrice Euryclée à la cicatrice qu'il porte à la cuisse. L'étranger s'est acquis la bienveillance de Pénélope; déférant au voeu d'Ulysse, celle-ci

ordonne à la servante de lui laver les pieds, ce qui, dans toutes les histoires anciennes, est le premier devoir de l'hospitalité à l'égard du voyageur recru de fatigue. Euryclée s'empresse d'aller chercher de l'eau, mêle l'eau froide à l'eau chaude, tout en parlant tristement de son maître disparu, qui aurait sans doute le même âge que son hôte, et qui, peut-être, est justement en train d'errer çà et là, en étranger. Elle remarque en même temps combien l'hôte ressemble à son maître, tandis qu'Ulysse se souvient de sa cicatrice et se retire à l'écart pour dissimuler au moins aux yeux de Pénélope une reconnaissance devenue inévitable mais qui survient trop tôt. À peine la servante a-t-elle découvert la cicatrice qu'elle pousse un cri de joie et laisse tomber le pied d'Ulysse dans le bassin. L'eau déborde, Euryclée veut exprimer à haute voix son allégresse; Ulysse l'en dissuade, en prononçant à mi-voix des amabilités mêlées de menaces; elle se contient et fait taire son émotion. Pénélope, dont Athéna a pris soin de détourner l'attention, n'a rien remarqué de toute la scène.

Érich AUERBACH, *Mimésis*, "La cicatrice d'Ulysse"

## b) S'il s'agit d'un texte à idées

Procédez d'abord selon la démarche intuitive. Celle-ci consiste à écrire les idées dans l'ordre où elles se présentent dans l'esprit. Cette démarche est naturelle: la pensée ne subissant aucune entrave, la spontanéité n'est pas brimée. Quand on écrit, on ne le fait pas nécessairement selon un ordre logique ou, en tout cas, rarement selon l'ordre final; souvent la pensée prend forme, se détermine en écrivant. Ultérieurement, on reprend le paragraphe et on établit une progression logique en utilisant la technique du classement par séparation et par numérotation des idées telle que présentée à l'étape 2.

Le texte qui suit applique cette démarche. Il s'agit d'un texte que nous avons écrit pour la présentation des ouvrages de l'écrivain Yves Thériault, dans la collection "Quinze 10/10". Voici les différentes étapes du travail de formulation et d'organisation des idées qui ont précédé le texte final.

**Étape 1:** première formulation du texte.

Né à Québec le 28 novembre 1915, Yves Thériault se dit de descendance acadienne et indienne. Il est arrivé à la littérature "par la petite porte". "J'avais un talent naturel de conteur et j'ai écrit", disait Yves Thériault dans une entrevue. Comment mieux décrire la personnalité de ce grand écrivain. Yves Thériault fait figure de phénomène dans notre littérature tant il est prolifique, riche et vivant. Il écrit après avoir exercé vingt métiers, vingt misères. Depuis son premier livre paru en 1944, *Contes pour un homme seul*, Thériault ne cesse d'écrire: *Aaron, Agaguk, Ashini*, et beaucoup d'autres romans voient le jour, sans compter les nombreux ouvrages de littérature de jeunesse qu'il a publiés. C'est dans le contact avec la nature et avec les hommes de la nature (Indiens, forestiers, paysans, pêcheurs) qu'il puise le souffle qui l'anime. Avec sa quarantaine de romans, il a de quoi offrir des plaisirs multiples et variés à tout amateur de lecture.

**Étape 2**

Application de la méthode de sélection et d'organisation des idées. Il s'agit d'analyser sémantiquement chacune des phrases pour déterminer, en les numérotant, l'ordre dans lequel elles apparaîtront logiquement dans le texte final.

Né à Québec le 28 novembre 1915, Yves Thériault se dit de descendance acadienne et indienne. Il est arrivé à la littérature "par la petite porte". "J'avais un talent naturel de conteur et j'ai écrit, disait Yves Thériault dans une entrevue. Comment mieux décrire la personnalité de ce grand écrivain. Yves Thériault fait figure de phénomène dans notre littérature tant il est prolifique, riche et vivant. Il écrit après avoir exercé vingt métiers vingt misères. Depuis son premier livre paru en 1944, *Contes pour un homme seul*, Thériault ne cesse d'écrire: *Aaron, Agaguk, Ashini*, et beaucoup d'autres romans voient le jour, sans compter les nombreux ouvrages de littérature de jeunesse qu'il a publiés. C'est dans le contact avec la nature et avec les hommes de la nature (Indiens, forestiers, paysans, pêcheurs) qu'il puise le souffle qui l'anime. Avec sa quarantaine de romans, il a de quoi offrir des plaisirs multiples et variés à tout amateur de lecture.

**Étape 3:** les phrases replacées dans l'ordre ont donné le texte final suivant:

"J'avais un talent naturel de conteur et j'ai écrit", disait Yves Thériault dans une entrevue. Comment mieux décrire la personnalité de ce grand écrivain, arrivé à la littérature "par la petite porte". Né à Québec, le 28 novembre 1915, il se dit de descendance acadienne et indienne. Il écrit après avoir exercé vingt métiers, vingt misères. Mais c'est surtout dans le contact avec la nature et avec les hommes de la nature (Indiens, forestiers, paysans, pêcheurs) qu'il puise le souffle qui l'anime. Depuis son

premier livre paru en 1944, *Contes pour un homme seul,*
Thériault ne cesse d'écrire: *Aaron, Agaguk, Ashini* et beaucoup
d'autres romans voient le jour, sans compter les nombreux
ouvrages de littérature de jeunesse qu'il a publiés. Yves Thériault
fait figure de phénomène dans notre littérature tant il est prolifique, riche et vivant. Avec sa quarantaine de romans, il a de quoi
offrir des plaisirs multiples et variés à tout amateur de lecture.

## Développement par énumération *paratactique*

Nous avons déjà défini la parataxe (ou juxtaposition) comme un
procédé consistant à juxtaposer les phrases sans marquer le rapport de
dépendance qui les unit (par une préposition, une conjonction, un verbe
copule, etc.). Le paragraphe utilise souvent ce type de démarche. Précisons
cependant que la parataxe n'est pas nécessairement utilisée à toutes les
phrases d'un paragraphe. L'effacement des actualisateurs peut se faire de
façon totale ou partielle.

Exemples:

Après le déjeuner, je me suis ennuyé un peu et j'ai erré dans
l'appartement. Il était commode quand maman était là. Maintenant il est trop grand pour moi et j'ai dû transporter dans ma
chambre la table de la salle à manger. Je ne vis plus que dans
cette pièce, entre les chaises de paille un peu creusées, l'ar-
moire dont la glace est jaunie, la table de toilette et le lit de
cuivre. Le reste est à l'abandon. Un peu plus tard, pour faire
quelque chose, j'ai pris un vieux journal et je l'ai lu. J'y ai
découpé une réclame des sels Kruschen et je l'ai collée dans un
vieux cahier où je mets les choses qui m'amusent dans les
journaux. Je me suis aussi lavé les mains et, pour finir, je me suis
mis au balcon.

Albert CAMUS, *L'étranger*

Tout m'avale. Quand j'ai les yeux fermés, c'est par mon ventre
que je suis avalée, c'est dans mon ventre que j'étouffe. Quand j'ai
les yeux ouverts, c'est par ce que je vois que je suis avalée, c'est
dans le ventre de ce que je vois que je suffoque. Je suis avalée par
le fleuve trop grand, par le ciel trop haut, par les fleurs trop fragiles, par les papillons trop craintifs, par le visage trop beau de
ma mère. Le visage de ma mère est beau pour rien. S'il était
laid, il serait laid pour rien. Les visages, beaux ou laids, ne
servent à rien. On regarde un visage, un papillon, une fleur, et ça
nous irrite. Si on se laisse faire, ça nous désespère. Il ne devrait
pas y avoir de visages, de papillons, de fleurs. Que j'aie les yeux

**ouverts ou fermés, je suis englobée: il n'y a plus assez d'air tout
à coup, mon coeur se serre, la peur me saisit.**
Réjean DUCHARME, *L'avalée des avalés*

## EXERCICES

### Exercice 11

Composez un paragraphe dans lequel vous utiliserez le développement logique sur le thème suivant: "Le milieu social dans lequel vous vivez est-il conforme à vos goûts et à vos aspirations?"

### Exercice 12

Composez un paragraphe dans lequel vous raconterez un fait qui vous est arrivé, en respectant la chronologie du déroulement (par exemple: l'arrivée d'une personne, la visite d'un lieu, etc.).

# C. LA CONCLUSION ET LA TRANSITION DANS LE PARAGRAPHE

La **conclusion** ferme le paragraphe, le boucle. Nous en avons suffisamment donné d'exemples pour ne pas y revenir ici. Précisons que la conclusion dans un paragraphe n'est pas toujours exprimée. Dans la pratique, cependant, il vaut mieux s'entraîner à conclure. Cela est très utile.

Dans un texte, les paragraphes sont la plupart du temps reliés les uns aux autres par ce qu'on appelle une **transition**. Elle figure en général dans la dernière phrase du paragraphe, mais elle peut se retrouver aussi au début du paragraphe qui suit. À l'instar de la conclusion, il n'existe pas toujours de transition.

Dans les exemples qui suivent, nous avons écrit les transitions en italique:

a) **la transition figure à la fin du paragraphe.**

Exemple:

> **Que se passe-t-il donc à l'école? L'élève n'acquiert pas la démarche scientifique et n'apprend pas à poser des questions susceptibles d'engendrer une démarche scientifique. Il assimile plutôt une méthode logique. Or, ce remplacement constitue une source d'aliénation puisque l'élève ignore tout, en fin de compte, de la véritable démarche. *Peut-on expliquer cette situation "alarmante"?***
>
> Yves BERTRAND, commentaire sur le Rapport Parent,
> *Vie pédagogique*, juin 1981

b) **la transition figure au début du paragraphe suivant.**

Exemple:

> **(...) Le lieu de l'homme, on a toujours cru que ce devait être la culture: un habitacle où la nature, nos rapports avec autrui, les lourds héritages de l'histoire seraient confrontés avec les intentions de la conscience dans un dialogue jamais achevé.**
>
> ***En fait, la culture ce n'est jamais cela (...)***
>
> Fernand DUMONT, *Le lieu de l'homme*

Pour lier organiquement deux paragraphes par une transition, divers moyens linguistiques peuvent aussi être utilisés. La transition peut être marquée:

— par un pronom de rappel:

ceci, cela, celui-ci, celui-là, ce;

— par une conjonction ou une locution conjonctive:

et, mais, or, car, donc, pourtant, cependant, ainsi, depuis que, avant que, etc.;

— par un adverbe, une préposition ou une locution:

comme, avec, avant, depuis, outre, selon, contre, toutefois, par contre, en outre, en effet, à la rigueur, par conséquent, au surplus, en conséquence, etc.;

— par certaines autres expressions du genre:

de cette façon, pour cette raison, à la vérité, on voit maintenant pourquoi, nous sommes ainsi conduits..., nous avons, au cours du développement précédent..., etc.;

— par un procédé lexical:

les *avantages* dont il a été question..., la *suite* de ce document... (voir d'autres exemples à la page 55).

En général, la plupart des mots ou expressions qui lient les phrases ou les membres de phrases entre eux peuvent être utilisés pour lier les paragraphes.

### c) **la transition implicite.**

La transition peut être formulée sans le secours de mots-liens. Elle se fait uniquement au niveau des idées. On dit alors qu'elle est implicite, c'est-à-dire qu'à force d'évidence, le lecteur fait naturellement le lien entre les paragraphes. Exemples:

> **(...) Qui dira que la communauté des hommes s'inspire, dans ses structures, dans ses institutions, dans ses politiques, du besoin fondamental d'éprouver l'existence d'une façon agréable? Nous avons collectivement renoncé à la joie de vivre.**
>
> **Nous sommes sans mythologie, sans rêverie collective. Nos rapports sont fonctionnels et télépersonnels. Nous fonctionnons sans inspiration véritable.**

Denis PELLETIER, *L'arc-en-soi*

# D. LE PARAGRAPHE DANS LE TEXTE

Un texte est constitué de l'agencement des paragraphes. Dans la plupart des cas, le découpage se fait selon les deux modèles suivants:

### a) **chaque paragraphe peut former un tout complet.**

Chaque paragraphe peut former une unité homogène (présentée sous forme de monobloc) comprenant à la fois l'idée principale énoncée, expliquée, illustrée, ou vice-versa (paragraphe de type A), ou bien les deux éléments de la comparaison ou de l'opposition (paragraphe de type B), ou encore tous les aspects d'un développement logique ou chronologique (paragraphe de type C).

### b) **chaque paragraphe peut présenter un aspect de l'idée principale.**

Dans les modèles de paragraphes de type A, chaque partie (idée principale énoncée, expliquée, illustrée, ou vice-versa) peut faire l'objet de paragraphes différents.

203

De même dans le paragraphe de type B, chaque élément de la comparaison ou du parallèle peut faire l'objet de paragraphes différents. Dans le paragraphe de type C, chaque élément du développement (logique, chronologique) peut faire l'objet de paragraphes différents.

Exemples:

## Dans le texte informatif

Le texte qui suit est constitué de paragraphes présentant chacun une catégorie d'idées ou d'arguments, dans un développement qui progresse par étapes. En d'autres termes, chacun des aspects de la question est traité alternativement.

### Valeurs intellectuelles: l'art de penser

**La mission première de l'école, c'est d'apprendre à penser. Cette mission accomplie, tout le reste viendrait par surcroît, y compris la solution au thème de la classe dominante car on ne règne pas sur une personne qui pense par elle-même. L'esclave Épictète instruit l'empereur Marc-Aurèle. Il est son égal. L'esprit cherche l'égal, veut l'égal.**

**Les écoles parallèles, la rue, la télévision, le groupe d'amis, le centre de loisirs éduquent l'enfant en donnant autre chose. L'école n'a pas à rivaliser sur ces terrains où elle sera d'ailleurs battue le plus souvent. Le spécifique de l'école, c'est l'art de penser, plus nécessaire que jamais à cause des puissances d'envoûtement et des séductions de la propagande.**

**Mais penser est difficile; aussi l'école doit-elle savoir être exigeante. Bien plus qu'elle ne l'est aujourd'hui. Les plaisirs sont les signes des puissances, disait Aristote, ce qui signifie que le plaisir vient de l'action bien faite et que celle-ci suppose la peine et l'effort. Une action ne plaît jamais au commencement, ni après une deuxième et une troisième tentative. Il faut apprendre à durer et à piocher. Durer, persévérer, quel cauchemar pour nos jeunes élèves! On leur donne un examen de trois heures. Ils commencent à sortir après vingt minutes.**

**Mais quand on dure, la difficulté est tout à coup vaincue et l'action est accomplie avec souplesse et aisance. C'est ainsi qu'on fait son bonheur (le bonheur n'est jamais une chose reçue), c'est ainsi qu'on forme son caractère, c'est ainsi que l'on goûte au meilleur et que l'on apprend à penser. "Toutes les beautés attendent que tu aies courage, disait Alain. Homère n'entrera pas malgré toi." Il faut donc s'en tenir au difficile, non pas par**

**cruauté ou besoin de domination, mais parce que la vérité ne se donne qu'à celui qui la cherche. Nous devons savoir jouer sur ce besoin de se dépasser et de grandir qu'ont les enfants pour les amener à donner toute leur mesure.**

Guy BROUILLET, "Propositions de valeurs pour l'école québécoise", dans *Vie pédagogique*, octobre 1980

# EXERCICES

Le CORRIGÉ des exercices figure à la fin du chapitre.

## Exercice 13

Dans le texte précédent intitulé "Valeurs intellectuelles: l'art de penser", dégagez chacun des aspects de l'art de penser désigné comme valeur à l'école.

## Exercice 14

Traitez les aspects suivants dont nous vous suggérons les paragraphes. Reportez-vous aux différents types de paragraphes que nous avons présentés.

a) **Fonction de la télévision:**

    **1er paragraphe: divertir**

    **2e paragraphe: informer**

    **3e paragraphe: cultiver**

b) **Importance du travail:**

    **1er paragraphe: sur le plan biologique (santé)**

    **2e paragraphe: sur le plan social**

    **3e paragraphe: sur le plan économique**

## Exercice 15

Chacun des aspects que vous avez développés à l'exercice 14 peut l'être encore davantage. À partir de l'exemple *b*, composez un développement en trois parties, comportant chacune deux paragraphes.

    **1re partie: l'importance biologique du travail**

      **1er paragraphe: pour la santé physique**

      **2e paragraphe: pour la santé mentale**

**2ᵉ partie: l'importance sociale du travail**
**1ᵉʳ paragraphe: pour favoriser les contacts humains**
**2ᵉ paragraphe: pour rendre service à la collectivité**

Continuez avec la 3ᵉ partie.

# Exercice 16

Dans les deux exercices suivants, déterminez vous-même les aspects (3) à traiter.
a) Les avantages de la lecture.
b) Les conséquences de la crise du pétrole.

# Exercice 17

a) La télévision et le journal constituent sans doute les mediums les plus populaires et les plus accessibles. Opposez-les comme moyens d'information.

Développement:
1$^{er}$ paragraphe: la télévision (information plus directe, plus immédiate, mais qui ne permet pas de retour: l'image est fugitive, le spectateur ne peut pas la figer pour l'approfondir).
2$^{e}$ paragraphe: le journal permet une information plus poussée et il favorise le retour du lecteur sur l'information.

b) L'amélioration de la condition féminine.

Développement:
1$^{er}$ paragraphe: ce qui a été fait.
2$^{e}$ paragraphe: ce qui reste à faire.

## Dans le texte littéraire

Chaque paragraphe peut présenter l'un des aspects d'une description ou l'un des moments d'une action qui se déroule.

Exemple 1:

**Sous un grand ciel gris, dans une grande plaine poudreuse, sans chemins, sans gazon, sans un chardon, sans une ortie, je rencontrai plusieurs hommes qui marchaient courbés.**

**Chacun d'eux portait sur son dos une énorme Chimère, aussi lourde qu'un sac de farine ou de charbon, ou le fourniment d'un fantassin romain.**

Mais la monstrueuse bête n'était pas un poids inerte; au contraire, elle enveloppait et opprimait l'homme de ses muscles élastiques et puissants; elle s'agrafait avec ses deux vastes griffes à la poitrine de sa monture; et sa tête fabuleuse surmontait le front de l'homme, comme un de ces casques horribles par lesquels les anciens guerriers espéraient ajouter à la terreur de l'ennemi.

Je questionnai l'un de ces hommes, et je lui demandai où ils allaient ainsi. Il me répondit qu'il n'en savait rien, ni lui, ni les autres; mais qu'évidemment ils allaient quelque part, puisqu'ils étaient poussés par un invincible besoin de marcher.

Chose curieuse à noter: aucun de ces voyageurs n'avait l'air irrité contre la bête féroce suspendue à son cou et collée à son dos; on eût dit qu'il la considérait comme faisant partie de lui-même. Tous ces visages fatigués et sérieux ne témoignaient d'aucun désespoir; sous la coupole spleenétique du ciel, les pieds plongés dans la poussière d'un sol aussi désolé que ce ciel, ils cheminaient avec la physionomie résignée de ceux qui sont condamnés à espérer toujours.

Et le cortège passa à côté de moi et s'enfonça dans l'atmosphère de l'horizon, à l'endroit où la surface arrondie de la planète se dérobe à la curiosité du regard humain.

Et pendant quelques instants je m'obstinai à vouloir comprendre ce mystère; mais bientôt l'irrésistible Indifférence s'abattit sur moi, et j'en fus plus lourdement accablé qu'ils ne l'étaient eux-mêmes par leurs écrasantes Chimères.

BAUDELAIRE, *Le spleen de Paris*

# EXERCICES

## Exercice 18

Dans le texte ci-dessus de Baudelaire, dégagez chacun des aspects de la narration.

Exemple 2:

Pas une seule ride ne gonflait la surface de l'eau. Pierrot tapa du pied pour faire fuir un moineau qui s'était posé près de lui, sauta dans l'eau grasse de la rivière. Ce bain matinal lui fouetta le sang. La tête bien droite, il nagea jusqu'à l'étang. Tous les cent pieds, il arrêtait une minute ou deux pour se reposer.

Un loup qui dormait de l'autre côté de l'étang fut éveillé par le bruit qu'il faisait en nageant. La bête se dressa sur ses pattes, flaira l'eau. La vue de cette grosse fleur blanche (les vêtements de Pierrot!) lui fit peur et elle se sauva, la queue entre les pattes.

Pierrot ne sentit pas le besoin de se sécher; il s'habilla, partit d'un bon pas. Mais, même s'il lui tardait de revoir cette femme, il prit le temps de cueillir les baies qu'il trouva sur sa route. On aurait dit un enfant tant sa façon de regarder les fruits, ses gestes étaient charmants. Soudain, il eut peur: il venait de se rendre compte qu'il sifflait depuis qu'il était sorti de l'eau.

Après un coup d'oeil circulaire, il détala à toutes jambes. Onze détours plus loin, il fit une pause. Assurément, on avait perdu sa trace. À partir de ce moment, il marcha comme un Iroquois: tête basse et pied léger.

Quand il ne fut plus qu'à une quinzaine de verges de la maison, il s'assit par terre, cracha dans ses mains pour rabattre ses cheveux rebelles. D'être si près du but l'excitait comme un jeune animal qui va retrouver sa liberté. Il était prêt à faire toutes les folies du monde. Une fois à la clairière, il perdit la raison. Il se mit debout, courut à la porte, appliqua l'oreille sur la serrure. Une espèce de douce compassion le saisit au ventre quand il entendit la femme soupirer.

Jacques BENOÎT, *Jos Carbone*

# Exercice 19

Dans la narration précédente, dégagez les moments de l'action.

# Exercice 20

Composez un texte dont les paragraphes traiteront de chacun des aspects suggérés ci-après. Reliez chacun des paragraphes par une transition.

a) **Une description**

Décrivez une visite dans un "supermarché" (centre d'achat) de votre ville.

**Introduction:**
   **Dites quand il fut construit (historique).**

**1er paragraphe: description du centre d'achat.**
   **Quels genres de commerces y trouvez-vous? — Ceux que vous préférez?**

**2ᵉ paragraphe:** quelles      raisons      ou      motivations      vous
amènent à votre centre d'achat?
**Raisons d'ordre économique — Raisons d'ordre social.**

**3ᵉ paragraphe:** l'impact de ce supermarché dans votre ville
ou dans votre région?
**Avantages — Inconvénients.**

b) **Un portrait**

Faites le portrait de votre meilleur(e) ami(e).

**Introduction:**
**En quelles circonstances l'avez-vous rencontré(e)?**

**1ᵉʳ paragraphe: faites son portrait physique.**
**Apparence générale — son type physique — ses vê-**
**tements.**

**2ᵉ paragraphe: faites son portrait moral ou psychologique.**
**Ses qualités — ses défauts — ses valeurs — son signe**
**astrologique — ses goûts, etc.**

**3ᵉ paragraphe: le rôle qu'il(elle) a joué ou qu'il(elle) joue**
**dans votre vie. Son influence sur vous.**

c) **Une narration**

Racontez un événement, un fait dont vous avez été témoin. Il n'est pas
nécessaire ici de relier chacun des paragraphes.


# E.  CORRIGÉ DES EXERCICES


## Exercice 1

1ᵉʳ paragraphe:  "En 1968 (...) le mot *requin*."
2ᵉ paragraphe:  "La publication (...) *Les Dents de la mer II.*"
3ᵉ paragraphe:  "Heureusement (...) les préjugés ont la vie dure."
4ᵉ paragraphe:  "Officier de la marine (...) des idées fausses couramment admises."
5ᵉ paragraphe:  "Les requins attaquent (...) 10 à 20 pour cent
aujourd'hui."

6ᵉ paragraphe: "La plupart des attaques (...) en eau plus profonde".

## Exercice 2

Paragraphe A

**Un roi perse avait juré d'épouser chaque nuit une nouvelle femme qui serait mise à mort le lendemain matin. Schéhérazade décide de sauver les femmes du royaume et elle se présente au tyran. Elle imagine lui raconter des histoires tellement passionnantes que, d'une nuit à l'autre, le roi l'épargne afin de pouvoir entendre la suite. Après mille et une nuits de ce régime, il s'incline devant Schéhérazade et renonce à son voeu sanguinaire.**

Les *Mille et une nuits*

Paragraphe B

**La ville, comme tout autre produit de la technique, est vendue au nouveau venu avec un mode d'emploi. Mais ces instructions sont ainsi conçues qu'elles mystifient le "non-croyant", c'est-à-dire celui qui n'a pas encore souscrit aux différents dogmes. Cette foi urbaine se manifeste de la façon suivante: elle fait grand cas d'une durée de vie prolongée par les soins de la médecine, des résultats universitaires et des diplômes, de l'avancement et de la réussite professionnelle. La production et la consommation deviennent de véritables mètres étalons par quoi on mesure la plupart des valeurs, y compris la fécondité.**

Yvan ILLICH, *Libérer l'avenir*

## Exercice 3

Plan du paragraphe A

Le choix d'une politique économique repose sur une idée de l'homme: celle où la confiance et la méfiance s'affrontent.

    a. L'idée de méfiance est fondée sur le fait que les hommes ne sont pas suffisamment raisonnables.

    b. La confiance en l'homme est cependant irremplaçable.

Plan du paragraphe B

Il est vital pour l'esprit de connaître les nouvelles dans tous les domaines.

    1. Les photos aériennes permettent d'identifier les différentes cultures:

        1.1. identification des sortes de cultures: seigle, orge, etc.;

1.2. on peut distinguer une culture saine d'une culture affectée par la sécheresse ou les parasites.
2. On peut appliquer la technique à l'aide de véhicules orbitaux:
    2.1. on pourrait ainsi recueillir des informations sur les récoltes à l'échelle du monde;
    2.2. l'océanographie pourrait aussi en bénéficier: l'état de la mer, les mouvements des glaces, etc.

# Exercices 4 à 12 : pas de corrigé.

# Exercice 13

1er paragraphe: la mission première de l'école, c'est d'apprendre à penser.

2e paragraphe: les écoles parallèles, la rue, la télévision, les groupes d'amis, le centre de loisirs éduquent l'enfant en donnant autre chose.

3e paragraphe: penser est difficile; aussi l'école doit-elle savoir être exigeante.

4e paragraphe: mais quand on dure, la difficulté est tout à coup vaincue et l'action est accomplie avec souplesse et aisance.

# Exercices 14 à 17 : pas de corrigé.

# Exercice 18

1er paragraphe: plusieurs hommes marchaient dans une grande plaine aride.

2e paragraphe: chacun d'eux portait sur son dos une énorme Chimère.

3e paragraphe: la monstrueuse bête enveloppait et opprimait les hommes de ses muscles élastiques et puissants.

4e paragraphe: les hommes ne savaient pas où ils allaient.

5e paragraphe: aucun des voyageurs n'avait l'air irrité contre la bête; ils étaient tous résignés dans leur marche.

6e paragraphe: le cortège disparut à l'horizon.

7e paragraphe: le narrateur est lui aussi atteint du même mal.

## Exercice 19

1$^{er}$ paragraphe:  la surface calme de l'eau de la rivière invite Pierrot à nager.

2$^e$ paragraphe:  un loup est réveillé par le bruit de la nage, prend peur et s'enfuit.

3$^e$ paragraphe:  après le bain dans la rivière, Pierrot reprend sa route, mais tarde à revoir la femme. Il a peur.

4$^e$ paragraphe:  il détale à toutes jambes.

5$^e$ paragraphe:  en arrivant près de la maison de la femme, Pierre se sentit excité à la pensée d'être si près du but.

## Exercice 20: pas de corrigé.

# 6

# LA DISSERTATION, OUTIL DE PENSÉE ET D'EXPRESSION

La dissertation est l'exemple parfait du texte organisé et structuré. Répondant à des règles précises, elle constitue une véritable ascèse de l'expression, en même temps qu'elle développe le raisonnement et habitue à formuler clairement sa pensée. Aussi peut-elle être considérée comme **le meilleur entraînement à l'écriture.** La valeur de formation qu'elle représente n'a jamais été égalée. C'est la raison pour laquelle la dissertation a toujours fait l'objet d'un apprentissage privilégié en milieu scolaire.

L'école, cependant, n'est pas le seul domaine où la dissertation est utile. Dans la vie en général, plusieurs types de discours, et parmi les plus courants, lui empruntent, à divers degrés, ses lois et son fonctionnement: la lettre, l'article de journal, l'éditorial, la lettre d'opinion, le discours oratoire, l'essai, etc. La dissertation transcende un très grand nombre de mises en situation d'écriture.

Pourtant le terme "dissertation" semble de nos jours effrayer beaucoup de gens. Peut-être parce qu'il reste trop fortement lié à une époque et à un certain type d'enseignement. On lui préférera volontiers celui d'**essai.** L'essai cependant n'est pas exactement la dissertation. Mais qu'importe, si la réalité cachée derrière le terme est la même.

Qu'est-ce que disserter?

La dissertation est essentiellement **un acte de communication.** Un auteur (émetteur), tente de prouver, démontrer ou expliquer (intention) quelque chose (message) à quelqu'un (récepteur) par le moyen du langage (code). Il s'agit essentiellement de poser un problème, de le discuter et de le résoudre. Contrairement à la description ou à la narration qui portent davantage sur l'observation de la réalité sensible, la dissertation amène à travailler davantage au niveau des idées et fait appel surtout à la réflexion.

213

Souvent elle allie **réflexion et connaissances.** À cela s'ajoutent divers types **d'expérience,** humaine, sociale, politique, culturelle, de lecture, etc. Voyons concrètement comment procéder pour élaborer une dissertation.

Le travail se fait rigoureusement en trois temps: **l'exploration, l'organisation des idées** et **la rédaction.**

# A. LA DÉMARCHE EXPLORATOIRE

## LE SUJET

Le point de départ de la dissertation est le sujet formulé dans un énoncé comportant une question relative à un domaine. Expliquons chacun des éléments de cette définition.

### Le sujet formulé dans un énoncé...

Quand un sujet est donné, il est rarement présenté de façon précise et prêt à être développé immédiatement. Formulé de façon dense, il se pose souvent en défi pour celui qui disserte. Au cours secondaire, on a avantage à proposer des sujets explicites, faciles à comprendre et portant de préférence l'indication des parties. Exemples: "La télévision est un instrument de culture: pour ou contre"; ou encore: "Les avantages et les inconvénients de l'argent", "Dans ce siècle de bruit, faites l'éloge du silence". Aux niveaux plus avancés, le sujet peut devenir un véritable exercice de pensée et de réflexion.

### ...comportant une question...

La question peut consister à commenter une parole, exprimer une opinion, apprécier un jugement, prouver une thèse. Les formules impératives que l'on retrouve le plus souvent sont: "commenter", "comparer", "expliquer", "discuter", "apprécier", "dans quelle mesure...", "que pensez-vous de...", "êtes-vous d'avis que...". Comme on le voit, deux orientations sont possibles: ou bien la dissertation porte sur une explication à sens unique: montrer, démontrer, prouver, illustrer, décrire; ou bien vous procédez à une critique comportant plusieurs avenues: comparer, apprécier, discuter, dire ce qu'on en pense, etc.

**...relative à un domaine.**

Les domaines touchés par la dissertation sont divers: morale, psychologie, philosophie, sociologie, politique, littérature, technologie, science, etc. En fait, pratiquement tous les sujets peuvent être traités sous forme de dissertation.

# LA COMPRÉHENSION DU SUJET

La solution du problème posé est en relation directe avec la compréhension du sujet. "Lorsque l'énoncé d'un problème est exactement connu, écrit Alain, le problème est résolu; ou bien c'est qu'il est impossible. La solution n'est donc autre chose que le problème bien éclairé" (*Propos de littérature*). La première démarche consiste donc à approfondir, voire méditer le sujet, pour en faire le tour, le mesurer, l'analyser de façon à en saisir la portée, à comprendre le message intégral, à dégager exactement ce qu'il veut dire. Cela évite de dépasser le sujet, de rester en deçà ou de le trahir en étant hors sujet.

Pour vous aider à bien faire ce travail exploratoire, nous vous proposons une méthode d'analyse axée sur les trois questions suivantes:

    1) Que demande-t-on? (**l'intention**)

    2) De quoi s'agit-il? (**le référent**)

    3) Comment le dit-il? (**le code**)

Ces questions sont présentées selon un ordre logique. Dans la démarche d'analyse, cependant, nous vous conseillons de commencer par l'ordre inverse: "Comment le dit-il?", "De quoi s'agit-il?", "Que demande-t-on?". Vous effectuerez ainsi un cheminement qui va de l'analyse à la synthèse.

1<sup>re</sup> question: **comment le dit-il?**

L'analyse du code est la première opération à effectuer dans la compréhension du sujet. Le travail dans cette phase est purement linguistique: il porte sur l'aspect grammatical de l'énoncé. La pensée, on le sait, repose sur des articulations syntaxiques. Elle prend forme, se nuance à travers l'agencement des mots et les constructions de phrases. Il existe à ce niveau un lien étroit entre les plans syntaxique et sémantique, entre le sens et la grammaire. Voilà pourquoi l'analyse grammaticale (le mot: nature et fonction) et logique (la proposition: nature et fonction) s'avère d'une grande efficacité dans le processus d'appréhension du sujet.

Quand on dégage la nature et la fonction des mots ou des propositions, on procède selon la méthode traditionnelle. Il existe cependant un type d'analyse plus récent que l'on peut avantageusement appliquer dans l'exploration du sujet: c'est **l'analyse structurale.** On procède en découpant la phrase en ses **constituants** immédiats, de façon à mettre en évidence les relations qui existent entre eux. Le tableau qui suit permet de dégager, selon cette méthode, chaque constituant de la phrase.

| | |
|---|---|
| **P:** | **PHRASE** |
| **GN:** | **groupe nominal qui peut être constitué d'un déterminant et d'un nom seulement** |
| **GV:** | **groupe verbal qui comprend toujours l'objet s'il y en a un** |
| **GA:** | **groupe attribut** |
| **GP:** | **groupe prépositionnel** |
| **MN:** | **membre nominal qui comprend un nom et un adjectif** |
| **N:** | **nom** |
| **V:** | **verbe** |
| **PRÉP:** | **préposition** |
| **ADJ:** | **adjectif** |
| **DÉT:** | **déterminant** |

Une fois le réseau des relations entre les divers constituants établi, il est facile de mettre en lumière le sens des énoncés contenus dans le sujet.

Appliquons d'abord cette méthode d'analyse à un sujet de dissertation constitué d'une phrase simple: "La liberté est un état d'esprit" (Paul Valéry). On obtient **les structures fondamentales** suivantes:

| | |
|---|---|
| **GS:** | La liberté |
| **GV:** | est |
| **GA:** | un état d'esprit |

L'analyse structurale de cet énoncé fait voir le rapport d'égalité qui existe entre le GS et le GA. C'est ce rapport qu'il faudra traduire et bien garder en vue tout au long de la dissertation.

Si l'on pousse plus loin l'analyse, on obtient, par fragmentation du syntagme "un état d'esprit" (GA), les **structures secondaires** suivantes:

| | |
|---|---|
| **GN:** | un état |
| **GP:** | d'esprit |

Cette dislocation du syntagme en deux structures permet de nuancer davantage encore l'énoncé. En effet, "un état", "d'esprit" sont deux éléments qui entrent dans la signification générale du sujet.

Ce travail peut paraître simpliste à première vue. En réalité, il ne l'est pas. Souvent, lorsqu'on a à traiter un sujet de dissertation, on se contente d'une appréhension globale et vague, parfois subjective, à partir de laquelle toute la dissertation se fait. Le travail préliminaire d'analyse vient corriger les erreurs de perspective. Il permet de saisir toutes les nuances qui autrement nous échapperaient.

Considérons maintenant un énoncé plus élaboré. La phrase complexe qui le constitue peut être disséquée en ses constituants. On obtient alors une hiérarchisation des éléments obéissant à la logique syntaxique de l'énoncé.

Sujet :

> **Le terme *aliénation* est aujourd'hui employé pour illustrer toute une série de griefs au sein de la société, notamment les mécontentements qui remettent en cause notre confiance dans les institutions sociales et politiques, et notre participation à ces institutions.**
>
> Herbert A. SIMON, *Le nouveau management*

Démarche :

## 1ᵉʳ temps: analyse des constituants principaux

L'analyse structurale de l'énoncé nous permet de dégager deux blocs de constituants principaux:

## 1ᵉʳ bloc: les constituants qui affirment l'énoncé

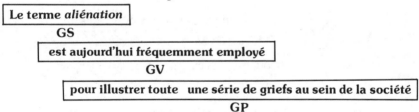

## 2ᵉ bloc: les constituants qui explicitent l'énoncé principal

Le 2ᵉ bloc se rattache au mot "griefs" de l'énoncé précédent dont il est le complément (compl. du nom):

**(griefs)**

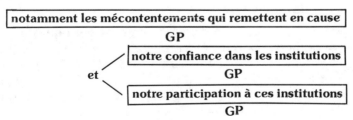

La disposition hiérarchique des constituants, qui varie évidemment avec chaque énoncé, permet de mieux saisir les rapports de dépendance et leur importance relative dans la chaîne syntaxique. La disposition graphique permet en même temps de visualiser ces rapports et, partant, de les percevoir plus facilement que s'ils étaient demeurés dans la chaîne linéaire de l'énoncé.

Une fois ce travail fait, on aborde les constituants secondaires.

### 2ᵉ temps: analyse des constituants secondaires

Reprenant l'énoncé, on obtient:

**Le terme *aliénation***

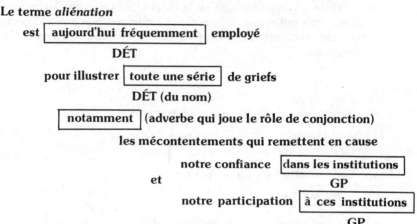

Les constituants secondaires véhiculent une part d'information importante qu'il faut bien dégager pour comprendre entièrement le sujet. Ces constituants sont formés de déterminants (article, pronom, adverbes, etc.) et de déterminés (noms), de groupes prépositionnels, de qualificatifs.

Comme on le voit, l'analyse linguistique de l'énoncé est une opération importante pour comprendre le sujet, car le nombre d'éléments dégagés sur le plan syntaxique correspond au nombre d'éléments du sujet à retenir pour le travail de dissertation.

### 2ᵉ question: **de quoi s'agit-il?**

La deuxième question porte sur **l'analyse sémantique** du sujet. Elle amène à **expliciter le référent**, c'est-à-dire son sens et son contenu. Encore une fois, l'analyse structurale s'avère ici d'une aide précieuse.

La première question nous a permis d'analyser la "structure de surface" de l'énoncé. La seconde nous permet de dégager la ou les "structures profondes", c'est-à-dire les divers sens qui restent cachés à première vue.

La recherche de ces structures permet également de clarifier les énoncés ambigus, ceux auxquels on peut donner plusieurs interprétations. Mais auparavant, il importe de bien comprendre ce qu'est une "structure de surface" et une "structure profonde". À cette fin, partons de la phrase suivante, en apparence univoque:

(1) **Louise demande à Donald de sortir**

En observant bien la phrase, on se rend compte qu'elle peut avoir trois significations différentes:

(2) **Louise demande à Donald que Louise sorte (permission)**

(3) **Louise demande à Donald que Donald sorte (ordre)**

(4) **Louise demande à Donald que Louise et Donald sortent (proposition)**

On remarque que, dans ces trois cas, la différence de signification demeure assez importante, puisque à chaque fois que l'ordre sera donné, ce n'est pas du tout la même personne qui sortira. On peut mesurer le rôle important que joue ce type d'analyse dans la clarification et l'explicitation du sujet. En voici un exemple.

Reprenons la phrase de Paul Valéry: "La liberté est un état d'esprit". En dégageant les structures profondes, on obtient les sens suivants:

(1) **La liberté est un état *de l'esprit* (= une disposition qui relève de l'esprit, de l'âme, et non du physique ou du corps; on peut être brimé, contraint sur le plan physique et être libre).**

(2) **La liberté est un état *qui vient de l'esprit* (= produit par l'esprit; c'est l'esprit qui engendre la liberté; on est libre dans la mesure où l'esprit l'est; l'animal ne peut l'être).**

(3) **La liberté est un état *pour l'esprit* (= c'est-à-dire naturel à l'esprit; indispensable à l'esprit pour fonctionner efficacement).**

Le travail d'analyse devrait normalement vous amener à retenir la ou les structures qui sont susceptibles de véhiculer le véritable sens de l'énoncé.

Une phrase est donc rarement univoque. En appliquant le jeu des transformations, on arrive à dégager plusieurs significations, ce qui permet d'éviter les erreurs d'interprétation, tout en conduisant à la vraie signification du sujet.

3ᵉ question: **que demande-t-on?**

On formule ici **l'intention** du message (le sujet de la dissertation) de la façon la plus précise possible. L'intention constitue l'idée directrice qui sert à guider la recherche et à créer l'unité de la dissertation.

L'intention demeure à ce stade-ci une **hypothèse** qui aide à circonscrire le point de vue touché par le sujet. Une hypothèse, c'est-à-dire une idée qui tente de rendre compte le plus possible du sujet. Elle peut être infirmée ou confirmée au cours du travail, mais elle demeure ouverte; elle peut connaître, même après, d'autres éclairages. Le mouvement de "compréhension" n'empêche nullement le mouvement "d'extension" qui la suit.

## AUTRE MÉTHODE D'APPROCHE DU SUJET: *LA NÉGATION*

La négation constitue aussi une démarche qui peut être très utile dans l'exploration d'un sujet. En déterminant ce qu'il n'est pas, on en arrive souvent à mieux cerner le problème posé. La négation, en effet, est un procédé naturel de l'intelligence. On dit généralement qu'il est plus facile de critiquer que de faire, de corriger que de composer. Il est également plus facile de dire ce qu'une idée n'est pas que ce qu'elle est. Dès que vous avez pris connaissance du sujet, procédez donc à un "listing" de ce qu'il n'est pas. Vous arriverez ainsi à une meilleure approximation du problème posé.

## EXERCICE

Appliquez la démarche d'exploration du sujet (basée sur les trois questions) à l'énoncé suivant: "Les valeurs humaines, ce sont d'abord et avant tout les choses qui constituent l'être humain en santé totale" (Martin BLAIS, *L'échelle des valeurs humaines*).

## COMMENT TROUVER LES IDÉES

Sans technique, il est difficile de trouver des idées. On fait des oublis et l'on prend souvent cinq à dix fois plus de temps pour faire le travail. La technique que nous exposons ici est le fruit de l'expérience. Bien appliquée, elle produit des résultats étonnants. Cette technique comprend trois étapes: 1) **l'inventaire** des idées; 2) **la classification** des idées en fonction du sujet; 3) **la sélection** des idées en vue du plan. Expliquons chacune des étapes.

### 1$^{re}$ étape: l'inventaire des idées

- **1$^{er}$ temps**: faire l'inventaire de ce que l'on sait sur le sujet.

On couche d'abord sur papier, en vrac, toutes les idées qui touchent de près ou de loin au sujet. On note même les idées les plus farfelues, sans distinction. Comme l'écrivait Montaigne, "même les cendres ont leur prix". L'important est de ne pas bloquer l'inspiration. Les idées viennent en général de l'expérience et des lectures faites antérieurement. Elles peuvent aussi être obtenues par connotation, dénotation ou association. Comme nous l'avons déjà vu, les mots, les images ou les concepts que nous utilisons sont chargés de significations de toutes sortes: sociale, culturelle, personnelle, etc. Pour peu que nous nous y arrêtions, nous découvrons d'innombrables liens de parenté entre eux. Ces liens s'appellent mutuellement, se conditionnent, se renforcent. Ils sont générateurs d'idées.

S'il s'agit d'un **mot**, on va d'abord à sa signification: celle que nous livrent les différents dictionnaires. On compare ensuite ces définitions entre elles. On explore, en second lieu, les synonymes et les antonymes. Ici encore on peut s'aider des différents dictionnaires spécialisés: dictionnaires des synonymes, des antonymes, des analogies. On établit ainsi les champs synonymique, antonymique ou analogique du mot. Même opération avec l'étymologie. Il va de soi qu'on se limite aux mots clés du sujet de la dissertation.

S'il s'agit d'**image**, on essaie de dégager tous les éléments qu'elle contient: ce qu'elle suggère par connotation et évocation. On peut même aller jusqu'aux images symboles, aux images soeurs.

Avec les **concepts**, on détermine d'abord leur signification exacte ou virtuelle. Puis on recherche par dérivation les concepts voisins. À ce niveau, le *Dictionnaire des idées suggérées par les mots* s'avère d'une grande utilité.

## EXERCICE

En vous basant sur les trois mots clés de la pensée de Valéry ("La liberté est un état d'esprit"), complétez le tableau suivant:

| Termes | sens dénoté | sens connoté | synonymes | antonymes |
|--------|-------------|--------------|-----------|-----------|
| liberté | | | | |
| état | | | | |
| esprit | | | | |

- **2e temps**: l'état de la question.

Procéder à l'état de la question, c'est faire le tour du sujet; c'est faire le bilan de ce qui a été dit ou écrit sur lui. Ce travail s'effectue en bibliothèque, à l'aide des outils suivants:

— le catalogue des matières;
— les dictionnaires: généraux, spécialisés;
— les encyclopédies: générales, spécialisées;
— les index généraux ou par sujet;
— les revues (articles);
— les ouvrages qui traitent du sujet partiellement ou entièrement (s'aider des index et des tables des matières).

## 2e étape: la classification des idées

La classification se fait plus précisément qu'à la première étape en fonction du sujet. Elle se distingue de la sélection (phase suivante) en ce que les idées qui serviront au plan ne sont pas encore choisies; on ne fait que les classifier en les répartissant par catégories; celles-ci sont déterminées par le sujet; elles permettent de voir plus clair et de préparer l'étape de la sélection des idées qui suit.

## 3e étape: la sélection des idées

La sélection se fait en fonction du PLAN. On trie les idées de façon à ne garder que celles qui seront immédiatement utiles. On peut procéder:

- en dégageant les idées maîtresses;
- en créant des associations thématiques;
- en créant des réseaux de significations.

La sélection permet de faire **le bilan provisoire** des idées qui seront retenues en vue de l'élaboration du plan que nous verrons plus loin.

# B. L'ORGANISATION DES IDÉES

## Les lois de l'équilibre et de la logique

La dissertation forme un ensemble caractérisé par **l'équilibre des parties** et **la logique dans la présentation des idées.** À ce titre, elle se présente comme une véritable oeuvre d'architecture. L'équilibre des parties veut que tout soit ordonné et se déploie en parties d'égale longueur, correspondant aux deux ou trois idées maîtresses qui forment les points de la dissertation. L'équilibre respecte l'importance de chacune des idées; les idées de même importance doivent faire l'objet d'un développement de même longueur. La loi de l'équilibre s'applique également aux trois grandes parties de la dissertation qui doivent répondre approximativement aux proportions suivantes:

- introduction:     10%
- développement:     80%
- conclusion:     10%

Il en est de même de la logique des idées. Celle-ci apparaît dans la présentation des idées principales et secondaires. Par exemple, si je traite des avantages du sport, j'aurai: 1) avantages sur le plan physique; 2) avantages sur le plan mental; 3) avantages sur le plan intellectuel. Mais on ne pourrait faire un plan comme celui-ci: 1) le plan physique; 2) le plan mental; 3) le sport et l'automobile. Les idées secondaires obéissent pareillement à un ordre logique.

## La loi de la progression

Cette loi veut que la démonstration, le cheminement de la pensée, progresse inexorablement vers la fin sans répétition des idées déjà émises, le tout selon une gradation logique. Cette loi de la progression se vérifie dans les divers types de plans que nous verrons ci-après.

## LE PLAN

En dissertation, les idées n'ont de la valeur que pour autant qu'elles sont mises en relation les unes avec les autres, dans la filiation qu'on leur découvre et dans la dépendance qu'elles entretiennent avec une idée plus générale qu'elles servent à démontrer ou prouver. En d'autres termes, le contenu dans un travail de dissertation ne prend de la valeur que par la place que les idées occupent dans un ensemble organisé et ordonné selon un plan.

Le plan de la dissertation peut obéir à deux impératifs: 1) la nature du sujet; 2) le type de démonstration ou de démarche intellectuelle qu'il sous-tend.

## Le plan déterminé par la nature du sujet

Parfois le plan est suggéré dans le sujet — ou du moins dans ses grandes lignes — comme dans les exemples suivants: "Quels sont les avantages et les inconvénients de la spécialisation?"; "La retraite à soixante ans, pour ou contre?"; ou encore "Deux éléments définissent le bonheur: l'obtention des désirs, la présence d'émotions agréables" (Lucien Auger). Parfois le sujet exige un développement selon l'ordre chronologique: "Faites l'historique du concept de famille". Souvent, par contre, le plan n'est pas suggéré par le sujet. C'est alors que le travail de réflexion qui permet de dégager deux, trois ou quatre idées maîtresses devient nécessaire.

## Le plan déterminé par l'opération intellectuelle qu'il suppose

La plupart des opérations intellectuelles utilisées dans une dissertation ressortissent aux procédés généraux de toute réflexion; ils font appel aux mécanismes fondamentaux de l'intelligence: comprendre, juger, définir, expliquer, comparer, argumenter, sans oublier les deux opérations majeures de l'intelligence, l'analyse et la synthèse.

En rapport avec ces diverses opérations intellectuelles, il existe des modèles classiques de plans très utiles en dissertation. Nous en avons déjà mentionné quelques-uns au cours de cet ouvrage. Pour vous y retrouver facilement, rappelez-vous les références:

## 1) Le plan syllogistique et dialectique.

Consultez les pages 379 et suivantes.

## 2) Le plan analytique.

Consultez les pages 360 et suivantes.

## 3) Le plan comparatif.

Consultez les pages 361 et suivantes.

Voici d'autres modèles de plans très utilisés en dissertation.

## 4) **Le plan explicatif.**

Si vous avez, par exemple, à expliquer une pensée, une formule, vous pouvez procéder de la façon suivante:

**Première partie**: explication de la pensée ou de la formule.

Vous dégagez un, deux ou trois éléments ou aspects importants de la pensée ou de la formule qui font l'objet d'autant de paragraphes ou de sous-parties.

**Deuxième partie**: commentaire de la pensée ou de la formule.

Vous appréciez en portant un jugement, en nuançant ou en élargissant le problème contenu dans la pensée ou la formule.

## 5) **Le plan problème à discuter.**

Si l'on vous pose un problème à discuter, vous pouvez utiliser le plan suivant:

**Première partie**: vous exposez le problème.

Il faut bien cerner et poser le problème. En quoi y a-t-il problème? Quelle est sa nature? On peut procéder à partir d'exemples ou de faits concrets (anecdotes, chiffres, etc.).

**Deuxième partie**: vous déterminez les causes du problème.

On trouve une explication au problème. Qu'est-ce qui l'amène ou le crée?

**Troisième partie**: vous donnez des solutions au problème.

Il s'agit ici de proposer des solutions au problème en faisant quelques propositions pour le régler.

## Le système des deux plans

Pour obtenir de bons résultats, il est fortement conseillé d'établir successivement deux plans: un plan général et un plan détaillé. Le **plan général** sert à préciser les grandes orientations contenues dans les idées principales et secondaires. Le **plan détaillé** développe davantage les idées secondaires et rajoute les idées tertiaires de telle sorte qu'il ne reste plus à l'auteur qu'à rédiger le texte en suivant l'ordre des idées principales, secondaires et tertiaires. Comme le disait Racine, après avoir élaboré le plan d'une pièce: "Ma tragédie est finie, je n'ai plus qu'à l'écrire". Le plan représente en quelque sorte le texte schématisé.

Dans un plan détaillé, l'idée tertiaire est souvent réductible aux preuves, aux exemples ou aux faits apportés. Un plan comporte de 2 à 4 parties (idées principales), lesquelles comprennent de la même façon de 2 à 4 subdivisions (idées secondaires et tertiaires). **Les idées secondaires expliquent ou développent les idées principales et les idées tertiaires expliquent ou développent les idées secondaires.**

Voici un exemple de plan général et de plan détaillé à partir du sujet suivant:

> **Georges Friedmann critique la société actuelle en ces termes: "Il est désormais clair que la civilisation technicienne ne peut être caractérisée comme une civilisation du loisir"** (*La Puissance et la Sagesse*, **Gallimard). Dites ce qui crée le désarroi du loisir et quelle en serait la solution.**

## Plan général proposé

Le plan général comprend les idées principales et secondaires. L'introduction et la conclusion ne figurent généralement pas dans le plan.

1. En quoi la civilisation de la technique va-t-elle à l'encontre du loisir?
    1.1. Un constat: le loisir est un échec.
    1.2. La responsabilité de l'éducation.
2. Quelle serait la solution?
    2.1. Réhabiliter le temps libre.
    2.2. Changer la société.

## Plan détaillé proposé

Le plan détaillé développe davantage les idées secondaires et ajoute les idées tertiaires.

| 1<sup>re</sup> articulation<br>Idées principales | 2<sup>e</sup> articulation<br>Idées secondaires | 3<sup>e</sup> articulation<br>Idées tertiaires |
|---|---|---|
| 1. La civilisation de la technique va à l'encontre de la civilisation du loisir. | 1.1. Le loisir est le plus souvent un échec.<br>On enregistre deux attitudes opposées:<br>— la conquête des moments libres par l'activité;<br>— la démission qui aboutit à une forme de chômage dans le loisir. | **Exemples:**<br>1.1.1. Même avec la réduction des heures de travail, le temps libre est chargé d'obligations, de servitudes de toutes sortes. Les individus remplissent ce temps par:<br>— le bricolage rémunéré;<br>ou<br>— l'emploi rémunéré.<br>1.1.2. Ou bien c'est le désoeuvrement total: on ne sait comment remplir son temps. Il en résulte:<br>— absence d'intérêt;<br>— insatisfaction;<br>— apathie;<br>— fatigue. |
| | 1.2. L'éducation ne prépare pas l'individu à la réalité du loisir:<br>— Les finalités de l'école sont à l'opposé de celles du loisir;<br>— Le système d'évaluation du rendement académique va à l'encontre de la gratuité nécessaire au loisir. | **Raisons:**<br>1.2.1. L'école forme sur le plan académique seulement.<br>1.2.2. Elle prépare uniquement en vue d'une carrière, d'un métier ou d'une profession.<br>1.2.3. On habitue dès le plus jeune âge au travail rémunéré (noté) plutôt que gratuit. |

227

| 2. La solution proposée. | 2.1. Réhabiliter le temps libre: <br> — en apprenant à en jouir; <br> — en en faisant bénéficier le corps et l'esprit. <br><br><br> 2.2. Transformer la société: <br> — en changeant les mentalités; <br> — en favorisant l'émergence de nouvelles valeurs. | **Moyens:** <br> 2.1.1. Accroître la capacité de création de l'individu: <br> — art; <br> — réflexion créatrice; <br> — lecture; <br> — méditation. <br> 2.1.2. Favoriser la pratique du sport et l'exercice physique sous toutes ses formes. <br> 2.2.1. Créer un système d'éducation sociale axée sur la philosophie du loisir. <br> 2.2.2. Publicité orientée non pas uniquement sur la consommation qui entraîne à gagner toujours plus d'argent. <br> 2.2.3. Développer de nouvelles valeurs axées sur la satisfaction des besoins non économiques: <br> — enrichissement de la personnalité; <br> — participation sociale. |

## EXERCICE

Faites le plan général et le plan détaillé de l'un des sujets de dissertation proposés à la fin du présent chapitre.

## LE PLAN APPLIQUÉ À LA TECHNIQUE DU PARAGRAPHE

Le plan peut être structuré à partir des divers types de cheminements que nous avons proposés pour l'élaboration du paragraphe. Exemples:

• Le paragraphe de type **A**[1] donne le plan suivant:
  1. Première idée principale énoncée:
    1.1 illustrée
        1.1.1. expliquée
        1.1.2. expliquée

1.2. illustrée
    1.2.1. expliquée
    1.2.2. expliquée
2. Deuxième idée principale énoncée:
  2.1. illustrée
    2.1.1. expliquée
    2.1.2. expliquée
Il en serait de même pour les autres idées.

- Le paragraphe de type **A** [2] donne le plan suivant:
1. Première idée principale énoncée:
  1.1 expliquée
    1.1.1. illustrée
    1.1.2. illustrée
  1.2. expliquée
    1.2.1. illustrée
    1.2.2. illustrée
Il en serait de même pour les autres idées.

- Le paragraphe de type **B** donne le plan suivant:
Pour un parallèle, une comparaison ou une opposition, on a:
1. Première idée principale: présentation du $1^{er}$ élément du parallèle, de la comparaison ou de l'opposition:
  1.1. première explication du $1^{er}$ élément, puis:
    1.1.1 exemple, fait, etc. (illustration);
    1.1.2. exemple, fait, etc. (illustration);
  1.2. deuxième explication du $1^{er}$ élément, puis:
    1.2.1. exemple, fait, etc.;
    1.2.2. exemple, fait, etc.;
2. Deuxième idée principale: présentation du $2^e$ élément du parallèle, de la comparaison ou de l'opposition.
Pour le reste, on procède comme au point 1. Il est à noter qu'on peut inverser les sous-parties "explication" et "illustration".

- Le paragraphe de type **C** donne le plan suivant:
Rappelons que le développement dans ce type de paragraphe se fait par énumération logique des idées.
1. Première idée principale: $1^{er}$ aspect:
  1.1. explication
    1.1.1. exemple (illustration);
    1.1.2. exemple (illustration).
Il en serait de même des autres aspects.

## COMMENT FAIRE
## LA RÉPARTITION DU PLAN EN PARAGRAPHES

Lorsque le texte est court, les parties 1 et 2 font l'objet chacune d'un paragraphe. Lorsque le texte est long, ces parties peuvent être subdivisées en autant de paragraphes, comme le démontre le schéma suivant:

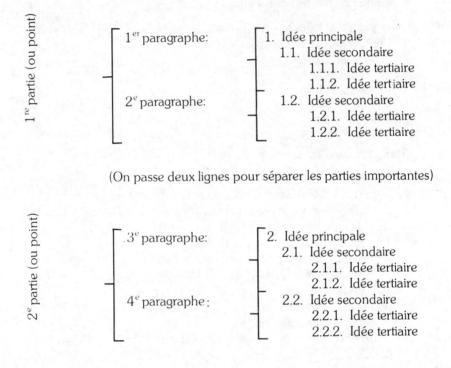

(On passe deux lignes pour séparer les parties importantes)

On observera que chacune des idées secondaires avec leurs idées tertiaires peuvent aussi faire l'objet d'un paragraphe. L'idée secondaire devient alors l'idée principale du paragraphe. Lorsque le texte est encore plus long, des idées secondaires et tertiaires peuvent à leur tour faire l'objet d'un paragraphe.

Dans les exemples que nous avons donnés, le plan est articulé autour de deux idées principales, deux idées secondaires et deux idées tertiaires. Rappelons que, dans une dissertation de longueur normale, on peut aller de 2 à 4 idées pour chacun des niveaux d'articulation.

## La disposition graphique du plan

Il existe deux façons de présenter un plan: la disposition traditionnelle et la disposition moderne.

a) **La disposition traditionnelle:**
  elle utilise les chiffres et les lettres:
  1. (chiffre romain)
    A) (lettre majuscule)
    1) (chiffre arabe)
      a) (lettre minuscule)
      b) (lettre minuscule)
  etc.

b) **La disposition moderne:**
  elle procède par numérotation décimale:
  1. titre d'une grande partie     (ou idée principale)
    1.1. sous-partie     (ou idée secondaire)
      1.1.1. sous sous-partie     (ou idée tertiaire)
  etc.

# C. LA RÉDACTION

Il ne faut pas perdre de vue que la dissertation est avant tout un acte de communication: il s'agit d'expliquer à un lecteur une idée ou un problème relativement complexe. Dans cette perspective, il est important de tenir compte de chacune des composantes de la communication: intention, message (référent, code), destinataire. À ce propos, une faiblesse souvent rencontrée dans les travaux d'étudiants doit être signalée ici: celui qui disserte suppose connus des éléments qui sont indispensables au lecteur pour la bonne compréhension du message. Retenez cette règle: il faut toujours disserter comme si le correcteur ou le lecteur n'avait pas lu sur le sujet ou ne le connaissait pas.

La composition comprend obligatoirement trois parties : l'introduction, le développement, la conclusion. Le cheminement général de la pensée à travers chacune de ces parties respecte la formule classique de Jean Guitton, formule qui reste encore la meilleure:

- on dit qu'on va le dire        (introduction)
- on le dit        (développement)
- on dit qu'on l'a dit        (conclusion)

## L'INTRODUCTION

L'introduction doit être assez courte. Sa longueur est proportionnelle à la longueur de la dissertation (10% à 15% de l'ensemble). Elle doit répondre à trois exigences fondamentales: amener  le sujet, le poser, le diviser.

a) Sujet amené

Pour amener le sujet, on part d'une idée générale qui a un rapport étroit avec le sujet. Il faut éviter ici deux écueils: 1) partir de trop loin, c'est-à-dire remonter au déluge; 2) utiliser des formules passe-partout qui peuvent introduire à peu près tous les sujets comme "Depuis que le monde est monde...", "Aussi loin que l'on peut remonter dans le temps...", "De tout temps...", "Tout le monde recherche le bonheur...", "*L'étranger* d'Albert Camus est un chef-d'oeuvre du genre parce qu'il est bien écrit", etc.

Parfois, on peut commencer en introduisant directement le sujet. Par exemple, si on vous donne comme sujet: "Un politicien peut-il être sincère?", on peut commencer par la question: "Peut-on être sincère en politique?"

b) Sujet posé

L'idée générale qui a servi à amener le sujet doit déboucher logiquement sur le sujet posé. Le sujet peut être présenté dans sa formulation originale (si la citation est courte) ou reformulé en vos propres termes (si la citation est longue). Dans ce dernier cas, il faut le faire de façon exacte et sans équivoque. Reformuler n'est pas trahir. On dégage alors les éléments essentiels du problème posé. Parfois, il est bon de définir un ou deux termes importants du sujet. Mais les définitions ne doivent pas dépasser deux ou trois lignes. Autrement, il vaut mieux en faire l'objet de tout un point (ou une partie) du développement.

c) Sujet divisé

Annoncer ici brièvement le plan adopté. On peut le présenter de façon très articulée en indiquant les idées maîtresses ou principales du plan. Cette dernière façon est classique mais reste lourde. Il faut alors procéder avec élégance. Évitez les formules suivantes: "Dans une première partie nous allons démontrer que... Puis dans une seconde partie nous nous efforcerons de montrer que... Enfin nous prendrons position..."

Souvent, on ne divise pas le sujet, mais on va directement aux parties, ou bien on annonce ce que l'on va faire; on peut encore poser une question introduisant directement le lecteur dans le développement. Voyez plutôt dans les exemples d'introduction que nous donnons plus loin.

Retenez surtout qu'il doit exister un lien étroit entre les trois parties de l'introduction. Souvent on se contente de **juxtaposer** ces trois parties sans poser de liens logiques entre elles. Le passage entre l'idée générale, qui sert de point de départ au sujet, et le sujet posé et divisé doit être **progressif**. Les différentes parties doivent **s'appeler** les unes les autres. Mais pour bien réussir l'introduction, procédez d'abord à l'élaboration du plan détaillé. Vous aurez ainsi une meilleure idée du sujet ou du problème posé.

Exemple 1:

| Sujet:<br>**Nos valeurs n'ont-elles pas toujours raison?** | |
|---|---|
| **Dans les derniers mois de 1979, le Conseil supérieur de l'éducation publiait** *L'esquive, l'école et les valeurs* **rédigé par André Naud et Lucien Morin.** | **Sujet amené** |
| Constatant que les enseignants, comme les parents d'ailleurs, hésitent à se prononcer sur les valeurs à transmettre aux enfants dont ils ont la responsabilité, l'équipe se demandait s'il n'était pas urgent qu'on propose aux enseignants un projet d'éducation aux valeurs. Pour elle, des valeurs s'imposent d'elles-mêmes, ce qui suppose un consensus assez large sur le sujet. Mais quelles valeurs font consensus dans la société québécoise? Voilà la question que l'équipe d'*Éducation Québec* a posée à quelques personnes représentatives de diverses orientations au Québec. Deux d'entre elles ont accepté de nous répondre. | **Sujet posé** |
| **La première, Benoît Lacroix, dominicain, croit à l'existence de valeurs qui font unanimité en éducation; il s'est attaché particuliè- rement à situer le rôle de l'école par rapport à ces valeurs chrétiennes encore assumées par** | |

| | |
|---|---|
| une partie importante de la population.<br><br>La seconde, Michèle Savard, sociologue, se situe tout à fait à l'opposé; la relativité des normes et des valeurs fait partie "des acquis élémentaires des sciences sociales", écrit-elle. Opposée au projet proposé par MM. Naud et Morin, Mme Savard en fait une critique vigoureuse et radicale.<br><br>Entre ces options, il y a sans doute un peu de tout au Québec et notre question "Y a-t-il consensus au Québec sur un certain nombre de valeurs et quelles seraient-elles?" demeure ouverte. | **Sujet divisé**<br>**(3 parties)** |

Extrait d'*Education Québec*, avril 1981

Variante:

Dans le cas d'un article moins long, l'auteur aurait pu simplifier la partie "sujet divisé", ce qui aurait donné:

> **La première, Benoît Lacroix, dominicain, croit à l'existence de valeurs qui font unanimité en éducation; la seconde, Michèle Savard, sociologue, se situe tout à fait à l'opposé du projet proposé par MM. Naud et Morin; entre ces options, on peut se poser la question: "Y a-t-il consensus au Québec sur un certain nombre de valeurs et quelles seraient-elles?"**

Exemple 2:

| | |
|---|---|
| Sujet:<br>**Les Québécois découvrent les champignons** | |
| **Depuis les années 60, les Québécois ont fait un pas de géant dans la découverte de leur patrimoine. Et dans le domaine de l'alimentation, nous sommes en train de transformer radicalement nos habitudes alimentaires.** | **Sujet amené** |
| **Souvenons-nous, par exemple, qu'il n'y a pas si longtemps, nous nous moquions de nos amis italiens qui ramassaient des pissenlits tous les printemps dans nos parcs. On sait maintenant, pour avoir goûté à la salade de pissenlits aux lardons, que ce sont eux qui devaient rire dans leur barbe à l'époque. De la même façon, c'est aux immigrants européens de toutes souches que nous** | **Sujet posé** |

234

| | |
|---|---|
| **sommes redevables d'avoir appris depuis peu à découvrir les champignons de nos forêts.** Mais **encore faut-il apprendre à les connaître, à les respecter, à les apprêter et... à les manger.** | **Sujet divisé (4 parties)** |

François DOMPIERRE, *L'actualité*, septembre 1980

Exemple 3:

| | |
|---|---|
| Sujet:<br><br>"**Avoir une culture, ce n'est pas savoir un peu de tout; ce n'est pas, non plus, savoir beaucoup d'un seul sujet: c'est connaître à fond quelques grands esprits, s'en nourrir, se les ajouter.**"<br>(**André Maurois,** *Lettre ouverte à un jeune homme*)<br>**Que pensez-vous de ces propos sur la culture?** | |
| **La notion de culture est inséparable de celles de civilisation et d'éducation: c'est la définition d'un idéal intellectuel qui permette à l'homme de participer pleinement à la civilisation dans laquelle il vit. Pendant longtemps la culture a pu se confondre avec l'accès à toutes les connaissances d'une époque; mais, dès le XVII**e **siècle, cela n'était plus possible qu'à des esprits exceptionnels.** L'homme cultivé, "l'honnête homme", devait se contenter de savoir un peu de tout; "ce n'est pas, non plus, savoir beaucoup d'un seul sujet: c'est connaître à fond quelques grands esprits, s'en nourrir, se les ajouter". On reconnaît la marque d'un homme pour qui "le seul moyen de devenir un homme cultivé est la lecture", et que la composition d'une partie de son oeuvre a conduit à vivre dans la familiarité de quelques grands esprits: Shelley, Disraeli, Byron, Proust, G. Sand, V. Hugo, Balzac. **Mais cette conception de la culture est-elle entièrement satisfaisante?** | **Sujet amené**<br><br><br><br><br><br><br><br><br>**Sujet posé**<br><br><br><br><br><br><br><br><br><br><br>Le sujet divisé est remplacé ici par une question |

*Les humanités modernes*, septembre 1968

Exemple 4:

| Sujet: | |
| --- | --- |
| À propos d'une citation de Paul Valéry: "L'homme moderne est esclave de la modernité..." | |
| Poète quelque peu hermétique, et en cela bien de son temps, en prose, Paul Valéry porte sur son époque des jugements nets comme des arrêtés de justice. | Sujet amené |
| Leur sévérité provoquerait un haussement d'épaules si elle ne s'accompagnait d'un discret humour et ne laissait pas l'impression que, une fois de plus, l'auteur a cédé au goût du paradoxe. C'est bien ce que nous avons éprouvé à la première lecture du texte qui nous est soumis. | Sujet posé |
| Nous allons, en le relisant, ébaucher un commentaire suivi au besoin de quelques remarques critiques. | Indication de la démarche suivie dans le développement |

*L'école*, n° 15, 1967/68

Exemple 5:

| Sujet: | |
| --- | --- |
| Pour quelles raisons principales est-il si difficile de communiquer véritablement avec autrui? | |
| Nos joies les plus douces comme nos déceptions les plus senties semblent bien provenir de nos relations avec les autres. | Sujet amené |
| Nous rêvons d'amitiés sans nuages et sans mystères, dans lesquelles l'ami nous serait aussi familier que nous le sommes à nous-mêmes. Rêve dont l'expérience nous apprend bientôt le caractère à peu près chimérique. Qu'elle est difficile cette communication avec autrui! Pourquoi? | Sujet posé |
| Pour en déterminer les raisons principales, commençons par préciser en quoi consiste cette communication. | Annonce immédiate de la première partie du développement |

*L'école,* n° 11, 1968/69

# LE DÉVELOPPEMENT

Le développement (qu'on appelle souvent le corps de la dissertation) est constitué de plusieurs petites dissertations dans une grande dissertation. En effet, chaque point, voire chaque paragraphe, peut être considéré comme une dissertation en miniature qui comporte, comme la dissertation elle-même, une introduction, un développement et une conclusion.

De même, chaque partie ou point de la dissertation — il y en a en général de deux à quatre — doit être introduit par une phrase qui présente l'aspect traité dans la partie. Parfois, on annonce la division de la partie en sous-parties. Chaque sous-partie, lorsqu'elle est importante, doit faire l'objet d'un alinéa (ou paragraphe). Il n'est pas nécessaire de faire de transition entre les sous-parties. Chaque partie comprend une conclusion, c'est-à-dire une phrase rappelant succinctement (synthèse) le contenu du développement, et qui se termine par une transition vers la partie suivante.

En rédigeant votre développement, tenez compte des conseils suivants: évitez toujours de raisonner dans l'abstrait; ce qui n'est pas évident doit être expliqué ou illustré par des exemples choisis. Une idée peut être claire pour vous, et ne pas l'être pour votre lecteur. Ne revenez jamais sur une idée développée. Évitez les digressions: tout ce qui n'est pas utile au développement doit être éliminé. Les exemples qui suivent illustrent bien ces règles.

Sur le plan de la disposition matérielle, retenez que votre dissertation ne doit pas se présenter sous forme de monolithe. **Il faut bien aérer et bien découper votre texte**. De quelle façon? Entre les parties importantes, c'est-à-dire entre les points du développement, l'introduction et la conclusion, passez deux ou trois lignes. Entre les paragraphes constituant chacune des parties, ne passez pas de ligne. Contentez-vous d'aller à la ligne et de commencer par un alinéa.

## Exemples:

### a) Développement d'une partie ou d'un point en un paragraphe

Voici le deuxième point d'un développement comprenant trois parties:

**Ainsi peut-on interpréter le mot trop souvent répété que "la culture est ce qui reste lorsqu'on a tout oublié". Même si la mémoire ne nous permet plus de préciser les dates des événements passés, la culture historique nous aura appris à comprendre le présent à la lumière du passé. La culture littéraire n'est pas l'érudition qui nous permet de citer les titres de toutes les oeuvres des grands auteurs, ou la liste des lauréats des prix littéraires, mais elle nous permet d'apprécier les chefs-d'oeuvre**

du passé et de distinguer les qualités des oeuvres nouvelles, sans refuser aux oeuvres originales le droit de se réclamer de principes nouveaux. Si notre mémoire ne nous permet plus de réciter de longs poèmes ou de belles pages de nos prosateurs, n'en reste-t-il pas le plaisir de mieux goûter le style d'un écrivain et, peut-être, d'écrire avec plus d'aisance? Quant aux moralistes, aux philosophes, il serait bien vain d'avoir ajouté à notre mémoire le souvenir de leurs doctrines; mais si nous faisons de leurs oeuvres nos livres de chevet, peut-être nous auront-ils aidés à réfléchir sur notre caractère, sur notre destinée, et nous aideront-ils, dans les diverses épreuves de notre existence, à trouver en nous la voie de la sagesse. Ainsi comprise, la culture nous servira non à briller aux yeux des autres en les étonnant par notre érudition, mais à former notre jugement, notre goût, notre personnalité.

*Les humanités modernes*, septembre 1968

### b) **Développement d'une partie ou d'un point en plusieurs paragraphes**

Comme exemple, nous référons ici le lecteur au modèle de dissertation que nous présentons plus loin (p. 241).

### c) **Les transitions**

Une bonne transition "tient dans la fusion, ingénieuse et naturelle, de ce qui s'achève dans ce qui s'annonce" (A. SOREIL, *Entretiens sur l'art d'écrire*). Les transitions sont des points de liaison entre les différentes parties: elles témoignent de la bonne articulation du texte. Si vous avez de la difficulté à élaborer une transition, c'est probablement que votre pensée n'est pas claire ou que votre texte comporte des failles qu'il faut à tout prix corriger.

Mentionnons que les transitions ne sont pas toujours obligatoires, surtout lorsque l'enchaînement est tellement logique que le lecteur s'y retrouve facilement. Mais comment faire une transition?

Nous avons déjà parlé de la transition dans le chapitre sur le paragraphe (p. 166-212). Rappelons simplement qu'elle peut figurer à la fin du paragraphe, ou au début du suivant. Parfois il est bon de répartir la transition sur les deux paragraphes: on annonce la partie qui suit, dès la fin de la partie antécédente, et on rappelle la précédente au début de la suivante.

## d) **L'argumentation.**

La dissertation est essentiellement basée sur un raisonnement dont le mouvement normal aboutit à la preuve. Toute idée principale doit être démontrée ou illustrée par des exemples ou des arguments. Il existe à cette fin des stratégies d'argumentation que nous verrons au chapitre sur le discours argumentatif. Il serait utile d'en tenir compte. Pour le moment, rappelons que l'argumentation repose généralement sur des exemples et des arguments.

Un **exemple** peut être un fait, une idée, un événement. Il peut emprunter les procédés de la comparaison, de l'analogie, de l'image ou de la métaphore. On dira, par exemple, "cela ressemble à...", "on pourrait ici comparer ce fait à...", "c'est une folie que de...", "on se buterait à une montagne...", etc.

Il faut savoir distinguer un fait d'une opinion. Le **fait** est purement "objectif": il a son fondement dans la réalité. L'**opinion**, au contraire, est "subjective": elle dépend de l'individu. Mais la subjectivité qui la caractérise ne signifie pas pour autant qu'elle n'est pas valable. Il faut savoir juger de sa pertinence et de sa valeur.

Dans la perspective de la communication, l'**argument**, comme l'exemple, peut être utilisé pour persuader quelqu'un de quelque chose. C'est le cas dans la dissertation. Il peut s'agir d'une preuve, d'une raison, d'un principe, d'une vérité que l'on utilise pour justifier ou expliquer une assertion. Ce peut être aussi un fait, une image, un sentiment. Même un exemple peut devenir un argument.

Quand on invoque comme argument une vérité ou un principe universellement reconnus, il n'est pas nécessaire d'en faire la démonstration ("L'amour est fort comme la mort", "L'argent ne fait pas le bonheur", "Le bien commun passe avant le bien particulier", etc.). Mais si l'argument est personnel, c'est-à-dire fondé sur une vérité à laquelle on croit fermement, et qui a une certaine valeur en soi ("Je ne crois pas en la publicité", "Le socialisme est le meilleur système", etc.), il est préférable d'expliquer ou de justifier son argument.

Il y a aussi l'argument d'autorité qui consiste à rapporter l'opinion de quelqu'un présentant beaucoup de crédibilité, soit à cause de la fonction importante qu'il occupe, soit à cause de la valeur de ses écrits, de sa sagesse, de son bon sens ou de ses connaissances. L'argument d'autorité donne du poids au raisonnement. Dans ce cas, il faut mentionner l'auteur et donner au besoin la référence. S'il s'agit de paroles rapportées intégralement, celles-ci doivent être mises entre guillemets. Mais il ne faut pas abuser de l'argument d'autorité. Consultez à ce sujet le chapitre sur la présentation d'un travail écrit (p. 481 et suivantes).

Retenez ceci: qu'il s'agisse d'un exemple ou d'un argument, il est nécessaire de toujours bien faire voir le lien avec ce qu'ils viennent appuyer ou illustrer. Ils doivent être parfaitement intégrés à l'intérieur du raisonnement.

## LA CONCLUSION

Il existe deux types de conclusion: la conclusion récapitulative et la conclusion ouverte.

La **conclusion récapitulative** reprend l'essentiel ou les points principaux de la question traitée, mais **en d'autres mots**. Les grandes lignes du sujet sont reprises différemment. Mais attention! Il ne s'agit pas de tout reprendre. Il ne faut pas donner l'impression qu'on relit la dissertation pour une seconde fois. On fait un bilan bref, une synthèse.

La **conclusion ouverte** répond à trois exigences: 1) elle évoque brièvement le cheminement de la pensée; 2) elle apporte la réponse demandée ou les solutions exigées par le problème; 3) elle ouvre des perspectives en envisageant l'avenir de la question ou du problème soulevé. Cette perspective générale doit cependant être différente de celle de l'introduction.

On ne saurait trop insister sur l'importance de la conclusion. Beaucoup d'étudiants sont portés à la négliger pour diverses raisons. Ils donnent alors l'impression qu'ils ont manqué de souffle. Pensez que le lecteur restera avec l'impression recueillie lors de la lecture de votre conclusion. Si cette dernière est bonne, convaincante et originale, elle suscitera plus facilement l'adhésion du lecteur.

Dans la conclusion, évitez certains défauts très fréquents chez ceux qui débutent en dissertation, comme s'engager personnellement en disant qu'on a aimé faire ce travail; que son travail est modeste, mais que l'on a donné tout ce que l'on pouvait; qu'on sollicite l'indulgence du correcteur, etc.

De même, évitez le plus possible les formules géométriques du genre: "Nous avons démontré...", "On a donc vu...", "Il est clair que...", "Nous pouvons dire...", etc. Ces formules s'avèrent lourdes sur le plan stylistique.

Comme exemple de conclusion, nous vous référons au modèle de dissertation que nous présentons après la partie suivante.

# LE STYLE

Le style dans la dissertation est celui du discours informatif. C'est le **style impersonnel** qui domine: pas de "je", de "nous" ou de "vous". L'emploi de ces pronoms donne au lecteur l'impression que vous accordez trop d'importance à votre personne ou que vous prenez le lecteur à partie. Il faut, de plus, veiller soigneusement à l'exactitude des termes: les mots doivent toujours être pris dans leur sens premier, c'est-à-dire "dénoté", à moins qu'on n'en précise l'acception. Utilisez des termes dont vous connaissez bien la signification. Dans le cas contraire, renseignez-vous sur leur sens exact. Écrivez simplement. Le style ampoulé, recherché n'a pas sa place en dissertation.

Rappelez-vous que le style joue un rôle déterminant dans la mise en valeur des idées. L'idée la plus profonde perd beaucoup de sa densité lorsqu'elle est mal exprimée. Par ailleurs, une idée banale, voire superficielle, peut prendre une signification ou une importance insoupçonnée lorsqu'elle est transfigurée par la magie du style.

Voulez-vous un secret?

> **Consacrez autant de temps à la FORME (vocabulaire, phrase, style) qu'au FOND (contenu, idées).**

# MODÈLE DE DISSERTATION

Toutes les règles de la dissertation et du paragraphe dont nous avons parlé jusqu'ici se retrouvent dans le modèle suivant.

## Sujet: "Quelle place occupe la télévision dans la famille québécoise?"

**Plusieurs spécialistes en communication, dont le célèbre McLuhan, se sont déjà penchés sur le phénomène de la télévision. Il semble bien que cette boîte qui "crache les images" joue un rôle déterminant dans la formation et l'évolution des individus. Cela est dû en grande partie au fait qu'elle est omniprésente dans la famille: elle prend tout l'espace et tout le temps disponibles; à tel point que la famille québécoise est profondément marquée par le phénomène envahissant de la télévision. Il serait certes intéressant de faire voir la place que cet instrument occupe dans nos foyers et d'en mesurer l'influence.**

**La télévision domine totalement la dimension spatio-temporelle de la vie familiale des Québécois. C'est d'abord**

l'espace familial qui est littéralement envahi par elle. Il semblerait, d'après les statistiques, qu'il existe au moins un poste de télé — parfois même deux — dans chaque maison. En effet, environ 98% des foyers québécois possèdent au moins un appareil de télévision et plus de 40%, deux ou davantage. Déguisée en meuble, on la retrouve dans n'importe quelle pièce de la maison: salon, cuisine, salle à manger ou même dans la chambre des enfants. La télévision devient pratiquement l'élément central de l'espace. Sa seule présence physique constitue un puissant stimulus qui sollicite constamment l'individu à la regarder. Voilà pourquoi elle prend beaucoup de son temps.

Il est relativement facile de démontrer que la télévision réordonne pratiquement l'emploi du temps des Québécois. Elle occupe l'individu en moyenne vingt heures par semaine et ce, depuis l'âge de trois ans jusqu'à dix-huit ans, soit douze pour cent (12%) du temps total ou l'équivalent, en seize ans de vie, de huit années complètes réparties en semaines de quarante heures. Et que dire de ceux qui sont plus ou moins désoeuvrés comme les chômeurs, les retraités, etc.? La télévision éclipse ainsi toute autre forme de loisir, en même temps qu'elle oblige à régler sa vie en fonction de certaines émissions. Il en résulte une dépendance psychologique très grande qui fait que la télévision occupe une place privilégiée dans l'aménagement de l'horaire des individus. Mais il existe une raison à cela.

Les programmes, par leur diversité, rejoignent à peu près tous les membres de la famille, aussi bien les jeunes que les vieux. La popularité de certaines émissions fait qu'elles jouissent d'un quotient d'écoute très élevé. Mentionnons, entre autres, les films et les téléromans. Les thèmes et les valeurs exploités dans ce genre d'émissions atteignent la plupart des individus. Ce sont tantôt la famille, l'amour, le compagnonnage, l'amitié, tantôt l'agression et la violence sous toutes ses formes. Les auteurs de films et surtout de téléromans cherchent à peindre la réalité d'aujourd'hui, à donner des modèles de comportement auxquels le Québécois s'identifie facilement, mais pas toujours, il faut bien l'avouer, pour son avantage. Que penser de cette influence exercée par la télévision?

La télévision est ce qu'on pourrait appeler un "medium chaud" qui exerce une influence souvent mauvaise. Elle polarise la vie familiale des Québécois, empêchant pratiquement toute communication. Qui n'a pas vu une famille entière regarder la télévision pendant des heures sans mot dire? Au moindre geste, à la moindre parole esquissée, c'est une avalanche de reproches qui s'abat sur le malencontreux intervenant. Bien souvent, l'achat d'un appareil signifie que, désormais, toute une famille regardera chaque soir la télévision sans plus s'intéresser à autre chose: plus de conversations, plus d'échanges de vues. Il arrive que, pour regarder une émission, les enfants et les étudiants "bâclent" ou oublient leurs devoirs et se couchent tard. La présence de la télévision fait oublier la lecture, le cinéma, le théâtre, les concerts. Elle émousse la curiosité d'esprit. On croit trop fortement ce que prétendent les animateurs des émissions. L'esprit critique, déjà attaqué par le journal et la radio, disparaît totalement.

Et que dire de la violence véhiculée dans les films? Les critiques et les psychologues se sont emparés du problème. Il semble à ce niveau que la télévision fasse plus de mal que de bien. Selon le critique Milton Shulman du journal *Evening Standard* de Londres, la télévision contribue à la montée de la violence, à l'abus des drogues, au relâchement sexuel et au rejet des valeurs établies. Les producteurs de films croient que le public a besoin d'émotions, d'une certaine dose de frayeur et de frissons dans le dos. Il faudrait peut-être se demander qui a décidé que le public aime la violence: le public lui-même ou les producteurs? Certains diront qu'on connaît très peu les mécanismes d'association entre la représentation de la violence et la violence réelle. Devient-on meurtrier à force de regarder des comédiens se trouer la peau? À la suite de quoi l'on conclut que la violence à l'écran n'engendre vraisemblablement pas la violence, sauf chez les individus qui sont des cas pathologiques. Sans y être nécessairement prédisposé, il reste que le spectateur en subit, à son insu, les effets négatifs: pessimisme, manque de sécurité, peur, sont autant de sentiments annihilants engendrés par le visionnement d'actes violents et qui empoisonnent l'existence. Aussi est-il vrai de dire que la télévision exerce souvent une influence néfaste sur la famille. Doit-on pour autant condamner ce prodigieux medium d'expression et de communication?

Si l'on possède la volonté d'effectuer des choix et d'y tenir, la télévision offre à la famille de précieux avantages. Elle est pour elle une porte ouverte sur le monde. Celui de la culture d'abord. Les occasions sont nombreuses d'assister dans l'intimité de son foyer à une pièce de théâtre, un concert, un film. Les émissions diverses d'information, reportages, nouvelles, tables rondes, sont de nature à éveiller la curiosité de l'esprit et à favoriser une participation plus intense à la vie collective et politique. Notons encore l'aide apportée à la ménagère, au bricoleur, au technicien, etc. En proposant des solutions aux problèmes quotidiens, la télévision contribue largement à améliorer la qualité de la vie familiale. En suscitant des discussions sur les idées véhiculées dans certains programmes d'information, la télévision peut facilement devenir un facteur de concentration et d'unité familiales.

Sur le plan du simple divertissement, la télévision peut apporter beaucoup à l'individu, en cela qu'elle représente l'irruption du merveilleux dans le quotidien. On sait que notre société actuelle est grandement affectée par les crises, les transformations rapides et les mutations profondes. Les mass-media mettent souvent l'accent sur le phénomène de dramatisation suscité par les scandales, les catastrophes, le sensationnel, le morbide, le suspense. La télévision, par ses émissions de variétés, ses music-halls, les sports, le théâtre, les films, peut contribuer à soustraire l'individu à l'emprise du quotidien, à équilibrer sa vie psychique. Ce ne sont là évidemment que quelques avantages.

L'analyse que nous venons de faire n'est certes pas exhaustive. Elle est suffisante, cependant, pour nous convaincre que la présence et l'influence de la télévision sont grandes dans la vie familiale québécoise. On la retrouve partout dans le foyer, à toute heure du jour et de la nuit. Elle atteint, par la variété de ses émissions, tous les membres de la famille. Son influence est si grande, qu'à certains moments, on serait porté à croire que les Québécois sont des "télévores" ou que la télévision est devenue l'opium du peuple. Sans exagérer, on peut en tout cas affirmer que la transformation des moeurs des Québécois, comme dans le reste du monde, passe en grande partie par le petit écran. Cet extraordinaire medium apporte beaucoup à la famille sur les plans culturel, social, familial, politique et même psychologique.

La télévision fait maintenant partie intégrante de la vie. Aussi vaut-il mieux s'en accommoder. Il ne serait pas sage de chercher à vivre "en marge" de ce puissant instrument de communication et de culture. On risquerait alors de se voir dépassé et même perturbé. Il faut, au contraire, apprendre à vivre "avec" lui, et s'efforcer d'utiliser à bon escient ses "pouvoirs". En définitive, c'est bien plutôt l'usage qu'on en fait qui transforme la télévision en instrument d'épanouissement humain ou en machine à décerveler. À vous de choisir!

# EXERCICE

Faites le plan détaillé de cette dissertation.

# SUJETS DE DISSERTATION

(1) Vous avez fait des achats, le même jour, dans un grand magasin et dans une petite boutique. Vous avez été frappé par le contraste entre ces deux moyens de commerce. Décrivez cette opposition?

(2) Qu'est-ce que choisir?

(3) On considère parfois le sport comme un apprentissage de la vie. Qu'en pensez-vous?

(4) Dans ce siècle de bruits, faites l'éloge du silence.

(5) Pour quelles raisons principales est-il si difficile de communiquer véritablement avec autrui?

(6) On dit que la concurrence est l'âme du commerce. Commentez.

(7) Le véritable secret de la vie est de s'intéresser à une chose profondément et à mille autres suffisamment. (Hugh Walpole)

(8) Le travail est-il pour l'homme une servitude, une libération, un épanouissement?

(9) Il faut penser mondialement et agir localement. (René Dubos) Expliquez.

(10) Expliquez et discutez ce jugement de M. J. Fourastier: "Le progrès technique libère l'homme du travail servile et, en même temps, il oblige au travail de l'esprit...".

(11) Bachelard écrit: "Il faut comprendre que le microscope est un prolongement de l'esprit plutôt que de l'oeil." Expliquez et appréciez cette réflexion.

(12) Saint-Exupéry écrit dans *Terre des Hommes*: "Être homme, c'est précisément être responsable. C'est connaître la honte en face d'une misère qui ne semblait pas dépendre de soi. C'est être fier d'une victoire que les camarades ont remportée. C'est sentir, en posant sa pierre, que l'on contribue à bâtir le monde." Étudiez attentivement cette définition de la responsabilité, en indiquant dans quelle mesure elle rejoint votre expérience personnelle.

2<sup>e</sup> partie
# LES DIFFÉRENTS TYPES D'ÉCRITS

# 7

# L'ÉCRIT INFORMATIF

Les quatre types d'écrits qui feront l'objet des prochains chapitres ont une grande incidence dans la vie. Combien de fois n'a-t-on pas l'occasion d'écrire pour informer quelqu'un (texte informatif), analyser une idée, une opinion, une situation, un texte, un ouvrage, un film, une émission de télévision (texte analytique), argumenter pour convaincre (texte argumentatif), raconter un fait, un événement (texte narratif)?

Toutes ces sortes de discours ne sont pas sans rapport réciproque. On peut, par exemple, écrire dans le but d'informer et chercher en même temps à convaincre. C'est le cas d'une compagnie qui informe le public d'un produit tout en cherchant à convaincre le client de l'acheter. À l'occasion d'un récit, un auteur peut vouloir argumenter ou informer sous couvert de raconter. Rappelez-vous les célèbres récits de Voltaire *Candide* et *Zadig* dont la portée argumentative transcende littéralement les relations d'aventures merveilleuses. Et, dans la vie quotidienne, combien de fois n'utilise-t-on pas le récit lors d'une conversation ou dans une lettre pour informer nos proches des aventures ou des faits qui nous sont arrivés? Nous pourrions ainsi multiplier les exemples pour montrer qu'un message peut ne pas être purement informatif, analytique, narratif ou argumentatif. Dans l'étude, cependant, que nous faisons de ces quatre types de discours, nous les présenterons séparément, de façon à mieux appréhender leur mécanisme de production ou de fonctionnement.

Étudions d'abord l'écrit informatif.

Ce dernier vise à communiquer à un destinataire des informations dans le but, soit de le "mettre au courant" de quelque chose (compte rendu, rapport, lettre, curriculum vitae, etc.), soit de l'instruire (article scientifique, d'encyclopédie, etc.).

Dans le texte informatif, on ne doit déceler, en principe, la présence ni du destinateur ni du destinataire. Nous en avons déjà parlé dans le chapitre sur la phrase (voir "la phrase informative"). Cette neutralité apparaît dans certaines formes d'écrits comme le compte rendu "objectif", l'article scientifique ou encyclopédique. Mais souvent les exigences de l'information écrite commandent de s'engager partiellement ou totalement dans un message. Par exemple, un rapport, une lettre, un message commercial exigent souvent des prises de position, des critiques (fonction expressive), des arguments pour convaincre ou agir (fonction conative) et ce, tout en véhiculant une information. Il existe donc des **textes informatifs neutres** qui privilégient la fonction purement référentielle, et des **textes informatifs mixtes** qui font intervenir d'autres fonctions: expressive, conative, etc.

Dans l'écrit informatif, deux qualités importantes doivent dominer: **la précision** et **la clarté**. Comme l'information s'appuie sur des idées ou des faits, le souci d'exactitude doit se traduire par l'emploi d'un vocabulaire précis et juste. Si l'information amène à présenter la pensée d'un autre par l'évocation ou à l'aide de la citation, il faut alors indiquer la source en donnant la référence exacte. Nous donnerons les règles de la citation et de la référence dans le dernier chapitre.

L'information exige aussi que l'on présente une vue juste et équilibrée de la réalité. À cette fin, on doit parfois exposer le pour et le contre, les avantages et les inconvénients, en un mot les aspects positifs et négatifs. Cela fait partie d'une démarche intellectuelle objective et honnête.

L'ordre et l'enchaînement des éléments d'information sont également à considérer. Si informer c'est porter des idées, des faits, des événements à la connaissance de quelqu'un, il importe alors que le message contienne non seulement tous les éléments nécessaires à l'information, mais que ceux-ci soient présentés selon un ordre qui favorise la connaissance ou la prise de conscience de ces faits.

Voyons quelques formes importantes d'écrits informatifs.

# A. LE RÉSUMÉ

## UTILITÉ DU RÉSUMÉ

Le résumé consiste à rapporter l'essentiel d'un texte, d'un fait, d'un événement, d'une action. On peut ainsi résumer un article, un document, un rapport, un ouvrage, un film, etc. Ce type d'exercice possède une grande valeur de formation parce qu'il habitue à dégager l'essentiel d'un message. Il exige à la fois l'esprit d'analyse et l'esprit de synthèse, car choisir des idées ou des faits suppose qu'ils aient d'abord été analysés et jugés soigneusement. Il faut donc une bonne compréhension du texte.

Le résumé n'est pas uniquement avantageux comme technique de réflexion. Il s'avère aussi d'une grande utilité dans la vie pratique et professionnelle, dans les affaires et dans l'action en général. Résumer un dossier, un document, un rapport, une lettre pour en dégager l'essentiel, permet une consultation rapide et favorise l'économie de temps, particulièrement dans le domaine de la gestion et de l'administration.

Votre avancement et votre culture personnelle peuvent aussi grandement bénéficier du résumé. Vous pouvez résumer un ouvrage, un article de revue, de façon à mieux le retenir et le conserver. Vous pouvez encore le résumer pour répondre à des exigences d'ordre académique ou scolaire.

Le résumé, en tant qu'exercice de réécriture, constitue un excellent moyen de développer le vocabulaire et d'améliorer l'expression. Il mobilise toute la compétence linguistique de l'auteur, en même temps qu'il habitue à la hiérarchisation des idées.

## COMMENT FAIRE UN RÉSUMÉ

Le résumé apparaît un exercice facile à première vue, mais il n'en est rien. Le résumé, en effet, obéit à des règles précises: il ne doit être ni une juxtaposition de phrases prises dans le texte, ni une paraphrase, ni un commentaire. L'auteur du résumé ne doit en aucune façon interpréter le texte, mais au contraire en rédiger un nouveau: tout doit être reformulé dans ses propres mots, sans employer les mêmes termes que ceux du texte. Fidélité et exactitude sont donc les deux qualités maîtresses à développer pour réussir un résumé.

Nous distinguerons ici trois types fréquents de résumé: celui d'un texte, celui d'un ouvrage et la fiche de lecture.

## LE RÉSUMÉ D'UN TEXTE

Comment procéder: Après avoir effectué deux ou trois lectures, dégagez l'idée principale du texte, ses grandes articulations. Nous présentons ci-après un exemple de résumé du texte intitulé "Publicité = Poésie" que nous reproduisons à la page 321. Observez de quelle façon les règles du résumé ont été appliquées par l'auteur.

251

> **La publicité est probablement significative de l'homme et du monde modernes. Elle en traduit la gaieté et le dynamisme. Elle est partout, et sans elle il serait impossible de concevoir le décor des villes contemporaines. En fait, elle est l'art le plus en pointe de ce monde moderne, car elle fait appel à toutes les techniques modernes. Par son lyrisme, même, elle approche de la poésie. Les poètes contemporains, qui, seuls, ont réellement pris conscience de leur époque doivent s'occuper de la publicité. Elle seule peut leur permettre de réaliser leur poésie.**
>
> Ch. ARAMBOUROU, F. TEXTIER, F. VANOYE, *Guide de la contraction de texte*

La meilleure technique du résumé est sans contredit celle de la **contraction de texte** que nous verrons un peu plus loin.

# LE RÉSUMÉ D'UN RÉCIT OU D'UN ROMAN

Pour faire le résumé d'un récit, d'un roman (ou d'un film), caractérisez sommairement les personnages, recherchez le schéma de l'intrigue (synopsis), puis exposez, au besoin, les principaux thèmes présents dans l'ouvrage (ou le film). Dans un résumé, on ne parle pas des caractéristiques stylistiques du texte. On n'en fait pas non plus de critique.

Le résumé de récit ou de roman peut répondre à des besoins spécifiques, comme présenter l'histoire ou encore mettre en évidence le ou les thèmes importants. Dans l'exemple suivant, nous faisons apparaître, à travers la trame de l'histoire, les thèmes majeurs du roman *Agaguk* d'Yves Thériault.

> ***Agaguk*, le plus célèbre des romans d'Yves Thériault (traduit en plus de vingt langues). Il forme avec *Tayaout, fils d'Agaguk* et *Agoak* le premier d'une vaste trilogie nordique, unique en littérature québécoise, où triomphe l'imagination épique de Thériault. Agaguk est l'Esquimau réfractaire à la loi de la tribu, l'être seul qui prend femme et l'entraîne dans la solitude de la toundra aux bords de la mer arctique. Mais Agaguk renoue contact, pour son malheur, avec le village qu'il a quitté. Les affrontements les plus marquants se produisent avec des Blancs. On nous raconte aussi les événements qui jalonnent la vie du couple Agaguk-Iriook. Cette dernière lutte "contre l'atavisme millénaire" qui consacrait, chez les Esquimaux, la supériorité de l'homme sur la femme. Mais peu à peu les rapports se transforment et le roman se termine par une scène nous montrant le même couple sorti victorieux et enrichi d'une aventure bouleversante.**

Le résumé d'un récit (conte, nouvelle, roman) et même d'une pièce de théâtre peut aussi se faire en s'inspirant des modèles de programmes narratifs que nous présentons au chapitre sur la narration (p. 396 et suiv.). Nous les rappelons brièvement ici.

a) **Sur le modèle élémentaire de Claude Brémond, on peut dégager:**

 1. la situation ouvrant la possibilité d'action (introduction);
 2. la réalisation ou non-réalisation de la possibilité (noeud);
 3. le succès ou l'échec (dénouement).

b) **Sur le modèle de la quête d'un objet, on peut dégager:**

 1. la situation initiale (état de disjonction entre le sujet et l'objet);
 2. la quête (la performance à réaliser pour atteindre l'objet);
 3. la situation finale (état de conjonction ou de disjonction sujet/objet).

c) **Sur le modèle de l'infraction à l'ordre, on peut dégager:**

 1. l'ordre existant;
 2. l'ordre perturbé;
 3. l'ordre rétabli.

d) **Sur le modèle des unités narratives de R. Barthes, on peut s'appliquer à dégager les "fonctions cardinales" (ou "noyaux") qui forment l'ossature du récit (voir page 404).**

Le principe du résumé d'un récit est simple: en faisant apparaître le programme narratif ou les fonctions principales, on procède par le fait même au résumé.

## LA FICHE DE LECTURE

La fiche de lecture comprend deux parties:

1. l'identification bibliographique complète;

2. une brève description ou présentation de l'ouvrage, c'est-à-dire:
 a) sa structure: divisions, chapitres, etc. ;
 b) un résumé plus ou moins élaboré, selon les besoins, du contenu de l'ouvrage présenté à travers la perspective ou le point de vue adopté par l'auteur.

Exemple:

> **Gaston BACHELARD,** *La psychanalyse du feu,* **Paris, Gallimard, coll. "Idées", 1938, 185 p.**
>
> **Ouvrage en sept parties, un avant-propos et une conclusion, se proposant d'étudier, à la lumière de la psychanalyse, la signification des images du feu dans la vie courante, dans la littérature et la philosophie.**

Si vous voulez vous entraîner de façon encore plus rigoureuse au résumé, exercez-vous à la contraction de texte que nous présentons après les exercices suivants.

## EXERCICES

1. Faites le résumé d'une démarche que vous avez entreprise.
2. Faites le résumé d'un article de journal ou d'un article scientifique.
3. Faites le résumé d'un livre (roman, essai, pièce de théâtre, etc.) que vous avez lu.

## LA CONTRACTION DE TEXTE

La meilleure technique du résumé est sans contredit **la contraction de texte**. Celle-ci consiste à réduire un texte de la moitié, du tiers, du quart ou des neuf dixièmes de sa longueur initiale. Un texte de mille deux cents mots, par exemple, peut être réduit à environ quatre cents ou trois cents mots. Un texte de quatre mille mots peut être réduit au dixième (quatre cents mots ). Dans le décompte des mots du texte réduit, on alloue toujours une marge de ± 10%.

Pour s'exercer à la contraction de texte, il est préférable de commencer par des passages courts, par exemple un paragraphe. Précisons en même temps que ce type d'exercice constitue un excellent entraînement à l'écriture.

Comment se fait la contraction de texte?

### a) **Évaluer d'abord la longueur du texte à contracter.**

L'évaluation consiste à faire d'abord le compte des mots. On considère comme "mot" tout ce qui est analysable grammaticalement: les articles (élidés ou non), les noms, les prépositions, les verbes. Le terme "mot" s'entend aussi au sens typographique dans les cas suivants: "il n'est pas", "c'est-à-dire" ( = quatre mots), "le plus grand" ( = trois mots).

## b) Lecture du texte.

Une première lecture permet de prendre connaissance du texte: le sens général, le ton, le mouvement. Dans une seconde lecture, on souligne les idées importantes, les mots clés, ceux qui contiennent la signification; il est bon également d'entourer les charnières (liaisons). À cette fin, l'usage de crayons feutre de différentes couleurs est très utile.

## c) Le plan du texte.

Faites ensuite apparaître le plan du texte à contracter: idée principale, idées secondaires. Pour faciliter l'opération, séparez les différentes parties par un trait de crayon et donnez un titre bref à chacune. Dans le résumé, respectez l'importance de chaque partie: introduction, développement, conclusion. Il faut suivre l'ordre du texte, son mouvement.

S'il s'agit d'un récit, dégagez les personnages principaux, la situation de départ, la situation finale et les événements essentiels qui figurent entre ces deux étapes (synopsis).

## d) La rédaction du texte.

Ici, trois qualités sont essentielles: clarté, fidélité et exactitude. Il ne faut pas répéter les phrases du texte. On peut cependant utiliser certains mots ou expressions techniques qui n'ont pas d'équivalent et qui ne peuvent être remplacés. Le résumé doit être rédigé à l'aide des termes et des tournures personnelles. Mais un style trop personnel risque de déformer la pensée de l'auteur. Si le texte comprend des exemples, des chiffres ou des anecdotes, on peut tout simplement les résumer en une phrase.

Les opérations linguistiques les plus utilisées dans le résumé réfèrent aux procédés de la réduction (soustraction), de la substitution et de la transformation (nominalisation, adjectivation, transformation active, passive). Reportez-vous au chapitre qui porte sur la façon de travailler une phrase (chapitre 3).

## e) Opérations finales.

Indiquez à la fin de votre rédaction le nombre total de mots que la contraction de texte comprend. Comparez ensuite votre texte avec celui de départ.

Exemple 1:

Voici un paragraphe à contracter [1]:

> **Nous parlons, on nous enregistre, des secrétaires diligentes écoutent nos propos, les épurent, les transcrivent, les ponctuent, en tirent un premier script que l'on nous soumet pour que nous le nettoyions de nouveau avant de le livrer à la publication, au livre, à l'éternité. N'est-ce pas la "toilette du mort" que nous venons de suivre? Notre parole, nous l'embaumons, telle une momie, pour la faire éternelle. Car il faut bien durer un peu plus que sa voix: il faut bien, par la comédie de l'écriture, s'inscrire quelque part.**
>
> Roland BARTHES, extrait de la préface aux *Dialogues*, produits par Roger Pillaudin

Contraction du paragraphe:

a) Réduction à la moitié (de 95 à 47 mots):

> **Nos paroles sont recueillies par de consciencieuses secrétaires qui leur font subir un premier ajustement. Nous effectuons alors la seconde correction avant édition. Par ces transformations, nous désirons assurer notre pérennité. Mais ce passage à l'écriture tue la parole et nous ne conservons... qu'un cadavre.**

b) Réduction au cinquième (de 95 à 19 mots):

> **• Le passage de la parole à l'écriture assure notre pérennité... au prix de la mort de la parole! (19 mots).**

> **• Nous désirons nous immortaliser en transformant notre parole en écriture. Malheureusement, cela implique une théâtralisation qui tue la parole (19 mots).**

> **• Nous désirons nous immortaliser en transformant notre parole en écriture. Malheureusement, cette transformation implique une théâtralisation qui... tue/modifie la parole (21 mots).**

---

1. Cet exemple est extrait de *Didactique de l'expression*, par Bernard COCULA et Claude PEYROUTET, Paris, Delagrave, 1978, p. 79-81.

Exemple 2:

Voici un texte à contracter [2]:

## À QUOI RÊVENT LES JOURNALISTES

"Il y a de moins en moins de journaux quotidiens en France. La "concentration" a atteint le secteur de la presse comme celui des produits chimiques ou de l'automobile. Nos lecteurs de province savent bien que sous des titres parfois différents paraissent des pages identiques. Quelques industriels de la presse tiennent aujourd'hui en main l'essentiel des moyens d'information.

"C'est un aspect des choses.

"Il en est un autre.

"La presse quotidienne, à côté de la radio et de la télévision qui diffusent massivement les nouvelles heures par heure, devient, par la force des choses, de plus en plus le commentateur de l'événement. On attend d'elle des compléments à une information déjà connue, des explications, un enrichissement de ses connaissances. C'est dire que le journaliste doit être de plus en plus qualifié et que son rôle devient de plus en plus pédagogique. Autrement dit, que sa responsabilité s'accroît.

"Les phénomènes de "concentration" sont cause de licenciements, de difficultés matérielles diverses pour les journalistes. Ils s'accompagnent d'une subordination toujours plus étroite de ceux-ci à des impératifs commerciaux, économiques et politiques sans cesse plus contraignants, accentuant la dépendance de ceux qui écrivent par rapport à ceux qui possèdent la presse.

"On se trouve donc en présence de la situation suivante: les journalistes, dont le rôle social est devenu plus important et qui veulent communiquer honnêtement leurs connaissances au public, se sentent matériellement menacés et intellectuellement aliénés. Leur situation est, dans une certaine mesure, devenue comparable à celle de ces ingénieurs, techniciens et cadres, de ces enseignants aussi, sur qui pèse de plus en plus le poids de structures sociales qui freinent leur développement et les empêchent, en partie tout au moins, de donner à la société ce qu'ils pourraient lui apporter."

---

2. L'exemple est extrait de la revue *Le français dans le monde*, juin 1972, no 89, p.30. La revue présente un article de *L'Humanité-Dimanche*, juillet 1971, par Pierre DURAND.

Voici le texte contracté (à 50%):

> "**Atteinte, comme d'autres secteurs de production, par la "concentration" (nombre décroissant des quotidiens et regroupement des journaux de province), la presse française est aujourd'hui aux mains de quelques industriels de l'information.**
>
> "**D'un autre côté, la diffusion massive et immédiate des nouvelles par la presse parlée conduit les journalistes de la presse écrite à assumer un rôle pédagogique de commentateurs de l'événement qui accroît leur responsabilité et exige d'eux une qualification plus grande.**
>
> "**Renforcée cependant par les effets de la concentration (licenciements, etc.), leur subordination croissante aux impératifs économiques et politiques accentue leur dépendance par rapport aux monopoles. Cette insécurité et cette aliénation, comme pour d'autres catégories professionnelles, le poids de structures, limitent donc leur action et l'importance de leur rôle social."**

## EXERCICES

Contractez à 50% les deux phrases suivantes:

**1. Il y a eu, au cours des siècles, des crises de différentes sortes, sociales, nationales, politiques. Les crises arrivent et passent; des dépressions économiques se produisent, subissent certaines modifications et continuent sous d'autres formes.**

Contraction proposée (réduction de 35 à 17 mots):

> **Les crises qui se sont succédé dans l'humanité suivent le même processus: elles passent et réapparaissent différemment.**

**2. De deux personnes possédant la même expérience des choses et la même ténacité, celui qui réfléchit aux expériences qu'il a eues et les met en relation les unes avec les autres sera celui dont la mémoire sera la meilleure. (William James )**

Contraction proposée (réduction de 40 à 20 mots):

> **Entre deux individus également expérimentés et opiniâtres, celui qui approfondit ses expériences en les comparant possède la plus grande mémoire.**

b) Contractez le paragraphe suivant au 1/3:

> **Nous vivons de façon dangereuse. Je pense à la course stupide aux armements; je pense à l'énergie nucléaire; je pourrais penser à bien d'autres comportements lourds de conséquences pour l'avenir de l'humanité. Or la qualité ou la vertu qui apprend aux humains à calculer les conséquences lointaines de leurs actes, les Anciens l'appelaient la prudence, Alain l'appelle la sagesse, Gaston Berger l'appelle l'attitude prospective. Et voilà une "vertu cardinale"de réhabilitée.**

Martin BLAIS, *L'échelle des valeurs humaines*

c) Contractez le paragraphe suivant au 1/4:

> **NOTRE CERVEAU contient deux hémisphères. Le gauche et le droit. Chacun de ces hémisphères a des fonctions bien spécifiques que l'on appelle les spécialisations hémisphériques. Selon l'état des recherches actuelles sur le cerveau, l'hémisphère gauche du cerveau serait le lieu privilégié des apprentissages de la lecture, de l'écriture, de la parole, du savoir compter, de l'analyse détaillée des parties d'un tout, de la raison et de la logique. L'hémisphère droit du cerveau, lui, privilégierait la pensée divergente c'est-à-dire l'esprit de synthèse, l'imagination, la musique et surtout la mélodie. Les informations émergeant dans un hémisphère sont transmises à l'autre hémisphère par le biais des connections interhémisphériques. Chaque hémisphère a donc des fonctions diverses et ses fonctions sont multiples et représentées dans des régions définies. Cependant, les autres régions peuvent également participer à l'exercice d'une fonction, quoique de manière plus atténuée et selon un certain gradient. Des travaux récents nous permettent même de croire que lorsqu'un hémisphère est endommagé par un accident ou une opération grave et que l'une de ses principales fonctions disparaît, l'autre hémisphère peut reprendre jusqu'à un certain degré la fonction disparue.**

Normand LAFLEUR, *Écriture et créativité*

d) Contractez à 50% le paragraphe suivant:

> **La télévision, c'est aussi une quantité et une diversité telles de messages que leur description, même la plus générale, est souvent cause d'étonnement. Dans les grandes villes et partout où la câblodistribution est installée, soit bientôt la moitié des foyers québécois, une dizaine de canaux ou plus diffusent des messages télévisuels sans interruption durant quinze heures par jour. Chaque semaine, tout téléspectateur qui possède un mi-**

**nimum de connaissance du français et de l'anglais peut choisir parmi une centaine de longs métrages et quelques centaines d'émissions distinctes appartenant aux genres les plus divers: reportages, téléromans, dramatiques, variétés, films documentaires, compétitions sportives, etc. Il faut évidemment ajouter cette catégorie très particulière de messages que l'on appelle publicitaires et dont le nombre quotidien se calcule en centaines.**

Réginald GRÉGOIRE, *La télévision et les valeurs dans le projet éducatif,* ouvrage publié par le gouvernement du Québec

Remarque: vous pouvez évidemment vous exercer à contracter des textes beaucoup plus longs.

# B. LE COMPTE RENDU

Le compte rendu permet à quelqu'un qui n'a pas assisté à une réunion, à un événement, qui n'a pas participé à une enquête, une mission, ou encore qui n'a pas lu un ouvrage, un roman, un article, d'en prendre connaissance par un résumé aussi exact et fidèle que possible.

Il existe deux sortes de comptes rendus: le compte rendu "objectif" et le compte rendu "critique". Le **compte rendu objectif** n'analyse pas, ne critique pas, n'y mêle pas d'impressions; il expose tout simplement les faits ou les événements; il est essentiellement descriptif. Les qualités à développer sont donc l'objectivité et la précision.

Sur le plan technique, ce type de compte rendu se fait comme le rapport, mais en se limitant au seul point de vue objectif. Il diffère du **compte rendu critique** en ce que ce dernier est assorti d'une interprétation ou d'une prise de position personnelle.

Nous étudierons deux types de comptes rendus qui présentent beaucoup d'intérêt à cause de leur fréquence d'utilisation: le compte rendu de lecture et le compte rendu de réunion (le procès-verbal).

# LE COMPTE RENDU DE LECTURE

Le compte rendu de lecture peut être entièrement objectif ou comporter une partie à la fois objective et critique. La démarche que nous présentons ici comprend ces deux approches.

### a) Identification bibliographique de l'ouvrage.

Pour cette partie, consultez les règles de l'adresse bibliographique qui figurent dans le chapitre sur "La présentation d'un travail écrit" (chapitre 14).

### b) Introduction: présentation de l'auteur et de l'ouvrage.

La présentation se fait de façon directe, sans détour et sans cérémonie. On entre dans le sujet en nommant l'auteur et son ouvrage à travers l'idée directrice ou le centre d'intérêt.

Si l'on veut donner plus d'envergure à la présentation, on peut évoquer brièvement les principaux faits de la vie de l'auteur, mentionner les distinctions et les prix s'il y a lieu, les principaux ouvrages et les caractéristiques majeures de son art ou de sa pensée.

### c) Le résumé.

On présente ici objectivement le contenu en le résumant dans ses grandes lignes. Dans le cas d'un roman, d'un conte ou d'une pièce de théâtre, on présente les personnages et l'action en respectant le plus possible la chronologie. Dans le cas d'un ouvrage à caractère idéologique ou scientifique (essai), on donne l'essentiel des idées de l'auteur en s'aidant de la table des matières.

Peu importe le type d'ouvrage dont on a à faire le compte rendu, il s'agit toujours d'aller à l'essentiel. On élimine les anecdotes, les faits, les idées, les personnages qui sont secondaires ou accessoires. Dans le résumé, on ne met pas d'impressions personnelles, on ne juge pas et on ne critique pas. Ce n'est pas encore le moment de le faire.

### d) La présentation ou l'évaluation du contenu.

L'évaluation du contenu se fait à travers la critique. Celle-ci peut être objective ou subjective, positive (valorisante) ou négative, ou les deux à la fois. Si vous choisissez la voie de la subjectivité, rappelez-vous que votre critique vaudra par la valeur des jugements posés. Vous n'êtes pas autorisé à dire n'importe quoi ou à faire des affirmations non fondées. Pour être convaincant, il faut être sincère et juste.

Quand il s'agit d'un compte rendu portant sur un ouvrage littéraire (roman, conte, récit, théâtre, poème), on peut juger le fond et la forme. Le **fond** désigne le contenu (idées, sentiments, thèmes, message, histoire, action, personnages, etc.); la **forme** désigne la composition et le style (structure, images, langue, vocabulaire, syntaxe). On aura avantage ici à consulter les méthodes d'analyse littéraire que nous présentons dans le chapitre sur l'écrit analytique (pages 352 et suiv.). Notez toutefois que la partie critique dans le compte rendu est beaucoup moins élaborée et détaillée que dans l'analyse littéraire. S'il s'agit d'un **essai**, la critique porte, en général, sur les idées seulement.

Il est bon, à l'occasion, de justifier ses affirmations par des références ou des citations. Celles-ci cependant doivent être courtes. On peut aussi se contenter d'évoquer un fait, un moment, un personnage, un chapitre ou de renvoyer tout simplement à certaines pages de l'ouvrage.

En conclusion, on résume dans une phrase lapidaire et originale ce qui fait la valeur du livre. On peut également dire pourquoi on l'a aimé ou pas, et faire quelques recommandations au lecteur.

## EXEMPLES DE COMPTE RENDU

Compte rendu d'un ouvrage littéraire

Anne HÉBERT, *Les fous de Bassan*

| | |
|---|---|
| **INTRODUCTION** | **Anne Hébert poursuit depuis 1942 une oeuvre poétique et romanesque qui se situe au tout premier rang de la littérature contemporaine. Aussi, l'important prix Fémina que vient de lui accorder cette semaine le jury parisien pour son nouveau roman *Les Fous de Bassan* souligne non seulement un livre de très grande qualité mais aussi une oeuvre de très grande force.**<br><br>**Au Québec, la joie fut grande, d'ailleurs, à l'annonce du prix Fémina accordé à Anne Hébert. L'unanimité s'est faite dans l'opinion publique pour rendre hommage à l'écrivaine, avec le même enthousiasme qui avait accueilli le prix Apollinaire à Gaston Miron en 1981.**<br><br>**Ayant choisi de vivre en France depuis environ 25 ans, Anne Hébert n'en a pas moins poursuivi une oeuvre qui prend racine sur la terre-Québec pour atteindre le fonds humain le plus universel. Depuis les nouvelles du *Torrent*, depuis les poèmes du *Tombeau des rois*, Anne Hébert écrit pour apprendre à vivre, en explorant les souterrains de la mémoire la plus vive. Les person-** |

nages d'Anne Hébert participent de la transgression de l'amour contre la mort.

**CENTRE D'INTÉRÊT**

Son dernier roman, *Les Fous de Bassan*, non seulement se révèle un chef-d'oeuvre de l'écriture d'Anne Hébert mais se situe en quelque sorte au sommet d'une thématique qui, creusée de livre en livre, touche ici de la façon la plus complète à la passion de vivre.

**RÉSUMÉ**

On y retrouve tout un village de Loyalistes américains échoués depuis 1784 sur les bords du Saint-Laurent, quelque part en Gaspésie ou plus haut dans le golfe. Dans ce village imaginaire de Griffin Creek, en 1936, le retour de Stevens Brown met en branle de secrètes violences. En ce mois d'août de 1936, Nora et Olivia Atkins disparaissent. Les événements de l'été nous sont racontés en six livres d'autant de personnages et témoins du drame.

**ÉVALUATION DU CONTENU**

*Les Fous de Bassan* est un livre qui ne s'épuise pas à la première lecture. Il contient toutes les passions violentes d'hommes et de femmes en osmose avec la nature première qui définit les paysages des côtes du Saint-Laurent. Nous nous retrouvons dans une sorte de pays premier, aux origines de la vie et de l'amour. Et la beauté de ce livre réside dans la tragique difficulté des personnages de passer de l'âge de l'enfance, à ce que j'appellerais "l'âge de la femme", c'est-à-dire de la pureté d'être à la plénitude de l'amour.

*Les Fous de Bassan*, c'est le livre de la mer et du vent, où sourd la passion sauvage, où plane la sensualité des êtres, où se libèrent les forces insoupçonnées, où "l'amour à la mort mêlé" possèdent plusieurs visages et leur double.

Notre critique Madeleine Ouellette-Michalska avait bien situé l'atmosphère du roman quand elle écrivait dans ces pages le 11 septembre dernier: "Dans *Les Fous de Bassan* comme dans *Les Enfants du Sabbat*, *Héloïse* et même déjà *Kamouraska*, en marge de l'univers manichéiste présentant la normalité apparente, les occupations, croyances, alliances, croyances et généalogies déclarées, se meut un monde parallèle, obscur, clandestin, tout aussi dense et agissant, où s'ébauchent des gestes et se créent des liens de parenté qui prolongent ou brouillent les identités acquises. Et c'est peut-être le sens fondamental de l'oeuvre d'Anne Hébert. À travers ses personnages, faire éclater les barrières sociales et morales qui étouffent la conscience individuelle. Et proposer une traversée des apparences, une mouvance intérieure représentée ici par la danse des vagues et ces extraordinaires passages décrivant le bonheur des baigneuses, qui libérerait la passion et restituerait l'harmonie du monde, sa lumière, sa densité."

263

> Ajoutons que le roman d'Anne Hébert continue aussi d'affirmer que l'enfance est un lieu unique qu'il ne faut pas perdre de vue pour le réinvestir dans l'amour. C'est le sens de cette voix continuelle d'un poème d'Anne Hébert qui réapparaît dans ses romans, y compris *Les Fous de Bassan:* "Il y a certainement quelqu'un qui m'a tuée. Puis s'en est allé. Sur la pointe des pieds." C'est bien cette voix marine et souterraine qu'on entend tout au long de ce roman puissant.
>
> **CON-CLUSION**
>
> Et j'oserais conclure qu'Anne Hébert écrit, comme d'une autre façon Gaston Miron, "contre Saint-Denys Garneau", c'est-à-dire pour la passion de vivre.

Jean ROYER, *Le Devoir*, 27 novembre 1982

Voici un autre exemple du compte rendu. Il est plus succinct que le précédent, mais il dégage quand même l'essentiel du roman.

Yves THÉRIAULT, *Aaron*

> **Paru pour la première fois en 1954, *Aaron* est un roman urbain ayant pour cadre physique la ville de Montréal. Un jeune juif, Aaron, se voit forcé pour accéder à la considération sociale de rejeter son identité culturelle. Sur lui pèse lourdement l'héritage du passé et de la Tradition. Il ne peut résister aux valeurs modernes incarnées par le monde concret, charnel, fascinant qui tente de lui échapper. Un abîme se creuse alors entre lui et son grand-père Moishe, symbole de l'attachement farouche à l'orthodoxie. C'est dans cette optique que se dégage l'essentiel du roman, soit le drame pathétique de deux solitudes irréconciliables. La rencontre d'une jeune juive éclatante et belle (Viedna), qui avait choisi de laisser loin en arrière le passé pour profiter du présent, vient accélérer le processus de séparation. Certains apprécieront dans ce livre la portée documentaire: la situation faite à l'orthodoxie juive au sein des grandes villes modernes; ou plus profondément encore la critique sociale: celle du monde où l'accélération de l'histoire provoque des bouleversements sociologiques et la remise en question de valeurs traditionnelles. Mais avant tout *Aaron* demeure une oeuvre pleine d'observation, de tendresse, de fraîcheur et d'amour.**

Jean-Paul SIMARD, texte d'introduction au roman *Aaron* préparé pour la collection "Québec 10/10"

Compte rendu d'un essai

Huguette BERNARD et France FONTAINE, *Les questions à choix multiples: guide pratique pour la rédaction, l'analyse et la correction*

Dans ce livre, Huguette Bernard et France Fontaine traitent de la rédaction, de l'analyse et de la correction des questions à choix multiples. Les textes présentés fournissent une information détaillée, relativement vulgarisée, ainsi que de nombreux exemples.

Le premier chapitre présente la méthode et les règles de rédaction des questions à choix multiple. Suit une mise en garde contre l'utilisation des questions de type "vrai ou faux" dans une épreuve d'examen. Ensuite, les autrices expliquent dans le détail les informations utiles à l'analyse de chacune des questions ainsi que de l'ensemble d'une épreuve d'examen. Un quatrième texte expose, à l'aide d'exemples, une démarche d'analyse d'un questionnaire (sans support informatique).

Ces quatre premiers chapitres se rattachent à un cadre théorique plus général. C'est ainsi que l'une des autrices présente, dans un cinquième texte, les diverses décisions reliées à l'évaluation des apprentissages. Elle y explicite l'idée qu'il faut utiliser des instruments de mesure différents, c'est-à-dire des instruments critériés et normatifs, selon la nature de la décision à prendre. On y trouve des exemples utilisables par l'enseignant dans sa pratique quotidienne. Du reste, les autrices tiennent compte du contexte scolaire; ce qui permet au lecteur de garder un intérêt soutenu tout au long du volume.

Le dernier texte présenté pose la question *"Pourquoi pénaliser les mauvaises réponses?"* Il analyse les façons de pénaliser, les effets produits et propose des solutions de rechange. Du reste, il aurait été souhaitable que les autrices ouvrent ce chapitre à l'une des possibilités connues pour contrer l'aléa, la technique d'élimination de Coombs.

L'enseignante ou l'enseignant qui veut rédiger des questions à choix multiple de façon à rendre justice à ses élèves aura avantage à lire le volume d'Huguette Bernard et de France Fontaine. Il lui permettra d'examiner l'utilisation qu'on peut faire de ces instruments de mesure et d'en circonscrire les limites.

Par ailleurs, on aurait avantage à alléger la présentation du document et à y ajouter un index. Il n'en demeure pas moins que ce livre est un excellent document pour tout enseignant soucieux d'améliorer la mesure des apprentissages.

*Vie pédagogique*, 20 octobre 1982

# C. LE PROCÈS-VERBAL

Le procès-verbal est un écrit essentiellement objectif. Il relate précisément et fidèlement ce qui s'est dit ou fait pendant une assemblée. Il est généralement signé par le ou la secrétaire seul(e), parfois aussi par les déclarants qui en certifient l'authenticité.

## Exemple d'un procès-verbal

Le 15 octobre 19..

**Procès-verbal de la réunion du Conseil d'administration de l'Hôpital Pasteur, tenue à Québec, à l'adresse suivante: 2222, Chemin des Quatre-Bourgeois, suite 101, le lundi 30 septembre 19..., de 19 h 30 à 22 h.**

**Sont présents: Mmes Jeannine Boivin**
**Thérèse Lamy**
**Juliette Saint-Amand**
**MM. Jean Bélanger**
**Bernard Campeau**
**Luc Fournier**
**Jacques Hurtubise**
**René Laforêt**
**Jean-Claude Langlois**
**Sylvain Lelièvre**

**Sont absents: Mme Lise Pelletier**
**M. Jean Garon**

## 1. OUVERTURE DE LA SÉANCE

La séance est ouverte à **19 h 30**. M. **Bernard Campeau**, président du Conseil, souhaite la bienvenue aux administrateurs présents et expose les buts de la réunion qui sont:

- 
- 
- 

Mme **Thérèse Lamy** assume la responsabilité de secrétaire de séance.

## 2. LECTURE DE L'ORDRE DU JOUR

Le président fait lecture de l'ordre du jour. Trois points sont ajoutés, à l'unanimité. Ils figurent à l'item varia. Ce sont:
1. 
2. 
3. 

Ces points sont proposés par Mme **Jeannine Boivin**, appuyée par M. **Jean-Claude Langlois**.

## 3. LECTURE ET APPROBATION DU PROCÈS-VERBAL

Le compte rendu de la séance précédente, tenue le 30 septembre 19.. , est approuvé par tous les membres présents.

## 4. LECTURE DE LA CORRESPONDANCE

La secrétaire fait la lecture des différentes lettres reçues:
- Lettre de démission du docteur Sanschagrin, psychiatre de l'hôpital.
- Lettre des membres de l'AFEAS réclamant plus de célérité à la clinique externe.
- Lettre d'un comité de citoyens félicitant l'hôpital pour la récente acquisition d'un appareil "Hémiscan".
- Lettre du syndicat des infirmières annonçant son intention de ne pas exiger le baccalauréat pour les infirmières, la scolarité du Cégep axée sur la formation clinique étant amplement suffisante.

## 5. RAPPORTS DES COMITÉS

Invités par le président, les responsables de chaque comité présentent leur rapport d'activités.

— Le responsable du comité des relations extérieures fait part d'une visite effectuée au ministère des Affaires sociales pour l'obtention d'un octroi destiné à garder le département de neurologie. Le représentant du gouvernement a indiqué qu'il étudierait la situation et qu'il donnerait une réponse dans les plus brefs délais.

— La responsable du comité chargé de l'analyse et de l'évaluation du budget d'opération pour l'année en cours fait part de son inquiétude devant le fait que l'administration opère depuis deux mois dans le rouge.

## 6. QUESTIONS À L'ORDRE DU JOUR

a) Projet à l'étude

M. Luc Fournier présente son projet concernant la création d'une carte spéciale pour les usagers de l'hôpital. Quelques membres n'en voient pas la nécessité. Comme les opinions sont partagées, le président nomme un comité de trois membres (MM...) chargé d'étudier davantage les implications de ce projet.

b) Le cas du docteur Sanschagrin

Devant le tollé suscité par le départ du docteur Sanschagrin, seul psychiatre de l'institution, le Conseil décide à l'unanimité de nommer deux représentants (Mme... et M...) chargés de contacter M. Sanschagrin pour tenter de le faire revenir sur sa décision.

(Il en est ainsi pour chaque point. Toutes les questions traitées ou les opérations effectuées sont ici mentionnées. On précise chaque fois les observations recueillies, les décisions prises. S'il y a eu vote, on enregistre les voix pour, contre, les abstentions.)

## 7. DATE ET LIEU DE LA PROCHAINE RENCONTRE

La prochaine réunion du conseil d'administration aura lieu le 30 octobre 19.. , à...

**8. CLÔTURE DE LA SÉANCE**

**La discussion s'étant prolongée très tard, l'ordre n'a pas été épuisé. Il est alors proposé à 23 h par M. Luc Fournier, appuyé par M. Sylvain Lelièvre, de reporter les points de varia à la prochaine séance du Conseil, et de lever l'Assemblée.**

**La secrétaire,**

**Thérèse Lamy**

# D. LE RAPPORT

Le rapport porte sur des sujets relativement variés: accidents, visites, travaux, stages, expériences, voyages, recherches, etc. Il peut comporter une page, comme il peut en comporter deux cents. Le rapport est très utilisé dans la vie étudiante et professionnelle. Dans la profession, il constitue un instrument de communication, d'information et de gestion de premier ordre.

## COMMENT FAIRE UN RAPPORT

Le rapport n'est pas une description, mais une synthèse. Il ressemble en cela au compte rendu "objectif". Il en diffère, cependant, en ce que le rapport exige du rapporteur qu'il prenne parti en donnant son point de vue et qu'il propose une ou plusieurs solutions ou hypothèses. La responsabilité et la compétence du rédacteur sont donc engagées, souvent même mises en jeu dans la rédaction d'un rapport, comme c'est fréquemment le cas dans le monde des affaires ou en politique.

Le destinataire est aussi fortement touché par le rapport, car ce dernier nécessite généralement de sa part une prise de décision, une action. Avant de commencer l'élaboration d'un tel écrit, il importe donc de se poser les questions: "Qui lira le rapport?", "Y a-t-il un ou plusieurs destinataires?"

269

## a) **Démarche pour l'élaboration d'un rapport**

L'élaboration d'un rapport se fait en deux phases: une phase de recherche et une phase d'organisation et de rédaction.

La phase de **recherche** porte sur la cueillette des données en vue de constituer la documentation. Ici, il faut faire flèche de tout bois. Ne rien laisser de côté. Toute information doit être retenue, quitte à l'éliminer plus tard.

La phase d'**organisation** comporte deux opérations: choix et classement des données selon un ordre logique (plan). La présentation suit généralement l'ordre que nous exposons ci-après.

## b) **Les parties constituantes du rapport**

- L'en-tête
- Les pages préliminaires
- Le sommaire
- L'introduction
- Le corps du rapport
- La conclusion
- Les annexes

Expliquons chacune des parties.

## L'en-tête

L'en-tête comprend: date du rapport;mention du rapporteur; mention du ou des destinataires. Dans un rapport de moins de 10 pages, l'en-tête est celui d'une lettre; quand il y a plus de 10 pages, l'en-tête forme la première page qui devient la page de titre.

## Les pages préliminaires

Les pages préliminaires comprennent l'avant-propos et la table des matières. **L'avant-propos** n'occupe la plupart du temps qu'une page. On peut le conclure en remerciant ceux qui ont apporté leur contribution au rapport. Vient ensuite **la table des matières** qui comporte le plan détaillé du rapport. Elle reflète l'ordre adopté dans la présentation des différentes parties. Dans un rapport de moins de 10 pages, on ne donne que les parties principales; dans un rapport de plus de 10 pages, on donne le plan détaillé: idées principales, secondaires et tertiaires (voir le plan de la dissertation).

## Le sommaire

Le sommaire présente succinctement au lecteur le sujet du rapport, le résumé des constatations, des conclusions et des recommandations. Un bon sommaire donne au lecteur les renseignements dont il a besoin pour connaître le contenu du rapport et pour prendre les décisions qui s'imposent, sans avoir nécessairement à le lire au complet.

## L'introduction

L'introduction présente les buts et les grandes lignes du rapport (ne pas confondre avec le sommaire), sans mentionner les propositions qui seront faites à la fin.

## Le corps du rapport

Le développement du rapport suit le plan présenté dans la table des matières. En général, on y retrouve:

a) **Une partie descriptive (exposé des faits)**
   — le contexte ou les circonstances qui ont suscité le rapport:
     • qui a demandé la réalisation du projet?
     • pourquoi et que voulait-on accomplir?
   — les réponses qu'y trouvera ou n'y trouvera pas le lecteur;
   — la méthode utilisée pour obtenir et analyser les renseignements:
     • de qui, quand et comment les faits ont été obtenus?
     • comment ils ont été analysés?
   — le compte rendu proprement dit des faits.

b) **Une partie critique (l'analyse raisonnée des faits)**

Il ne faut pas oublier que le but du rapport est d'éclairer et, le cas échéant, de persuader le destinataire. Il faut donc écrire de façon à favoriser chez le lecteur les déductions tirées de l'analyse des faits; il faut écrire de telle façon que les conclusions qui seront présentées à la partie suivante lui apparaissent logiques et que les recommandations soient fondées.

c) **Une partie prospective**

Cette partie porte sur l'énoncé des résultats et la présentation des propositions.

## La conclusion

La conclusion, c'est la synthèse du développement effectuée en fonction de l'objet du rapport, des résultats. On prend définitivement parti, de façon à permettre au destinataire, une fois éclairé et persuadé, de porter un jugement et de passer à l'action.

## Les annexes

Les annexes comprennent tous les renseignements pertinents au sujet traité qui n'ont pas leur place ailleurs dans le rapport et qui servent à compléter le contenu: lettres, lexique, instruments qui ont servi à obtenir les faits (exemple: questionnaire), formules, documents complémentaires, données statistiques, illustrations (dessins, reproductions), tableaux (graphiques, diagrammes), plans, bibliographie.

### c) La présentation matérielle

Pour la présentation matérielle du rapport, consultez le chapitre 14 intitulé "Comment présenter un travail écrit". Vous y trouverez des règles concernant les citations, les références, la bibliographie, le soulignement, la table des matières, la présentation matérielle, les graphiques et les tableaux.

# E. LA LETTRE

La lettre est certainement l'une des formes de communication écrite les plus utilisées. Elle touche pratiquement toutes les circonstances de la vie, personnelle, familiale, sociale, politique, ou encore les domaines commercial, industriel ou administratif. De ce fait, elle constitue l'une des mises en situation d'écriture les plus utiles à connaître.

La lettre est essentiellement un "message personnel", une communication à un lecteur absent. Voilà pourquoi elle est souvent présentée comme un monologue qu'un lecteur va lire dans l'intimité. Mais en réalité, elle est bien plus un **dialogue**, car la lettre appelle toujours une réaction ou une réponse de la part du destinataire. Aussi est-il important, quand on écrit une lettre, de songer avant tout à son lecteur.

Pour répondre aux besoins les plus courants de la correspondance, nous étudierons particulièrement trois types de lettres: **la lettre d'affaires, la lettre personnelle** (ou **privée**) et **la lettre d'opinion**.

# 1. LA LETTRE D'AFFAIRES

La lettre d'affaires (appelée aussi "lettre commerciale" ou "lettre administrative") est utilisée surtout dans la vie professionnelle (commerce, industrie, institution): accusé de réception, lettre de réclamation, de recouvrement, de convocation, d'appel d'offres, etc. On la retrouve aussi dans la vie ordinaire. Tout individu a l'occasion, un jour ou l'autre, d'écrire une lettre d'affaires: demande d'emploi, offre de services, lettre de recommandation, de démission, de demande d'information, de défense de ses droits. La lettre d'affaires touche toutes les facettes de l'activité professionnelle et commerciale. De votre aptitude à écrire convenablement ce genre de lettres, peuvent dépendre en grande partie vos chances d'avancement dans votre carrière.

## LES PARTIES DE LA LETTRE

Il existe des conventions à observer quand on écrit une lettre. Nous les étudierons en détail à travers chacune des parties qui la constituent:

1. L'en-tête
2. Le lieu et la date
3. La vedette
4. Les références
5. L'objet
6. L'appel
7. Le corps
8. La salutation
9. La signature
10. Les mentions diverses

Nous avons défini la lettre comme étant essentiellement un acte de communication. Précisons donc les éléments qui ressortissent au destinateur, au message et au destinataire.

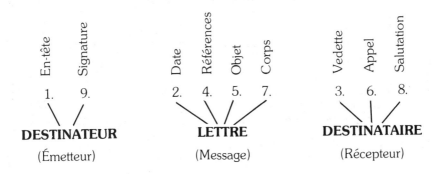

Les diverses mentions utilisées au n° 10 réfèrent les unes au destinataire et au destinateur, les autres au message.

Avant de procéder à la description de chacune des parties, nous présenterons immédiatement deux modèles de disposition qui serviront constamment de points de référence.

1<sup>er</sup> modèle: **disposition avec alinéa (ou à trois alignements)**

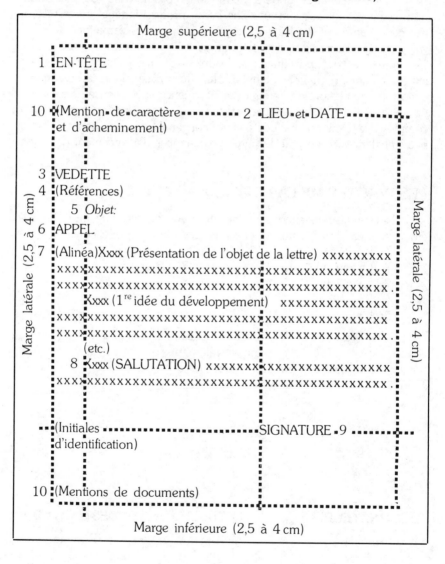

Remarques:

1) Les marges peuvent aller de 2,5 à 4 cm selon la longueur de la lettre.

2) Voir le nombre d'interlignes à laisser entre chaque partie de la lettre dans la section intitulée "Disposition de la lettre" (p. 288).

$2^e$ modèle: **Disposition sans alinéa ( ou à deux alignements)**

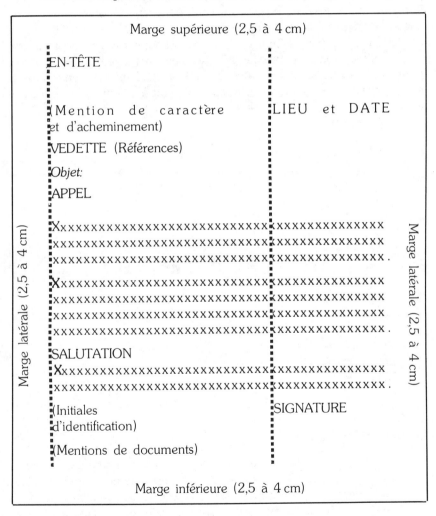

N.B. La signature peut aussi figurer à la première marge.

## DESCRIPTION DES PARTIES DE LA LETTRE

### L'en-tête

L'en-tête présente les coordonnées du destinateur.

• S'il s'agit d'une compagnie, à l'en-tête figure la raison sociale de l'entreprise. Elle comprend son nom, son adresse et son numéro de téléphone. Parfois, un signe ou un emblème identifiant la compagnie accompagne l'en-tête. S'il s'agit d'une institution, c'est son adresse qui figure à l'en-tête. Il n'y a pas de ponctuation entre chaque élément de l'adresse.

• S'il s'agit d'un particulier, le destinateur met à l'en-tête son adresse personnelle. Cette adresse peut cependant figurer à un autre endroit de la lettre, soit après la signature (9). Lorsqu'on joint à la lettre son curriculum vitae, il n'est pas nécessaire de donner son adresse dans la lettre.

Voici quelques exemples d'adresse.

Exemple 1: une compagnie ou une institution

> Cegerco inc.
> 100, rue Racine est
> bureau 101
> Chicoutimi (Québec)
> G7H 1R1

Exemple 2: un particulier

> Jean-Paul Simard
> 230, rue des Vingt-et-un
> Chicoutimi (Québec)
> G7H 5Y9
>
> Tél.: (418) 545-8818

### Le lieu et la date

Si le nom de la ville figure à l'en-tête, on ne le répète pas. Le nom du mois ne prend pas de majuscule, et il n'y a pas de point après le millésime. Le lieu et la date sont séparés par une virgule. Observez bien, dans les exemples qui suivent, la façon de procéder concernant l'utilisation des majuscules et des minuscules, ainsi que de la ponctuation.

Exemple 1: la date et le millésime

> Le 22 juin 19..

Exemple 2: le jour, la date et le millésime

> Le jeudi 8 septembre 19..

Exemple 3: le lieu, la date et le millésime

> Québec, le 22 janvier 19..

## La vedette

Elle comprend le nom et l'adresse complète du destinataire. Chaque ligne commence par une majuscule, excepté lorsqu'une ligne est la continuation de l'autre. On ne met ni virgule ni point à la fin des lignes de l'adresse.

Voici les règles d'abréviation.

• Madame, Mademoiselle, Monsieur ne s'abrègent pas quand on s'adresse à la personne elle-même; dans le corps de la lettre on les abrège quand on parle d'une autre personne (Mme, Mlle, M.). Dans le cas de Mademoiselle, on lui préférera d'emblée le titre de Madame, recommandé par le Conseil du statut de la femme.

• Avenue (Av.), boulevard (boul.); l'indication "est", "ouest", "nord", "sud", se place après le nom de la rue, en minuscules ou en majuscules, les deux sont acceptées; appartement (app.);

$1^{er}$ (et non 1er ou 1ier)

$1^{re}$ (et non 1ère, 1ière)

$2^{e}$ (et non 2ième).

Exemple:

> Madame Hélène Lavoie
> Directrice du Personnel et
> des communications
> Compagnie d'Assurances FIDEI
> 3240, rue Montcalm
> Nordville (Québec)
> J1B 2X3

Il n'est pas nécessaire d'indiquer le comté quand on a donné le code postal. Le mot **suite** ne peut s'employer dans le cas d'un immeuble à bureaux, car il désigne un appartement de plusieurs pièces dans un hôtel; on lui préférera, dans ce cas, celui de bureau (bureau 101). La province peut être mentionnée de deux façons: 1) Nordville (Québec); 2) Nordville, Qué.

## L'emploi de la majuscule dans l'adresse

Dans l'emploi de la majuscule, il faut bien distinguer entre ce qui fait partie de la raison sociale et ce qui fait partie de l'appellation commune. Ainsi, il y a une différence entre écrire **le restaurant Saint-Hubert, la rue Saint-Hubert** et **Importations Saint-Hubert**; entre **le mont Tremblant** et **la ville de Mont-Tremblant**. La raison sociale ou la dénomination est constituée habituellement d'un groupe de mots dont l'ensemble prend le statut de nom propre.

L'emploi de la majuscule suit la règle suivante: dans les raisons sociales ou les dénominations, on met une majuscule initiale au premier nom seulement. L'article ne prend pas de majuscule, sauf s'il commence l'adresse ou la phrase. Si un adjectif précède le premier nom, il prend la majuscule.

Exemples:

> — **l'Association générale des étudiants du cégep de Jonquière** (ou **L'Association générale...**, au début de l'adresse ou d'une phrase); on dira cependant: **le Cégep de Jonquière**, car il s'agit dans ce cas de la dénomination officielle.
>
> — **la Fédération québécoise des musiciens de langue française**

- la Société canadienne du cancer
- le Comité de la protection de la jeunesse
- la Chambre de commerce de Québec
- le Crédit foncier
- le Comptoir national de financement
- les Caisses populaires
- le Centre de comptabilité et de gestion
- la Société des alcools du Québec
- l'Assemblée nationale du Québec
- l'Office de la langue française
- l'École polytechnique
- le Département de linguistique de l'Université du Québec à Chicoutimi; mais on dira: le département de linguistique de cette université favorise beaucoup la recherche.
- la Faculté de médecine de l'université Laval
- l'Exposition provinciale du tourisme
- la Biennale de la langue française

On met cependant une minuscule au mot initial lorsque celui-ci est déterminé par un nom propre, et au terme "ministère", dans la dénomination des organismes ministériels; mais on met la majuscule aux noms de ces dénominations.

Exemples:

- l'observatoire de Dorval
- l'académie Émile-Nelligan (mais l'Académie de ballet du Saguenay)
- le collège Marie-Victorin
- la polyvalente Wilbrod-Dufour d'Alma
- la polyvalente Arvida
- le gouvernement du Québec (mais dans la phrase on dira: "Le Gouvernement approuve...", parce que le déterminatif ne figure pas)
- le ministère de l'Éducation (mais dans la phrase on dira: "Le Ministère accepte de...", parce que le déterminatif ne figure pas)
- le ministère des Affaires sociales
- le ministère du Tourisme, de la Chasse et de la Pêche

Remarques:

1. Il faut toujours respecter la façon avec laquelle une raison sociale ou une dénomination est écrite officiellement, c'est-à-dire enregistrée, même si elle va à l'encontre des règles de la majuscule. Par exemple on écrira: **l'Université de Montréal, la Banque Royale du Canada**. Dans plusieurs cas, l'utilisation de la majuscule s'inspire de l'anglais qui souligne les mots importants.

2. Il faut toujours mettre les accents sur les majuscules.

## Les références

Les lettres d'affaires sont identifiées par un numéro d'ordre, une abréviation, un signe, etc., que l'on appelle référence. On trouve habituellement les présentations suivantes:

>  **V/Référence** ou **V/Réf.** ou **V/R** (qui signifie: **Votre référence**)
>  **V/Lettre du (Votre lettre du...)**
>  **N/Référence** ou **N/Réf.** ou **N/R (Notre référence)**

Les indications de classement et de date se mettent en dessous des mentions de référence ou à la place de l'objet. Ces indications ont pour but de faciliter le classement de la correspondance. Exemples:

>  **V/Réf.: GOUV-1218 (numéro ou sigle d'identification du dossier du correspondant)**
>  **V/Lettre du 19..-07-10 (date de la lettre à laquelle on répond)**
>  **N/Réf.: Cég-3006 (numéro du dossier de l'expéditeur)**

## L'objet

L'indication qui suit le mot **Objet** commence par une majuscule et se termine par un point. On souligne toute la phrase. L'indication **Re** est à proscrire parce qu'il est un calque de l'anglais; les termes **Concerne** et **Sujet** sont moins bons, et il vaut mieux ne pas les utiliser.

Exemple 1: **disposition en retrait**

OBJET: *Demande d'emploi.*

Exemple 2: **disposition à la marge**

> OBJET: *Demande d'emploi.*

## L'appel

L'appel est la formule de salutation que l'on place avant le corps de la lettre. Cette formule varie selon les personnes à qui l'on s'adresse. On fait toujours suivre l'appel d'une virgule.

a) Si la lettre est adressée à des inconnus ou de simples connaissances d'affaires, on écrit selon le cas:

**Madame,**

**Mademoiselle, (de préférence Madame)**

**Monsieur,**

**Monsieur le Professeur,**

**Monsieur le Directeur,**

**Monsieur le Président,**

**Monsieur le Premier ministre,**

**Monsieur le Sous-ministre,**

**Monsieur le Secrétaire,**

**Monsieur le Docteur, ou Docteur,**

**Monsieur le Chef comptable,**

**Monsieur le Curé,**

**Révérende Soeur,**

**Monseigneur,**

**Excellence,**

**Éminence.**

Remarques:

1. Éviter les formules d'appel familières du genre: "Cher monsieur", "Mon cher monsieur"; l'épithète "cher" ne peut s'employer que si l'on connaît très bien le destinataire et que l'on entretient avec lui des liens d'amitié. De même, éviter les appels du genre: "Monsieur Gauthier", "Madame Tremblay".

281

2. On n'emploie pas l'expression "À qui de droit".

b) Si la lettre est adressée à une société (entreprise, association), on écrit, selon le cas:

**Mesdames,**

**Messieurs,**

c) Si la lettre est adressée à une personne qui a un titre ou qui exerce une profession officielle, on écrit, selon le cas:

**Madame la Ministre,**

**Madame la Directrice,**

**Monsieur le Directeur,**

**Madame la Députée,**

d) À une connaissance personnelle:

**Cher ami, (Chère amie,)**

**Cher confrère,**

**Cher collègue et ami,**

**Monsieur le Directeur et cher ami,**

Remarque:

Si l'on hésite sur la formule à employer dans le cas d'une femme, d'une personne âgée, respectable, utiliser toujours une expression déférente; le respect est toujours accepté.

## Le corps de la lettre

Le corps de la lettre contient le message que l'on veut transmettre. Il comprend généralement trois parties: l'introduction (1 paragraphe), le développement (1 ou 2 paragraphes, mais il peut y en avoir plus selon les besoins) et la conclusion (1 paragraphe).

### a) **L'introduction.**

L'introduction expose directement le motif ou le but de la lettre. Si vous répondez à une lettre, vous pouvez commencer en rappelant la lettre précédente du correspondant, à moins que la référence n'en fasse déjà mention. Les formules d'introduction les plus courantes sont:

**Il me fait plaisir de poser ma candidature au poste de...**

**J'ai appris par l'entremise d'un ami qui travaille pour votre compagnie que vous étiez à la recherche de...**

**Je suis à la recherche d'un poste de...**

**J'ai relevé dans le journal *Le Devoir* du 15 août dernier l'annonce dans laquelle vous demandez...**

**Permettez-moi de soumettre ma candidature au poste de...**

**J'aimerais occuper un poste de (surveillant, programmateur)...**

**J'ai l'honneur de...**

**Je vous serais très obligé de bien vouloir...**

**Je vous serais reconnaissant de...**

**En réponse à votre lettre du... par laquelle...**

**Comme suite à...** ou **Pour faire suite à...** ou **À la suite de...** (Il vaut mieux éviter l'expression "**Suite à...**" qui est un calque de l'anglais)

**Je vous signale (Je dois vous signaler)...**

**Je viens vous faire part de...**

**J'ai le regret de...**

**Je suis au regret de vous annoncer...**

**Il m'est malheureusement impossible de...**

**Il ne m'a pas été possible...**

**Nous vous remercions de votre lettre du...**

**Nous vous remercions vivement de l'empressement avec lequel...**

**Qu'il nous soit permis de vous faire part de notre décision de...**

**Nous avons le plaisir de...** (mieux que "**Il me fait plaisir de...**")

**Nous désirons vous informer...**

**Nous sommes heureux de vous informer que...**

**Notre compagnie met sur le marché un nouveau produit...**

**Vous trouverez ci-joint...**

**La question que vous soulevez dans votre lettre du...**

**Nous sommes heureux de vous faire part de la nomination...**

Remarque: il est conseillé de ne pas séparer ou couper un mot par un trait d'union au bout de la première ligne de la lettre.

### b) Le développement.

Le développement se construit à la manière de la dissertation. Chaque idée nouvelle doit faire l'objet d'un paragraphe distinct.

### c) La conclusion.

Si la lettre est longue, la conclusion doit faire l'objet d'un paragraphe à part, avant la formule de salutation. Elle résume les arguments invoqués, la décision prise, rappelle les mesures à prendre, la question posée, etc. Si la lettre est courte, la formule de salutation peut servir de conclusion.

Voici quelques formules qui peuvent introduire la conclusion:

**Dans l'attente d'une réponse favorable... (ou de votre décision...)**

**Espérant que vous recevrez favorablement ma demande...**

**Dans l'espoir que vous voudrez bien accéder à ma demande...**

**Nous regrettons (vivement) de ne pouvoir accéder à votre demande...**

**Nous espérons que... sont à votre satisfaction et vous prions de croire...**

**Je vous saurais gré de... (Nous vous saurions gré de...)**

**En vous remerciant de...**

**Veuillez agréer... (Veuillez recevoir...)**

**Je vous prie d'agréer...**

**Veuillez agréer, avec nos remerciements, l'expression...**

**Veuillez agréer, Madame, l'expression de mes sentiments distingués.**

**Je vous prie d'agréer, Monsieur le Directeur, l'expression de mes sentiments respectueux et dévoués.**

## La salutation

La salutation — ou courtoisie — est la formule de politesse qui termine la lettre. Elle varie, comme l'appel, selon les rapports que les correspondants entretiennent.

La structure de la formule de salutation est la suivante:

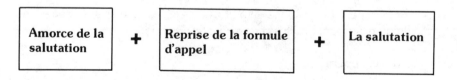

a) **Amorce de la salutation:**

**Agréez, (Recevez, Croyez)...**

**Veuillez agréer, (recevoir)...**

**Je vous prie d'agréer, (de recevoir)...**

b) **Reprise de la formule d'appel:**
>    **Monsieur le Directeur,**
>
>    **Madame la Présidente,**
>
>    **etc.**

Cette séquence est placée entre virgules.

c) **La salutation:**
>    **... mes salutations distinguées (empressées, les meilleures).**
>
>    **... mes sincères salutations.**
>
>    **... mes respectueuses salutations.**
>
>    **... mon entier dévouement.**
>
>    **... mes sentiments distingués (dévoués, respectueux, les meilleurs, respectueux et dévoués).**
>
>    **... l'expression de mes sentiments les meilleurs.**
>
>    **... l'assurance (ou l'expression) de mes sentiments dévoués (distingués, cordiaux, amicaux).**
>
>    **... l'expression de mon respectueux dévouement.**
>
>    **... l'assurance de ma haute considération.**
>
>    **... l'assurance de ma parfaite considération.**
>
>    **... l'assurance de ma très haute considération.**
>
>    **... l'assurance de mes sentiments les plus distingués.**

## La signature

a) Dans la correspondance familière, on signe directement la lettre. Dans la correspondance officielle, le nom dactylographié figure au-dessous de la signature. Exemples:

>    **Le directeur de la publicité,**
>
>    **Réjean Plamondon**
>
>    **Jean Richard,**
>    **technicien en bibliothèque**
>
>    **ou**
>
>    **Jean Desautels, ingénieur**
>    **service de la planification**

285

Remarques:

1) Il faut mettre la virgule après le nom dactylographié, s'il est suivi d'un titre.

2) L'emploi de la majuscule dans les titres de fonctions n'est pas obligatoire.

b) Certains sont d'avis que les formules placées au-dessus de la signature comme "Votre tout dévoué", "Votre très obligé" sont démodées. Nous sommes d'avis, au contraire, qu'elles sont toujours d'actualité. Leur caractère pratique et déférent en font des formules très utiles et toujours bien acceptées par le destinataire.

c) Dans les cas où quelqu'un doit signer à la place d'un autre:

• si celui qui signe la lettre agit officiellement au nom de l'autorité, il doit faire précéder sa signature de la mention **p.p.** qui signifie "par procuration":

---

**La directrice de l'information,**

p.p.   *J.P. Lemieux*

**Jean-Paul Lemieux**

---

• s'il s'agit d'un subordonné mandaté par son supérieur pour signer en son nom, il utilise le mot **pour** (et non **par**):

---

**Pour le directeur de l'information,**

*Jacques Levasseur*

**Jacques Levasseur**

---

## Les mentions

a) **Les mentions figurant au début de la lettre.**

Il existe diverses sortes de mentions:

• Les mentions de caractère: *PERSONNEL, CONFIDENTIEL, URGENT.*

- Les mentions d'acheminement: *PAR EXPRÈS, PAR AVION, RECOMMANDÉ* (et non *ENREGISTRÉ* qui est calqué de l'anglais).

Toutes ces mentions sont écrites au masculin, parce qu'on sous-entend "courrier" ou "pli"; elles sont écrites en majuscules et soulignées.

- La mention **À l'attention de** est soulignée et se place à gauche, au-dessous de la vedette et au-dessus des mentions de références. On utilise cette expression lorsqu'on adresse la lettre à un organisme ou une entreprise, et qu'on désire qu'elle parvienne à une personne en particulier.

Exemple: **À l'attention de Monsieur Pierre Lemieux**

- La mention **Aux soins de** s'emploie lorsqu'une lettre est adressée à quelqu'un qui ne porte pas le même nom que la famille chez qui il réside. Exemple:

**Madame Claire Tremblay**

**a/s de Monsieur Claude Simard**

b) **Les mentions figurant à la fin de la lettre.**

- Les initiales d'identification du signataire et de la dactylo figurent en marge (pour le 1$^{er}$ modèle de disposition de la lettre) ou sous la signature (pour le 2$^e$ modèle). Exemples:

**CB/dr**

**BDLR/rt**

- La mention **pièce jointe** est indiquée en abrégée (p.j.) ou au long. On met entre parenthèses le nombre de pièces jointes. Exemple: p.j. (3). S'il y a plusieurs documents annexés, on écrit pièces jointes au pluriel (si on l'écrit au long).

- La mention **copie conforme** (c.c.) se place sous la précédente. On la fait suivre des noms des destinataires. On peut rencontrer aussi la mention **transmission confidentielle** (t.c.).

- Concernant l'emploi du **post-scriptum**, les opinions sont partagées: certains estiment qu'il faut l'utiliser le moins possible parce qu'il indique un oubli, d'autres en font l'endroit idéal pour glisser une information qui attirera l'attention du lecteur. À vous de choisir.

Remarques:

Conservez toujours un double de chaque lettre que vous expédiez. Le classement se fait par ordre chronologique, réparti par affaire, par dossier ou par destinataire.

# DISPOSITION DE LA LETTRE

## Marges et interlignes

Voici un modèle de disposition indiquant les marges et le nombre d'interlignes à laisser entre chaque partie de la lettre.

Marge supérieure (4 cm)

Marge latérale (4 cm)

Jean-Paul Simard
230, rue des Vingt et un
Chicoutimi
G7H 5Y9

6±

RECOMMANDÉ     Le 12 février 19...

4

Cégerco inc.
1010, rue Sherbrooke ouest
Montréal (Québec)

2

À l'attention de monsieur Jeannot Harvey

2-3

OBJET: prospectus de la compagnie

2-3

Monsieur,

2

Je vous remercie infiniment de la confiance que vous m'avez témoignée en me demandant de rédiger le prospectus de votre compagnie.

2

Je constate que l'imprimerie a tenu compte des modifications que nous avons apportées à la dernière minute. Le document est donc entièrement conforme à ce que nous avions prévu.

2

Dans l'espoir d'avoir le plaisir de vous servir à nouveau, je vous prie d'agréer, Monsieur, l'expression de mes sentiments distingués.

2

Le directeur de Bureautex,

3-6

*Jean-Paul Simard*

3-6

Jean-Paul Simard

JPS/nt
p.j. 2 factures
c.c. Monsieur Michel Harvey

Marge latérale (4 cm)

Marge inférieure (4 cm)

## La deuxième page de la lettre

Si la lettre a deux pages, il existe certaines règles à observer:

1. Vous indiquez à la fin de la première page, à droite, qu'il y aura une seconde page, de la façon suivante: ...2 (ou .../2).

2. Pour la deuxième page, voyez le modèle de disposition qui figure ci-après.

3. Vous devez pouvoir taper au moins deux lignes du dernier paragraphe sur la première page, et deux lignes au moins sur la deuxième.

4. Il ne faut jamais séparer le dernier mot de la première page.

**Modèle de disposition**

M. Jeannot Harvey      – 2 –      19..-02-12

Le directeur de Bureautex,

JPS/nt

Jean-Paul Simard

## L'ENVELOPPE

L'enveloppe doit être intacte, c'est-à-dire ne pas être tachée ou froissée. Rappelez-vous qu'elle témoigne de votre goût et du soin que vous apportez habituellement à votre travail.

## L'adresse

Voici les règles de présentation:

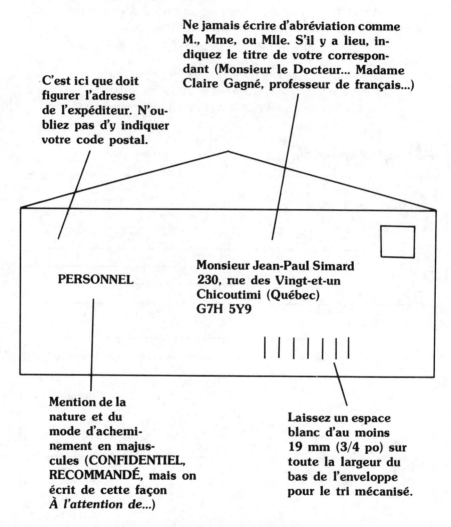

Ne jamais écrire d'abréviation comme M., Mme, ou Mlle. S'il y a lieu, indiquez le titre de votre correspondant (Monsieur le Docteur... Madame Claire Gagné, professeur de français...)

C'est ici que doit figurer l'adresse de l'expéditeur. N'oubliez pas d'y indiquer votre code postal.

PERSONNEL

Monsieur Jean-Paul Simard
230, rue des Vingt-et-un
Chicoutimi (Québec)
G7H 5Y9

Mention de la nature et du mode d'acheminement en majuscules (CONFIDENTIEL, RECOMMANDÉ, mais on écrit de cette façon À *l'attention de...*)

Laissez un espace blanc d'au moins 19 mm (3/4 po) sur toute la largeur du bas de l'enveloppe pour le tri mécanisé.

# MODÈLES DE LETTRES D'AFFAIRES

Les occasions d'utiliser la correspondance écrite dans la vie pratique et professionnelle sont multiples et variées: recherche d'emploi, lettre à un directeur, lettre à un chef du personnel, convocation à une entrevue, acceptation d'une candidature, confirmation à la suite d'un engagement, réponse défavorable à une demande d'emploi, refus d'une candidature, lettre de démission, lettre de réclamation, de recommandation, de félicitations; demande d'information, accusé de réception, réponse à une demande d'information, convocation à une assemblée, lettre à un fournisseur, lettre à un débiteur, lettre à un maire, à un député, à un ministre, lettre à un avocat, etc.

Il est évidemment impossible, dans le cadre de cet ouvrage, de présenter un modèle de lettre pour chacune des circonstances qui se présentent en affaires. Des ouvrages spécialisés vous fourniront de nombreux exemples de lettres pour toutes ces occasions. Nous nous limiterons ici à la lettre de demande d'emploi qui est d'un usage courant.

# LA LETTRE DE DEMANDE D'EMPLOI

La lettre de demande d'emploi doit être accompagnée de votre curriculum vitae dont nous verrons les règles d'élaboration plus loin. Ce genre de lettre revêt une importance d'autant plus grande qu'elle doit vous obtenir le travail ou le poste que vous désirez. Aussi doit-elle éveiller à tout prix l'intérêt du destinataire et le convaincre.

La lettre de demande d'emploi doit être objective, précise et directe. Elle constitue, avec le curriculum vitae, l'outil majeur de la demande d'emploi.

Plan de rédaction:

## 1. La mise en situation (1er paragraphe)

a) S'il s'agit d'une réponse à une offre d'emploi, vous dites comment vous avez appris que le poste était disponible.

b) S'il s'agit d'une simple demande d'emploi, vous posez directement votre candidature.

Vous trouverez quelques formules d'introduction pour les deux cas aux pages 282 et 283.

## 2. Présentation de la candidature (2e paragraphe)

a) Vous exprimez l'intérêt que vous portez à ce poste.

b) Vous expliquez vos aptitudes pour le poste.

## 3. Curriculum vitae et disponibilité (3e paragraphe)

a) Vous indiquez que vous joignez à votre lettre votre curriculum vitae et toutes les pièces justificatives pertinentes à votre candidature.

b) Vous faites part de votre disponibilité pour une entrevue.

## 4. Salutation (4ᵉ paragraphe)

a) Vous exprimez au besoin le souhait:
— de rencontrer le directeur de la compagnie;
et/ou
— d'avoir une réponse prochaine favorable.
b) Puis c'est la salutation.

Il est à noter que l'ordre des parties 2 et 3 peut être inversé.

La plupart des lettres de demande d'emploi ou d'offre de services sont habituellement rédigées de façon conventionnelle. Il est cependant avantageux que votre lettre se distingue de celles des autres, qu'elle frappe le ou la préposé(e) à la sélection des candidatures. D'où l'importance de faire preuve dans votre lettre d'originalité. Le meilleur endroit pour le faire est sans aucun doute la 2ᵉ partie de votre lettre, où vous exposez vos goûts et expliquez tout l'intérêt que vous portez au poste désiré.

Voici deux modèles de lettre de demande d'emploi.

1<sup>er</sup> modèle: **réponse à une offre d'emploi**

---

**Le 20 novembre 19..**

**Monsieur Roger Lesage
Directeur du journal
Le Nordic
3426, rue Bégin
Chicoutimi
B2X 5Y9**

**Monsieur le Directeur,**

J'ai relevé, dans le numéro du 15 novembre dernier du journal *Le Nordic*, l'annonce dans laquelle vous demandiez une secrétaire sténodactylo expérimentée. Ma qualification répondant aux conditions requises, permettez-moi de soumettre ma candidature au poste que vous offrez.

L'intérêt que je porte à votre journal n'est pas étranger à mon désir de poser ma candidature. La réputation que *Le Nordic* s'est acquise constitue certes une motivation importante pour une sténodactylo. Il me ferait grand plaisir de contribuer à soutenir cette réputation, en donnant ma pleine mesure dans le poste que vous offrez.

Vous trouverez ci-joint mon curriculum vitae. Quant aux pièces justificatives, je m'engage à vous les fournir sur demande. Je reste à votre disposition pour tout autre renseignement me concernant.

Dans l'espoir que vous voudrez bien prendre ma demande en considération et m'accorder bientôt une entrevue, je vous prie d'agréer, Monsieur le Directeur, l'expression de mes sentiments distingués.

*Hélène Simard*

**Hélène Simard**

p.j. Curriculum vitae.

2ᵉ modèle: **lettre d'offre de services**

Chicoutimi, le 5 avril 19..

Monsieur Pierre Turgeon
Directeur du personnel
Compagnie des Cent-Associés
2237, rue Sherbrooke est
Montréal (Québec)
J3L 2K5

Monsieur le Directeur,

Permettez-moi de poser ma candidature au poste de responsable de la publicité de votre compagnie.

Vous trouverez, ci-joint, mon curriculum vitae. Toutes les pièces justificatives peuvent vous être fournies sur demande. Si vous acceptez ma candidature, je suis disponible pour une entrevue les lundis, mercredis et jeudis, entre 8 h 30 et 16 h.

Je tiens à vous assurer que la présente demande répond entièrement à mes goûts. Je crois, de plus, posséder la compétence et l'expérience pertinentes à ce poste. J'ose donc espérer que mon offre de service retiendra votre attention.

Dans l'attente d'une réponse prochaine, je vous prie d'agréer, Monsieur le Directeur, mes salutations distinguées.

*P. Tremblay*

Pierre Tremblay

p.j. Curriculum vitae

# Exercices

a) Reproduisez de mémoire l'exemple de disposition de la lettre de la page 274.

b) Rédigez une lettre complète de demande d'emploi en utilisant les mentions pertinentes (n° 10 des parties de la lettre).

Voyez le CURRICULUM VITAE à la page 304.

## 2. LA LETTRE PERSONNELLE

La lettre personnelle occupe une place importante dans la vie familiale ou privée. Ici encore les occasions sont nombreuses: annonce d'une naissance, d'un mariage, d'un divorce, d'une mortalité, lettre de remerciements, de félicitations, de condoléances, de voeux à l'occasion d'un anniversaire, lettre d'invitation, et enfin lettre d'amour.

Ce type de lettre pourrait se définir comme une conversation dans laquelle la personnalité, le coeur s'expriment librement, mais avec bon sens et bon goût. Parfois la passion domine l'échange épistolaire. Le ton peut varier à l'infini, du sérieux à l'humour, tout dépendant du caractère de la situation et du destinataire. À ce niveau, la lettre personnelle privilégie la fonction expressive du langage. Elle est empreinte de subjectivité, par opposition à l'objectivité qui caractérise la lettre d'affaires.

Comme exemples de lettres personnelles, comment ne pas évoquer ici les célèbres missives de Madame de Sévigné. Bien qu'écrites au XVIIe siècle, ces lettres demeurent des chefs-d'oeuvre du genre dans lesquelles s'expriment l'art, l'esprit, la sensibilité, la spontanéité et ce, dans les circonstances les plus diverses de la vie. Elles ont toutes ce ton familier, celui de la conversation qui gagne le lecteur dès la première ligne.

Il existe évidemment des modèles plus récents de lettre personnelle. En voici un entre mille. Il s'agit en, l'occurrence, d'une lettre d'amour.

**Véra chérie,**

**Tout l'hôtel vit dans la fièvre aujourd'hui. On croirait que nous attendons la visite d'un grand personnage, une reine, un archange ou encore — mais c'est insensé d'y croire — toi, ma chérie. Je ne puis m'expliquer autrement cette fébrilité. Dix fois, douze fois, j'ai laissé mon livre pour m'assurer que quelqu'un n'était pas apparu à l'entrée de l'allée. Même les lis, le long de la clôture, se penchent pour mieux voir. Nous devrions peut-être guetter le ciel, car je ne serais guère surpris que notre visiteur vienne de là-haut: un astronaute en costume argenté rapportant**

une petite planète à son fils, ou un marchand de Tabriz étendu sur un tapis volant.

Du calme, mon coeur. Une promenade me fera peut-être du bien. Mon voisin, le vieux Richardson, est un marcheur infatigable. Nul terrain, nul roc ne l'arrête. De son pas lourd, il a foulé toute la planète.

Quant à moi, je préfère les longues flâneries sans but. Je n'aime pas m'immiscer dans les affaires de dame Nature. Elle sait très bien ordonner son univers d'herbe et de gravier, et n'a nul besoin de l'aide de mes gros sabots. Alors je rampe entre les brins d'herbe, tel un petit serpent vert, en veillant à ne rien déplacer. Mais Richardson et moi, nous nous entendons bien. Je suis sûr que nous formons une belle paire. Nous devrions porter des vêtements semblables pour produire encore plus d'effet. Il est énorme et rubicond, et a des favoris blancs. Moi — enfin, tu sais à quoi je ressemble.

Je t'en prie, Véra, reviens-moi vite! L'homme ne peut vivre seulement de rêves et de caprices. Il me faut retrouver ma raison de vivre, toi, mon amour. Ta dernière lettre aurait pu être écrite par un rayon de lumière sur l'aile d'un colibri tant l'amour qu'elle irradiait était léger et aérien. Tu es toute ma vie.

*Sélection*, juin 1981

Il est évidemment difficile de donner des règles précises pour la lettre personnelle. La technique varie avec chacun. Retenez cependant que la spontanéité et la simplicité sont toujours de bon aloi. Ces deux critères n'autorisent aucunement les mauvaises structures de phrases et les fautes d'orthographe. La qualité de la langue est une marque de respect et de considération pour le destinataire.

# 3. LA LETTRE D'OPINION

La lettre d'opinion constitue un medium privilégié pour exprimer ses idées sur une idéologie, un fait, un événement, une situation de nature individuelle, collective, sociale, politique, culturelle, etc. Elle peut également servir à réfuter ou approuver l'opinion d'un autre individu. La lettre d'opinion peut être destinée au public: elle emprunte alors la voie des journaux ou des revues; ou bien elle est destinée à un individu: directeur de compagnie, maire d'une municipalité, député, etc.

# Caractéristiques de la lettre d'opinion

La lettre d'opinion se rapproche de l'éditorial en ce que tous les deux émettent une opinion: **l'éditorial**, l'opinion du journal ou de la revue, **la lettre d'opinion**, celle d'un individu. Elle se situe à mi-chemin entre l'objectivité de l'éditorial et le texte subjectif.

Pour faire une bonne lettre d'opinion, il faut travailler en fonction du destinataire (individu ou groupe d'individus) et se demander quel type de lecteur est visé par la lettre. En second lieu, il faut adapter son style au destinataire, ne pas employer de mots qu'il ne connaît pas. Si vous avez à le faire, utilisez la fonction métalinguistique, c'est-à-dire expliquez, mais sans avoir l'air de donner un cours.

Au niveau des idées, il semble que la lettre d'opinion soit relativement facile à écrire. Elle naît souvent d'un sentiment très fort, piqué au vif, qui crée la stimulation, la motivation. Les idées viennent alors facilement. Mais c'est en même temps ce qui crée sa difficulté. La tentation est forte de se laisser emporter par le sentiment ou le ressentiment. L'idéal serait de permettre à son texte de mûrir. Mais cela est parfois difficile, car l'événement qui a suscité la lettre exige qu'elle paraisse dans le journal ou qu'elle soit envoyée à la personne le plus rapidement possible.

Quelle technique utiliser? Celle de la dissertation, bien sûr, mais avec plus de souplesse. Il s'agit, en somme, de bien poser le problème, de l'expliquer (prouver ou réfuter) et de conclure. Les deux schémas d'argumentation (syllogisme et dialectique) que nous exposons dans le chapitre sur l'écrit argumentatif s'avèrent ici d'une grande utilité. On relira également avec profit la théorie du paragraphe.

Quant au ton et au style, la lettre d'opinion emprunte à la littérature journalistique ses caractéristiques: sentir, rendre, expliquer; beaucoup de couleur et de rapidité. Elle peut s'accommoder d'une certaine passion dans le ton (style "*hot line*") qui va parfois jusqu'à la polémique et l'agressivité. Dans ce dernier cas, vous devez conserver une certaine éthique; il y a des limites qu'il ne faut pas dépasser, autrement vous perdriez toute crédibilité. À l'inverse du ton précédent, il y a celui de l'objectivité par lequel vous confondez l'adversaire par votre calme et votre façon neutre d'aborder les faits. N'oubliez pas que l'humour et l'ironie constituent également des stratégies efficaces pour véhiculer ou réfuter une opinion.

Diverses situations peuvent motiver la lettre d'opinion: 1) on peut vouloir présenter, défendre ou approuver une opinion, une idée, une position, un fait, un événement, un livre, un film, etc.; 2) on peut vouloir aussi critiquer ou approuver une idée, une position déjà émise par quelqu'un: c'est une réponse. Dans ce dernier cas, il faut s'assurer, avant de répondre, d'avoir bien saisi le message de celui qu'on réfute ou qu'on approuve.

## Démarche d'une lettre d'opinion

Elle est sensiblement la même que celle de la dissertation, mais avec quelques variantes.

### a) Le choix du titre

Si la lettre d'opinion est destinée à un journal ou à une revue pour fin de publication, vous pouvez choisir un titre. Celui-ci doit être évocateur, clair, concis et frappé comme une médaille. Il doit accrocher le lecteur et refléter votre prise de position.

Le titre possède à peu près la même fonction que le slogan dans le message publicitaire (voir p. 341). Le titre humoristique frappe beaucoup. On peut l'utiliser efficacement, à moins qu'il ne s'agisse d'un sujet grave et sérieux. Le meilleur titre comprend deux ou trois mots qui disent tout. Le plus mauvais titre est négatif.

### b) L'introduction

Elle obéit à la démarche classique: sujet amené, sujet posé et sujet divisé. L'introduction doit être rapide (sujet amené) et placer le lecteur dans le vif du sujet (sujet posé). Elle peut — ce n'est pas nécessaire surtout si la lettre est courte — annoncer les parties (sujet divisé).

### c) Le développement

Vous auriez avantage à consulter ici les divers plans suggérés pour la dissertation (p. 224). Néanmoins, voici quelques suggestions.

a) Si vous présentez, défendez ou réfutez une opinion sur un sujet, que ce soit la vôtre ou celle d'un autre, vous pouvez dégager deux, trois, quatre aspects principaux (idées principales) de l'opinion qui font l'objet d'autant de paragraphes.

b) Pour appuyer ou pour réfuter une idée ou une opinion, vous pouvez utiliser très efficacement la démarche syllogistique ou dialectique exposée plus loin dans le chapitre sur l'argumentation (pages 365 et suivantes). Nous résumons ces deux démarches ici:

## La démarche syllogistique:

1) Vous présentez votre opinion.
2) Vous prouvez, illustrez ou expliquez votre opinion.

3) Vous confirmez la véracité de votre opinion.

## La démarche dialectique:

1) **La thèse**: vous présentez l'opinion à réfuter en faisant une synthèse objective, articulée autour de deux ou trois idées principales, lesquelles font l'objet d'autant de paragraphes.

2) **L'antithèse**: vous réfutez l'opinion adverse à travers une série d'arguments structurés (un argument par paragraphe); vous pouvez encore présenter la thèse contraire à la précédente. Lorsque la thèse de votre adversaire mérite d'être démolie, vous ne faites que réfuter; s'il y a des aspects négatifs et positifs, vous pouvez en faire état. Cela peut augmenter votre crédibilité. Dans ce cas, vous présentez les aspects négatifs en second lieu, car il s'agit de réfuter.

3) **La synthèse**: vous présentez votre point de vue en dépassant la position de votre adversaire et la critique que vous en avez faite. C'est l'occasion de montrer que vous dominez le sujet, que vous voyez plus loin ou de façon plus objective que votre adversaire.

### d) **La conclusion**

La conclusion obéit aux mêmes principes que la dissertation. Elle reprend la prise de position adoptée contre l'opinion réfutée, mais en la renforçant. Vous terminez sur une idée qui ouvre le sujet et qui est susceptible de lancer le lecteur sur une autre piste de réflexion.

## La présentation matérielle

La présentation matérielle d'une lettre d'opinion est la même que celle de la lettre d'affaires (sauf certaines parties qui sont omises):

1. le lieu et la date
2. la vedette
3. l'appel
4. le corps de la lettre
5. la salutation
6. la signature suivie de l'adresse du destinateur.

Quand il s'agit d'une lettre destinée à un journal ou une revue pour fin de publication, vous avez avantage à présenter deux documents: 1) le texte exprimant votre opinion; 2) une lettre d'accompagnement dans laquelle vous demandez au directeur (ou à la directrice) s'il veut bien publier votre texte.

N'oubliez pas que votre texte doit obligatoirement porter votre signature et votre adresse.

## Exemple de lettre d'opinion

La lettre d'opinion porte sur un sujet d'actualité. Elle revêt donc un caractère éphémère. Voilà pourquoi la lettre que nous donnons en exemple ci-après risque fort d'être dépassée au moment où les lecteurs de notre ouvrage la liront. Mais ce qui est le cas pour le sujet ne l'est pas nécessairement pour les techniques de composition utilisées par l'auteur (structure, cheminement, stratégies) qui, elles, demeureront toujours valables. Précisons qu'il existe d'autres techniques de composition. Nous en avons suggéré dans les pages précédentes.

---

**"Révélations" et armes nucléaires**

**Par MICHEL FORTMANN**

*Professeur d'études stratégiques
à l'Université de Montréal*

| INTRODUCTION | | |
|---|---|---|
| | **Sujet amené:**<br>a) **L'intérêt des Canadiens pour la question.**<br>b) **Cet intérêt est de bon augure.** | ON CONSTATE, depuis quelques années, spécialement au Canada, un regain d'intérêt de l'opinion publique à l'égard des questions de défense et, plus particulièrement, à l'égard des problèmes nucléaires.<br><br>Dans la perspective où cet intérêt annonce, d'une part, un débat constructif sur ces questions et, d'autre part, une intervention accrue des Canadiens dans la définition des politiques gouvernementales en matière de défense, tout citoyen responsable ne peut que se réjouir d'un tel développement. Après tout, les Canadiens se manifestent constamment dans les domaines sociaux, économiques, pourquoi pas dans celui de la défense? |
| | **Sujet posé:**<br>Les médias informent mal le public sur la question. | Cependant, si nous observons, au Québec par exemple, la façon dont les faits majeurs sont présentés dans les médias d'information, on peut sérieusement douter que l'opinion publique puisse trouver là matière à se former une idée claire sur ces questions. |

| | |
|---|---|
| **1er POINT:** les faits **A) Des techni-calités et des statistiques nombreuses et incohérentes.** | Que nous donne-t-on généralement en pâture? D'abord, des technicalités souvent sans grande perti-nence, des statistiques infinies et discordantes sur le nombre, le type, la portée, la taille et les stocks de missiles, bref, un ensemble de données qui peut-être accorde l'étiquette d'experts à ceux qui les émettent, mais n'ajoute pas grand-chose au débat. |

Importe-t-il de savoir que les États-Unis ont empilé 30 000 ou 100 000 bombes nucléaires, si 200 de ces engins suffisent à détruire un pays? Non! Ce qu'il est nécessaire de comprendre, par contre, c'est la raison de l'état de choses actuel: pourquoi Soviétiques et Américains amassent-ils une telle puissance de des-truction? Mais, malheureusement, ces questions n'apparaissent que rarement.

**B) Une vision apocalyptique du phénomène nucléaire.**

Un second thème qui trouve son écho dans la presse est celui de l'holocauste nucléaire, la vision apocalyptique et terrifiante d'un monde transformé en ruines fumantes et radioactives à la suite d'un conflit généralisé. Mais pas plus que les abus de technica-lités et de statistiques, ces visions morbides ne per-mettent de mieux comprendre pourquoi nos gouver-nements s'arment et comment sortir de cette situation.

Bref, le débat sur les questions stratégiques est caractérisé par un pseudo-professionnalisme et un sensationnalisme désolants qui risquent soit de décou-rager l'opinion publique, soit de la polariser en factions passionnées et hostiles.

**2e POINT. les causes A) Les respon-sables.**

Une des responsabilités les plus lourdes dans la dégradation de ce débat reposera, à mon sens, sur les "experts" et les universitaires spécialisés, appelés à éclairer ces questions et à stimuler la discussion par le biais d'articles, d'émissions ou de conférences. Ceux-ci, plus que les médias qui, finalement, se con-tentent d'exploiter les nouvelles, se rendent, à mon sens, coupables de céder à la mode du jour et de pro-fiter d'un vedettariat facile favorisé par la rareté des personnes ressources dans le domaine.

La conséquence, comme l'a noté L. Freedmann, est "un discours biaisé en faveur des technicalités de second ordre et des problèmes à court terme... n'offrant ni les perspectives à long terme ni les

*(DÉVELOPPEMENT — mention latérale)*

| | | |
|---|---|---|
| DÉVELOPPEMENT (suite) | B) La recherche du sensationnalisme. | jugements indépendants qui devraient caractériser la contribution de l'expert au débat politique"(*Outside Influence on Policy, RUSI Journal,* mars 1982).<br><br>La "révélation" récente de la présence d'armes nucléaires en territoire canadien offre ainsi un exemple typique du sensationnalisme que l'on offre en lieu et place de la réflexion. Une fausse nouvelle est présentée un peu comme un cadavre que l'on aurait honteusement caché dans un placard: "Le gouvernement canadien essaie de donner l'impression qu'il n'y a pas d'armes nucléaires sur le territoire canadien" (*La Presse,* 19 septembre 1983).<br><br>Quelle farce! Non seulement la présence des fameux missiles Génie n'a jamais été cachée par Ottawa, mais, en plus, le fait a été rappelé par un article d'une revue québécoise il y a à peine quatre ans (*Québec Science,* mai 1979).<br><br>Les engins dont il s'agit sont d'ailleurs totalement démodés, étant donné qu'il s'agit de missiles développés au début des années 50, donc non guidés et à portée très réduite. Leur présence au Canada s'expliquerait plus par les motifs bureaucratiques qu'opérationnels. |
| CONCLUSION | a) Ces "révélations" n'apportent rien au débat.<br><br>b) Les vraies questions qui se posent. | Où veut-on en venir par une telle "révélation"? Quelles réflexions veut-on susciter par là? Aucune, si l'on en juge par les articles et les flashes d'information qui ont suivi la nouvelle.<br><br>A-t-on précisé le rôle des Cf 101 (porteurs des Génies) au sein de NORAD? A-t-on posé la question du rôle canadien au sein de la défense aérienne du continent? Va-t-on questionner le gouvernement à ce sujet? Pourquoi les Génies seraient un danger ou un avantage en cas de conflit? Autant de questions qui seront emportées par la bise d'automne...<br><br>*Le Devoir,* 5 octobre 1983 |

## Étude de la composition

### a) L'introduction

Le sujet amené part d'une constatation, d'un état de fait qui situe le problème nucléaire **dans un contexte général**, universel. Cela permet au lecteur de mesurer l'importance du sujet traité et d'apprécier son caractère d'actualité.

Suit une affirmation (2ᵉ paragraphe) dans laquelle l'auteur manifeste un esprit ouvert et positif. Au lieu de commencer par critiquer ouvertement, il fait preuve tout de suite **d'objectivité** en ouvrant une perspective qui démontre l'intérêt mondial rattaché au problème nucléaire; cela contribue d'une certaine façon à établir **sa crédibilité**. Après quoi, il est fort aise d'aborder directement, dans une formulation claire, succincte et sans équivoque, **l'objet de sa critique** (3ᵉ paragraphe).

## b) **Le développement**

L'auteur suit **un cheminement logique**. Après avoir exposé le problème dans l'introduction, il passe aux faits, explique les causes et donne des exemples concrets du discours biaisé offert par la presse.

a) Le premier point: l'argumentation basée sur les FAITS.

L'auteur introduit **les faits** à l'aide de l'interrogation et d'une image choc, très évocatrice: "Que donne-t-on généralement en pâture?" Le rôle de l'interrogation est de toucher le lecteur en lui posant une question; celui de l'image est de frapper son imagination. L'image donne en même temps le ton de la lettre. Qu'offre ainsi la presse "en pâture"? En premier lieu, des "technicalités" et des "statistiques" nombreuses, non pertinentes et discordantes; en second lieu, une "vision apocalyptique" du phénomène nucléaire. L'auteur **présente directement les faits** sans fard et sans détour. Ainsi faut-il procéder dans une lettre d'opinion. On doit éviter de noyer l'information dans un déluge de mots.

Les deux faits mentionnés convergent sur le jugement exprimé au 7ᵉ paragraphe. Ce jugement introduit par l'adverbe "bref" constitue l'essentiel ou le pivot de l'argumentation. Remarquez qu'il est situé à un endroit stratégique: à peu près au milieu, entre la fin du premier point et le début du deuxième. Cet endroit se révèle idéal pour placer l'argument le plus fort. L'auteur en profite pour dénoncer le "pseudo-professionnalisme" et la recherche du "sensationnalisme" dans la transmission de l'information (la "révélation"). Tout le deuxième point s'articule autour de ce jugement ou argument.

b) Le deuxième point: l'argumentation basée sur les CAUSES.

Après avoir exposé les faits (premier point), l'auteur identifie les causes du problème, c'est-à-dire les responsables de l'information biaisée. Ce sont les "experts" et les "universitaires spécialisés" qu'il accuse de jouer au "vedettariat", profitant de leur chaire ou des tribunes qui leur sont offertes pour diffuser leur message à des gens normalement peu informés dans ce domaine hautement spécialisé.

Pour donner plus de force et de crédibilité à ses propos, l'auteur utilise **l'argument d'autorité**, en l'occurrence une opinion de L. Freedmann (9ᵉ paragraphe), un spécialiste de ces questions. Puis il donne **des exemples** du discours faussé par la recherche du "sensationnalisme": 1) la déformation des faits: "Une fausse nouvelle est présentée comme un cadavre"; 2) des accrocs à la vérité: "Quelle farce!"; 3) des erreurs de jugement: "Les engins dont il s'agit sont démodés". Dans les deux premiers cas, il appuie ses informations sur des **références** et des **citations**: *La Presse, Québec Science*. Apprécions ici la stratégie utilisée: à la première référence qui affirme que le gouvernement cache la présence d'arme nucléaires (*La Presse* du 19 septembre 1983), il oppose une autre référence, extraite d'une revue scientifique, qui affirme précisément le contraire (*Québec Science*, mai 1979). Il combat donc ses adversaires avec les mêmes armes, sur le même terrain: celui de l'information journalistique. Remarquez que l'opinion qui va dans le sens de son argumentation est placée en dernier lieu.

c) **La conclusion**

La conclusion est brillante. À travers la technique du questionnement ou de l'interrogation — qu'il utilise d'ailleurs abondamment dans toute sa lettre —, l'auteur demande finalement: "Où veut-on en venir par une telle "révélation"?" Et il exprime de façon non équivoque son désaccord. Sa prise de position constitue en même temps **une synthèse, un résumé** de son argumentation sur le problème des armes nucléaires.

Puis, dans le dernier paragraphe, il **ouvre le sujet** en posant, sous forme de questions, les vraies coordonnées du problème. Et **le débat est relancé**...!

# LE CURRICULUM VITAE

L'expression curriculum vitae vient du latin. Elle signifie **la course de la vie**. Le curriculum est la formule par excellence utilisée par l'employeur pour se faire une idée exacte de votre formation et de votre compétence. Il est souvent comparé à un portrait sur le plan professionnel. Vous avez donc avantage à vous présenter sous votre meilleur jour, sans toutefois trahir les faits.

Un curriculum doit être exact, concis et clair; la présentation, impeccable sur les plans technique et formel. Souvent, à compétence égale, un employeur privilégiera consciemment ou non le candidat qui présente le meilleur curriculum vitae.

Le curriculum constitue avec la lettre d'offre de services la pièce essentielle d'un dossier de candidature. Soulignons tout de suite que certains employeurs possèdent leur propre formulaire de demande d'emploi qu'ils envoient au candidat. Il suffit alors de bien le remplir. Dans le cas contraire, il faut savoir comment préparer un curriculum. C'est ce que nous allons voir.

L'élaboration d'un curriculum vitae est essentiellement basée sur l'ordre chronologique. Deux possibilités peuvent se présenter: 1) vous suivez l'ordre chronologique des faits; 2) vous procédez à l'inverse, c'est-à-dire du moment où vous rédigez et vous remontez dans le temps. C'est cette dernière méthode qui est la plus courante.

Un curriculum comprend six parties:

### 1<sup>re</sup> partie: identification

- NOM (en majuscules), prénom (en minuscules);
- adresse;
- téléphone (résidentiel et bureau);
- numéro d'assurance sociale (facultatif);

(deux espaces)
- date de naissance;
- situation de famille (marié/célibataire);
- nationalité (il est bon de préciser ici les langues parlées et écrites ainsi que le degré de maîtrise).

### 2<sup>e</sup> partie: le poste ou emploi désiré (facultatif)

L'employeur prend normalement connaissance du poste ou de l'emploi que vous désirez dans la lettre d'offre de services et de demande d'emploi. Mais il est avantageux de mentionner le poste ou l'emploi désiré dans le curriculum vitae, car il arrive souvent que la sélection des candidats se fasse à partir du curriculum seulement.

Lorsque le curriculum est assez élaboré, on peut présenter ici un **sommaire**. Voir plus loin le modèle 4 (curriculum vitae d'un ingénieur).

### 3<sup>e</sup> partie: formation et expérience

Cette partie est très importante, car elle témoigne de votre compétence. Apportez-y beaucoup de soin. L'ordre de présentation de votre formation et de votre expérience peut varier en fonction des besoins du poste désiré. Si l'accent doit être mis sur la formation académique, vous com-

305

mencez par elle. Dans le cas contraire, vous mentionnez d'abord votre expérience.

## Votre formation académique ou professionnelle

Elle comprend vos diplômes, certificats, cartes de compétence, titres, cours spéciaux, mentions, bourses obtenus pour chacune des institutions que vous avez fréquentées, ainsi que la date à laquelle vous les avez obtenus. L'énumération des diplômes se fait en commençant par le dernier obtenu (récent) ou par le plus élevé.

## Votre expérience

Vous mentionnez ici les postes ou emplois occupés, en commençant par le plus récent. Chaque poste important doit être décrit de façon succincte mais précise. Cette description comprend: titre et date du poste ou de l'emploi occupé (mois et année), nom de l'employeur et endroit, explication des tâches et responsabilités assumées et, s'il y a lieu, mention de vos réalisations, stages pratiques, etc.

### 4ᵉ partie: renseignements personnels

Les renseignements personnels portent sur les activités autres que les études et le travail auxquelles vous vous êtes adonné: activités d'ordre culturel, sportif, social, humanitaire, politique (conseiller municipal, député, etc.), communautaire, bénévolat, appartenance à une association, à un cercle, passe-temps, réussite au plan sportif, projets de carrière. Vous pouvez également faire état de votre santé.

### 5ᵉ partie: références

Si l'on ne vous demande pas expressément de références, dites simplement: références disponibles sur demande. Dans le cas contraire, donnez les noms de une à trois personnes qui sont susceptibles de vous fournir une lettre de référence qui soit à votre avantage. Indiquez alors le nom, le poste, l'adresse et le numéro de téléphone de la personne. Il est préférable de choisir des personnes oeuvrant dans des milieux ou secteurs différents. Ne mentionnez surtout pas de proches parents.

### 6ᵉ partie: publications et exposés

Si vous avez eu l'occasion de publier (articles, ouvrages, etc.) ou de donner des exposés ou conférences, cela constitue un atout inestimable pour votre candidature. Dans le cas contraire, omettez tout simplement cette partie.

*Remarque*: Votre curriculum peut être daté et signé à la main.

## Présentation matérielle et style

Votre curriculum doit être fait sur des feuilles de papier blanc de format standard (8 1/2 po x 11 po ou 21 1/2 cm x 28 cm). Il doit être tapé à la machine à écrire, ne pas dépasser 2 ou 3 pages et être bien aéré. L'aspect visuel (marge, centrage, disposition) est capital. N'utilisez jamais le verso de la feuille.

Employez un style bref, clair et précis. De préférence des verbes d'action ("j'ai participé", "j'ai conçu et appliqué", "j'ai négocié", "j'ai présenté", "j'ai été responsable", "j'ai collaboré", "j'ai supervisé", "j'ai contribué", "j'ai mis au point", "j'ai conduit des études sur", etc.) Ne donnez jamais de renseignements négatifs qui vous feraient paraître à votre désavantage ou à demi compétent ("Je suis assez bon dans").

Accordez un soin tout particulier à l'orthographe. C'est non seulement une forme de politesse, mais c'est aussi une marque de compétence.

Habituellement le curriculum est accompagné d'une lettre de présentation: c'est la lettre de demande d'emploi.

Modèle 1: **étudiante au cours général**

### Curriculum vitae

**Johanne Cyr
1021, rue de la Ronde
Belleville (Québec)
G2H 3X6
Tél.: (777) 555-2222
N° d'assurance sociale: 222-333-111**

**Âge: 16 ans (date de naissance: 22 avril 1966)
État civil: célibataire
Citoyenneté: canadienne
Langues parlées: français (très bien); anglais (bien)
Langues écrites: français (très bien); anglais (bien)
FORMATION SCOLAIRE**

**1981-1982: Je fais présentement mon secondaire 5 (général) à la polyvalente Jean-Brillant (2213, boul. des Étudiants, Belleville, G2H 3B2).**

307

J'ai le profil de cours suivant:
Français 522
Mathématiques 522
Vie économique 512
Histoire 512
Sciences religieuses 512
Éducation physique 521
Biologie 521
Chimie 462
Arts plastiques 512

## ACTIVITÉS

**1982:** J'ai été choisie comme hôtesse à la polyvalente Jean-Brillant. Mon travail consistait à recevoir les visiteurs, à les informer et à les diriger lors de réunions ou de rencontres organisées à l'école.

**1981:** J'ai obtenu un certificat de participation à la course Terry Fox.
J'ai été l'une des quinze candidates sélectionnées comme hôtesses à la polyvalente Jean-Brillant. Il y avait soixante participantes.
Dans le cadre des Jeux du Québec, j'ai récolté quatre médailles d'argent en ski nautique à Saint-Félicien.
J'ai obtenu une médaille de bronze, lors d'une compétition de ski nautique à La Baie.

**1980:** J'ai participé à un tournoi de basket-ball réunissant des élèves des niveaux 3, 4 et 5. Nous avons remporté la victoire.
J'ai été élue "Miss Environnement" au club Huit-Chutes.

**1976:** J'ai participé au championnat olympique de Jonquière en athlétisme dans les disciplines suivantes: course, saut en hauteur, saut en longueur.

## PASSE-TEMPS

Mes passe-temps préférés sont le cinéma, le théâtre, la danse, la musique et la lecture. Je fais du camping l'été.

## PROJET DE CARRIÈRE

J'ai l'intention de poursuivre mes études au Cégep Édouard-Montpetit (Montréal) dans le but de devenir hygiéniste dentaire.

RÉFÉRENCES
M. Claude Vaillancourt, Directeur
Polyvalente Jean-Brillant
2213, boul. des Étudiants
Belleville, Qué.
G2H 3B2
Tél.: (777) 222-1111

Mme Aline Côté
2245, rue des Érables
Belleville, Qué.
G2H 3Z1
Tél.: (777) 111-4444

*Johanne Cyr*

**Johanne Cyr**
**octobre 1982**

Modèle 2: **étudiant aux métiers**

### Curriculum vitae

David Gaudreault
1524, rue Saint-Hubert
Belleville (Québec)
G2H 3A6
Tél.: (777) 222-5555
N° d'assurance sociale: 111-222-333
Âge: 17 ans (date de naissance: 24 mars 1965)
État civil: célibataire
Citoyenneté: canadienne
Langues parlées: français (très bien); anglais (très bien)
Langues écrites: français (très bien); anglais (bien)

### FORMATION SCOLAIRE

1982: Secondaire V, option "aménagement intérieur".
Polyvalente Jean-Brillant
2213, boul. des Étudiants
Belleville (Québec)
G2H 3B2

En plus des cours de base (français, mathématiques, etc.), j'avais le profil de cours suivant:

Plans de: — chambre à coucher
          — cuisine
          — salle de bains
          — salon

Arts appliqués
Arts plastiques
Organe d'assemblage
Textures
Éclairage et accessoires
1981: Secondaire IV, option "dessin publicitaire"
Pavillon Wilbrod-Dufour
850, Ave Bégin
Alma, Qué.
G8B 2X7

J'avais le profil de cours suivant:
Textures
Réalisation de page couverture de revues
Lettrage
Technique de tire-ligne
Psychologie des couleurs
Séparation des couleurs

## EXPÉRIENCE DE TRAVAIL

### Juin 1982 à septembre 1982: concepteur

J'ai travaillé pour le "studio d'arts graphiques enr.". J'étais chargé de la conception de cartes d'affaires. J'ai réalisé en outre deux maquettes de couvertures de livre. J'étais amené à l'occasion à donner mon avis sur toutes sortes de sujets et de cas se rapportant au graphisme. J'ai agi également deux fois comme conseiller pour un bureau d'architecte et d'ingénieur.

Adresse de mon supérieur immédiat:

M. Jean Desgagné, propriétaire
Studio d'arts graphiques enr.
3632, 1$^{re}$ avenue
Rimouski (Québec)
G2H 5J2

310

**Juin 1981 à septembre 1981: responsable de rayon**

> J'ai travaillé pour le "Centre de décoration Bo-décor". J'avais la responsabilité du rayon de la céramique (vente et aménagement). En plus de la vente, je devais conseiller les clients. À plusieurs reprises, j'ai été amené à élaborer des plans complets de décoration intérieure.
>
> Adresse de mon superviseur immédiat:
>
> Mme Christine Pelletier
> Centre de décoration BO-DÉCOR
> 567, boul. Panoramique
> Chicoutimi (Québec)
> J3K 4T6

**Juin 1980 à septembre 1980: commis de magasin**

> J'ai travaillé comme commis dans une quincaillerie. J'étais chargé du rayon de la décoration intérieure. Je devais conseiller les clients dans l'achat de matériaux et d'objets destinés à la décoration. J'ai dû aussi, à deux reprises, remplacer un employé absent aux rayons de la plomberie et de l'électricité.
>
> C'était la première fois que j'étais en contact avec le public. L'expérience m'a passionné. J'ai pu constater que j'étais vraiment fait pour ce genre de travail.
>
> Adresse de mon superviseur immédiat:
>
> M. Yvon Bellefeuille
> Quincaillerie Rénovation Ltée
> 1526, rue du Port
> Ville de La Baie (Québec)
> B2R 4S5

**AUTRES ACTIVITÉS**

> Je pratique le tennis.
> J'écoute de la musique instrumentale.
> Je peins des tableaux.

**PROJETS DE CARRIÈRE**

> J'ai l'intention de devenir décorateur et de poursuivre mes études en esthétique de présentation. J'envisage aussi de faire du dessin publicitaire.

**RÉFÉRENCES**

> Je peux vous fournir des références sur demande.

Modèle 3: **professeur**

Curriculum vitae

**CHRÉTIEN, Jacques**
**220, rue Malraux**
**Chicoutimi (Québec) G7H 5Y9**
**Tél.: (418) 542-8825 (domicile)**
     **(418) 549-2452 (bureau)**
**Date de naissance: 8 février 1957**
**État civil: marié, 2 enfants**
**Langue maternelle: français**
**Autre langue: anglais parlé (bon)**
             **anglais écrit (peu)**

*Poste désiré:* **professeur de français**

**ÉTUDES**

**1973-1976 Baccalauréat en lettres**
          **Université de Montréal**

**1971-1973 Baccalauréat en pédagogie**
          **Université Laval**

**1973-1976 Détenteur d'une bourse de perfectionnement du MEQ pour l'obtention du baccalauréat en lettres.**

**EXPÉRIENCE**

**Sept 76 —**
*Enseignement*
**J'enseigne depuis six ans le français au secondaire: 2 ans au premier cycle et 4 ans au deuxième.**

**Sept 78 —**
**juin 80**
*Animation*
**J'ai été chef de groupe en français 2 ans. Ma tâche a consisté dans l'animation, l'élaboration et l'application des programmes de français pour chaque niveau d'enseignement.**

**Sept 81 —**
**juin 82**
*Recherche*
**J'ai participé à une recherche pour le MEQ sur l'évaluation en classe de français. Il s'agissait d'élaborer des grilles d'évaluation sur les différentes formes de discours oraux et écrits.**

**Janv 79 —**
*Stage de perfectionnement*
**J'ai suivi un stage pratique de 45 heures en com-**

312

mai 79     munication à l'Université du Québec à Chicoutimi. Le stage touchait les éléments suivants:
— relations personnelles et interpersonnelles;
— animation de groupe;
— application des différentes théories sur la communication.

*Conférences*

Mars 78 —   J'ai prononcé deux conférences sur la situation de
avril 78    l'enseignement du français dans les écoles devant
les Clubs Optimiste et Richelieu de ma région.

### ACTIVITÉS

Secrétaire de l'Association des enseignants du
Territoire Lapointe deux ans.
Fervent auditeur de musique classique (époque ba-
roque en particulier).
Adepte inconditionnel du yoga et de la méditation
transcendantale.

### RÉFÉRENCES

M. Clément Bergeron
Directeur pédagogique
Commission scolaire régionale Le Nord
3256, rue Bersimis
Chicoutimi, Qué.
U9V 5X8
Tél.: (418) 545-3267

M. François Lavigne, Directeur
Polyvalente Le Saguenay
4567, rue de la Montagne
Chicoutimi, Qué.
Y8H 5V4
Tél.: (418) 549-2254

*Jacques Chrétien*

juin 1982

Modèle 4: **ingénieur**

## Curriculum vitae

### YOLAND SHEEY

175, rue Marco
Chicoutimi (Québec)
G7G 4T2

Résidence: (418) 549-5094
Bureau: (418) 543-4938

Date de naissance: 8 juillet 1947
Lieu: Chicoutimi
État civil: marié
Nationalité: canadienne

### SOMMAIRE

Expérience dans le domaine de l'ingénierie et de la construction. Participation à toutes les phases de la réalisation de projet: préliminaire, design, construction et mise en marché.

### FORMATION

| | |
|---|---|
| 1981-1982 | Maîtrise en gestion de projet en cours (Université du Québec à Chicoutimi). |
| 1970-1971 | Divers diplômes spécialisés (Ministère de l'Éducation):<br>— Management, mécanique, hydraulique, soudure;<br>— Rédaction de devis, sécurité, gestion de projet. |
| 1967-1970 | Bachelier en sciences appliquées, option mécanique industrielle (École polytechnique de Montréal). |
| 1965-1967 | Études en sciences appliquées (École de génie de Chicoutimi). |

### EXPÉRIENCE

| | |
|---|---|
| 1982 jusqu'à ce jour | Ingénieur de projet pour la compagnie Cegerco inc. |
| 1978-1982 | Ingénieur en charge de la construction et des soumissions pour la compagnie Desbiens & Bouchard. |
| | Ingénieur en charge des ateliers, de la construction et des soumissions pour la compagnie Soudard Métal. |

**1972-1978**     Chargé du service de mécanique et coordonnateur de projets pour la firme d'ingénieurs-conseil L.M.B.D.S. & Associés.

**1970-1972**     Ingénieur au service du réseau extérieur pour la compagnie Bell Canada.

## PRINCIPAUX PROJETS RÉALISÉS EN GESTION DE CONSTRUCTION

**Industriels:**     Lavalin A.P.S. (Aluminerie Grande-Baie):
— Bureau principal (complet)
— Centre d'accueil (complet)
— Salle de cuves (architecture seulement)
— Bâtiment de transfert (béton et mécanique)
— Usine de carbone (béton et architecture)
— Salle de cuvelage (béton)

Consolidated Bathurst:
— Usine de pâte et papier de Port-Alfred
— Salle de douches et casiers
— Bureau principal
— Relocalisation des bobineuses
— Chaudière à écorce
— Travaux divers de béton, mécanique, structure, architecture et démolition

**Institutionnels:**     École Saint-François-de-Sales
Manège militaire de Chicoutimi

**Commerciaux:**     Garage municipal de Ville de la Baie
Restaurant Bobby
Garage Weitt

**Résidentiels:**     H.L.M. (Ville de La Baie)
H.L.M. (Baie-Saint-Paul)
H.L.M. (Saint-Prime)

## PRINCIPAUX PROJETS RÉALISÉS EN INGÉNIERIE ET GESTION DE DESIGN

**Industriels:**     Scieries: Price Péribonka, Chibougamau Lumber, Murdock Domtar, Girardville (projet partiel)
Reconstruction de l'usine Saint-Raymond Paper

Cartonnerie Price de Jonquière (réparation à la suite de l'incendie)

315

Alcan (projets divers)
Consolidated Bathurst (projets divers)
Reed Paper (projets divers)
Niobec (projets divers)

**Institutionnels:** Polyvalente de Jonquière, St-Félicien, Dolbeau, Mistassini, Henri-Fortier (Kénogami)
Cégeps de Jonquière, Alma, St-Félicien
Hôpitaux de Jonquière et Verdun
Centres sportifs de Ville de la Baie, Arvida, Chicoubougamau, Port-Cartier

**Commerciaux:** Hôtel-de-ville de St-Ambroise
Hôtel-de-ville de St-Prime
Centre administratif de Jonquière
Centre des données fiscales (préliminaires)
Centre commerciaux d'Alma, Port-Cartier, Dolbeau

**Résidentiels:** H.L.M. de Chicoutimi, Jonquière, Roberval, Chibougamau, Larouche

### ASSOCIATIONS PROFESSIONNELLES

Ordre des ingénieurs du Québec
Association des diplômés de Polytechnique
Association des diplômés de l'Université de Montréal
Institut canadien des ingénieurs
Bureau canadien de la soudure
Association canadienne de la soudure

# EXERCICE

Rédigez votre propre curriculum vitae.

# F.  L'ÉCRIT PUBLICITAIRE

"La sagesse suprême, c'est de regarder le monde comme un message publicitaire", écrit Pierre Turgeon, dans *La première personne*. La publicité fait partie intégrante de la vie. Critiquée par les uns, portée aux nues par les autres, elle apparaît comme **un mal nécessaire**. Un mal, car elle inonde littéralement les journaux, les revues. Le lecteur fervent qui voit sa lecture interrompue, interceptée, se rebiffe contre elle. Un mal également, car on parlera volontiers à son sujet de manipulation: tous les moyens sont bons pour arriver aux fins poursuivies. Elle va même parfois jusqu'à dissoudre la personnalité du consommateur, provoquant chez lui une véritable aliénation. Combien de cas, en effet, ne pourrait-on pas mentionner qui prouvent que la publicité abuse, qu'elle ne vise qu'à créer des besoins et à accroître  ainsi le volume des ventes et les profits?

Malgré ses tares, la publicité demeure cependant nécessaire, car elle représente un **merveilleux outil d'information**. Qui n'a pas déjà été "sauvé" par elle? Médicament qui a permis de régler un problème de santé, annonce de "spéciaux" qui a permis à telle mère de famille de joindre les deux bouts; tel commerçant a doublé son chiffre d'affaires grâce à elle. La publicité demeure l'instrument par excellence pour faire rouler l'économie, assurer le progrès.

La meilleure façon d'exercer un regard critique sur le message publicitaire est d'en comprendre le fonctionnement et d'essayer d'en produire un. À cette fin, nous commencerons par présenter trois textes fort intéressants qui vous permettront de dégager les principales composantes du message publicitaire.

**1ᵉʳ texte**

### De la publicité

**La Publicité? Elle décrit, de manière à exciter l'acheteur à l'acte d'achat, les objets destinés à un certain usage et dotés d'une valeur d'échange, cotés sur le marché. Cette description n'est qu'un début. Tel fut ce caractère de la publicité au**
5  **XIXᵉ siècle: informer, décrire, exciter le désir. Il n'a pas disparu, mais d'autres caractères le surdéterminent. Dans la deuxième moitié du XXᵉ siècle, en Europe, en France, rien (un objet, un individu, un groupe social) ne vaut que par son double: son image publicitaire qui l'auréole. Cette image double**

10 non seulement la matérialité sensible de l'objet, mais le désir et le plaisir. En même temps elle rend fictifs le désir et le plaisir. Elle les situe dans l'imaginaire. C'est elle qui apporte du "bonheur" c'est-à-dire de la satisfaction dans l'état de consommateur. La publicité, destinée à susciter la consommation des
15 biens, devient ainsi le premier des biens de consommation. Elle produit des mythes, ou plutôt, ne produisant rien, s'empare des mythes antérieurs. [...] Elle récupère ainsi les mythes: celui du Sourire (le bonheur de consommer identifié avec le bonheur imaginaire de celle ou de celui qui désigne l'objet à consommer),
20 celui de la Présentation (l'acte social qui rend présents les objets, activité qui donne lieu elle-même à des objets, le "présentoir" par exemple). [...]
Elle se substitue à ce qui fut philosophie, morale, religion, esthétique. Il est loin le temps où les publicitaires prétendaient
25 conditionner les "sujets" consommateurs par la répétition d'un slogan. Les formules publicitaires les plus subtiles aujourd'hui recèlent une conception du monde. Si vous savez choisir, choisissez telle marque. Tel instrument (ménager) libère la femme. Telle "essence" (avec un vague jeu de mots sur le terme) est plus
30 près de vous. Ce "contenu" très vaste, ces idéologies capturées, n'empêchent pas la sollicitude la plus concrète. Les injonctions qui interrompent films et nouvelles à la télévision américaine montrent jusqu'où cette sollicitude peut aller. Vous êtes chez vous, à votre foyer, que peuple le petit écran, et l'on
35 s'occupe de vous. On vous dit comment vivre toujours mieux: quoi manger et boire, de quoi vous vêtir et vous meubler, comment habiter. Vous voilà programmé. Sauf en ceci qu'il vous reste à choisir entre toutes ces choses bonnes, l'acte de consommer restant structure permanente. On a dépassé le
40 mythe du sourire. La consommation est affaire sérieuse. Bienveillante, bénéfique, la société entière est près de vous. Attentive. Elle pense à vous, personnellement. Pour vous, elle prépare des objets personnalisés, ou mieux encore livrés en tant qu'objets d'usage à votre liberté personnalisante: ce fauteuil,
45 cet assemblage d'éléments, ces draps de lit, cette lingerie. Ceci, et non cela. La Société, on l'a méconnue. Qui? Tous. Elle est maternelle, fraternelle. La famille visible se double de cette famille invisible, meilleure et surtout plus efficace, la société de consommation, qui entoure de ses attentions et de ses charmes
50 protecteurs chacun de nous. Comment peut-il subsister un malaise? Quelle ingratitude!...
La consommation de signes est particulièrement digne d'intérêt. Elle a des modalités bien établies; par exemple, le strip-

318

tease, consommation ritualisée des signes de l'érotisme. Mais
55     elle prend parfois l'allure d'une frénésie. Il y eut l'année des
"scoubidous" (signe de quoi? de l'inutile, du combinatoire et du
rationnel absurde, maniaque et sans joie) et la saison des porte-
clés (signe de la propriété). Pendant quelques semaines ou
quelques mois, le tourbillon prit naissance, se forma, entraîna
60     des milliers de gens, puis disparut sans laisser de traces.
[...] La publicité prend l'importance d'une idéologie. C'est l'idéologie de la marchandise.

Henri LEFEBVRE, *La vie quotidienne dans le monde moderne*, 1968

---

QUESTIONS:
1. Quelle définition Henri Lefebvre donne-t-il de la publicité? (ligne 1)
2. En quoi consiste le "double" publicitaire? (lignes 6-12)
3. Expliquez l'expression: "Elle produit des mythes". (ligne 16)
4. Expliquez la phrase: "La publicité prend l'importance d'une idéologie". (ligne 61)

---

## 2ᵉ texte

### Publicité de la profondeur

J'ai indiqué qu'aujourd'hui la publicité des détergents flattait
essentiellement une idée de la profondeur: la saleté n'est plus
arrachée de la surface, elle est expulsée de ses loges les plus
secrètes. Toute la publicité des produits de beauté est fondée,
5     elle aussi, sur une sorte de représentation épique de l'intime. Les
petits avant-propos scientifiques, destinés à introduire publicitairement le produit, lui prescrivent de nettoyer en profondeur,
de débarrasser en profondeur, de nourrir en profondeur, bref,
coûte que coûte, de s'infiltrer. Paradoxalement, c'est dans la
10     mesure où la peau est d'abord surface, mais surface vivante,
donc mortelle, propre à sécher et à vieillir, qu'elle s'impose
sans peine comme tributaire de racines profondes, de ce que
certains produits appellent *la couche basique de renouvel-
lement*. La médecine permet d'ailleurs de donner à la beauté un
15     espace profond (le derme et l'épiderme) et de persuader aux
femmes qu'elles sont le produit d'une sorte de circuit germinatif
où la beauté des efflorescences dépend de la nutrition des
racines.
L'idée de profondeur est donc générale, pas une réclame où
20     elle ne soit présente. Sur les substances à infiltrer et à con-
vertir au sein de cette profondeur, vague total; on indique seu-

319

lement qu'il s'agit de *principes* (vivifiants, stimulants, nutritifs) ou de *sucs* (vitaux, revitalisants, régénérants), tout un vocabulaire moliéresque, à peine compliqué d'une pointe de scien-
25 tisme (*l'agent bactéricide R 51*). Non, le vrai drame de toute cette petite psychanalyse publicitaire, c'est le conflit de deux substances ennemies qui se disputent subtilement l'acheminement des "sucs" et des "principes" vers le champ de la profondeur. Ces deux substances sont l'eau et la graisse.
30 Toutes deux sont moralement ambiguës: l'eau est bénéfique, car tout le monde voit bien que la peau vieillie est sèche et que les peaux jeunes sont fraîches, pures *d'une fraîche moiteur*, dit tel produit); le ferme, le lisse, toutes les valeurs positives de la substance charnelle sont spontanément senties comme tendues
35 par l'eau, gonflées comme un linge, établies dans cet état idéal de pureté, de propreté et de fraîcheur dont l'eau est la clef générale. Publicitairement, l'hydratation des profondeurs est donc une opération nécessaire. Et pourtant l'infiltration d'un corps opaque apparaît peu facile à l'eau: on imagine qu'elle est trop
40 volatile, trop légère, trop impatiente pour atteindre raisonnablement ces zones cryptuaires où s'élabore la beauté. Et puis, l'eau, dans la physique charnelle et à l'état libre, l'eau décape, irrite, elle retourne à l'air, fait partie du feu; elle n'est bénéfique qu'emprisonnée, maintenue.
45 La substance grasse a les qualités et les défauts inverses: elle ne rafraîchit pas; sa douceur est excessive, trop durable, artificielle; on ne peut fonder une publicité de la beauté sur la pure idée de crème, dont la compacité même est sentie comme un état peu naturel. Sans doute la graisse (appelée plus poéti-
50 quement *huiles*, au pluriel, comme dans la Bible ou l'Orient) dégage-t-elle une idée de nutrition, mais il est plus sûr de l'exalter comme élément véhiculaire, lubrifiant heureux, conducteur d'eau au sein des profondeurs de la peau. L'eau est donnée comme volatile, aérienne, fuyante, éphémère, pré-
55 cieuse; l'huile au contraire tient, pèse, force lentement les surfaces, imprègne, glisse sans retour le long des "pores" (personnages essentiels de la beauté publicitaire). Toute la publicité des produits de beauté prépare donc une conjonction miraculeuse des liquides ennemis, déclarés désormais complémentaires; res-
60 pectant avec diplomatie toutes les valeurs positives de la mythologie des substances, elle parvint à imposer la conviction heureuse que les graisses sont véhicules d'eau, et qu'il existe des crèmes aqueuses, des douceurs sans luisance.
La plupart des nouvelles crèmes sont donc nommément
65 *liquides*, *fluides*, *ultra-pénétrantes*, etc.: l'idée de graisse,

pendant si longtemps consubstantielle à l'idée même de produit de beauté se voile ou se complique, se corrige de liquidité, et parfois même disparaît, fait place à la fluide *lotion*, au spirituel *tonique*, glorieusement *astringent* s'il s'agit de com-
70 battre la cirosité de la peau, pudiquement *spécial* s'il s'agit au contraire de nourrir grassement ces voraces profondeurs dont on nous étale impitoyablement les phénomènes digestifs. Cette ouverture publique de l'intérieur du corps humain est d'ailleurs un trait général de la publicité des produits de toilette. "La pour-
75 riture s'expulse (des dents, de la peau, du sang, de l'haleine)": La France traverse une grande fringale de propreté.

Roland BARTHES, *Mythologies*

QUESTION:
En quoi consiste la "psychanalyse publicitaire" à laquelle fait allusion R. Barthes? (ligne 26)

### 3ᵉ texte

#### Publicité = Poésie

La publicité est la fleur de la vie contemporaine; elle est une affirmation d'optimisme et de gaieté; elle distrait l'oeil et l'esprit.

C'est la plus chaleureuse manifestation de la vitalité des
5 hommes d'aujourd'hui, de leur puissance, de leur puérilité, de leur don d'invention et d'imagination, et la plus belle réussite de leur volonté de moderniser le monde dans tous ses aspects et dans tous les domaines. Avez-vous déjà pensé à la tristesse que représenteraient les rues, les places, les gares, le métro, les
10 palaces, les dancings, les cinémas, le wagon-restaurant, les voyages, les routes pour automobiles, la nature, sans les innombrables affiches, sans les vitrines (ces beaux joujoux tout neufs pour familles soucieuses), sans les enseignes lumineuses, sans les boniments des haut-parleurs, et concevez-vous la tristesse et
15 la monotonie des repas et des vins sans les menus polychromés et sans les belles étiquettes?

Oui, vraiment, la publicité est la plus belle expression de notre époque, la plus grande nouveauté du jour, un Art.

Un art qui fait appel à l'internationalisme, ou polyglottisme,
20 à la psychologie des foules et qui bouleverse toutes les techniques statiques ou dynamiques connues, en faisant une utilisation intensive, sans cesse renouvelée et efficace, de matières nouvelles et de procédés inédits.

25 **Ce qui caractérise l'ensemble de la publicité mondiale est son lyrisme.**

**Et ici la publicité touche à la poésie.**

**Le lyrisme est une façon d'être et de sentir, le langage est le reflet de la conscience humaine, la poésie fait connaître (tout comme la publicité un produit) l'image de l'esprit qui la conçoit.**

30 **Or, dans l'ensemble de la vie contemporaine, seul, le poète d'aujourd'hui a pris conscience de son époque, est la conscience de cette époque.**

**C'est pourquoi je fais ici appel à tous les poètes: Amis, la publicité est votre domaine.**

35 **Elle parle votre langue.**

**Elle réalise votre poétique.**

Blaise CENDRARS, *Aujourd'hui*

---

QUESTIONS:
Selon Cendrars, la publicité touche la poésie:
— en quoi?
— quelles techniques publicitaires sont suggérées?

---

# LE LANGAGE PUBLICITAIRE

## Qu'est-ce que la publicité?

Aldous Huxley affirmait qu'écrire de la publicité est un art plus difficile qu'écrire un roman. Cela s'entend, car le rédacteur de texte publicitaire ne vise pas d'abord à s'exprimer, mais à **informer** et surtout **persuader** quelqu'un, en l'occurrence le client, d'acheter un produit ou d'adopter un comportement, une attitude. Voilà pourquoi l'action publicitaire s'inscrit au coeur même du processus de communication: informer et persuader, c'est avant tout communiquer un message. Mais encore faut-il préciser le mode de relation qu'elle entretient avec le récepteur.

Dans cet acte de communication, la publicité ne vise pas à entrer en dialogue avec le consommateur. Tout se fait jusqu'à un certain point à sens unique, car il s'agit avant tout de capter l'attention du récepteur en vue de l'inciter à poser l'acte ou à adopter un comportement. À cette fin, le publicitaire doit tenir compte des préjugés et des facteurs d'ordre culturel, social, psychologique, économique ou politique qui peuvent constituer un blocage dans la transmission du message, ou, au contraire, jouer le rôle de catalyseurs.

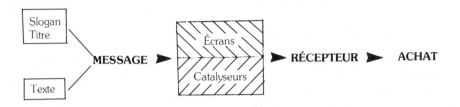

La communication dans le message publicitaire a fait l'objet de nombreuses études depuis quelques années. Les compagnies, les organismes et les chercheurs qui s'occupent de publicité ont tenté par divers moyens ou procédés de mesurer l'impact d'un message publicitaire. Ces moyens se résument ainsi: 1) le test de reconnaissance spontanée (d'une marque, d'un emballage, etc.); 2) le test des pupilles qui se dilatent ou se contractent en fonction de l'intérêt émotionnel positif ou négatif suscité par les stimuli visuels engendrés par l'image; 3) l'utilisation d'un appareil mesurant le nombre de secondes ou de minutes passées par un lecteur, homme ou femme, devant une page de publicité; 4) la mesure du désir d'acheter un produit avant et après la présentation de l'annonce. Le domaine de la publicité est devenu tellement important que des recherches se font constamment sur l'aspect technique (visuel et sonore), sur les motivations psychologiques et sociales de même que sur les stratégies les plus susceptibles d'influencer le client. Voici justement deux modèles d'action publicitaire qui ont fait leurs preuves.

## COMMENT INFLUENCER L'ACHETEUR

### La technique AIDA

Pour amener l'acheteur à poser une action (la plupart du temps, l'acte d'achat), il existe une technique éprouvée, bien connue des rédacteurs publicitaires, et qui a été découverte aux États-Unis, il y a environ trente ans: c'est la technique **AIDA**. Elle est fondée sur les principes suivants:

**A**:  attirer l'Attention;
**I**:  susciter l'Intérêt;
**D**:  éveiller le Désir;
**A**:  faire Agir le lecteur ou provoquer l'Achat.

Comme le discours publicitaire associe généralement image et texte, d'autres éléments comme l'illustration, la couleur, la disposition typographique et, en général, tout ce qui concourt à créer la valeur esthétique du message doit être considéré.

## La méthode de FRANCK EGNER

Cette méthode, mise au point par un autre Américain du nom de Franck Egner, concerne l'un des véhicules les plus importants de la publicité, la "lettre de vente". Il s'agit essentiellement d'une méthode en 9 points:
1. le "début" doit créer le désir et éveiller l'attention;
2. vous faites suivre d'un commentaire inspiré;
3. vous présentez une définition claire et précise du produit;
4. vous racontez une histoire dans laquelle votre produit a rencontré un vif succès;
5. vous ajoutez des témoignages (*testimonials*) de clients qui ont expérimenté avec succès le produit;
6. vous procédez à la description des principales caractéristiques de votre produit par rapport aux autres;
7. vous influencez votre client éventuel en lui donnant une raison d'acheter;
8. vous l'incitez à acheter immédiatement;
9. vous terminez avec un post-scriptum: ce dernier constitue un endroit privilégié pour solliciter définitivement le client.

Beaucoup de compagnies ou de maisons d'affaires utilisent la lettre de vente comme moyen publicitaire. Elle s'avère un moyen très efficace d'information et de promotion, car elle s'adresse directement au client. Le message télévisé, radiodiffusé ou celui qui figure dans les revues vise la grande masse des consommateurs: il opère dans l'anonymat. La lettre de vente, au contraire, est personnalisée. Elle porte le nom du client ("Vous, monsieur Tremblay..."), l'individualise ("vous avez été choisi parmi..."), le valorise au maximum ("Des personnes telles que vous se doivent de...").

## Considérer le client comme un partenaire

Il y a quelques années, on considérait le client surtout comme un objet qu'il fallait "attirer". Aujourd'hui, le consommateur est beaucoup plus renseigné et conscient de ce qu'il achète. Voilà pourquoi le style du langage publicitaire a considérablement changé. Il s'agit toujours d'attirer, mais surtout **d'informer** et **d'argumenter**. Le consommateur est devenu un **partenaire** à part entière qu'il faut associer à son commerce, parce que de lui dépend le succès de l'entreprise: s'il achète, c'est la rentabilité, s'il n'achète pas, c'est la faillite. D'où l'expression populaire qui traduit bien le statut que le consommateur acquiert dans le processus publicitaire: "Le client est roi et maître."

# LES STRATÉGIES PUBLICITAIRES

Disons tout de suite que, pour réussir en publicité, il faut être à la fois **concepteur** et **rédacteur**. La rédaction d'un bon message publicitaire fait appel à la créativité, à la connaissance et à la maîtrise de la langue. Toutes les ressources de l'imagination et du code sont mises à contribution. C'est ce que nous appelons stratégies publicitaires.

Les stratégies de la publicité sont à la fois d'ordre: 1) **physique**: elles font appel à l'image (code iconique) et au son (thème musical, bruit, etc.); 2) **psychologique**: elles cherchent à engager quelqu'un dans un processus qui amène à acheter quelque chose, à modifier ou faire acquérir un comportement souhaité; 3) **économique**: elles visent au progrès dans toutes les sphères de l'activité humaine; 4) **linguistique**: elles utilisent les ressources de la langue pour véhiculer un message. Nous ne traiterons, dans cet ouvrage, que des stratégies linguistiques et psychologiques.

## Les stratégies linguistiques

"La publicité est une littérature de combat" a dit un publicitaire. C'est un combat dans lequel la langue, véhicule de communication, joue un rôle de premier plan. Voici comment elle opère.

La langue publicitaire répond d'abord à un paradoxe: d'une part, elle doit se rapprocher du consommateur pour être comprise de lui; à cette fin, elle utilise des mots qu'il connaît et parle son langage. Mais, en même temps, elle s'écarte de la norme, comme le souligne si bien Marcel Galliot: "Sur quelques points précis, il existe vraiment comme une syntaxe propre à la réclame: (...) ellipses (souvent brutales), effet de raccourci, désarticulation de la phrase, déformations de toutes espèces, spontanées ou voulues." Mais, si la langue est pliée aux fins publicitaires, elle ne témoigne pas moins d'une créativité exceptionnelle, comme nous le verrons ci-après en étudiant les caractéristiques linguistiques du message publicitaire.

Ici trois éléments importants sont à considérer:

a) **L'économie de mots**

Le message publicitaire évite les mots inutiles, les redondances (à moins qu'elles ne soient recherchées pour leur effet). L'économie se traduit encore par l'usage des mots-porteurs-de-sens, par opposition aux mots-outils, c'est-à-dire ceux qui marquent les relations, les rapports (conjonction de coordination, de subordination). C'est ce qui crée le caractère elliptique du message publicitaire. Mais il va de soi que la concision n'élimine pas pour autant la précision. Il faut toujours choisir le mot juste.

## b) **Le choix des mots**

Le choix des mots est fait en fonction de leur sonorité et de leur pouvoir d'évocation. Ils doivent dire quelque chose de non équivoque. Ils doivent influencer, provoquer. L'évocation est ici un élément moteur de l'efficacité.

## c) **Le phénomène humoristique**

C'est probablement en publicité que se révèle de la façon la plus manifeste le phénomène humoristique. Toutes les ressources ludiques du langage sont mobilisées: jeux de mots, formules détournées ("Chapeau!", pour "Quels beaux cheveux teints!"), le pastiche, le paradoxe ("Regardez, il n'y a rien à voir: rubans adhésifs Scotch"), la polysémie, le jeu sur les métaphores, le calembour, l'exagération, les amplifications cocasses, les gags, les onomatopées ("Les 3 appareils à disque Kodak font "bzzt bzzt" et "flash flash". L'un d'eux fait "tic tac" et "bip bip". Et vous, si vous en recevez un à Noël, vous ferez "wowwww"!").

Le ton humoristique ne doit cependant jamais devenir ironique. Provoquer le client ou se moquer de lui serait un non-sens en publicité. Si les écarts ont leur place, tout n'est pas permis. La publicité peut, à la rigueur, s'écarter de la logique, mais comme la crédibilité est un élément essentiel de persuasion, on ne peut jamais se permettre de choquer le client.

Dans l'écriture d'un message publicitaire, le phénomène humoristique se manifestera volontiers par l'utilisation des moyens linguistiques suivants:

## **La polysémie**

Un même mot utilisé dans deux acceptions différentes permet de doubler la portée significative du message publicitaire. Exemples:

> **UN BON TUYAU**
> **SUR L'ÉNERGIE**
> **Le gaz naturel   (Gaz Métropolitain)**

L'annonce joue sur le sens propre du mot "tuyau" (conducteur du gaz) et sons sens figuré (une bonne suggestion).

**UNE**
**bonne**
**farce**
**à faire...**          (mayonnaise  Kraft)

"Farce" est ici le mot polysémique. Il joue sur les deux sens suivants:

1ᵉʳ sens: hachis d'aliments (viande ou autres) servant à farcir.

2ᵉ sens: propos comique et plaisant.

L'image représente un poulet dont la farce est faite avec la sauce à salade **Miracle Whip de Kraft.**

**La soupe Chuncky**
**Une recette bien mijotée**   (Campbell's)

Dans cet exemple, "mijotée" est le mot polysémique:

1ᵉʳ sens: faire cuire ou bouillir lentement, à petit feu.

2ᵉ sens: mûrir, préparer avec réflexion et discrétion.

Autres exemples:

**La musique sur toute la portée. Panasonic... en plein ça!**

**Du crayon à la mine**
**(SOQUEM, Société québécoise d'exploitation minière)**

# EXERCICE

Dans les deux exemples précédents, expliquez la polysémie.

## Le calembour

La publicité joue fréquemment sur les mots constitués de phonèmes identiques, mais de sens différents. Exemples:

**Bell et bien écossais**
**(whisky de marque Bell's)**

**Mont Caramel**
**(marque de chocolat)**

**Urgence!**
**Pensez *don* généreusement**
**(Centraide Québec)**

## La création de mots

Si, pour rejoindre la masse des lecteurs, le langage publicitaire utilise les mots de tous les jours, souvent familiers, il cherche aussi à étonner pour attirer le client. Voilà pourquoi il fait preuve de beaucoup d'invention et de créativité, notamment dans la fabrication de néologismes. Ces derniers peuvent être créés par:

### 1) Suffixation:

**Iso+PLUS**
**(mousse isolante)**

**Publi-Plus**
**(j. g. inc.)**

**Choisisseur, fourchetteur, à l'heure! Vous avez tout notre temps.**
**(Air Canada)**

**Sandwichissime! Les viandes préparées au Maple Leaf.**

### 2) Contraction (crase):

Les exemples qui utilisent ce procédé sont nombreux en publicité. La contraction permet au maximum l'économie de mots, principe moteur de l'action publicitaire: deux mots en un seul! Qui dit mieux?

**Accéler/Action**
**(Firme Cegerco Ltée)**

**Le programme Esso en ÉCONERGIE**

**Les certificats dépomatic garantis**
**(Trust Général)**

**EXTRAORDINATEUR**
**(Marque d'ordinateur)**

### 3) Jeux de mots:

La compagnie Air Canada a récemment fait sa promotion en bâtissant ses annonces sur les jeux de mots suivants:

| TÔT | OUI | JUSQU'HA |
|-----|-----|----------|
| RONTO | NNIPEG | LIFAX |

| | | |
|---|---|---|
| **SANS** | **AVANT** | **CHIC** |
| **ESCALGARY** | **COUVERT** | **AGO** |
| | | |
| **DALL** | **À NOUS** | **CALIFOR** |
| **AS** | **YORK** | **MIDABLE** |

Les jeux de mots peuvent se faire par:
- l'utilisation de même préfixe

   **Nous alimentons l'alimentaire (Ogilvie)**

- la répétition du même mot

   **Vive l'eau vive l'eau...**
   **pour la santé économique du Québec**
   **(message sur l'énergie de l'Hydro-Québec)**

- la répétition de phonèmes identiques

On retrouve fréquemment des séries organisées de sons répétés:

**Oh, ça c'est sensas!**
**Toyota**

**Porc? Non... thon!**

**Les Pros d'Esso: à l'enseigne du bon boulot**

**Voici, à la bonne franquette,**
**la meilleure trempette**
**jamais faite**
**par les cuisines**
**de Kraft...**

**Nouveau!**
**Sélection**
**Distinction et**
**Dégustation**

**(café A.L. Van Houtte)**

- l'utilisation d'une même lettre

**Ccccccccobra**
**(laque Cobra, marque de stylos)**

## EXERCICE

Dans l'exemple suivant, justifiez le choix des mots commençant par la lettre "c":

# Collaborer

# Comprendre

# Croire

# Cogiter

# Conseiller

# Créer

# Concrétiser

# Communiquer

# Convaincre

# Combattre

# Conquérir

# Continuer

# Cossette

**Communication - Marketing**
Québec • Montréal • Toronto

330

● La substantivation de syntagme:

**Voici la-merveille-**
**qui-fait-tout-**
**pour-presque-rien.**
**(Maheu Noiseux & Compagnie)**

● Le jeu sur les proverbes ou expressions populaires:

**Aussi originel que le péché**
**(le parfum Musk de Houbigant)**

**"J'en avais ras le nez des odeurs**
**de litière jusqu'à ce que je découvre le**
**nouveau Magi-litière..."**

**EXPORTER**
**C'EST**
**PAS**
**SORCIER...**
**(Industrie Québec)**

**Popularité oblige!**
**La Classe Impériale de CP Air**
**prend de l'envergure.**

**La pause-**
**Larsen**
**(cognac)**

**"Joyeux**
**Ginger Ale!"**

**Donne-moi**
**un**
**Scout-pouce!**
**(Scouts et guides du district de Québec)**

**Les images ou figures**

La publicité sait puiser abondamment dans l'arsenal des figures et des images pour séduire. Nulle part, peut-être, après la poésie, la "rhétorique de l'image" ne joue un rôle aussi déterminant que dans ce domaine. C'est qu'il y a de grandes affinités entre le langage publicitaire et le langage poétique. Tous les deux, comme nous l'avons déjà souligné, tendent à s'écarter de la norme. Mais leur ressemblance est plus grande encore dans l'utilisation des figures de style (et de pensée), en particulier la comparaison, la métaphore et la métonymie, sans oublier le paradoxe. En voici quelques exemples:

### 1) Le paradoxe

La publicité ira volontiers à l'encontre des idées courantes. Dans plusieurs cas, le paradoxe est associé à l'humour:

**Le Cognac Baron Otard V.S.O.P.**
**Un luxe encore abordable**

**Cette voiture a quelque chose**
**qui ne va pas. Son prix**
**(Honda)**

**La police**
**Vie Universelle...**
**le seul régime**
**dont vous**
**ayez besoin**
**pour la vie**
**(Dominion Vie)**

**Notre travail**
**laborieux nous a conduits**
**tout droit à l'hôpital**
**(BCSI)**
**(systèmes de communication Bell Inc.)**

**Smith-Corona**
**ULTRASONIC**
**La machine à écrire grand sport**

**Un sandwich aux fraises**
**pour la collation?!**
**On aura tout vu...**

**Comment être infidèle sans tromper personne**
**(annonce d'une marque de cognac)**

**La petite maison des grands vins**

## 2) La métaphore

La métaphore est une figure très recherchée en publicité, à cause de son grand pouvoir d'évocation, de connotation et de suggestion:

**Mettez-y du tigre**
**(carburant)**

**Symphonie pour le charme**
**d'une femme d'aujourd'hui**
***Cialenga***
**BALENCIAGA**
**(parfum)**

**LE CHEF DE FILE.**
**UN PUR-SANG**
**AU COEUR D'ACIER**
**(Ford Mustang)**

"Tigre", "symphonie" et "pur-sang au coeur d'acier" sont des métaphores, car jamais il ne viendrait à l'esprit du lecteur de mettre réellement un tigre dans son moteur, de jouer une symphonie en utilisant le parfum *Cialenga*, ou de posséder un cheval pur-sang en conduisant une Mustang. Dans l'utilisation de la métaphore en publicité, il va de soi que l'image visuelle joue un rôle de premier plan.

## 3) L'hyperbole

L'hyperbole est tellement utilisée en publicité que l'on assiste dans ce domaine à une véritable inflation verbale. Cela se traduit surtout par l'utilisation du superlatif: "actif — super actif" (détergent). On retrouve fréquemment dans l'expression de ces superlatifs les **affixes augmentatifs** comme les **préfixes** (hyper-, super-, extra-, maxi-) ou les **suffixes** (-issime). S'ajoutent à cela les recommandations exagérées du genre: "Un produit dont vous ne pouvez vous passer".

## 4) La métonymie

En publicité, la métonymie peut se signaler par l'image uniquement. un glaçon remplaçant un frigidaire (effet pour la cause), un mouton pour la laine (tout pour la partie), etc. Mais elle peut aussi affecter le texte. En

333

général, chaque fois que l'on annonce un produit par la marque de fabrication on utilise la métonymie (une Camaro, un Chanel, un Skidoo, etc.) On mise alors sur le prestige rattaché au nom du produit.

### 5) La comparaison

La comparaison dans le message publicitaire se fait surtout par mode d'association: rapprochements visuels, associations thématiques, etc. Par exemple, on verra fréquemment une compagnie d'automobiles annoncer son produit en l'associant à la femme, à la griserie de la route, à un cheval pur-sang, etc. Nous avons déjà évoqué ce procédé à l'occasion de la métaphore publicitaire.

Dans l'exemple suivant, expliquez la comparaison.

## 6) L'ellipse ou l'anacoluthe

L'ellipse ou l'anacoluthe, en supprimant des termes dans la formulation du message, contribuent à lui donner plus de force et plus d'impact:

**Alberta Vodka**

**À souvenir unique, papier unique
(Kodak)**

Cette brève étude des stratégies linguistiques nous fait prendre conscience que les figures de style sont au coeur même du langage publicitaire. Ce dernier n'existerait pas sans elles. Elles donnent lieu à beaucoup d'invention et de créativité. Mais là ne s'arrête pas le travail créateur, car la psychologie constitue un domaine tout aussi important et nécessaire, dans lequel le concepteur publicitaire peut s'exercer à trouver les meilleures motivations ou les mobiles susceptibles de conditionner et de faire agir le consommateur.

## Les stratégies psychologiques

Le Grand Larousse encyclopédique définit la publicité comme un *"...ensemble des moyens employés pour faire connaître une entreprise commerciale, industrielle, etc., pour faciliter la diffusion de denrées ou marchandises diverses[1]"*. Le Robert la définit ainsi: *"Le fait, l'art d'exercer une action psychologique sur le public à des fins commerciales[2]."*

L'action psychologique dont il est question dans la définition de Robert vise les deux éléments essentiels formant l'axe de tout message publicitaire: le **destinataire** du message (le public, le client) et l'**objet** publicisé (le produit, l'idée, l'image, le service, etc.).

## Le destinataire du message publicitaire: le client

Le destinataire du message publicitaire, c'est la clientèle visée par le produit, le service ou l'idée. Le marché des clients possibles est composé d'individus types que l'on appelle **public cible**. On cherche alors à vendre le produit, l'idée ou le service à une catégorie de clients: femmes, hommes, travailleurs, etc.

---

1. Grand Larousse encyclopédique, 10 vol., Paris, Larousse, 1960, au mot **publicité**.
2. Paul ROBERT Petit Robert, Paris, Société du nouveau Littré, 1968, au mot **publicité**.

## L'une des stratégies les plus efficaces en publicité: le "besoin à combler"

En publicité, il faut chercher à faire jouer les mobiles ou les tendances humains les plus propres à déclencher le comportement souhaité. Ces mobiles font généralement appel aux instincts, aux sentiments et aux tendances comme le désir de posséder, la soif du confort ou du "mieux-être", le désir de l'économie, les services qu'on attend, les sentiments sécurisants (la tranquillité d'esprit: "On s'occupe de vos affaires", "Confiez-nous vos problèmes", "Nous avons la solution à...", etc.); les sentiments qui valorisent le client lui donnent de l'importance. Mais les stratégies axées sur *la satisfaction des besoins* sont sans aucun doute les plus importantes et les plus efficaces car elles rejoignent l'un des grands mobiles de l'activité humaine.

Un **besoin** peut être défini comme l'expression de ce qui manque ou est essentiel à une personne. Certains besoins peuvent être manifestés ouvertement par l'individu, tandis que d'autres sont latents.

La psychologie nous enseigne qu'il existe deux catégories de besoins: les besoins fondamentaux et les besoins spécifiques individuels. Certains besoins sont communs à tous les individus comme être en bonne santé, dormir, manger, boire, survivre, se reproduire, aimer, etc. Voilà pourquoi on les appelle fondamentaux. D'autres types de besoins ne sont pas universels. Ils sont valables seulement pour certains individus. Par exemple, faire du sport peut répondre au besoin spécifique de quelqu'un qui est doté d'une constitution physique athlétique, tandis que faire des tableaux peut répondre au besoin spécifique de quelqu'un qui est doué pour la peinture.

Plusieurs auteurs ont cherché à identifier les principaux besoins humains. Murray (1938) en a trouvé quarante, Tolman (1951), huit, Maslow (1954) en propose cinq. C'est sans doute ce dernier qui s'est le plus imposé dans ce domaine, avec son remarquable ouvrage intitulé *Motivation et Personnalité* (New York, Harper & Row éditeur, 1954). Nous lui empruntons sa répartition des besoins comme cadre pratique d'élaboration de stratégies publicitaires axées sur les besoins humains:

**1. Besoins physiologiques (soif, faim, sexualité, etc.).**

**2. Besoins de sécurité (se protéger contre les risques, s'assurer dans l'avenir la satisfaction des besoins physiologiques).**

**3. Besoins affectifs (aimer et être aimé, vouloir appartenir à un groupe, avoir des relations avec d'autres, rechercher l'amitié, posséder, etc.).**

**4. Besoins de considération (tout individu a une certaine image de lui-même qu'il cherche continuellement à retrouver dans ses**

**expériences, que ce soit au travail ou en dehors du travail; besoin d'être reconnu et apprécié par ceux qui nous entourent).**

**5. Besoins de réalisation (chaque individu représente une unité biologique et physiologique différente. Il a des qualités qui lui appartiennent en propre. Maslow met l'accent sur le besoin que chaque individu a d'actualiser ses possibilités et de devenir ce qu'aucun être, autre que lui, ne peut devenir).**

Tous ces besoins se classent selon un **ordre hiérarchique**. Maslow insiste sur le fait que, tant que les besoins physiologiques ne sont pas suffisamment satisfaits, les besoins de sécurité auront peu d'influence sur le comportement des individus.

De façon générale, on peut dire que l'homme fuit les privations physiques (la faim, la soif, la douleur), les sentiments annihilants (l'échec, l'indifférence, le mépris, le manque d'amour, l'anxiété, les soucis, l'ennui, la crainte, la monotonie); par contre, il recherche tout ce qui lui procure le bien-être (le succès, le pouvoir, le respect, la reconnaissance, la considération, l'amour, la tendresse, l'intimité, la sécurité, la tranquillité, etc.), l'aventure et le goût des expériences nouvelles.

Dans le domaine de la publicité, il va sans dire, celui qui sait exploiter habilement ces besoins ou ces motivations possède une arme extrêmement puissante et efficace.

## L'empathie, qualité indispensable au publicitaire

Comme c'est essentiellement le public qui est visé par le message publicitaire, il est évident que l'empathie devient l'une des qualités maîtresses du rédacteur. Elle l'oblige à se tenir constamment au courant de l'actualité et de l'évolution des goûts du public pour connaître les meilleurs arguments ou les meilleures motivations qui peuvent l'amener à acheter. Parfois aussi, il devra détecter ce qui peut constituer un blocage, un écran ou un obstacle à l'achat d'un produit comme, par exemple, les attitudes, les opinions négatives et les préjugés.

## Les techniques subliminales

La grande efficacité des techniques subliminales vient du fait qu'elles s'adressent directement au subconscient. Elles font appel aux perceptions subliminales qui existent chez tout individu et dont la majorité des recherches scientifiques actuelles confirment la réalité. Le terme "subliminal" réfère à ce qui est perçu au-dessous du seuil de la conscience. Cela signifie que l'on peut agir sur un individu à son insu, sans qu'il en soit conscient. Ce mode d'action peut utiliser des images, des sons, des odeurs et évidemment des mots ou des expressions. Mais cela se fait toujours sans que le destinataire s'en aperçoive.

Il semble que la première expérience de publicité subliminale ait été tentée aux États-Unis, au New Jersey, par James Vicary. De connivence avec le propriétaire d'une salle de cinéma, le chercheur avait fait installer pendant l'été, dans la cabine, un second appareil qui projetait des images sur un écran au rythme d'une toutes les cinq secondes. La durée infinitésimale de ces annonces (1/3000 de seconde) ainsi que leur faible intensité les soustrayaient complètement à la conscience des spectateurs. Ces images verbales diffusaient le message suivant: "Faim? Mangez pop-corn!", "Buvez Coke". L'expérience dura six semaines et atteignit environ 45 000 spectateurs. On accusa par la suite une hausse de 58% des ventes de pop corn et de 18% de Coca-Cola. On sait que les techniques subliminales sont maintenant défendues par la loi. Il n'en demeure pas moins qu'elles peuvent se retrouver à des degrés divers dans les messages publicitaires.

## L'objet publicisé

Le focus peut être mis sur l'objet publicisé. L'expression "objet publicisé" doit s'entendre ici au sens large. Il comprend aussi bien une idée, une idéologie, un service, un comportement qu'un produit physique, matériel. On sait que, depuis quelques années, les gouvernements ou les partis politiques se servent fréquemment de la publicité pour faire la promotion ou pour réfuter une idée ou une idéologie. Beaucoup de compagnies spécialisées dans l'offre de services utilisent également la publicité pour attirer le client. Et combien d'exemples ne pourrions-nous pas donner, où l'on se sert de la publicité pour modifier ou faire acquérir un comportement ou une attitude? On pourrait citer "Participe Action", "L'Institut national de recherche pour les aveugles", etc.

Le message publicitaire peut viser trois objectifs: 1) mettre en évidence la différence, l'excellence ou encore le caractère unique, utilitaire, indispensable du produit; 2) rappeler l'existence d'un produit pour lequel on veut tenter une offensive publicitaire; 3) présenter un nouveau produit dont on veut faire la promotion.

Rappelez-vous que, dans chaque cas, l'image joue un rôle primordial. À ce sujet, il est reconnu que la photo est meilleure vendeuse que le dessin. Le choix des couleurs joue également un rôle important.

# L'ARGUMENTATION PUBLICITAIRE

Quels arguments choisir pour convaincre le client? En général, les arguments les plus efficaces sont les arguments simples qui font appel au bon sens et à la logique émotivo-rationnelle. On évite les formules d'argumentation compliquées. On lui présente plutôt une argumentation prédigérée, en mettant l'accent sur les résultats, la conclusion. C'est la règle du *Quod patet esse verum*, expression latine qui veut dire "Ce qui est évident est vrai".

La seconde règle est de ne présenter qu'un seul argument. Celui-ci est choisi en fonction de la caractéristique du produit que l'on veut vendre. Même si le produit comporte plusieurs caractéristiques avantageuses, on en choisit de préférence une seule, vers laquelle tout doit converger. L'argumentation doit être convaincante, facile à retenir et la plus apte à déclencher le comportement ou l'agir. Roger Mucchielli explique que la plus séduisante idée doit, avant d'être exploitée, subir victorieusement un triple examen:

1. **Le thème publicitaire s'applique-t-il bien au problème commercial spécifique à résoudre?**

2. **Les arguments possibles sont-ils sélectionnés en fonction des mobiles d'action des individus auxquels on s'adresse?**

3. **Ces arguments sont-ils présentés de manière à tenir le meilleur compte possible de ce qu'on sait du mécanisme d'action des individus et des foules[3]?**

Sur le plan linguistique, l'argumentation omet les articulations, les mots-liens qui alourdissent: économie de mots et aussi économie de mots de liaison.

## EXERCICE

Procurez-vous un exemplaire d'une revue (*Châtelaine*, *L'actualité*, etc.) ou d'un journal (de nouvelles ou d'affaires) et faites l'analyse de la tendance, du sentiment, du besoin ou du mobile visés par les rédacteurs publicitaires dans les annonces.

---

3. Roger MUCCHIELLI, *Psychologie de la publicité et de la propagande*, Paris, E.S.F., 1970.

## Les quatre leviers psychologiques de la publicité

On pourrait résumer ainsi les principaux leviers psychologiques de la publicité: savoir plaire, informer, argumenter, suggérer.

### 1. Savoir plaire

Savoir plaire, c'est d'abord être compris du consommateur en utilisant un langage qu'il connaît. C'est aussi éviter de le choquer, surtout lorsque l'on doit vaincre chez lui certaines idées préconçues. Faire appel, au contraire, à son intelligence, à son expérience, bref à tout ce qui le valorise.

### 2. Savoir informer

Même si l'on admet généralement que le public anglo-saxon exige d'être informé par la publicité, tandis que le public québécois réagit davantage aux slogans qui l'identifient comme collectivité, il n'en demeure pas moins que ce dernier a développé une conscience beaucoup plus critique face à la publicité et qu'il exige de plus en plus d'être informé. Il faut donc savoir mettre en évidence les avantages d'un produit, ses possibilités, son utilité, donner des éléments de comparaison, fournir des indications sérieuses et compréhensibles sur la composition du produit, etc. Il faut souligner cependant qu'il y a divergence de vues entre les tenants de la publicité informative et les publicitaires qui préfèrent plutôt procéder par association d'idées (susciter le besoin ou le désir du produit en jouant sur les motivations inconscientes du consommateur).

### 3. Savoir argumenter

Les informations données doivent être contrôlées et contrôlables. Voilà pourquoi les techniques publicitaires faisant appel à la raison, au bon sens et à l'intelligence s'avèrent souvent très efficaces. À titre d'exemple, les annonces publicitaires basées sur les tests en laboratoire ou la recherche qui a précédé la diffusion d'un produit sont souvent très bien reçues. De même, les arguments qui font appel à la généralisation: "Tout le monde achète ce produit...", "Vous ne pouvez vous passer de...", etc.

### 4. Savoir suggérer

La suggestion est un procédé plus direct que l'argumentation et constitue, de ce fait, une bonne technique publicitaire. Dans ce cas, il faut utiliser de préférence les mots ou expressions chargés d'évocations, de connotations affectives ou émotives, les images, les comparaisons, les métaphores ("Jeans et fantaisies...!", "Maquillage fleurs", "T'as de beaux yeux, tu sais", pour des montures de lunettes, etc.). Les ressources du langage poétique peuvent être ici avantageusement exploitées.

## LES STIMULI PUBLICITAIRES

### a) **Les stimuli positifs**

Les stimuli positifs font appel aux idées ou aux images agréables, belles, valorisantes. L'un des procédés les plus utilisés est sans aucun doute celui de l'érotisation du message: la femme est associée à l'objet publicisé. Mais la société condamne à bon droit ce type de publicité sexiste, et l'on peut maintenant douter de son efficacité. Il existe en tout cas d'autres types d'associations qu'il faut rechercher.

### b) **Les stimuli négatifs**

Les stimuli négatifs associent l'objet publicisé à quelque chose de désagréable, par exemple la cigarette est associée au cancer, le manque d'exercice à la mauvaise santé ou à la mauvaise condition physique, la nécessité d'attacher sa ceinture de sécurité est reliée à l'éventualité d'un accident.

## LE SLOGAN

Le slogan est essentiellement une formule frappante, possédant un pouvoir magique. À l'origine, c'était un cri de guerre lancé par les combattants. Il servait à rallier ou à conditionner les guerriers. De nos jours, les entraîneurs de sports d'équipe l'utilisent souvent pour stimuler leurs joueurs.

Le pouvoir du slogan vient du fait qu'il est chargé de sens et de connotations pour ceux auxquels il s'adresse, même si, en lui-même, il n'a pas toujours de véritable signification. Il revêt souvent un caractère banal, car il relève la plupart du temps de lieux communs, du cliché ("Ben, voyons donc!", "C'est le meilleur!", "L'essayer c'est l'adopter"). Mais c'est en même temps ce qui fait sa force, étant reconnu tout de suite par la masse des lecteurs, laquelle s'identifie à lui spontanément.

Sur le plan formel, le slogan est souvent rythmé et contient des assonances (allitérations) qui le rendent facile à retenir. La formule est brève. Au niveau du contenu, il peut viser à présenter ou définir un produit, formuler un argument en sa faveur ou tout simplement provoquer le désir d'acquisition.

## LE TITRE

S'il n'y a pas de slogan, l'annonce est précédée d'un titre. L'importance du titre est sans bornes, car c'est de lui souvent que dépend l'efficacité de l'annonce. Il a été démontré que le titre est lu par cinq fois plus de per-sonnes que le reste de l'annonce.

Comme le slogan, le titre vise essentiellement à capter l'attention du lecteur, à l'"accrocher". Il consiste en une phrase d'attaque, dynamique plutôt que statique. Cette phrase: 1) pose une question ("Combien cela vous coûte-t-il?"), ordonne ("Cessez de vous casser la tête!"); 2) parfois commande une action: "Ayez le contrôle de vos services avec..."; 3) souvent intrigue: "Nous avons peut-être les moyens qui vous manquent..."; 4) pos-sède toujours un lien avec l'argumentation et l'illustration.

## STRUCTURE D'UN MESSAGE PUBLICITAIRE

La structure d'un message publicitaire comprend, en général, trois parties:

> **(1) Le slogan (ou titre) déclencheur**

> **(2) L'intertexte informatif/argumentatif**
> **Il obéit aux lois**
> **de l'information et de l'argu-mentation publicitaires que**
> **nous avons exposées**

> **(3) L'identification de la compagnie**

Il va de soi que l'information et l'argumentation peuvent aussi se retrouver dans le slogan ou le titre déclencheur de façon **implicite** ("En réponse à votre demande"), ou **explicite** ("Le seul composé européen au Collagène", "Moins de caries et un plus beau sourire"). Ceci a lieu surtout lorsque l'annonce ne comporte que les parties (1) et (2).

Ajoutons que, sur le plan visuel, la page joue sur la disposition gra-phique de chacune des parties. Des illustrations accompagnent le texte. La couleur de l'annonce et la grosseur des caractères sont soigneusement choisies.

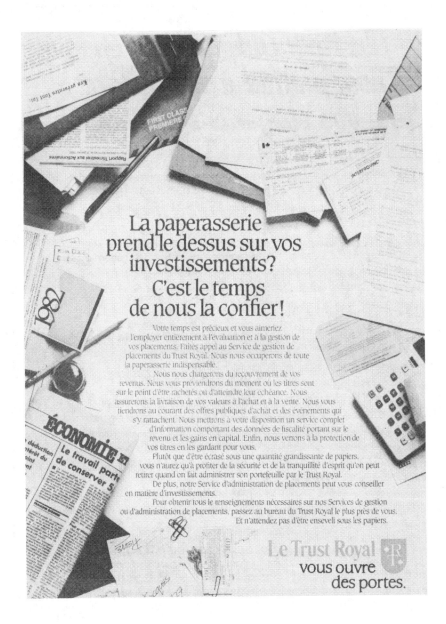

## La paperasserie prend le dessus sur vos investissements? C'est le temps de nous la confier!

Votre temps est précieux et vous aimeriez l'employer entièrement à l'évaluation et à la gestion de vos placements. Faites appel au Service de gestion de placements du Trust Royal. Nous nous occuperons de toute la paperasserie indispensable.

Nous nous chargerons du recouvrement de vos revenus. Nous vous préviendrons du moment où les titres sont sur le point d'être rachetés ou d'atteindre leur échéance. Nous assurerons la livraison de vos valeurs à l'achat et à la vente. Nous vous tiendrons au courant des offres publiques d'achat et des événements qui s'y rattachent. Nous mettrons à votre disposition un service complet d'information comportant des données de fiscalité portant sur le revenu et les gains en capital. Enfin, nous verrons à la protection de vos titres en les gardant pour vous.

Plutôt que d'être écrasé sous une quantité grandissante de papiers, vous n'aurez qu'à profiter de la sécurité et de la tranquillité d'esprit qu'on peut retirer quand on fait administrer son portefeuille par le Trust Royal.

De plus, notre Service d'administration de placements peut vous conseiller en matière d'investissements.

Pour obtenir tous le renseignements nécessaires sur nos Services de gestion ou d'administration de placements, passez au bureau du Trust Royal le plus près de vous. Et n'attendez pas d'être enseveli sous les papiers.

### Le Trust Royal vous ouvre des portes.

343

Exemple

## EXERCICES

1. Dégagez le slogan, analysez l'argumentation et appréciez l'identifiction de la compagnie dans les deux exemples que nous venons de donner.

2. Recherchez dans un journal (une revue) une ou plusieurs annonces publicitaires et faites le même travail qu'à l'exercice précédent. Vous pouvez en même temps faire une étude comparative des annonces que vous avez analysées.

3. Composez une page d'annonce publicitaire sur un produit, une idée, un service que vous choisirez.

## LE PROSPECTUS

Le prospectus est essentiellement un message publicitaire plus élaboré que l'annonce. Le dictionnaire Robert le définit ainsi:

> **Annonce publicitaire, le plus souvent imprimée, brochure ou simple feuille, dépliant, destinée à vanter auprès de la clientèle un établissement public, un commerce, une affaire.**

Le prospectus constitue le moyen par excellence pour faire connaître un commerce, une industrie, une institution, un organisme, un mouvement, une municipalité, etc. Il emprunte sur les plans linguistique et psychologique les mêmes stratégies que celles utilisées pour l'écrit publicitaire.

Le prospectus peut être plus ou moins élaboré selon les besoins. S'il est complet, il comprend en général les parties suivantes:

1. Présentation de la compagnie (institution, commerce, etc.).
2. Les services offerts, assortis des réalisations s'il y a lieu.
3. Le curriculum vitae du directeur et de ses associés (ou des membres responsables).

# G. SAVOIR PRENDRE DES NOTES

Savoir prendre des notes en toute circonstance constitue un atout précieux. Cela permet de fixer et de conserver la pensée d'autrui et... la vôtre. Vous assistez à un cours, à une conférence, vous suivez une émission d'information à la télévision ou à la radio, vous prenez des notes; vous dépouillez le courrier, vous engagez une conversation téléphonique, vous participez à un débat, vous lisez un livre, vous avez besoin de prendre des notes. Et dans la vie quotidienne, que d'"idées lumineuses" ne pouvez-vous pas conserver si vous ne les notez sur-le-champ? La prise de notes est utile autant à l'homme d'affaires, à la secrétaire qu'à l'étudiant. Pourtant la technique est rarement enseignée à l'école.

Il faut distinguer entre les notes d'écoute et les notes de lecture. **Les notes d'écoute** sont prises au moment où quelqu'un parle. Mais comme ce dernier — orateur, conférencier, professeur, etc. — parle souvent sans arrêt et ne revient généralement pas, ou du moins pas de façon systématique, sur ce qu'il dit, il devient alors difficile de prendre des notes.

Il n'en va pas de même s'il s'agit de **notes de lecture**, car en général on dispose de plus de temps pour le faire. On a, en outre, la possibilité de revenir en arrière, ce qui facilite grandement le travail. À cela s'ajoutent les titres, les alinéas, les coupures entre les phrases, les mots de liaison entre celles-ci et les membres de phrases qui sont d'un précieux secours.

Que ce soit à l'oral ou à l'écrit, la prise de notes exige la même capacité d'analyse et de synthèse. À ce titre, elle constitue un excellent exercice intellectuel. Rappelons que la technique du résumé que nous avons déjà donnée peut être très utile ici. Les deux activités se recoupent.

## LES NOTES D'ÉCOUTE

S'il s'agit de notes prises à partir d'un exposé oral (cours, conférence, stage, etc.), l'expérience personnelle, l'agilité d'esprit, les réflexes et l'habitude de prendre des notes sont des atouts importants. À cela s'ajoutent évidemment les moyens suivants:

### a) **L'économie de mots**

Cela va de soi, puisque prendre des notes consiste à dégager l'essentiel d'un message oral ou écrit, à le résumer. Pour ce faire, il faut être capable d'extraire les idées principales et secondaires ou même tertiaires du message (voir la technique du plan dans le chapitre sur la dissertation).

Sur le plan lexical, l'emploi d'un mot évocateur, d'une expression, d'une formule frappante peut parfois suffire à noter une idée. Il faut savoir aussi que, dans la phrase, il y a des mots porteurs de signification, des mots de liaisons (conjonctions, prépositions, etc.) et des déterminants (articles, possessifs, démonstratifs, etc.). Il faut évidemment laisser tomber ces deux dernières catégories de mots au profit de la première (les mots porteurs de signification). Il en est de même de la plupart des adverbes et des adjectifs et de certaines formules rhétoriques qui n'apportent rien d'essentiel au message ("dans cet exposé, je me propose de...", "me serait-il permis de dire...", "bien sûr", "n'est-ce pas?", etc.).

b) **Les abréviations et les signes conventionnels**

À moins de maîtriser la sténographie, vous aurez avantage à utiliser les abréviations dans la prise de notes. Vous gagnerez ainsi beaucoup de temps. Voici les principales abréviations que l'on peut utiliser:

| | |
|---|---|
| **c = comme** | **pdt = pendant** |
| **m = même** | **pt = point** |
| **ms = mais** | **tps = temps** |
| **ch = chose** | **tjrs = toujours** |
| **ns = nous** | **ft = font** |
| **vs = vous** | **gd = grand** |
| **qqe = quelque** | **bcp = beaucoup** |
| **qqn = quelqu'un** | **nbre = nombre** |
| **tt = tout** | **nbx = nombreux** |
| **tte = toute** | **dévt = développement** |
| **ts = tous** | **fréqut = fréquemment** |
| **ds = dans** | **p. = page** |
| **pr = pour** | **etc. = et caetera** |
| **cpd = cependant** | **cf = reportez-vous à** |

On indique le pluriel par un "s":

**hs = hommes; fs = femmes**

Voici quelques signes conventionnels très utiles:

| | |
|---|---|
| **+ = plus** | **≠ = différent de** |
| **− = moins** | **→ = ce qui entraîne** |
| **± = plus ou moins** | **← = découle de** |
| **> = plus grand** | **⇔ = corrélation** |
| **< = plus petit** | **// = parallèle** |
| **= = égal à** | **§ = paragraphe** |

Libre à vous, évidemment, de faire preuve d'imagination et d'inventer d'autres signes conventionnels qui vous permettront d'accélérer la prise de notes.

c) **La lisibilité**

L'une des grandes qualités à développer dans la prise de notes est la lisibilité. Cela n'est pas facile, car les notes sont prises la plupart du temps de façon rapide; le communicateur ne s'arrête ou ne ralentit pas toujours pour favoriser le travail. Par ailleurs, il est certain que des notes illisibles deviennent presque inutiles ou font perdre un temps précieux à les déchiffrer.

Même si vous devez écrire rapidement, formez donc vos lettres le mieux possible. Au besoin, recopiez vos notes au propre après le cours ou la conférence. Vous ne le regretterez jamais. En complétant vos notes en différé, beaucoup d'idées émises dans la conférence ou le cours vous reviendront à l'esprit. Vous en profiterez alors pour clarifier ou expliquer certaines d'entre elles.

d) **Références et classement**

Indiquez toujours avec exactitude la source de vos notes. Celles-ci doivent porter un titre (le titre du cours ou de la conférence) et le nom du professeur ou du conférencier.

Il est également important de bien classer vos notes, autrement vous vous y retrouverez difficilement. Des notes non classées deviennent inutiles, car on renonce alors à les utiliser. Les feuilles de format métrique (21,5 cm x 28 cm) se rangent très bien dans un cartable ou dans une chemise. Les cartes ou fiches 12,7 cm x 7,6 cm sont aussi faciles à classer par sujet (ordre alphabétique — utiliser l'index) dans un fichier.

## LES NOTES DE LECTURE

Les livres, les revues, les journaux sont des sources précieuses d'information parce qu'ils portent sur des sujets variés: scientifiques, techniques, économiques, sociaux, politiques, culturels, etc. Mais pour que l'information serve, il faut toujours lire avec un crayon à la main. C'est le conseil que donnent tous ceux qui brillent par leur formation et leur culture.

L'avantage de prendre des notes à partir d'un ouvrage réside dans le fait qu'on a tout le loisir de réfléchir sur ce qu'on veut noter. On peut procéder selon son rythme.

Mais quoi noter dans un livre? Tout dépend de l'utilisation qu'on veut en faire. Divers cas peuvent se présenter. On peut vouloir conserver:

### L'identification bibliographique du livre

Sur une carte ou sur une fiche, après avoir indiqué le sujet, vous donnez l'adresse bibliographique complète de l'ouvrage (de la revue ou du journal), selon la technique des références présentée plus loin (chapitre sur la présentation d'un travail écrit). Lorsque vous aurez besoin d'une référence sur le sujet, vous pourrez vous y référer facilement.

## Une citation

On peut noter un passage d'un texte qui nous intéresse particulièrement, ou qui est susceptible de nous intéresser plus tard. On transcrit alors fidèlement le passage en indiquant soigneusement la page et la référence. La citation doit être encadrée de guillemets.

## Un résumé

On peut choisir de résumer un ou plusieurs passages d'un texte, d'un chapitre ou d'un ouvrage entier. Dans le dernier cas, on peut s'inspirer du texte de présentation qui figure habituellement sur la couverture du livre

## Une critique

On peut vouloir conserver la critique d'un ouvrage: critique personnelle ou celle d'un autre. Il faut alors en indiquer la source.

## Le plan du livre

S'il s'agit d'un essai, utilisez, pour faire le plan, la table des matières; s'il s'agit d'un roman, d'un conte ou d'une nouvelle, procédez selon la technique du résumé que nous avons déjà présentée (p. 251).

## Le message

Parfois c'est le message entier d'un ouvrage qui nous intéresse. Se rappeler alors que les thèmes et les centres d'intérêt sont des éléments majeurs du message. Lorsque l'ouvrage comporte un index analytique des sujets, ce dernier s'avère non seulement utile, mais constitue une mine de renseignements.

## EXERCICES

1. Faites lire, par un lecteur, un article de journal ou de revue et exercez-vous à prendre des notes.

2. Prenez des notes à partir d'un enregistrement de conférence, d'une émission de radio ou de télévision.

3. Prenez des notes à partir d'une lecture que vous ferez d'un article de journal (de revue) ou d'un ouvrage.

# 8

# L'ÉCRIT ANALYTIQUE

L'écrit analytique vise soit le décodage d'un message (idée, pensée, texte, roman, poème, pièce de théâtre, etc.), c'est **l'explication de texte**, soit l'analyse de la matière vivante, c'est **le journal personnel**. Le décodage est détaillé dans le cas de l'analyse ou de l'explication de texte. Il est plus général dans le cas du **commentaire** ou du **compte rendu critique** où l'on procède par fragments plus élaborés comme c'est le cas pour l'étude ou l'analyse d'une partie ou de l'ensemble d'un ouvrage.

## A. L'ANALYSE DE TEXTE

Dans l'écrit analytique, le commentateur révèle le contenu d'un message véhiculé par un destinateur. Ce message cependant n'est pas neutre. Il sollicite par ses idées, son contenu, ses connotations, ses images, ses significations, sa structure, sa valeur esthétique. Il appartient précisément au commentateur de révéler ce que cache le message, d'en interpréter les intentions, de dégager le sens implicite sous le sens apparent — savoir "lire entre les lignes" —, de faire ressortir ses articulations, de définir, préciser les règles qui déterminent son organisation. En un mot, c'est dans la volonté du lecteur de mettre au jour ou en valeur le message que réside l'analyse de texte.

Pour concrétiser la démarche d'analyse, nous présenterons **deux entrées** dans un texte: l'analyse traditionnelle et l'analyse des fonctions de la communication.

351

# L'ENTRÉE PAR L'ANALYSE TRADITIONNELLE

L'analyse traditionnelle est axée sur les deux éléments constituants de tout texte: le FOND et la FORME. Il existe plusieurs démarches pour ce type d'analyse. Nous vous proposons la suivante:

## Introduction

a) Présenter l'auteur.

b) Replacer le texte à analyser dans l'ensemble de l'ouvrage dont il est extrait.

## Développement

1. Dégager l'idée directrice (ou l'intention):

Elle réside dans le message. C'est ce que l'auteur a voulu dire dans son texte, ce qu'il veut faire comprendre au lecteur.

2. Présenter le plan du texte:

Les grandes articulations ou parties.

3. Procéder à l'analyse détaillée du FOND et de la FORME:

a) **Le FOND**: les idées, les sentiments, le sens, les aspects psychologiques ou idéologiques du texte.

b) **La FORME**: étude de la langue et du style.

— la langue: définition et explication de certains mots importants, en donnant le sens dénotatif et connotatif; définition des mots techniques qui présentent quelque difficulté.

— le style: la ou les qualités dominantes, le choix des mots, leur place, les images ou figures de style, les sonorités et le rythme s'il y a lieu (dans le cas d'un texte poétique), etc.

## Conclusion

Elle condense simplement, en quelques phrases, l'essentiel de l'analyse en portant un jugement d'ensemble sur le texte.

Que faut-il expliquer dans un texte? Tout ce qui mérite explication, tout ce qui est pertinent, c'est-à-dire qui a un rapport avec le fond et la forme. Par exemple, les mots qui présentent quelque difficulté parce qu'ils ne sont pas utilisés fréquemment dans le vocabulaire courant; les mots porteurs de sens qui sont chargés sur les plans connotatif, affectif ou émotif, bref les mots importants. Il en est de même des figures de style, les idées et les sentiments exprimés. Il existe de nombreux ouvrages qui expliquent et illustrent abondamment cette démarche, nous vous y référons.

# L'ENTRÉE PAR
# LES FONCTIONS DE LA COMMUNICATION

On admet qu'un écrit, quel qu'il soit (article, éditorial, roman, poème, etc.), a pour but de communiquer un message à un lecteur. Il veut informer ou agir sur lui de diverses façons. Cette volonté de communiquer peut être d'ordre pratique (informer, convaincre, etc.) ou esthétique (l'accent est mis prioritairement sur l'aspect formel du message). Dans cette perspective, l'analyse consistera à évaluer les diverses fonctions de la communication présentes dans le message. Voyons de quelle manière.

## Introduction

L'introduction se fait en présentant des indications qui permettent de situer le texte ou l'ouvrage analysé. À cette fin, on procède selon les composantes du schéma de la communication:

a) Indications relatives à **l'émetteur**: nom de l'auteur et, au besoin, rappeler très brièvement le rôle ou l'influence (littéraire, social(e), politique) qu'il a exercé(e), quelques faits marquants de sa carrière (prix littéraires, etc.).

b) Indications sur **le message**:
— titre de l'oeuvre;
— date;
— circonstances de la composition et de la parution.

c) Indications sur **le code** général:
— genre auquel il appartient: récit, portrait, description, pamphlet, roman, pièce de théâtre, poème, essai, etc.

d) Le référent textuel:
— rappeler brièvement le ou les grands thèmes de l'ouvrage et l'intention. Celle-ci peut être univoque (message informatif) ou équivoque (message poétique).

e) S'il y a lieu, résumer brièvement les pages précédant le texte à étudier. En donnant le contexte de l'extrait, le lecteur comprendra mieux votre explication.

## Développement

Le développement comprend une partie objective et une partie subjective.

La partie **objective** porte sur les éléments référentiels du texte et les relations qui existent entre eux. On se limite ici aux éléments (faits, idées, etc.) tels que les révèle l'auteur; il ne faut rien ajouter, ni critiquer ou louer. On expose simplement le contenu.

La partie **subjective** laisse la place à l'interprétation, à la critique. Il ne s'agit pas de décrire, mais de juger. Encore faut-il que son jugement soit solide et convaincant. Une opinion n'est pas nécessairement bonne parce qu'elle est personnelle.

a) La partie objective

Elle porte sur l'analyse des six fonctions de la communication. Il serait bon de relire ici la description que nous en avons déjà donnée (chapitres 1 et 4).

Dans cette partie de l'analyse, il faut privilégier la fonction référentielle (moins importante cependant dans le cas d'un poème) qui constitue la base de tout texte écrit. On s'attarde ensuite à la ou aux fonctions dominantes utilisées selon la ou les finalités du texte.

Par exemple, si j'analyse une nouvelle journalistique ou un article à caractère informatif, la fonction dominante sera la **fonction référentielle**; si j'analyse un discours, un essai polémique, je rencontrerai davantage la **fonction conative**; la **fonction poétique**, en principe absente des ouvrages de vulgarisation et des essais à caractère scientifique, est prédominante dans la littérature où il est parfois difficile de la distinguer de la **fonction expressive**. Dans un texte publicitaire, outre la fonction référentielle, on trouvera les fonctions conative et poétique.

Le tableau suivant donne les probabilités d'occurrence des fonctions dans différents types de messages écrits.

**Probabilité des fonctions de la communication
dans quelques types de messages écrits**

| Principaux types de messages | Fonctions de la communication | | | | | |
|---|---|---|---|---|---|---|
| | Référentielle | Expressive | Conative | Phatique | Métalinguistique | Poétique |
| **Compte rendu** | • | (•) | | | • | |
| **Résumé** | • | | | | (•) | (•) |
| **Lettre** | • | • | • | (•) | (•) | (•) |

| | | | | | | |
|---|---|---|---|---|---|---|
| **Rapport** | • | • | • | | • | |
| **Analyse** | • | (•) | | | • | (•) |
| **Commentaire** | • | | | | • | (•) |
| **Article journalistique et scientifique** | • | | (•) | | • | |
| **Discours** | • | • | • | • | • | (•) |
| **Récit et nouvelle** | • | • | | | | • |
| **Roman** | • | • | | | | • |
| **Théâtre** | • | | (•) | (•) | | • |
| **Poème** | • | • | | | | • |

**N.B.** Le signe (•) indique que la fonction concernée peut se trouver à divers degrés ou ne pas se trouver du tout dans ce type de discours.

Étude des différentes fonctions

## • La fonction référentielle

Il s'agit ici d'explorer le référent textuel, c'est-à-dire le contenu du message véhiculé par le texte. Dans un premier temps, on dégage **l'intention** du texte (il se peut que l'intention n'apparaisse clairement qu'à la fin de l'étude). Dans un second temps, on dégage **les idées, les thèmes** ou **les valeurs** du texte à divers points de vue: social, politique, moral, culturel, etc., selon le type de texte auquel on a affaire. S'il s'agit d'un texte argumentatif, on étudiera les arguments utilisés par l'auteur pour convaincre; s'il s'agit d'un conte, on étudiera l'histoire, le scénario, le canevas.

• **La ou les fonctions dominantes**

Il est difficile de trouver des messages qui ne remplissent qu'une seule fonction. Jakobson écrit à ce sujet: "La diversité des messages réside non dans le monopole de l'une ou de l'autre fonction, mais dans la différence de hiérarchie entre celles-ci. La structure verbale dépend avant tout de la fonction prédominante" (*Essais de linguistique générale*). Dans cette perspective, on examinera donc la ou les fonctions dominantes.

L'étude des fonctions comprend aussi l'analyse des divers procédés utilisés pour véhiculer les informations (éléments référentiels) en fonction du but poursuivi par l'auteur du message. Si l'acte d'écrire suppose une organisation des données sur le plan sémantique (idées, thèmes, arguments, etc.), il nécessite également l'utilisation de moyens linguistiques (stratégies, moyens verbaux, procédés stylistiques, images, etc.) de façon à répondre aux finalités du message. L'analyse doit en tenir compte.

Rappelons qu'au niveau des stratégies linguistiques utilisées par un auteur, il y a les **stratégies conventionnelles** (celles qui ressortissent au genre utilisé et celles qui sont mentionnées dans le chapitre sur la phrase comme outil de communication); il y a également les **stratégies personnelles**, c'est-à-dire celles qui sont propres à l'auteur, qui relèvent de son originalité, de son art.

b) La partie subjective

Cette partie se fait en deux temps: 1) **interprétation** et recherche des significations du texte; 2) **appréciation** et évaluation du contenu (référent textuel), des stratégies linguistiques et discursives utilisées dans la fonction référentielle et dans la ou les fonctions dominantes.

Le contenu réfère aux idées, thèmes, thèses, sentiments exprimés. Les stratégies linguistiques réfèrent à l'utilisation du code (langue et ressources de la langue: expressions, images, style, etc.). Les stratégies discursives sont propres au genre utilisé (narratif, argumentatif, informatif, etc.)

La conclusion doit être courte. Elle suit les règles habituelles: un bilan bref, un jugement personnel; elle se termine sur une perspective générale, tout comme la conclusion de la dissertation.

Exemple d'analyse de texte axée sur la communication

L'analyse qui suit porte uniquement sur la recherche des fonctions (fonction référentielle et fonctions dominantes). Elle est sommaire et schématique. On devrait normalement présenter une analyse suivie, assortie de commentaires (partie subjective). Nous avons choisi un texte littéraire, mais la démarche peut s'appliquer à tout type de texte (informatif, argumentatif, etc.).

Le texte

> **J'ai eu quinze ans hier, le 14 juillet. Je suis une fille de l'été, pleine de lueurs vives, de la tête aux pieds. Mon visage, mes bras, mes jambes, mon ventre avec sa petite fourrure rousse, mes aisselles rousses, mon odeur rousse, mes cheveux auburn, le coeur de mes os, la voix de mon silence, j'habite le soleil comme une seconde peau.**
>
> **Des chants de coq passent à travers le rideau de cretonne, se brisent sur mon lit en éclats fauves. Le jour commence. La marée sera haute à six heures. Ma grand-mère a promis de venir me chercher avec ma cousine Olivia. L'eau sera si froide que je ne pourrai guère faire de mouvements. Tout juste le plaisir de me sentir exister, au plus vif de moi, au centre glacé des choses qui émergent de la nuit, s'étirent et bâillent, frissonnent et cherchent leur lumière et leur chaleur, à l'horizon.**
>
> **Je me pelotonne dans mon lit. Des pépiements d'oiseaux tout autour de la maison. La forêt si proche. L'épinette bleue contre la fenêtre. Les petits yeux noirs, brillants, des merles et des grives pointent derrière les rideaux. Le jour commence. J'ai quinze ans depuis hier. Ma mère m'a embrassée comme au jour de l'An. Ma grand-mère m'a offert une robe verte avec un petit col blanc en peau d'ange. Mon frère aîné qui est pilote pour le Cunard accostera demain à Québec, sur l'*Empress of Britain*. Il sera ici dimanche, au plus tard. Il a promis de m'apporter des fioles d'odeur et des savonnettes.**
>
> Anne HÉBERT, *Les fous de Bassan*

## • Recherche des fonctions

## 1. La fonction référentielle

Elle est présente dans tout le passage. Elle sert à véhiculer les éléments d'information "brute" ou objective concernant:

a) le personnage principal (la narratrice):

présentation et description:

- "**J'ai eu quinze ans hier, le 14 juillet**";
- "**Je suis une fille de l'été, pleine de lueurs vives, de la tête aux pieds**";
- "**Mon visage, mes bras (...) comme une seconde peau**".

b) le cadre extérieur (milieu):

— **"Des chants de coq passent à travers le rideau de cretonne (...)"**;
— **"L'eau sera si froide..."**;
— **"Des pépiements d'oiseaux..."**;
— **"La forêt si proche"**;
— **"L'épinette bleue..."**;
— **"Les petits yeux noirs, brillants, des merles et des grives..."**;
— **"Le jour commence"**.

c) la présentation des personnages secondaires:

— **"Ma grand-mère a promis (...) avec ma cousine Olivia"**;
— **"Ma mère m'a embrassée..."**;
— **"Ma grand-mère m'a offert une robe..."**;
— **"Mon frère aîné qui est pilote (...) accostera demain (...)"**.

## 2. La fonction expressive

La fonction expressive vient s'ajouter à la fonction référentielle. Elle sert à traduire les sentiments, les attitudes de la narratrice. Les marques linguistiques utilisées à cette fin sont: le pronom personnel de la première personne ("j'", "je"), l'adjectif possessif ("mon", "ma", "mes"), un adverbe révélant son appréciation personnelle ("L'eau sera si froide...", "La forêt est si proche...").

## 3. La fonction poétique

Cette fonction rejoint l'art de l'auteur. Elle est marquée surtout par l'utilisation abondante de la phrase courte, elliptique et de la parataxe. Il y a donc rejet de la surbordination et de la coordination pesante. La phrase brève qui en résulte est apte à exprimer les sentiments et les idées au plus près de leur jaillissement. Au niveau des images, on peut relever plusieurs métaphores et comparaisons ("fille de l'été", "lueurs vives", "j'habite le soleil comme une seconde peau", etc.).

## EXERCICE

Relevez, avec des exemples, les fonctions utilisées dans les deux textes suivants:

## • Poème

### JE T'ÉCRIS

Je t'écris pour te dire que je t'aime
que mon coeur qui voyage tous les jours
— le coeur parti dans la dernière neige
le coeur parti dans les yeux qui passent
le coeur parti dans les ciels d'hypnose —
revient le soir comme une bête atteinte

Qu'es-tu devenue, toi mon amour comme hier?
Moi j'ai noir éclaté dans la tête
j'ai froid dans la main
j'ai l'ennui comme un disque rengaine
j'ai peur d'aller seul de disparaître demain
sans ta vague à mon corps
sans ta voix de mousse humide
c'est ma vie que j'ai mal et ton absence

Le temps saigne.
Quand donc aurai-je de tes nouvelles?
Je t'écris pour te dire que je t'aime
que tout finira dans tes bras amarrés
que je t'attends dans la saison de nous-deux
qu'un jour mon coeur s'est perdu dans sa peine
que sans toi il ne reviendra plus

Gaston MIRON, *L'homme rapaillé*

## • Annonce publicitaire

Référez-vous au message publicitaire de la page 344.

# B. L'ANALYSE D'UNE NOTION OU D'UNE PENSÉE

## L'ANALYSE D'UNE NOTION

On s'inspire ici de la définition du processus d'analyse qui consiste à décomposer un tout en ses éléments constitutifs. Ainsi, pour analyser une notion ou un concept comme l'amour, la révolte, l'aliénation, les valeurs, on procède de la façon suivante:

> **1er temps: analyse de la notion**
>
> **2e temps: valeur de la notion**

Dans la première partie, l'analyse se fait de façon objective. On procède à une définition brève et précise de la notion proposée, puis on l'explique en la découpant en ses éléments. Ceux-ci sont dégagés de la définition que l'on vient de donner. On peut aussi situer la notion ou le concept dans une perspective historique: son évolution dans le temps et l'espace. Il faut toujours apporter des exemples choisis pour chacun des éléments dégagés.

Dans la deuxième partie, on s'interroge sur la valeur de la notion. Ici, plusieurs démarches sont possibles, dépendamment de la notion étudiée. On peut dire ce que cette notion apporte au plan où l'on se situe: humain, politique, culturel, etc.; ou bien on fait état de ses possibilités et de ses limites, des avantages et des inconvénients, des déformations et des réalisations qu'elle entraîne ou suppose.

## L'ANALYSE D'UNE PENSÉE

Les deux plans que nous proposons ci-après pour l'analyse d'une pensée se valent l'un l'autre.

### 1er plan:

Le premier plan comprend deux grandes parties, dont la seconde peut être subdivisée.

1re partie: explication

On explique, sans prendre position, les idées contenues dans la citation. Ces idées doivent évidemment avoir été dégagées au préalable. L'explication se fait de façon rigoureuse, avec des exemples. On conclut la première partie par une brève synthèse qui exprime clairement et fidèlement la pensée de l'auteur.

$2^e$ partie: commentaire

Le commentaire consiste essentiellement à discuter: on donne son accord sur les points favorables, on critique, en donnant des raisons et des exemples à l'appui, les points avec lesquels on n'est pas d'accord.

Conclusion

On précise la part de vérité, la part d'inexactitude. En somme, on nuance la pensée de l'auteur.

## $2^e$ plan:

On peut aussi procéder en dégageant les points essentiels de la pensée à analyser, dont chacun forme une grande partie du travail; l'analyse des points les plus discutables est abordée en premier lieu si l'on veut conclure en donnant son accord avec les idées de l'auteur; on adopte la démarche inverse si l'on veut exprimer son désaccord.

Dans chaque partie on procède comme dans le premier plan
- **expliquer** d'abord la position de l'auteur sans discuter;
- **commenter** ensuite, c'est-à-dire discuter (accepter ou critiquer) en donnant ses raisons et en apportant des exemples. La conclusion se fait comme au premier plan.

## LA COMPARAISON

. La comparaison est une opération qui consiste à dégager les ressemblances et les différences. Dès lors, le plan consiste à exposer les ressemblances, puis les différences; généralement les premières sont plus vite perçues que les secondes. Mais attention! Il s'agit d'étudier des rapports et non de faire une juxtaposition de deux notions. Cette étude comprend trois parties:

$1^{re}$ partie:

on étudie les éléments identiques entre les deux notions (A et B) en partant de définitions succinctes des concepts reliés à ces notions, et en les assortissant d'exemples concrets.

2$^e$ partie:

> on étudie les éléments dissemblables, en faisant voir les aspects de la notion A qui ne sont pas contenus dans la notion B, et vice-versa.

3$^e$ partie:

> on prend position en présentant des réflexions personnelles sur les similitudes et les oppositions enregistrées; on élargit les perspectives en dépassant les notions.

Voici un autre modèle de plan axé sur la comparaison:

1$^{re}$ partie: exposez d'abord, sans parti pris, les termes de la comparaison.

2$^e$ partie: soulignez ensuite les ressemblances.

3$^e$ partie: relevez les différences.

Les parties 1 et 2 peuvent être inversées, selon que les ressemblances ou les différences l'emportent les unes sur les autres.

Vous pouvez enfin opter pour ce dernier modèle où chaque élément de la comparaison constitue une partie:

1$^{re}$ partie: vous expliquez le premier terme de la comparaison.

2$^e$ partie: vous expliquez le deuxième terme de la comparaison.

3$^e$ partie: vous faites une réflexion à partir de la confrontation des divers aspects évoqués dans les deux premières parties.

## LE JOURNAL PERSONNEL

### La "matière" du journal personnel

Qui n'a jamais rêvé de confier à l'écriture ses joies, ses peines, ses rêves? Les romanciers, à travers leurs romans, concrétisent leur conception de la vie. De même le poète, le dramaturge. Mais le scripteur moyen qui ne se sent des dispositions ni pour le roman, ni pour la poésie, ni pour le théâtre, doit-il pour autant renoncer à s'exprimer?

Non, car il existe une forme d'écrit trop souvent ignoré de nos jours, qui se prête admirablement à ce genre d'expérience: le journal personnel (ou intime). Voici en quels termes le décrit Alfred Roulin:

> **Ce JOURNAL, cette espèce de secret ignoré de tout le monde, cet auditeur si discret que je suis sûr de trouver tous les soirs, est devenu pour moi une sensation dont j'ai un total besoin; je ne lui confie toutefois pas tout, mais j'y écris assez pour y trouver mes impressions et pour me les retracer... Et j'ai**

**besoin de mon histoire comme de celle d'un autre pour ne pas m'oublier sans cesse et m'ignorer...**

Alfred ROULIN, *Introduction aux Journaux intimes de B. Constant*

Qui dira les avantages que le journal personnel procure au plan de l'expression en permettant à intervalles réguliers ou de façon sporadique de décrire les faits, les actes de sa vie, d'exprimer les idées qui émergent dans le champ de sa conscience, les sentiments vécus? En fait, tout ce qui touche **les sphères de la vie subjective** peut constituer la "matière" du journal personnel.

. Les deux fonctions principales assumées par le journal sont à la fois **psychologiques** (technique d'analyse de son vécu intérieur ou extérieur) et **littéraires** (technique efficace d'écriture).

## La fonction psychologique du journal personnel

La fonction psychologique du journal personnel réside surtout dans le contenu. Que mettre dans son journal?

D'abord des éléments de sa vie intérieure et extérieure: ses intérêts, préoccupations, besoins, états d'âme, sentiments, sensations, émotions, idéaux; parler de ses relations personnelles et interpersonnelles, mais aussi de ses difficultés d'adaptation sociale, amoureuses, financières ou autres, de ses complexes. Le journal permet d'actualiser certains phénomènes qui nous influencent positivement ou négativement. En les décomposant en leurs éléments, il devient plus facile de les comprendre; en les formulant, il est plus facile de conjurer ou de décanter les faits et les événements qui empoisonnent l'existence. De cette façon, on peut mieux résumer sa vie, l'orienter et en favoriser la réussite.

D'autres éléments intérieurs ou extérieurs à l'individu peuvent figurer dans le journal, par exemple les **définitions** et les **pensées** personnelles (sur l'amour, l'amitié, la vie en général, l'écologie, etc.), celles aussi qui viennent des autres. J'ai rencontré une belle formulation, une belle pensée lors d'une lecture, de l'écoute d'une conférence ou lors d'une conversation avec des amis, je la note dans mon journal. Je peux également y insérer des **réflexions personnelles** portant sur les divers aspects de l'activité humaine (sociale, politique, culturelle, etc.); des éléments de ma **vie onirique**: j'ai rêvé à un voyage, à une conquête, à un paysage, à un amour, à une amitié, etc.; j'ai lu un roman ou un article intéressant, je peux y faire allusion; je peux même y écrire un poème que je n'ose pas publier. Les **gestes**, les **faits** qui tissent la trame de nos journées fournissent aussi des

363

matériaux non négligeables. À travers les mots, les banalités de la vie quotidienne prennent une dimension ou une signification inaccoutumée.

Mais le journal doit être avant tout un **acte de communication avec soi-même**. Il joue alors le rôle de confident. Je m'adresse à moi (objectivation du "je") comme à une autre personne, créant ainsi un dialogue intérieur pouvant meubler et remplir jusqu'à un certain point ma vie ou ma solitude.

Il faut veiller, cependant, à ce que le journal personnel ne se résume pas à un roman-fleuve, à un roman-feuilleton ou uniquement à un courrier du coeur. S'il est le miroir ou le reflet de la vie imaginée ou vécue, il doit aussi servir à orienter et à unifier sa vie. Dans cette perspective, il doit devenir un instrument de réalisation de soi et de créativité. C'est pour cette raison qu'il est souvent appelé **journal de croissance**.

## La fonction littéraire du journal personnel

En habituant à conceptualiser et à formuler sa pensée, le journal personnel devient un merveilleux exercice d'écriture. L'expression est rendue plus facile du fait que les contraintes langagières sont moins grandes que dans le cas des autres formes d'écrit. L'accent étant mis sur la spontanéité, c'est la pensée au plus près de son jaillissement qui s'exprime.

La structure du journal est simple puisqu'elle obéit à la chronologie des événements. Même si les séances d'écriture sont datées, elles n'obligent aucunement à introduire un fil conducteur, une trame ou à relier le présent avec le passé. La fréquence des séances d'écriture n'obéit également à aucune logique temporelle: j'écris quand je veux, quand ça me tente. Ce n'est pas le résultat qui compte, mais la mise en situation d'écriture.

# 9

# L'ÉCRIT ARGUMENTATIF

## A. Qu'est-ce qu'argumenter?

Quand on parle d'argumentation, on pense tout de suite à l'avocat qui plaide une cause, au politicien qui cherche à convaincre ses électeurs du bien-fondé de sa candidature ou de ses politiques, au professeur qui tente de persuader ses élèves, au vendeur qui veut convaincre un client d'acheter un produit.

Mais l'argumentation fait aussi partie de nos délibérations quotidiennes. Nous avons tous, un jour ou l'autre, à défendre une idée, un point de vue, une opinion, un jugement, ou encore à "vendre" nos talents, notre savoir-faire. Voilà pourquoi l'argumentation s'avère d'une grande importance dans la vie. Elle constitue l'une des fonctions premières du langage et certainement l'un des plus puissants moteurs de l'activité humaine.

L'argumentation fait appel à plusieurs fonctions: 1) **conative**: elle vise à faire agir, à faire accepter; 2) **expressive**: souvent l'émetteur doit s'engager dans son argumentation en donnant son point de vue; parfois il doit le faire de façon émotive; 3) **référentielle**: le contenu de l'argumentation est essentiellement basé sur des arguments; 4) **poétique**: toutes les ressources de la langue sont utilisées pour présenter avantageusement les arguments et susciter l'adhésion du destinataire.

### L'ARGUMENTATION EST D'ABORD COMMUNICATION

Qu'il s'agisse de la persuasion, de la réfutation (argumentation contre) ou de la contre-réfutation (réfutation de la réfutation), l'argumentation est un procédé qui fait essentiellement appel au schéma de la communication. En effet, elle met en rapport un **émetteur** et un **récepteur**, grâce à un **message**, codé pour le premier, décodé par le second. Il ne suffit pas cependant de situer l'argumentation dans la perspective de la communication pour la distinguer des autres formes de discours. Tout discours porteur d'une fin ou d'une intention n'est pas nécessairement une argumentation. Celle-ci exige la réalisation de trois conditions:

**1) L'élaboration d'un raisonnement contenant une thèse, une opinion, une hypothèse dont on veut faire la preuve. Contrairement à l'opinion ou à l'assertion qui peut se faire en une seule phrase, le raisonnement en nécessite plus d'une, à moins qu'il ne s'agisse d'une phrase complexe.**

**2) Le raisonnement doit être destiné à quelqu'un: ce peut être une personne ou un groupe. Mais on peut l'adresser aussi à soi-même: j'écris, j'argumente pour me convaincre. Il y a dans ce cas "objectivation" du "je". On retrouve dans ce phénomène l'idée de "l'autre" puisque je m'adresse à moi-même comme à une autre personne.**

**3) Il faut qu'il y ait intention de convaincre et de persuader ou encore de démontrer la valeur d'une idée, d'une opinion, de justifier un comportement, une attitude ou tout simplement de sensibiliser à un problème. Il n'y a donc pas d'argumentation dans le langage de l'injonction: "Allez!", "Sortez!", "Ne passez pas sur le gazon!"; on ne laisse aucun choix, c'est à prendre ou à laisser.**

La troisième condition va de soi, car si le discours argumentatif vise à convaincre quelqu'un de quelque chose, c'est qu'il n'y a pas évidence. Il existe, bien sûr, des vérités qu'on ne peut contester comme les axiomes, les postulats. Ce sont des vérités évidentes en elles-mêmes susceptibles d'aucune démonstration (exemple: "Le tout est plus grand que la partie"). Mais cette certitude absolue ne se vérifie qu'à l'intérieur d'un système fermé. Dès que l'on aborde des domaines où tout peut devenir relatif comme le politique, le social, le culturel, on quitte le champ de la démonstration pure pour entrer dans un système plus vaste, celui de l'argumentation.

## TENIR COMPTE DU DESTINATAIRE

Quand le destinataire est une personne morale comme une compagnie, une institution, un public non défini, l'argumentation se fait plus neutre et répond à des lois générales. Lorsque le destinataire est au contraire un individu, l'argumentation doit tenir compte des multiples facteurs qui composent la personnalité: la compétence, les goûts, les intérêts, etc.

# LA TRANSMISSION D'UNE CONVICTION

Pour élaborer une bonne argumentation, il faut d'abord préciser **l'intention** que l'on poursuit, ce que l'on veut prouver, ce que l'on veut obtenir. Si l'enjeu de l'argumentation est clair, la démonstration sera d'autant plus facile et efficace. Mais, pour bien faire passer l'intention, **il faut être motivé et convaincu soi-même**. C'est cette force personnelle de persuasion et de conviction qui fait chercher les tournures et les procédés les plus aptes à convaincre le lecteur, voire à le séduire.

# LA THÉORIE DE PASCAL

Blaise Pascal a élaboré au XVII$^e$ siècle un traité intitulé *De l'art de persuader*, dans lequel on retrouve les principes de base de l'argumentation. Ce traité, pratiquement ignoré de nos jours, pourrait avantageusement servir de point de départ à l'étude du discours argumentatif. Nous en résumons ici les grandes lignes.

## "Les deux entrées dans l'âme"

Pascal avait constaté que les hommes vont à la vérité soit par le raisonnement (**esprit de géométrie**), soit par l'intuition (**esprit de finesse**). Cette constatation l'amena à distinguer "deux entrées par où les opinions sont reçues dans l'âme": "l'entendement" (l'intelligence) et "la volonté" (le coeur). La "volonté" réfère à l'intuition ou à l'instinct qui nous fait accepter ou croire certaines choses sans avoir recours au raisonnement ou à la démonstration. Comme si la vérité exerçait sur nous un attrait mystérieux ("l'agrément").

Pascal découvrit également que parmi les vérités que l'âme accepte "bien peu entrent par l'esprit". Dans plusieurs cas, les preuves et les arguments ont peu d'effet sur autrui. Cette constatation amena Pascal à développer l'art de "l'agrément" qui consiste à présenter des idées de telle sorte que le coeur les accueille volontiers; il existe "des règles aussi sûres pour plaire que pour démontrer".

## "L'art d'agréer"

Pascal base cet art subtil sur la connaissance du coeur humain. À cette fin, il donne les conseils suivants: 1) **Utilisez la persuasion douce**: "Éloquence qui persuade par douceur, non par empire, non en roi". 2) **Ménagez l'amour-propre**: il ne faut jamais frustrer l'adversaire. Quand on

367

veut le reprendre efficacement et qu'on veut montrer à l'autre qu'il se trompe, il faut d'abord comprendre, reconnaître ou admettre son point de vue, car ce dernier représente pour lui la vérité. Mais en même temps, il faut lui montrer sur quel aspect il a tort. L'adversaire verra de cette façon qu'il ne se trompait pas, mais que seulement il n'avait pas vu tous les aspects de la question: "On ne se fâche pas de ne pas tout voir, mais on ne veut pas s'être trompé." 3) **N'imposez jamais la vérité mais faites-la découvrir**: "On se persuade mieux, pour l'ordinaire, par les raisons qu'on a soi-même trouvées, que par celles qui sont venues dans l'esprit des autres", et encore: "on est porté à aimer celui qui nous le fait sentir; car il ne nous a pas fait montre de son bien, mais du nôtre." 4) **Adaptez-vous à l'auditeur**: "En sachant la passion dominante de chacun, on est sûr de lui plaire." Cela signifie qu'il faut d'abord "connaître l'esprit et le coeur" de celui qu'on veut persuader; il faut savoir quelle importance il accorde aux choses, ce qu'il aime, de sorte que "l'art de persuader consiste autant en celui d'agréer qu'en celui de convaincre".

Pascal convient cependant que "l'art d'agréer" est plus **difficile** mais plus **utile** que l'art de convaincre. Difficile, parce que le domaine du coeur et des sentiments est complexe et délicat ("Le coeur a ses raisons que la raison ne connaît point."). Utile, parce que souvent plus efficace que l'art de convaincre.

## UN DISCOURS "EFFICACE"

L'argumentation est classée parmi les discours **efficaces**; c'est le "langage de l'action": il vise à faire agir dans un sens ou dans l'autre. On s'efforce alors de mettre en oeuvre tous les procédés permettant d'étayer une affirmation, d'obtenir une adhésion, de justifier une prise de position, de faire agir, etc.

Pour assurer le fonctionnement maximal de l'argumentation, il faut en maîtriser les composantes linguistiques et rhétoriques:

> **1. Les *composantes linguistiques* permettent le codage de l'argumentation. Elles visent surtout les procédés linguistiques (termes ou expressions) qui introduisent, relient ou opposent les arguments dans la phrase ou le texte. Ces divers procédés ont déjà été vus lors de l'étude de "la phrase incitative" (p. 119).**
>
> **2. Les *composantes rhétoriques* réfèrent aux différents procédés qui mettent en oeuvre les lois du discours argumentatif. Nous les appellerons procédures d'argumentation. C'est ce dernier aspect qui sera étudié ici.**

368

# B. LES PROCÉDURES D'ARGUMENTATION

Avant de parler de procédures, il nous apparaît important de rappeler le contexte dans lequel doit se dérouler toute argumentation, soit celui de la communication. À cette fin, nous utiliserons les questions de Lasswell dont nous avons déjà parlé au chapitre 1 (p. 35): "Qui dit QUOI à QUI, COMMENT, avec QUEL EFFET?". Chaque fois qu'une situation d'argumentation se présente, que ce soit en publicité, en politique ou dans tout autre domaine, il est bon de se poser ces questions. Vous serez amené à tenir compte des composantes essentielles du message argumentatif. La formule de Lasswell peut être représentée sous forme de schéma fléché:

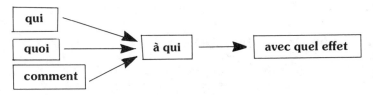

On remarquera que la disposition graphique du schéma met en évidence le destinataire (À QUI). Ce dernier, en effet, occupe une place privilégiée dans l'argumentation: n'est-ce pas lui qui doit être convaincu ou persuadé? "QUOI" réfère à l'intention et aux buts visés par l'argumentation: je veux convaincre de quoi? "COMMENT" réfère aux moyens linguistiques et rhétoriques pour argumenter. "AVEC QUEL EFFET" souligne l'efficacité à laquelle doit tendre tout discours argumentatif. Quand on argumente, c'est pour convaincre: l'argumentation est essentiellement une activité intentionnelle.

Mais comment argumenter?

L'activité argumentative est basée sur un certain nombre de procédures impliquant la connaissance des domaines ou champs d'argumentation, des types d'argumentation et d'arguments, des modes de fonctionnement de l'argumentation, ainsi que de l'ordre de succession des arguments.

# LES DOMAINES OU CHAMPS D'ARGUMENTATION

## • Le domaine logico-rationnel

Ce domaine est celui de la logique et du rationnel. La **logique** est définie comme la science ou la théorie du raisonnement. Dans tout raisonnement il y a un enchaînement, une combinaison d'énoncés respectant des règles internes. Dans l'argumentation le raisonnement est obligatoirement conduit en fonction d'un but: convaincre. Le **rationnel** réfère au domaine de la raison pure où seules dominent l'objectivité et l'exactitude. Dans ce type d'argumentation, il n'y a pas de place pour le sentiment ou l'émotivité.

## • Le domaine affectif ou émotif

Contrairement au domaine précédent, on s'adresse ici à la partie sensible, émotive ou affective de l'être. Parfois, c'est la seule porte d'entrée chez un individu. Il faut reconnaître cependant que la logique du coeur n'est pas celle de l'esprit. Rappelez-vous la phrase de Pascal: "Le coeur a ses raisons que la raison ne connaît pas." Le mystère du coeur humain ne se laisse pas facilement percer. Mais, paradoxalement, c'est le domaine où l'on obtient le plus de succès, lorsqu'on sait faire vibrer les cordes sensibles.

## • Le domaine émotivo-rationnel

Le domaine émotivo-rationnel s'adresse à la fois aux sentiments et à la raison. Il conjugue harmonieusement la partie sensible et la partie rationnelle de l'être. Ce domaine tient compte davantage de la nature de la personne. Celle-ci, en effet, se présente comme un tout complet (corps/raison/coeur). On n'est jamais purement émotif et jamais purement rationnel.

# LES DIVERS TYPES D'ARGUMENTATION

Le choix d'un type d'argumentation découle de la nécessité impérieuse de tenir compte du destinataire. Il s'agit de choisir l'argumentation la plus susceptible d'avoir de l'effet sur lui. Cela nécessite une bonne connaissance de la psychologie, du type d'intelligence et des schèmes de pensées de celui qu'on veut convaincre. Il faut savoir aussi quand rester dans le domaine purement logique et intellectuel ou jouer sur les sentiments.

Dans les types d'argumentation, on peut distinguer:

1) L'argumentation **objective** qui fait appel à la logique et au rationnel. Celui qui l'utilise montre qu'il domine la situation, qu'il sait analyser

froidement un problème. Il influence par la véracité, l'exactitude et la crédibilité qu'il confère à ses propos. C'est le ton neutre qui domine, celui des éditorialistes, des critiques scientifiques, etc.

2) L'argumentation qui vise à **séduire**. Elle cherche "à plaire" en faisant appel aux sentiments, aux qualités et à tout ce qui peut valoriser l'autre. Elle permet en même temps à l'argumentateur de faire valoir ses propres moyens de séduction (charme, fascination, rayonnement) et d'exercer son ascendant sur l'autre.

3) L'argumentation **charge** revêt un caractère soit émotif, soit émotivo-rationnel (mélange d'émotivité et de raison). Ce type d'argumentation cherche à convaincre en utilisant le ton polémique ou agressif, parfois humoristique ou ironique (cherche à ridiculiser l'adversaire). L'argumentation charge se prête bien à l'attaque personnelle; mais il faut comprendre que cette façon de procéder s'avère délicate.

4) L'argumentation **directe** est celle par laquelle l'argumentateur vise à influencer directement: il formule sa thèse de façon claire, ne cache pas ses stratégies; il met cartes sur table.

5) L'argumentation **indirecte** est celle par laquelle l'argumentateur ne manifeste pas clairement son intention de convaincre ou d'influencer: il procède par sous-entendus, par insinuation; il tente parfois de convaincre par tous les moyens, sauf ceux qu'offre la logique. Cette façon de procéder tient souvent de la démagogie. Lorsque celui qui l'utilise se sent démasqué, il lui reste toujours le loisir de dire qu'il ne prétendait pas convaincre.

L'argumentation indirecte peut aussi se faire à travers la fiction (conte, roman, théâtre, fable, etc.); on cherche alors à convaincre le lecteur d'une idée, d'une thèse à travers une histoire, un fait, un événement, un comportement ou une attitude.

Il va de soi qu'on peut faire un heureux mélange de ces cinq types d'argumentation. On peut tour à tour utiliser l'argumentation objective, chercher à séduire, argumenter de façon directe ou indirecte, selon les divers besoins de la persuasion.

## LES TYPES D'ARGUMENTS

Il existe plusieurs types d'arguments. Les uns font appel au **rationnel**, les autres au **non-rationnel**.

### La référence aux faits

Le caractère objectif des faits leur confère un pouvoir de conviction et de persuasion très fort. Ceci n'empêche nullement de jouer parfois avec leur valeur évocatrice ou leur capacité d'émotion. Il faut reconnaître cependant que les faits n'ont pas une valeur absolue; ils peuvent toujours être contestés. Quoi qu'il en soit, les faits doivent être soigneusement choisis en fonction de la thèse ou de l'idée à prouver.

## L'appel aux conclusions

Les conclusions sont des résultats, des conséquences d'études, d'enquêtes, de recherches que l'on apporte pour justifier ou légitimer son point de vue. Elles ont souvent un impact considérable dans l'argumentation, à condition cependant qu'on puisse en donner la preuve ou la référence.

## L'appel aux sentiments

Pour argumenter on peut encore choisir de jouer sur les sentiments ou les passions de celui qu'on veut convaincre. On cherche alors à exploiter ou faire vibrer "la corde sensible" que possède tout individu, ou même un peuple. Lorsqu'on le fait dans un but loyal et honnête, l'appel aux sentiments est une pratique facilement acceptée. Dans le cas contraire, elle est spontanément associée à la démagogie. Exploiter les sentiments de quelqu'un revient alors à abuser de sa faiblesse. Cette méthode peut être perçue comme déloyale et sujette à la réprobation.

Du point de vue de l'argumentateur, cependant, il ne fait aucun doute que l'appel aux sentiments s'avère une technique très efficace de persuasion. D'autant plus efficace qu'elle s'adresse moins à la partie rationnelle de l'être qu'à l'inconscient. Elle fait jouer des mécanismes psychologiques souvent mis en veilleuse chez l'individu et qui ne cherchent qu'à s'exprimer, à se manifester ou à se faire reconnaître. L'individu se sentant compris, un climat de confiance et d'échange se crée, qui emporte souvent l'adhésion.

## L'argument d'autorité

L'argument d'autorité fait appel au prestige ou à la renommée d'une personne. On procède en rapportant ses paroles, sa position ou son idée. La valeur de ce type d'argument dépend évidemment du prestige ou de la crédibilité dont jouit l'autorité à laquelle on fait appel. Un argument d'autorité doit toujours porter la mention de l'auteur ou la référence quand il s'agit d'une citation. Une maxime, un proverbe, une vérité générale, morale peuvent aussi constituer des arguments d'autorité.

## L'appel aux valeurs

Dans le domaine social, moral, économique ou politique, on réfère souvent à une valeur supérieure à celle que propose l'adversaire. Ainsi, une mesure sociale, économique ou politique sera justifiée par le bien de l'ensemble d'une collectivité ou d'un pays. On s'opposera à l'avortement en mettant de l'avant le droit à la vie. L'occupation d'une usine par des grévistes peut être condamnée au nom du droit au travail. On peut interdire une manifestation publique en invoquant le principe de l'ordre public. Ce type d'argument est souvent associé au jugement de valeur.

### L'appel à la tradition

L'appel à la tradition peut être invoqué pour justifier une conduite, un fait, un comportement, une action individuelle ou collective. On fait valoir le fait qu'on agit ou qu'on pense de cette façon depuis longtemps ou toujours.

### L'appel à la nouveauté

C'est la démarche contraire de la précédente. On offre à son interlocuteur d'expérimenter quelque chose de nouveau. L'argumentateur joue ainsi sur l'aptitude naturelle au changement, le besoin qui caractérise tout individu d'essayer pour voir s'il aura ou connaîtra mieux.

### L'appel à la majorité

On tente de convaincre en disant que tout le monde pense ou agit ainsi ("Tout le monde le fait, fais-le donc!"). On mise sur l'instinct grégaire de l'individu, c'est-à-dire le besoin fondamental d'appartenir à un groupe et de suivre les autres. La publicité utilise beaucoup ce type d'argument.

### L'appel aux besoins généraux et individuels

La satisfaction d'un besoin est considérée en psychologie comme l'un des plus grands mobiles de l'activité humaine; elle motive tous les comportements. En conséquence, celui qui est capable de faire croire à son interlocuteur qu'il peut combler ses besoins, réels ou fictifs, détient la technique d'argumentation sans doute la plus persuasive et la plus efficace. Les publicitaires en sont tellement conscients qu'ils s'exerceront à créer d'abord le besoin d'un produit ou d'un service pour pouvoir le combler par la suite. Nous avons déjà traité de la notion de besoin à l'occasion du message publicitaire (p. 336). Nous vous y renvoyons.

### L'argument positif et négatif

Alors que l'argument positif appuie la thèse ou l'opinion d'autrui, l'argument négatif va à l'encontre de son opinion ou de sa thèse. L'utilisation conjointe de ces deux types d'arguments donne en général beaucoup de crédibilité. Il est rare, en effet, que l'idée ou l'opinion de l'adversaire soit complètement négative. Mais si l'on concède quelque vérité à l'adversaire, c'est pour mieux le critiquer par la suite.

Dans un écrit scientifique (analyse d'ouvrage, compte rendu critique, etc.) ou journalistique (éditorial), ce type d'argumentation est très recommandé. Il manifeste, chez celui qui l'utilise, beaucoup de maturité et de formation intellectuelle. On fait alors la preuve qu'on sait voir les bons et les mauvais côtés des choses, les avantages et les inconvénients, le vrai et le faux. Si la critique négative l'emporte, on termine par les arguments négatifs; si c'est la critique positive qui l'emporte, on termine par les arguments positifs.

Concluons cette partie en disant que, peu importe le type d'argument choisi, ce n'est pas la **quantité**, mais la **qualité** qui compte. Parmi les arguments possibles, il faut sélectionner avec soin ceux qui sont les plus susceptibles de convaincre.

## MODES DE FONCTIONNEMENT DE L'ARGUMENTATION

### L'induction et la déduction

On peut appliquer à l'argumentation deux formes de raisonnement utilisées comme procédés d'acquisition de connaissances: l'induction et la déduction. La première va du général au particulier, la seconde du particulier au général. Tout ce qui peut être tiré d'un principe s'appelle **déduction.** Le syllogisme que nous verrons plus loin est une forme de raisonnement déductif. Par contre, tout ce qui part de l'observation particulière s'appelle **induction.** Par exemple, un physicien recherche la température du fusion du plomb. Au cours de ses expériences, il constate que le plomb fond aux environs de 327° C. Il est alors amené à établir cette température de fusion d'après la moyenne des résultats obtenus.

Il faut cependant utiliser avec discernement la déduction, car la quantité des observations n'a pas toujours valeur de certitude absolue. Comme l'écrit Karl Popper: "D'un point de vue logique, nous ne sommes pas justifiés à inférer des propositions universelles à partir de propositions singulières, si nombreuses qu'elles soient; car toute conclusion tirée de cette façon pourra toujours se révéler fausse: peu importe le nombre de cygnes blancs que nous aurons pu observer, cela ne justifie pas la conclusion que **tous** les cygnes sont blancs." (*The Logic of Scientific Discovery*, New York, Basic Books, 1959, p. 27.) Il va de soi que plus l'induction dépend de faits qu'on aura pu observer, plus elle aura de pouvoir de conviction. Rappelons que l'opération logique qui permet l'induction et la déduction s'appelle **l'inférence.**

Ces deux procédés de raisonnement, lorsqu'ils sont appliqués à l'argumentation, c'est-à-dire lorsqu'on s'en sert non plus simplement pour démontrer une vérité sur le plan intellectuel mais pour convaincre, deviennent des techniques très efficaces de persuasion. Leur efficacité vient du fait qu'ils entraînent l'interlocuteur dans un raisonnement rigoureux dont il peut difficilement sortir. Mais tout dépend alors de la valeur des idées, principes ou hypothèses utilisés ou des faits évoqués. Si ces derniers sont discutables, l'argumentation perd de sa force persuasive ou peut même devenir inopérante.

## La comparaison ou l'analogie

On dit parfois "Comparaison n'est pas raison". Pourtant le raisonnement par comparaison ou analogie s'avère, dans certains cas, très convaincant. Ces procédés fonctionnent de deux façons: 1) l'illustration d'une vérité la fait mieux comprendre; elle devient par le fait même plus accessible, donc plus crédible; 2) la comparaison ou l'analogie jouent aussi par association, c'est-à-dire qu'elles joignent une idée, un fait, à une autre idée ou à un autre fait plus connus. Par exemple, on dira "L'amour est fort comme la mort". En publicité, pour donner une idée de l'excellence d'une automobile, on dira volontiers qu'elle est "racée", la comparant à un cheval. Lorsqu'on utilise la comparaison ou l'analogie, il faut veiller à ce que le rapport de comparaison ou d'analogie soit clair, et que les éléments qui servent de comparaison aient entre eux quelque chose de commun.

## L'allusion

L'allusion consiste à évoquer une chose sans insister ou sans la dire explicitement. Elle permet, à l'occasion d'une argumentation, d'évoquer ou de passer rapidement sur un exemple ou un fait qu'on n'a pas le temps de développer, mais qui pourrait éventuellement servir de preuve. L'allusion peut aussi être très utile quand on n'a pas avantage à présenter clairement un fait parce qu'il serait trop délicat de le faire connaître. L'allusion peut facilement devenir de **l'insinuation** lorsqu'on veut se montrer habile ou malveillant.

## La définition et la description

La définition, en clarifiant les idées et les concepts, fait mieux comprendre et, partout, suscite plus facilement l'adhésion. Elle représente donc un bon procédé d'argumentation. Quant à la description, n'est-elle pas une forme de démonstration? Il n'y a rien comme faire voir pour convaincre.

## La concession

Elle consiste à concéder à l'adversaire qu'il a raison sur un aspect, un point ou une partie de sa thèse. Cette concession permet de mieux revenir en force par la suite. En manifestant une certaine ouverture, on montre qu'on n'est pas complètement "fermé" aux propos de l'adversaire, ce qui augmente la crédibilité.

## L'hypothèse

L'hypothèse part d'une supposition qui n'est pas fondée à première vue, mais qui devra par la suite être confirmée. Cette façon de procéder est souvent utile lorsqu'on veut, par exemple, ménager l'adversaire, sachant qu'il serait réfractaire à une affirmation présentée immédiatement comme vraie ou comme une certitude. L'enjeu consiste alors à poser immédiatement l'hypothèse dont on reconnaît qu'elle peut être vraie ou fausse. Par la suite, l'argumentation tente de prouver ou démontrer à l'adversaire que l'hypothèse de départ était vraie. On l'amène de la sorte insensiblement à son point de vue.

## La réfutation et la contre-réfutation

La **réfutation** est un "raisonnement tendant à renverser la conclusion de l'adversaire à partir d'un (ou plusieurs) argument susceptible de saper l'un ou l'autre des siens" (Dupriez). Cette définition pourrait être nuancée en distinguant deux types de réfutation: on peut se borner simplement à **rectifier ce que l'autre a dit**, ou bien **démontrer qu'il a tort.**

Dans ce dernier cas, la réfutation peut prendre diverses voies: 1) elle peut s'engager dans **la contradiction** qui consiste à montrer comment l'adversaire n'est pas logique avec lui-même; 2) ou bien elle choisit de montrer à son adversaire qu'il y a **incompatibilité** dans sa position, c'est-à-dire qu'il veut obtenir à la fois deux choses inconciliables; 3) elle peut, enfin, mettre son adversaire dans un **dilemme** en l'obligeant à choisir entre deux partis qui ne comportent que des désavantages.

La **contre-réfutation** consiste à réfuter une réfutation. Il faut bien la distinguer de l'**objection** qui ne cherche pas à réfuter, mais à se renseigner pour voir plus clair dans la discussion, pour éprouver la solidité des connaissances, la valeur de la compétence de son adversaire ou tout simplement son degré de conviction. L'objection est habituellement faite de bonne foi.

## L'argumentation "ad ignorantiam"

Ce type d'argument désigné par l'expression latine "ad ignorantiam" consiste à imposer à l'adversaire le fardeau de la preuve: "Prouvez-moi que j'ai tort et je serai de votre côté."

## L'argumentation par l'absurde

L'argumentation par l'absurde est basée sur un raisonnement qui consiste à tirer d'une hypothèse, par déduction logique, des conséquences aussi ridicules que possible. Par exemple, on peut confondre quelqu'un qui affirme qu'il faut toujours dire la vérité en disant: "C'est ça! Allez dire à votre patron qu'il a la manie des grandeurs. Allez dire à votre voisin qu'il est laid. Dites à votre belle-mère qu'à son âge il convient mal de faire la jolie."

## Le procès d'intention

Le procès d'intention consiste à accuser son adversaire de cacher ses véritables intentions ou à lui attribuer une intention différente de celle qu'il utilise dans son argumentation. Cette façon de procéder comporte évidemment des risques, car on n'est jamais certain de la véritable intention de son interlocuteur. Il n'y a pas de preuve véritable.

## L'argumentation "ad hominem"

Désignée par l'expression latine "ad hominem", cette façon de procéder consiste à confondre son adversaire en opposant à son opinion ou son attitude actuelle ses paroles ou ses actes antérieurs.

## La suggestion

Contrairement aux modes d'argumentation dont nous avons parlé, la suggestion (qui est une forme de persuasion) ne s'adresse pas à la raison, mais à l'inconscient. Elle tente d'influencer l'adversaire indirectement, ou à son insu, par le moyen d'idées ou d'images qu'on lui impose finement. Le coefficient de suggestibilité n'est cependant pas le même pour tous. Certaines gens résistent naturellement au pouvoir de la suggestion, alors que d'autres y sont perméables. On convient généralement en psychologie que la suggestion est d'autant plus efficace que le sujet est plus embarrassé, qu'il manque d'éléments d'appréciation et qu'il est plongé dans le doute et l'incertitude.

# L'ORDRE ET LA SUCCESSION DES ARGUMENTS

Il n'est pas suffisant de connaître la nature des arguments utilisés, encore faut-il savoir comment les organiser pour argumenter. On sait que les arguments n'ont pas tous la même valeur et la même force. Dans quel ordre faut-il les présenter? Doit-on commencer par les arguments les plus forts, ou au contraire terminer par eux? Les opinions sont partagées là-dessus. Il semble que les endroits varient en fonction du destinataire et des circonstances. Néanmoins voici quelques suggestions.

## On peut adopter "l'ordre croissant" des arguments

Cet ordre consiste à développer les arguments selon un ordre ascendant ou progressif. On commence par les preuves les plus faibles, les arguments les plus discutables au début du développement pour terminer par les arguments les plus frappants et les plus décisifs. C'est **à la fin** qu'on emporte l'assentiment du lecteur.

Cette démarche est justifiée par le fait que le lecteur retiendra davantage ce qui lui aura été donné en dernier lieu, parce que c'est plus frais dans sa mémoire. De plus, en laissant le lecteur sur un argument fort on a plus de chances de le convaincre.

## On peut adopter "l'ordre décroissant" des arguments

L'ordre décroissant ou descendant des arguments est la démarche contraire de la précédente: les arguments les plus forts sont placés au début. Cette démarche est fondée sur l'attitude psychologique du destinataire qui juge parfois définitivement de la valeur d'une opinion ou des idées selon la première impression que l'on fait sur lui.

## On peut adopter "l'ordre alterné" des arguments

Ce dernier consiste, à l'instar du précédent, à attaquer l'argumentation **dès le début**, en exprimant clairement et sans équivoque l'opinion ou la thèse que l'on veut démontrer. Les arguments les moins forts et les moins convaincants sont alors placés dans la partie centrale, cependant que la fin débouche sur une pièce d'argumentation solide qui doit emporter l'adhésion du lecteur. Cette façon de procéder était déjà conseillée par l'ancien rhéteur romain Cicéron; son efficacité a été corroborée par des chercheurs modernes américains.

## Il y a "l'ordre par regroupement" des arguments

On procède en regroupant les arguments de même nature ou de nature contraire. Cette façon de procéder est très efficace, car les arguments agissent alors en synergie, par affinité ou par contraste, en se renforçant les uns les autres. Pour effectuer ce regroupement, on procède par accumulation ou par association.

**L'accumulation** consiste à présenter des arguments de même nature: on accumulera des arguments d'ordre technique, psychologique, politique, social, culturel, émotif ou autres. Le procédé de l'accumulation permet d'exploiter le type d'arguments le plus susceptible d'influencer le lecteur, celui auquel il est le plus sensible.

**L'association** utilise, au contraire, des arguments de nature différente. On alliera, par exemple, un argument d'ordre technique à un argument d'ordre psychologique, un argument d'ordre politique à un argument d'ordre social ou culturel.

## Il y a l'ordre de disposition par "opposition"

L'opposition se fait par le procédé de la **réfutation.** Ici encore on peut utiliser des arguments de même nature: une cause est opposée à une autre cause, un dilemme à un autre dilemme, un argument d'ordre économique à un autre argument du même ordre. On peut aussi utiliser des arguments de nature différente. On opposera, par exemple, la qualité à la quantité, l'efficacité à la beauté ou à la perfection, un argument d'ordre économique à un argument d'ordre culturel ("Je concède que l'éducation c'est important, mais l'inflation nous permet-elle cet investissement?").Le schéma dialectique que nous présentons plus loin constitue la meilleure démarche à utiliser ici.

Retenez que la structure argumentative en deux ou trois preuves (ou parties) est la meilleure; l'expérience a démontré qu'une personne ne retient jamais plus que trois idées à la fois.

# TROIS SCHÉMAS D'ARGUMENTATION: LE SYLLOGISME, LA DIALECTIQUE ET LA MÉTHODE AMÉRICAINE

Deux cas peuvent se présenter: on peut vouloir défendre une idée, on a le modèle syllogistique (parfois dialectique) d'argumentation; on peut vouloir réfuter une idée, on a le modèle dialectique.

# Pour la défense ou la promotion d'une idée:
## *le modèle syllogistique*

La démarche syllogistique (voir page 196) nous vient du célèbre philosophe grec de l'Antiquité, Aristote. Il s'agit d'un raisonnement rigoureux composé de trois propositions dont la troisième, dite **conclusion**, est la conséquence des deux premières appelées **prémisses.** En voici un exemple classique:

**(1) Tous les hommes sont mortels**

**(2) Or Pierre est un homme**

**(3) Donc Pierre est mortel**

Le syllogisme est une forme de raisonnement déductif qui relève d'abord de la logique. Dans la pratique, cependant, il n'existe aucun critère qui permette de décider si un syllogisme tient purement de la logique ou de l'argumentation.

Dans un syllogisme argumentatif, les liens logiques existant entre prémisses et conclusion peuvent être remplacés par des associations affectives entre des notions, des faits, des événements. On peut même accepter entre les prémisses et la conclusion un simple rapport de probabilité.

Voici la démarche d'un syllogisme argumentatif:

1) On présente une affirmation (idée, hypothèse, principe, fait, etc.).

2) On prouve, illustre ou explique cette affirmation par des preuves (arguments, exemples, citations, faits, etc.).

3) On déduit la véracité de l'affirmation de départ.

Le syllogisme purement logique ne cherche pas à convaincre. Il part de propositions qui sont admises de soi comme vraies(S'il y a du soleil, il fait jour). Il en va autrement dans l'argumentation qui vise à influencer l'opinion et la décision de l'interlocuteur dans des domaines qui laissent place à la discussion. Voilà pourquoi, dans l'argumentation, tout doit être présenté de façon à ce que l'interlocuteur soit contraint ou obligé d'accepter ses idées. Il y a donc de la place pour toutes sortes de stratégies allant de la rigueur et l'honnêteté intellectuelle jusqu'aux moyens qui relèvent du pur sophisme (raisonnement spécieux visant à tromper son interlocuteur). Nous avons alors un **faux syllogisme**, c'est-à-dire un raisonnement qui a l'apparence du vrai mais qui est faux, comme dans cet exemple:

**(1) Les oiseaux volent**

**(2) Les oiseaux sont des animaux**

**(3) Donc les animaux volent**

Il est facile de repérer ici l'erreur ou le vice de raisonnement. Il est plus difficile de le faire lorsque le raisonnement devient subtil, insinuant, lorsqu'il se situe à la limite du vrai et du faux, du licite et de l'illicite.

Le pouvoir de persuasion du syllogisme vient en grande partie du fait que la syntaxe est conforme aux règles: à ce niveau, rien ne peut amener le lecteur à soupçonner un vice de raisonnement. D'autre part, la démarche d'argumentation est tellement rigoureuse que le lecteur y adhère souvent inconsciemment, à moins qu'il ne possède une bonne conscience critique.

En publicité, par exemple, le rédacteur habile tirera souvent profit du syllogisme pour convaincre un ou plusieurs clients d'acheter tel produit, ou de faire appel à tel service. Ses arguments peuvent être maquillés, sa démarche voilée, mais la base de son raisonnement reste fondamentalement la même que dans les cas suivants:

**(1) Tous vos voisins ont acheté notre produit.**

**(2) (Or) vous faites partie de la même classe sociale qu'eux (variante: que vont dire vos voisins, si vous n'avez pas ce produit?).**

**(3) (Donc) vous devez acheter notre produit.**

Ou encore:

**(1) Monsieur et madame Tremblay ont acheté ce produit.**

**(2) (Or) monsieur et madame Tremblay sont des gens comme vous.**

**(3) (Donc) vous devez acheter notre produit.**

Dans ce genre d'argumentation, la deuxième prémisse est souvent **implicite** ou **sous-entendue**. On a alors une inférence immédiate. Dans le syllogisme insidieux, l'auteur a avantage à omettre cette partie qui paraîtrait trop démagogique pour le client. Une fois l'astuce découverte, ce dernier pourrait devenir facilement réfractaire à toute argumentation.

Voici une application pédagogique du syllogisme. Un professeur tient à ses élèves un discours qui répond au schéma argumentatif suivant:

**(1) Les élèves intelligents sauront reconnaître le bien-fondé de ma décision.**

**(2) (Or) vous êtes des élèves intelligents.**

**(3) (Donc) vous allez accepter ma décision.**

Tous les syllogismes que nous avons donnés en exemples sont présentés dans leur matérialité brute (schéma). Pour être efficace, le raisonnement doit normalement s'intégrer à un discours plus élaboré, dans lequel doivent dominer la finesse, l'astuce et la diplomatie, de façon à amener inexorablement les interlocuteurs au comportement souhaité. Dans le dernier syllogisme présenté, la force du raisonnement réside dans le fait qu'il s'adresse à l'intelligence de l'individu. Personne ne veut passer pour quelqu'un de peu ou pas intelligent. De plus, il flatte l'individu, ce qui peut l'inciter fortement à agir dans le sens de l'argumentation: c'est une façon d'appliquer la technique psychologique du renforcement.

## Pour la réfutation d'une idée: *le modèle dialectique*

La démarche dialectique peut être utilisée dans toutes sortes de situations de communication écrite et orale. Outre la dissertation, elle trouve des applications dans l'article, l'éditorial, la lettre d'opinion, le discours oratoire, l'exposé, la discussion et bien d'autres formes dérivées. En fait, la technique de la dialectique répond à une démarche naturelle de l'intelligence qui fonctionne souvent en preuve, opposition, objection, discussion. Nous présentons ci-après trois modèles de démarche dialectique.

**1<sup>er</sup> modèle:**

thèse ⟶ antithèse ⟶ synthèse

Définissons d'abord ces trois termes. Que dit le Robert?

> **Thèse: Proposition ou théorie particulière qu'on s'engage à défendre par des arguments.**

Dans la démarche dialectique, la thèse n'est défendue que dans le 3<sup>e</sup> modèle (voir plus loin).

> **Antithèse: Proposition radicalement opposée à la thèse et constituant avec elle une antinomie; dans la dialectique hégélienne, seconde démarche de l'esprit, niant ce qu'il avait affirmé dans la thèse (avant de passer à la synthèse).**

> **Synthèse: Notion ou proposition qui réalise l'accord de la thèse et de l'antithèse en les faisant passer à un niveau supérieur; réalité nouvelle qui embrasse la thèse et l'antithèse en un tout.**

Dans la synthèse on rallie donc les deux thèses opposées en dégageant ce qui est acceptable ou non dans les deux positions; puis on dépasse les deux thèses en présentant une perspective ou un point de vue personnel et original. Nous donnerons un exemple de cette démarche dialectique après la présentation des deux autres modèles.

## 2ᵉ modèle:

1) **Thèse adverse**: on présente objectivement la thèse adverse.

2) **Réfutation**: on réfute la thèse adverse. Il y a une différence entre l'antithèse (modèle 1) et la réfutation (modèle 2). Dans l'antithèse on se contente de présenter la théorie adverse. Dans la réfutation on démolit la thèse adverse. On peut procéder de deux façons:

a) en réduisant la position adverse à deux, trois ou quatre idées principales qu'on réfute successivement;

b) ou bien en présentant: — le pour (concession sur une partie ou un aspect de la thèse adverse);

— le contre (on termine par le contre parce qu'il s'agit de réfuter).

3) **Thèse propre**: on expose ici sa propre thèse.

## 3ᵉ modèle:

thèse personnelle ⟶ objections ⟶ réfutation des objections

1) On présente ici sa **propre thèse.**

2) On prévoit les **objections** à sa thèse.

3) On **réfute** les objections à sa thèse.

Remarque: ce troisième modèle peut aussi servir à faire la promotion d'une idée ou d'une thèse.

### Exemple d'application du 1ᵉʳ modèle dialectique

Sujet: "Vaut-il mieux posséder ou non une puissance militaire nucléaire?"

*THÈSE:* **position des tenants de la puissance militaire nucléaire:**

a) **Moyen indispensable de défense:**

**On n'a pas le choix: les Russes possèdent une forte puissance nucléaire; si on se fait attaquer, on est perdus.**

b) **Moyen nécessaire de dissuasion:**

— **Qui veut la paix prépare la guerre.**

— **On ne peut négocier efficacement qu'en position de force.**

**ANTITHÈSE:** position des tenants de la paix:

L'arsenal militaire nucléaire est dangereux et inutile:

a) **dangereux,** car il peut entraîner la destruction totale ou partielle de la planète;

b) **inutile,** car la violence engendre la violence.

**SYNTHÈSE:** la puissance nucléaire oui, mais:

a) comme arme défensive seulement;

b) à condition d'introduire dans le nucléaire une perspective humanisante:

— l'avancement de la recherche et de la science;

— l'avancement de l'économie;

— l'exploitation d'une source importante d'énergie.

## La méthode américaine d'argumentation

Contrairement aux deux démarches précédentes axées sur le raisonnement démonstratif (utilisée surtout par les Français), les Américains procéderont volontiers en exposant d'abord brièvement le problème, puis en accumulant les faits, les anecdotes, les exemples, les preuves, etc. Ceux-ci répondent la plupart du temps à une logique ascendante dans laquelle chaque fait ou exemple apporté correspond à l'un des aspects ou éléments du problème exposé.

Par exemple, pour illustrer l'une des causes possibles de la dépression nerveuse, un auteur cite le cas de madame X qui aime beaucoup son métier de secrétaire mais qui ne réussit pas à s'adapter aux exigences de son nouveau patron. Après plusieurs mois d'incompréhension et d'incommunicabilité, elle sombre dans l'anxiété et le désespoir. Qu'aurait dû faire madame X? D'autres exemples sont alors apportés référant aux solutions possibles.

Dans ce type de raisonnement, le focus est mis sur "l'illustration". De celle-ci se dégagent implicitement ou explicitement, selon le cas, la thèse générale, le principe, la règle ou la leçon à tirer. Il s'agit, en somme, de démontrer, prouver, expliquer en illustrant d'abord. L'efficacité de cette démarche réside dans le fait qu'en partant de faits concrets, le lecteur n'est pas tout de suite plongé dans la théorie ou les généralités abstraites. De plus, son attention est immédiatement captée par le sujet. Le pouvoir de persuasion est grand, il va sans dire, car la vérité s'impose naturellement au lecteur. Ce type de démarche, souvent utilisé par les auteurs américains, a été très bien résumé par le journaliste français J.-F. Revel, quand il écrit: "Chez un Français, il y a neuf phrases générales et un exemple concret; chez un Américain, neuf exemples concrets pour une généralité." (*Le Figaro littéraire*, 1964)

# EXERCICES

## 1<sup>re</sup> série d'exercices

1. Dans cette fable de La Fontaine, relevez les arguments, les stratégies d'argumentation et appréciez-les.

### Le vieillard et les trois jeunes hommes

Un octogénaire plantait.
"Passe encor de bâtir; mais planter à cet âge!"
Disaient trois Jouvenceaux, enfants du voisinage;
Assurément il radotait.
"Car, au nom des Dieux, je vous prie,
Quel fruit de ce labeur pouvez-vous recueillir?
Autant qu'un patriarche il vous faudrait vieillir.
À quoi bon charger votre vie
Des soins d'un avenir qui n'est pas fait pour vous?
Ne songez désormais qu'à vos erreurs passées;
Quittez le long espoir et les vastes pensées;
Tout cela ne convient qu'à nous.
– Il ne convient pas à vous-mêmes,
Répartit le Vieillard. Tout établissement [1]
Vient tard et dure peu. La main des Parques blêmes [2]
De vos jours et des miens se joue également.
Nos termes sont pareils par leur courte durée.
Qui de nous des clartés de la voûte azurée
Doit jouir le dernier? Est-il aucun moment
Qui vous puisse assurer d'un second seulement?
Mes arrières-neveux me devront cet ombrage:
Eh bien! défendez-vous au sage
De se donner des soins pour le plaisir d'autrui?
Cela même est un fruit que je goûte aujourd'hui:
J'en puis jouir demain, et quelques jours encore;
Je puis enfin compter l'aurore
Plus d'une fois sur vos tombeaux."
Le Vieillard eut raison: l'un des trois Jouvenceaux
Se noya dès le port, allant à l'Amérique;

---

1. Tout ce qu'on fonde solidement.
2. Déesses de la vie et de la mort.

> **L'autre, afin de monter aux grandes dignités,**
> **Dans les emplois de Mars** [3]
> **servant la République,**
> **Par un coup imprévu vit ses jours emportés;**
> **Le troisième tomba d'un arbre**
> **Que lui-même il voulut enter** [4]
> **Et, pleurés du Vieillard, il grava sur leur marbre**
> **Ce que je viens de raconter.**
>
> **(La Fontaine)**

2. Choisissez une lettre d'opinion ou un éditorial dans un journal ou une revue, et analysez les stratégies d'argumentation à la lumière des notions théoriques que nous avons exposées.

Démarche suggérée: 1) relevez les arguments, les types d'argumentation et les stratégies utilisés par l'auteur; 2) évaluez-les selon les deux critères "objectivité" et "efficacité" (pouvoir de persuasion).

3. Analysez l'argumentation utilisée par les principaux personnages dans les ouvrages littéraires suivants: *Ashini* ou *Aaron* d'Yves Thériault, *La bagarre* ou *Le libraire* de Gérard Bessette, *Menaud maître draveur* de Félix-Antoine Savard, *Terre des hommes* de Saint-Exupéry, *L'étranger* d'Albert Camus, *Florence* de Marcel Dubé. Vous pouvez choisir tout autre ouvrage ou essai comportant une thèse.

Démarche suggérée: la même que celle de l'exercice précédent.

4. La publicité offre un domaine particulièrement intéressant d'argumentation. Choisissez dans un journal ou une revue quelques annonces publicitaires, les unes faisant appel au rationnel, les autres, au non-rationnel, et évaluez l'argumentation. Comparez ensuite ces annonces entre elles du point de vue de l'efficacité. Pour faciliter le travail, revoyez "l'écrit publicitaire" (p. 317 et suivantes).

## 2<sup>e</sup> série d'exercices

Les exercices d'argumentation qui suivent peuvent s'amorcer à l'oral et se poursuivre à l'écrit en utilisant les trois schémas que nous avons présentés: syllogistique et dialectique. Les sujets proposés vous feront prendre conscience du caractère éminemment subjectif de l'argumentation, surtout lorsqu'on se situe au niveau des opinions.

---

3. Emplois de Mars: l'armée française.
4. Enter: greffer par incision.

Voici un choix de propositions à discuter:

Parmi ces propositions, les unes font appel au vécu, certaines à la libre opinion ou à l'objectivité, d'autres peuvent nécessiter une recherche ou une démonstration scientifique.

(1) **La violence est l'une des caractéristiques de notre société. Si l'on veut la faire disparaître, le gouvernement doit éliminer toutes les formes de violence en contrôlant les groupes qui l'engendrent.**

(2) **Sans argent il n'y a pas de bonheur.**

(3) **Le communisme est un régime antidémocratique.**

(4) **En m'adressant à des gens intelligents, je suis sûr d'être compris.**

(5) **Accepter l'idée de la majorité, c'est brimer sa liberté.**

(6) **L'eau se compose d'hydrogène et d'oxygène.**

(7) **Les Américains sont plus forts militairement que les Russes.**

(8) **Le hockey des Russes est et sera toujours supérieur à celui des Canadiens.**

(9) **Le cancer mène inévitablement à la mort.**

(10) **Le silence est d'or, la parole est d'argent.**

(11) **Le plus court chemin d'un point à un autre c'est la ligne droite.**

(12) **Peut-on partager le monde en visuels et auditifs?**

(13) **L'homme est un animal raisonnable.**

(14) **L'avion est le moyen de transport le plus sûr.**

(15) **La femme ne sera jamais l'égale de l'homme parce qu'elle est moins forte physiquement.**

(16) **La femme a le coeur plus tendre que l'homme.**

# 10

# L'ÉCRIT NARRATIF, LES ÉLÉMENTS CONSTITUTIFS DU RÉCIT

Il n'est pas facile de définir la narration, car pour peu que l'on cherche, on retrouve autant de définitions qu'il y a de narrateurs. Nous la définirons simplement en disant qu'elle consiste "à raconter, par le moyen du langage et plus particulièrement du langage écrit, un événement, réel ou fictif, avec l'ensemble des actions, des faits et des circonstances qui l'ont produit [1]". **L'action de narrer** l'événement est appelé **récit.**

L'importance du récit est grande. On le retrouve dans pratiquement tous les genres littéraires: roman, conte, nouvelle, épopée, pièce de théâtre. Même la poésie emprunte parfois au récit. Voyez "Le dormeur du val" de Rimbaud, les fables de La Fontaine, plusieurs poèmes de Prévert, etc.

Il y a également des récits "non littéraires". Ceux que l'on retrouve dans le domaine de l'information: reportages et récits de presse relatant des faits divers, des événements politiques, sociaux ou culturels; dans le domaine de la publicité: présentation des faits et gestes d'un personnage, promotion d'une compagnie ou d'une institution, etc. Le rapport, le procès-verbal, la circulaire même empruntent parfois au récit.

Et dans la vie quotidienne, combien de fois n'est-on pas amené à narrer un événement dans une lettre, ou tout simplement à raconter à nos amis, un voyage, des vacances, une partie de chasse, ou encore une histoire? Comme il est vrai ce passage de Jean Ricardou:

---

1. Cette définition s'inspire de celle qu'en donne Gérard Genette dans *Figures II*, Paris, Seuil, 1969. L'emprunt s'arrête à "réel ou fictif".

**(...) qui mettrait sérieusement en doute, aujourd'hui, l'hégémonie de l'empire du récit? Nulle religion, sans doute, qui se dispense de récit; à tous les niveaux, l'information en regorge; le jeu des enfants inlassablement les multiplie; les rêves, sans fin, les disposent; l'entreprise historique elle-même...** [2]

Le récit atteint pratiquement toutes les sphères de l'activité humaine. Voilà pourquoi l'aptitude à raconter ou écrire un événement doit faire l'objet de tout apprentissage de l'écrit.

Mais qu'est-ce qu'un récit?

Le récit est essentiellement un acte de communication. Barthes a parlé à son sujet de **communication narrative** qui se joue à deux niveaux: "De même qu'il y a, à l'intérieur du récit, une grande fonction d'échange (répartie entre un donateur et un bénéficiaire), de même, homologiquement, le récit, comme objet, est l'enjeu d'une communication: il y a un donateur du récit, il y a un destinataire du récit" [3].

C'est précisément la distance existant entre le destinataire et l'histoire racontée qui donne au récit sa raison d'être. Étant donné l'absence du destinataire au moment où l'action se déroule, l'histoire ne peut être dévoilée, communiquée ou connue que par l'intermédiaire d'un narrateur et de sa narration. Le récit représente donc le monde de façon indirecte. Ce mode de représentation nous amène à dégager, à l'instar de Todorov, deux aspects fondamentaux du récit: l'**histoire** (ou la fiction) et la **narration** (ou le discours):

> **Au niveau le plus général, l'oeuvre littéraire a deux aspects: elle est en même temps une histoire et un discours. Elle est histoire, dans ce sens qu'elle évoque une certaine réalité, des événements qui se seraient passés, des personnages qui, de ce point de vue, se confondent avec ceux de la vie réelle. Cette même histoire aurait pu nous être rapportée par d'autres moyens; par un film, par exemple; on aurait pu l'apprendre par le récit oral d'un témoin, sans qu'elle soit incarnée dans un livre. Mais l'oeuvre est en même temps discours: il existe un narrateur qui relate l'histoire; et il y a en face de lui un lecteur qui la perçoit. À ce niveau, ce ne sont pas les événements rapportés qui comptent mais la façon dont le narrateur nous les a fait connaître.** [4]

---

2. Jean RICARDOU, *Le nouveau roman*, Paris, Éditions du Seuil, 1973, p. 140.

3. Roland BARTHES, *L'analyse structurale du récit*, *Communication 8*, Paris, Éditions du Seuil, 1981, coll. "Points", p. 24.

4. Tzvetan TODOROV, *L'analyse structurale du récit*, "Les catégories du récit littéraire", 1981, *Communication 8*, p. 132.

Pour déterminer les éléments de l'*histoire*, posez la question "**Que raconte-t-on dans le récit**?" Vous dégagerez ainsi le contenu (référentiel) du récit: les événements ou les faits, les circonstances de temps et de lieu, les personnages et tout ce qui relève de la fiction.

Pour déterminer les éléments de la *narration*, posez les questions "**Qui raconte?**", "**À qui raconte-t-il?**" et "**Comment le fait-il?**" Ces questions vous amèneront à déterminer la présence du narrateur et ses intentions, celle du destinataire (s'il y a lieu), l'ordre de présentation (souvent chronologique) des actions, le ton du récit, etc.

Nous retrouvons facilement les deux aspects "histoire" et "narration" dans la définition que nous avons déjà donnée du récit: la narration consiste à raconter un événement (= histoire) par le moyen du langage (= narration). Expliquons chacun des éléments de cette définition.

## L'histoire

La narration consiste à "raconter" un événement. Ceci implique les éléments suivants:
— la matière narrative (choix d'un sujet et domaine du récit);
— l'enchaînement des actions (logique des actions) ou le programme narratif;
— la présence d'un ou plusieurs personnages: ils sont parfois appelés, selon les diverses théories, "agents" ou "patients", "actants", "adjuvants" ou "opposants";
— un cadre physique dans lequel se déroule l'action (lieux, objets, etc.);
— une chronologie ou séquence temporelle des actions.

## La narration

Comme le récit est une histoire *racontée*, il faut donc qu'il y ait:
— un narrateur (énonciateur du récit) appelé aussi "voix narrative";
— une narration (une énonciation du récit); celle-ci comporte:
• le titre;
• l'introduction, le noeud et le dénouement;
• la présentation de lieux et de personnages par des **descriptions** et des **portraits**; l'explication de certaines circonstances, de certains sentiments;
• la présence possible de paroles: c'est le **dialogue.**

Nous expliquerons en détail chacun des éléments constitutifs du récit.

# A. L'HISTOIRE (OU LA FICTION)

## La matière narrative

L'histoire racontée constitue la matière du récit. Mais que peut-on raconter? Il existe des moments dans la vie qui sont banals et dépourvus d'intérêt. Voilà qu'arrivent un fait, un incident, un événement qui sortent de l'ordinaire: on pense tout de suite à les raconter. Il faut comprendre cependant qu'un événement, qu'il soit banal ou non, peut être transformé par la magie de l'écriture. Jean-Paul Sartre écrit dans *La nausée*: "Pour que l'événement le plus banal devienne une aventure, il faut et il suffit qu'on se mette à le raconter." Combien de romans sont à ce titre sans histoire remarquable en soi? Mais que vienne un romancier, et la perspective change complètement.

Les événements de la vie réelle ne constituent pas l'unique matière d'un récit. On peut inventer une histoire de toutes pièces. Celle-ci provient alors entièrement de l'imagination. On peut encore partir d'un fait réel et le transformer totalement par la fiction littéraire. Il existe ainsi plusieurs approches de la matière narrative. La narrateur peut choisir la perspective du **vrai** ou du **vraisemblable**, celle du **merveilleux**, celle du **fantastique**, ou aller carrément dans le domaine de la **science-fiction**.

## LE DOMAINE DU VRAI OU DU VRAISEMBLABLE

Si le narrateur raconte un événement **vrai**, il peut avoir été le témoin oculaire de cet événement, ou avoir obtenu ses informations de sources authentiques. Prenons, comme exemples, ces deux **récits de presse**.

### Le "Père Alex" rasé par le feu

**Chicoutimi (F.P.) — Un des endroits les plus fréquentés dans le cadre du Carnaval Souvenir de Chicoutimi, le Chantier du Père Alex, a été détruit de fond en comble par un incendie dans la nuit de mardi à hier.**

391

L'alerte a été donnée à la centrale de police un peu avant minuit, mardi, et immédiatement des camions à incendie ainsi que 26 pompiers ont été dépêchés sur les lieux afin de sauver la vénérable bâtisse.

Malgré le travail incessant de 12 heures, le "chantier" n'est plus qu'un amas de ruines et les pertes matérielles pourraient approcher, voire dépasser $100 000. La bâtisse, qui était située au Parc de la Colline, à Chicoutimi-Nord, était considérée depuis plusieurs années comme un haut lieu de rendez-vous pendant le Carnaval. Tous et chacun se faisaient un devoir de s'y rendre au moins une fois pendant la période pour y prendre un petit déjeuner. Pour le moment, les causes de l'incendie sont inconnues et les expertises seront faites dès aujourd'hui.

Il a été impossible de joindre un représentant de la corporation du Chantier du Père Alex pour prendre des informations concernant la reconstruction de l'édifice.

*Journal de Québec,* jeudi 3 mars 1983

### La récession a oublié Raymond Malenfant

André Leclair. — La récession économique effraie peut-être des millions de consommateurs, mais elle n'a pas ébranlé Raymond Malenfant. C'est ainsi qu'en quelques mois, cet homme d'affaires de Québec achevait un projet hôtelier de Chicoutimi, se portait acquéreur de l'Auberge des Gouverneurs d'Alma, rachetait de la chaîne Wandlyn Inn une auberge sur le boulevard Laurier à Sainte-Foy, et complétait la ronde de transactions en faisant l'acquisition — rien de moins — du complexe immobilier de la place Jacques-Cartier.

Originaire du petit village de Saint-Hubert de Rivière-du-Loup, Raymond Malenfant aime mener ses affaires en douce. C'est ainsi qu'avec une intuition et un flair innés pour les projets de moyenne envergure, il a monté un empire immobilier de 75 millions de dollars, au centre duquel s'affirme une des plus importantes chaînes hôtelières de propriété québécoise, le groupe des motels Universel.

Mis sur la carte de l'hôtellerie dès 1965, par l'ouverture du premier motel Universel sur le Chemin Sainte-Foy, Raymond Malenfant ouvrit des établissements à Rivière-du-Loup et Drummondville, avant d'être débouté une première fois, en 1978, par un problème de zonage, dans son grand projet de posséder un hôtel sur le boulevard Laurier, à Sainte-Foy (...)

*Journal de Québec,* jeudi 3 mars 1983

Le narrateur peut aussi raconter un événement imaginé ou fictif, mais en le faisant de telle manière qu'on ait l'impression de sa réalité. On dit alors qu'il est **vraisemblable.** Cette façon de procéder est parfois appelée "mensonge littéraire". Ce qui importe alors, c'est moins la véracité de l'histoire en elle-même que son mode de représentation. Les formes de récit qui répondent le plus à cette approche sont la nouvelle littéraire et le roman.

La **nouvelle littéraire** est essentiellement un récit centré sur un seul événement simple et bref, raconté par un témoin, le plus souvent oculaire. L'événement prend, en général, le pas sur le personnage qui le vit. Cependant, on peut écrire une nouvelle centrée sur un personnage, mais dont on ne raconte qu'un seul aspect (crise, courte aventure, etc.), ou à travers lequel passe une vision fragmentaire de la réalité. Les personnages secondaires sont alors peu nombreux et gravitent autour du personnage principal (protagoniste). Chez Maupassant, la nouvelle est ordinairement dramatique et se termine par un événement surprenant. Dans tous les cas, l'histoire doit être soigneusement conçue ou choisie en fonction du dénouement. Le style utilisé est plutôt descriptif et objectif.

La nouvelle est souvent présentée comme un court roman réduit à ses centres d'intensités. Cela est juste, mais elle diffère fondamentalement du **roman** en ce que ce dernier est un long récit comportant généralement plusieurs personnages vivant un événement ou une histoire complexe. Comme la nouvelle, le roman n'échappe pas facilement au vraisemblable. Même si, dans bien des cas, l'histoire est fictive, celle-ci est inspirée de la vie ou calquée sur elle. L'évolution du héros est faite de situations et d'actions telles qu'on les retrouverait dans la réalité. Le temps et la durée de ces actions sont plausibles et réalistes. Il en est de même de l'histoire, qu'elle soit racontée de façon linéaire (dans le respect de la chronologie des événements) ou selon l'ordre du rêve ou du souvenir.

## LE DOMAINE DU MERVEILLEUX

Le vraisemblable fait place ici au merveilleux, au mystère par lesquels on cherche à sortir de la réalité. Le merveilleux ne se conforme pas à ce que l'on voit dans la vie réelle. Des lois nouvelles se substituent aux lois naturelles. L'univers se transforme de telle manière qu'appliquer ces lois serait injustifié ou impossible. Par **merveilleux**, on entend, avec R. Caillois (article "Fantastique" de l'*Encyclopaedia Universalis*), une présentation du "surnaturel" (prodiges, miracles) comme naturel, non étonnant, non effrayant, sans rupture avec l'ordre des choses: "la magie est la règle". Ce domaine est celui du féerique et du merveilleux dans lequel se situe le **conte.** En voici un exemple:

393

**La fleur qui faisait un son**

**Quand pour la première fois le Troublé en parla, on se gaussa de lui dans le hameau.**

**Tant que l'idée semblait étrange, et pas du tout de celles qui sont les vraies idées, propres à croire.**

**Mais on se dit que c'était le Troublé, et que l'idée ne valait que ça.**

**Puis les nuits vinrent qui étaient les nuits de pêche, les nuits longues et bleues, avec toutes les étoiles et le chant doux qui monte du fond de la mer, alors on oublia bien que le Troublé avait ouï le son d'une fleur (...)**

Yves THÉRIAULT, *Contes pour un homme seul*

Dans la suite du conte, le Troublé étonne par ses comportements bizarres et son attitude devant la vie. Alors que tout le monde s'amuse au cabaret, il poursuit le son d'une fleur. Il est triste et sombre par les plus beaux jours de l'été. Il préfère "à la vie belle et le jour et la mer" le monde souterrain des fourmis. Il semble habiter un monde différent des autres: il vit dans un univers merveilleux. Plusieurs autres contes du même recueil de Thériault présentent un monde qui tient à la fois du merveilleux, de l'étrange et du fantastique.

Les personnages du conte sont souvent simplifiés ou grossis (nains, géants), parfois caricaturés; ils échappent facilement aux lois de la vie (métamorphose, enchantements, résurrections).

## LE DOMAINE DU FANTASTIQUE

Merveilleux et fantastique sont des modes de fonctionnement de l'imaginaire qui se manifestent dans le conte, mais aussi parfois dans le roman. Dans les deux cas, on a une rencontre entre naturel et surnaturel, mais alors que le merveilleux place le lecteur dans un état d'harmonie avec l'univers, le fantastique l'introduit dans **l'étrangeté**: c'est une des raisons pour lesquelles le conte merveilleux produit un effet d'optimisme, à l'inverse du conte fantastique.

Le fantastique échappe totalement aux contraintes du réel: il est irrationnel, insolite. Il fonctionne en opérant une rupture de la cohérence du réel, brisant la stabilité même des lois immuables de l'univers.

**À ces mots, il voulut l'embrasser; mais...(son nez) acquit instantanément une longueur immense et se projeta avec un bruit violent contre la muraille... — Maudit magicien!**

HOFFMAN, *Contes fantastiques*

Mais ce n'est pas uniquement l'étrange ou l'irrationnel qui caractérise le fantastique. Souvent s'installent dans le récit des sentiments annihilants comme l'angoisse et la crainte, voire l'épouvante et la terreur.

> **Mais la relation de Malachias commençait à les pénétrer d'horreur. Il fit apparaître la scène à leurs yeux. Le panneau secret à côté de la cheminée s'ouvrit en glissant et dans le retrait apparut... Haines! Il tenait à la main un portefeuille bourré de littérature celtique, de l'autre un flacon avec le mot Poison.**
>
> JOYCE, *Ulysse*

Le fantastique cherche à susciter des émotions fortes, à provoquer le frisson. Voilà pourquoi il se termine souvent par un événement macabre ou sinistre évoquant la mort, la disparition ou la damnation du héros. Consultez à ce sujet l'excellent ouvrage de Tzvétan Todorov intitulé *Introduction à la littérature fantastique* (Paris, Seuil, coll. "Points").

## LE DOMAINE DE LA FICTION

Alors que le fantastique donne comme réel ce qui ne peut absolument pas être accepté comme réel, la fiction ne s'en préoccupe pas. Mais encore faut-il préciser le sens que l'on donne au mot "fiction".

Le mot peut s'entendre sur le plan strictement littéraire: il désigne alors toute histoire racontée qui a ou qui n'a pas de référence dans la réalité. Mais il s'applique aussi à des récits d'imagination scientifique: c'est le domaine de la **science-fiction.** Celle-ci se caractérise souvent par le bouleversement ou l'éclatement de la dimension spatio-temporelle de l'univers, dans lequel apparaissent des êtres souvent non humains, aux possibilités biologiques et psychiques sans bornes, pour lesquels la suppression de la distance, l'ubiquité, l'exploration des aspects insolites de l'espace, l'emprunt des formes les plus étranges de la vie extra-humaine sont choses courantes. Parfois ces êtres cherchent la destruction de l'homme et de l'univers. Parfois aussi l'homme devient le héros de cet univers cosmique, dans lequel l'aventure et la magie parascientifique dominent.

Cette approche de la réalité peut répondre à un besoin conscient ou inconscient chez l'homme d'interroger le futur pour mieux comprendre le présent, ou au contraire de contester la civilisation actuelle. Sur un autre plan, elle permet de satisfaire l'expression d'une mentalité magique qui accorde à la pensée un pouvoir tel qu'elle peut transgresser les lois du réel. Elle permet, en définitive, de réaliser les rêves les plus lointains et les plus osés. Mais l'intérêt le plus marqué de la science-fiction, comme du fantastique d'ailleurs, réside dans les liens qu'elle entretient avec les mythes, l'imaginaire collectif et les archétypes. La science-fiction est donc très près de nous et, à ce titre, elle représente une littérature beaucoup moins farfelue qu'on peut le penser à première vue.

Nous n'avons évidemment qu'effleuré les trois domaines du récit et les genres afférents. Il faut convenir que l'on a assisté ces dernières années à un éclatement des genres et des formes littéraires. Ainsi peut-on rencontrer des romans qui sont des nouvelles très élaborées, des contes qui sont à la frontière du réel, du merveilleux, du fantastique ou de la fiction. En réalité, il n'y a pas une sorte de conte, de nouvelle, de roman, de science-fiction, mais plusieurs formes que l'on a, du reste, de la difficulté à étiqueter. Le domaine du récit, il faut bien l'avouer, est devenu fort complexe.

## L'enchaînement des actions dans le récit

Dans un récit, la succession des actions obéit à une "logique narrative" selon laquelle les actions forment une "continuité". Cette continuité cependant n'est pas toujours linéaire ou ininterrompue. Des éléments **descriptifs** ou **explicatifs** peuvent en interrompre le cours. Ils ont dans le récit une fonction que nous verrons plus loin. Des **ellipses** peuvent aussi couper le récit, c'est-à-dire que l'action s'arrête puis revient sans que le lecteur sache vraiment ce qui s'est passé dans l'intervalle.

### L'ENCHAÎNEMENT ÉLÉMENTAIRE

Dans tout procès de narration, on retrouve une séquence élémentaire constituée obligatoirement de trois étapes:

1) **L'introduction** présentant une situation initiale ouvrant une possibilité d'action.

2) **Le noeud** qui est constitué par le prolongement de la situation de départ: on y retrouve la réalisation (actualisation) ou non de la possibilité d'action proposée.

Le noeud se déroule généralement en deux phases:

a) **première phase**: l'agent déclencheur de la possibilité d'action apparaît: quelque chose manque au sujet ou un événement malencontreux (déséquilibre) se produit dans sa vie;

b) **deuxième phase**: le récit montre, à travers diverses péripéties (épreuves, difficultés, affrontements, aide, oppositions, etc.), comment le sujet (personnage principal ou héros) va résoudre ou non le problème.

3) **Le dénouement** constitué par le succès ou l'échec de la possibilité d'action.

C'est ce qu'illustre le schéma suivant de Claude Brémond (les mentions introduction, noeud, dénouement sont de nous):

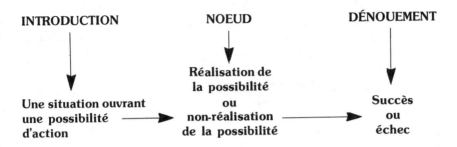

Cet enchaînement élémentaire permet d'assurer la continuité et la cohérence dans la succession des événements qui constitue **l'histoire** de tout récit. Il faudrait cependant ajouter, à la suite de Larivaille ("L'analyse (morpho) logique du récit", *Poétique*, n° 19, 1974), que la situation de départ n'amorce pas automatiquement le processus transformationnel de l'histoire uniquement parce qu'elle présente une possibilité d'action. Celle-ci doit être enclenchée par un événement particulier appelé "provocation", dont le rôle est de perturber l'équilibre de la situation initiale. Voyons, à travers l'étude du programme narratif, comment peuvent se présenter concrètement les trois étapes d'un récit.

## COMMENT BÂTIR UN PROGRAMME NARRATIF

Nous entendons par programme narratif les diverses façons d'organiser la matière narrative. Les récits peuvent avoir différentes structures dont plusieurs répondent à des schèmes fixes d'actions (épreuves à subir, aides magiques, victoire finale; fraude, trahison, lutte, contrat, séduction, etc.). Ces schèmes ont été répertoriés par les grands théoriciens du récit tels Barthes, Greimas, Brémond, Todorov, Lévi-Strauss, Genette, Propp. Georges Polti, dans un livre traduit en américain en 1916 (*Dramatic Situations*, Boston, The Writter inc., 1954), énumère trente-six situations permettant de programmer (ou d'activer) un récit. En voici quelques-unes: la poursuite, la passion, la menace, la délivrance, le crime, la rivalité entre frères, le conflit avec les dieux, la jalousie, etc. Ce sont toutes des catégories universelles de l'agir humain.

397

Nous n'avons pas l'intention de présenter ici toutes ces théories. Nous nous appliquerons seulement à dégager certaines lois structurales susceptibles de guider ou d'influencer la composition d'un récit. Ces lois peuvent être regroupées sous deux principaux types de programmes narratifs: **la quête d'un objet** et **l'infraction à l'ordre**. Ces deux modèles permettent toutes sortes de possibilités d'élaboration de programmes narratifs applicables aussi bien au conte, à la nouvelle qu'au roman ou au théâtre. Nous compléterons l'information en présentant la théorie des **fonctions** (appelées aussi **unités narratives**) de Roland Barthes.

# 1er MODÈLE: LA QUÊTE D'UN OBJET

Ce type de récit dépend de la relation existant entre un sujet et un objet sur lequel porte la quête. Le sujet doit réaliser une "performance", c'est-à-dire quelque chose à "faire" (une mission) ou à obtenir pour atteindre l'objet. Le récit comporte alors trois étapes:

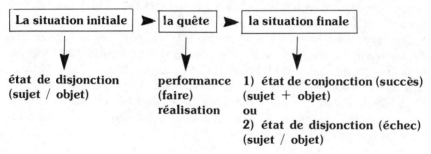

| La situation initiale | la quête | la situation finale |
|---|---|---|
| état de disjonction (sujet / objet) | performance (faire) réalisation | 1) état de conjonction (succès) (sujet + objet) ou 2) état de disjonction (échec) (sujet / objet) |

**La situation initiale** présente le personnage principal ( sujet) qui est séparé (état de disjonction) d'un objet qui peut être un bien, une valeur, une connaissance. Ces objets peuvent exister en eux-mêmes (l'amour, le voyage, la liberté, l'argent, un objet magique) ou être incarnés dans un personnage (quelqu'un représentant la liberté, l'amitié, l'amour, la richesse, etc.).

L'objet, pour être obtenu, peut entraîner un conflit avec un autre personnage (opposant) qui s'intéresse au même objet ou qui a avantage à contrecarrer son projet. Dans les deux cas, ce personnage antagoniste doit être éliminé ou neutralisé. Mais d'autres personnages peuvent aider (adjuvants) le protagoniste dans sa quête.

Dans la situation initiale, le protagoniste est en général présenté comme passif, c'est-à-dire qu'il subit l'état de carence dans lequel il se trouve. Mais parfois aussi l'intérêt commande de présenter dès le début le personnage principal en plein conflit, quitte à revenir en arrière.

Le protagoniste entreprend alors une **quête** visant à combler le manque (état de disjonction) qu'il éprouve. La quête se développe à travers des péripéties correspondant aux diverses épreuves à subir pour conquérir l'objet.

**L'état final** est celui de la conjonction du sujet avec l'objet dont il est disjoint, ce qui clôt le récit. La poursuite de l'objet continue tant que le personnage n'a pas obtenu satisfaction. C'est le **succès.** Mais souvent le contraire se produit; le protagoniste n'obtient pas ce qu'il désire: le récit se termine alors par l'**échec.**

Exemples de récits axés sur la "quête d'un objet".

# 1$^{er}$ exemple: un roman

### *Kamouraska* d'Anne Hébert

## ● La situation initiale

Le roman commence par une scène montrant l'héroïne, Élisabeth d'Aulnières, au chevet de son second mari mourant. Elle revoit en imagination sa vie avec son premier mari, Antoine Tassy. Mais l'élément déclencheur de l'intrigue est la rencontre d'un jeune médecin, George Nelson, à qui elle voue immédiatement un amour profond. Ils se voient sporadiquement, en catimini. Pour posséder son amant, Élisabeth doit éliminer son mari Antoine Tassy, seigneur de Kamouraska, homme alcoolique et brutal.

## ● La quête

La quête se poursuit à travers diverses tentatives pour faire disparaître Antoine Tassy. C'est d'abord la servante Émilie qui est envoyée à Kamouraska avec une fiole de poison qu'elle a pour mission de faire ingurgiter à Antoine dans un moment d'ivresse. Antoine avale le poison, mais celui-ci se dissout dans l'alcool ingurgité. Puis, c'est la folle équipée du docteur Nelson vers Kamouraska. Il réussit l'attentat en poignardant Antoine Tassy. Mais entre-temps, Élisabeth souffre et subit les pressions morales de ses vieilles tantes bigotes qui la gardent à Sorel pour la soustraire à Antoine et l'empêcher de rencontrer le docteur Nelson.

## ● L'état final: l'échec

Après le meurtre d'Antoine, Élisabeth est séparée définitivement du docteur Nelson qui a dû fuir aux États-Unis pour échapper à la justice canadienne. C'est l'échec.

## 2ᵉ exemple: une pièce de théâtre

### *Florence* de Marcel Dubé

* **La situation initiale**

Florence (protagoniste), secrétaire-réceptionniste de 23 ans, veut quitter son milieu familial, en quête de sa liberté. Elle est aidée dans son projet (adjuvants) par son amie Suzanne, qui la conseille à l'occasion, et par Eddy, son patron, qui la séduit. Mais, pour concrétiser ses intentions de liberté, elle doit se libérer de Maurice avec qui elle est fiancée et qui représente la vie plate et prosaïque qu'elle abhorre, celle de ses parents. Ces derniers s'opposent à divers degrés à son départ.

* **La quête**

À l'issue d'une conversation pathétique avec ses parents, elle quitte brusquement le foyer pour vivre l'aventure promise avec Eddy, qui tourne en amère déception.

* **La situation finale: le succès**

Florence a conquis sa liberté et son geste se concrétise dans l'acceptation d'un poste de secrétaire au siège social de la compagnie à New York.

## EXERCICES

a) Faites le schéma de la quête d'un objet dans un roman (d'amour ou d'aventure) ou une pièce de théâtre que vous avez lu. À cette fin, dégagez l'action et les personnages (adjuvants et opposants).

b) Choisissez des récits de bandes dessinées (*Astérix*, *Tintin*, etc.) qui répondent au schéma de la quête d'un objet. Faites le schéma de l'action et des personnages (adjuvants et opposants).

c) Faites le schéma de la quête d'un objet dans un récit mythique, folklorique ou légendaire.

d) Imaginez une situation réelle ou fictive répondant au schéma de la quête.

## 2ᵉ modèle: l'infraction à l'ordre

Le récit peut aussi être écrit en appliquant le canevas de l'infraction à l'ordre. Le point de départ est l'existence d'un certain ordre, lequel est perturbé puis rétabli. L'action du récit obéit alors au schéma suivant:

L'action est supportée par des personnages types. Il y a celui qui subit la perturbation: c'est **la victime**; il y a celui de qui vient la perturbation: c'est **le traître**; il y a enfin **le héros** qui rétablit l'ordre.

Il existe également des personnages secondaires: un ou des **adjuvants** dont le rôle consiste à apporter de l'aide au héros en agissant dans le sens du désir; un ou des **opposants** qui aident le traître ou nuisent au héros en s'opposant à la réalisation du désir.

Les exercices qui suivent vous permettront de vous familiariser avec la technique de l'infraction à l'ordre.

## EXERCICES

1) Dans le texte ci-après, faites le schéma du récit (action et personnages).

### La couleur des oiseaux

Une veuve avait un fils unique qui aimait chasser les oiseaux, surtout les oiseaux-mouches. C'était sa seule occupation, et elle l'absorbait tellement qu'il rentrait toujours tard dans la nuit. Cet acharnement inquiétait sa mère, qui pressentait un désastre, mais il ne l'écoutait pas.

Un jour, il trouve au bord de l'eau des petites pierres diversement colorées qu'il recueille précieusement pour les percer et s'en faire un collier. À peine l'a-t-il autour du cou qu'il se change en serpent. Sous cette forme, il se réfugie en haut d'un arbre. Il grandit et grossit, devient un monstre cannibale qui extermine progressivement tous les villages.

Un Indien décide d'en venir à bout. Le combat s'engage. Malgré l'aide qu'il reçoit de la colombe, l'homme est sur le point de succomber quand tous les oiseaux s'assemblent pour le secourir: "Ils se groupent par familles en chantant, car, à cette époque, dit-on, le chant était le langage des oiseaux, et tous les oiseaux pouvaient parler."

**L'offensive des oiseaux échoue jusqu'à ce qu'une puissante famille, celle des chouettes naines (Glaucidium nannum King), qui se tenait à l'écart, se mette de la partie. Elle attaque le monstre en poussant son cri: "not, not, not, pi", lui crève les yeux. Les autres oiseaux l'achèvent, l'éventrent et libèrent les victimes, dont beaucoup vivent encore. Après quoi les oiseaux se retirent, chaque famille allant dans une direction déterminée.**

Claude LÉVI-STRAUSS, *Le cru et le cuit*

2) Faites le schéma (action et personnages: victime, traître, héros, adjuvants, opposants selon le cas) des contes de votre enfance (*Le petit Poucet, Blanche-Neige, La belle au bois dormant,* etc.).

3) Choisissez des ouvrages de bandes dessinées qui répondent au schéma de l'infraction à l'ordre (*Astérix, Goldorak, Tintin, Lucky Luke,* etc.) et faites le même travail qu'à l'exercice précédent.

4) Faites le schéma d'une histoire ou d'un événement qui répondrait à celui de l'infraction à l'ordre (vous pouvez vous inspirer d'un récit de presse).

5) Imaginez la structure d'un récit (conte, nouvelle ou roman) qui illustrerait l'un des proverbes suivants: "Rien ne sert de courir, il faut partir à temps", "Un tiens vaut mieux que deux tu l'auras".

6) Faites le schéma de l'histoire d'un accident (action et personnages) qui répondrait à celui de l'infraction à l'ordre.

7) Faites le schéma d'une histoire policière (nouvelle, roman ou film).

## Deux applications de l'infraction à l'ordre

## Le roman d'amour

Il ne saurait être question ici de réduire tous les romans d'amour à ce seul schéma d'action. Cependant, un grand nombre sont élaborés sur ce modèle.

L'intrigue amoureuse se présente, en général, comme suit:

1. Ordre existant: la rencontre entre **elle** et **lui**.

2. Ordre perturbé:
   - un conflit éclate entre eux (jalousie, incompréhension, méprise, divergence dans l'expression d'un idéal ou dans la conception de la vie, etc.);
   - une menace pèse sur eux (le père refuse sa fille, une rivale s'interpose, une infirmité ou un accident survient, etc.);

- une impossibilité de situation existe (écart de classe sociale, de race; allégeance religieuse ou politique différente; travail qui amène ailleurs; écart d'âge, l'un des deux est marié, etc.).

3. Ordre rétabli:

C'est la réconciliation, la résolution du conflit, la liquidation de la menace, l'aplanissement de la difficulté qui a créé l'écart de situation, et c'est inévitablement le mariage.

Souvent une aventure se déroule en contrepoint: elle est en danger et elle est sauvée par lui.

## Le roman policier

Le roman policier est un bon exemple de l'application de la technique de l'infraction à l'ordre.

Régis Messac définit le roman policier comme: "Un récit consacré avant tout à la découverte méthodique et graduelle, par des moyens rationnels, des circonstances exactes d'un événement mystérieux." Cet événement représente l'infraction à l'ordre, lequel est constitué le plus souvent par le crime fait aux dépens d'une victime. Le traître, c'est l'assassin (ou le voleur, faussaire, etc.), qui est rarement l'un des principaux suspects; le héros, c'est le détective ou le policier enquêteur, lequel a très souvent un adjuvant, mais aussi un ou des opposants (qui aident le traître ou nuisent à l'enquêteur). L'ordre est la plupart du temps rétabli par l'enquêteur. On peut donc dégager deux trames dans le roman policier: celle du crime et celle de l'enquête. Ces trames se superposent ou parfois se développent en fugue ou contrepoint; elles constituent la charpente du roman policier.

Les "moyens rationnels" utilisés par l'enquêteur pour découvrir le criminel ont donné lieu à une véritable science policière. À travers un raisonnement serré, l'enquêteur ou le "justicier" cherche à découvrir la cause ou le mobile (passion, intérêt, etc.) du crime; il essaie d'expliquer le comment et le pourquoi de l'acte criminel commis. Le plaisir du lecteur vient précisément de la curiosité, du désir de connaître la fin, mais aussi de participer au travail même de l'enquêteur.

# LA THÉORIE DES FONCTIONS DU RÉCIT DE BARTHES

On ne peut parler de récit sans évoquer la théorie des **fonctions** (ou **unités narratives**) de Roland Barthes (*Communication 8*). Cette théorie peut apporter un éclairage intéressant sur le processus de lecture/écriture d'un récit.

Barthes pose la question suivante: "Tout dans un récit est-il fonctionnel? Tout, jusqu'au plus petit détail, a-t-il un sens?" Pour le déterminer, le récit est découpé en "unités narratives" (ou "segments du discours narratif") appelées "fonctions". Toutes les unités narratives, même les plus insignifiantes à première vue, ont une fonction. Pour l'illustrer, Barthes apporte l'exemple de Flaubert qui, dans *Un coeur simple*, nous apprend à un moment donné, sans trop insister, que les filles du sous-préfet possédaient un perroquet; or ce détail nous est fourni à cause de l'importance que cet animal va prendre dans la vie de Félicité.

Cependant, si tout dans un récit a un rôle, tout n'a pas la même importance. Ce rôle se joue à des degrés divers. Ceci amène Barthes à distinguer quatre classes formelles d'unités narratives qu'on peut résumer de la façon suivante:

## Les fonctions cardinales (ou noyaux)

Les fonctions cardinales sont appelées ainsi parce qu'elles représentent les "charnières du récit". Elles en forment pour ainsi dire l'ossature, la structure. À ce titre, elles sont nécessaires et on ne peut les faire disparaître sans annuler ou détruire l'histoire. Elles peuvent être facilement repérées dans le récit en procédant au résumé qui amène à dégager les éléments pertinents sans lesquels il n'y aurait pas d'histoire, ou encore il manquerait des parties essentielles à sa compréhension.

Les fonctions cardinales, comme les autres fonctions d'ailleurs, sont des "unités de contenu", donc sémantiques; mais on peut les analyser sur le modèle de la phrase, c'est-à-dire en dégageant les constituants syntaxiques et les constituants morphologiques, comme le suggèrent Greimas et Brémond.

a) **Les constituants morphologiques** comprennent les actants, les prédicats et les modalités, à l'image même de la phrase. Voyez le tableau suivant:

|  | Niveau de la phrase (grammaire) | Niveau du récit (discours) |
|---|---|---|
| Prédicat | le verbe | l'action (faire) |
| Les actants | le sujet du verbe | destinateur/destinataire adjuvant opposant etc. |

404

| Les modali-<br>tés | Les compléments direct<br>et d'attribution | rattachés au "faire" mais<br>précédés par le "vouloir fai-<br>re" (le sujet) et le "pouvoir<br>faire" (l'adjuvant qui procure<br>le pouvoir) |
|---|---|---|

b) **Les constituants syntaxiques.** De même que dans une phrase les divers termes ou éléments qui la constituent sont distribués selon un ordre qui répond aux lois de la syntaxe, de même dans le récit, les séquences peuvent être agencées selon un ordre qui peut répondre aux deux lois générales de distribution suivants: 1) bout à bout; 2) enclavées. En d'autres termes, deux actions dans un récit peuvent être logiquement liées de la façon suivante:

— l'une peut entraîner l'autre comme conséquence postérieure;
— l'une peut exiger l'autre antérieurement.

Voici un exemple:

Distribution bout à bout: le téléphone sonne et je décroche (cause antérieure et résultat postérieur);

Distribution enclavée: je me blesse en sautant un obstacle (cause postérieure et moyen antérieur).

Poursuivons avec la deuxième fonction de Barthes.

## Les catalyses

Les catalyses sont des unités narratives assumant une fonction secondaire dans le récit. Inutiles (mais non nulles) pour l'histoire, elles servent simplement à "remplir l'espace narratif qui sépare les fonctions-charnières". On pourrait dire qu'elles ont un rôle de complémentarité. Dans l'exemple suivant:"On frappa à la porte et j'allai ouvrir", entre les deux faits, l'espace peut être rempli par toutes sortes d'actions ou de mouvements comme "j'allumai la lumière, mis rapidement ma robe de chambre, renversai dans mon énervement le verre d'eau qui était sur la table, mis rapidement de l'ordre dans ma chambre".

Si les catalyses n'ont pas de fonction au niveau de l'histoire, elles en ont une cependant au niveau du discours (fonction discursive) où elles servent à accélérer ou retarder le mouvement (ou l'information), donc à créer un effet de suspense; elles servent encore à remplir le texte, parfois à relier les divers épisodes. Barthes rattache la catalyse à la fonction phatique du langage: son rôle est de maintenir le contact entre le narrateur et le narrataire.

## Les informants

Les informants servent "à enraciner la fiction dans le réel". Comme les catalyses, ils jouent un rôle surtout au niveau du discours, en précisant les coordonnées spatio-temporelles du récit: l'espace (lieux, cadre physique, objet) où se déroule l'action, et le temps (époque et moment). Ils fournissent des renseignements précis sur un personnage (son âge, sa taille, ses qualités et ses défauts, etc.). Bref, ils concourent à rendre l'action vraisemblable.

## Les indices

Les indices sont des informations parfois implicites parfois explicites qui appellent d'autres informations, ou qui commandent des actions possibles ou probables. Si, par exemple, on présente un individu comme rusé et habile, on devra s'attendre dans le récit à quelques tours ou subterfuges de sa part. Si, dans une description, on mentionne qu'il y a des taches de sang sur le parquet, c'est qu'il y a probablement eu un accident ou un meurtre. Les indices peuvent porter sur un caractère, une atmosphère, un lieu, un objet, etc.

Si l'on compare les indices avec les informants, on peut dire que ces derniers sont "des données pures, immédiatement signifiantes", c'est-à-dire que l'information qu'elles véhiculent saute facilement aux yeux du lecteur, tandis que les indices, plus hermétiques, impliquent de sa part une "activité de déchiffrement". Les deux unités cependant contribuent à la cohésion du récit.

Concluons cette partie en disant que certains récits privilégient les fonctions cardinales, alors que d'autres sont à forte teneur indicielle. Cette dernière fonction est présente surtout dans les récits psychologiques.

Les unités narratives que nous venons de décrire ont été conçues davantage en fonction de la lecture ou du classement des récits. Mais, comme il y a interdépendance des deux processus lecture/écriture, celui-ci peut facilement devenir le prolongement de celui-là. À l'instar des programmes narratifs axés sur la quête ou l'infraction à l'ordre, la théorie de Barthes peut donc s'avérer un précieux adjuvant pour l'écriture d'un récit.

# Le personnage

Le personnage apparaît comme le moteur de tout récit. Il est révélé à travers la narration, les descriptions, les portraits, le dialogue. Ceux-ci nous renseignent sur **ce qu'il est** au plan physique (traits, âge, sexe, apparence extérieure, etc.), au plan psychologique (caractère, comportement, qualités, défauts, etc.), sur le plan social (milieu, situation, statut); sur **ce qu'il fait** aussi (évolution personnelle, action sur les autres personnages par le jeu des oppositions et des affinités, action sur l'histoire du récit également).

Les actes du personnage doivent découler d'une certaine unité psychologique. Voilà pourquoi les traits de caractère qu'on lui attribue doivent être constants. L'unité d'un personnage n'est cependant pas incompatible avec son évolution physique, psychologique et sociale si les besoins du récit l'exigent. Précisons que cette évolution peut se faire dans le sens du bien pour certains personnages, et dans le sens du mal (événements malheureux, dégradation personnelle) pour d'autres. Les types positifs et négatifs jouent un rôle contrastant qui crée souvent l'intérêt du récit, comme cela se faisait fréquemment dans les formes primitives où l'on rencontrait des vertueux et des méchants.

Il faudrait préciser en outre qu'il existe deux modes de caractérisation du personnage: directe et indirecte. Dans **la caractérisation directe**, les informations nous sont livrées soit par l'auteur, soit par les autres personnages, soit à travers une description personnelle (autodescription). Dans **la caractérisation indirecte**, la révélation de l'identité du personnage (caractère) ressort de ses actes ou de sa conduite.

L'importance des divers personnages impliqués dans le récit peut varier. Ainsi, on parlera de personnage principal et de personnage secondaire. Le personnage principal se reconnaît en ce qu'il reçoit de l'auteur une attention plus marquée, une teinte émotionnelle plus vive: c'est le héros. Ce dernier est décrit et mentionné plus souvent dans le récit; il apparaît fréquemment, il pose plus d'actions que les autres et participe à un plus grand nombre de dialogues. Il peut y avoir un ou plusieurs personnages principaux.

Les spécialistes du récit ont répertorié les différentes fonctions que peuvent assumer les personnages, de la même façon qu'ils ont déterminé les différentes situations narratives. Nous en avons déjà mentionné quelques-unes: victime, traître, héros, adjuvant, opposant, etc. Pour le conte seulement, Propp a dégagé pas moins de trente et une fonctions assumées par les personnages. Consultez à ce sujet son célèbre ouvrage intitulé *Morphologie du conte* (Paris, Seuil, coll. "Points").

Au niveau de l'écriture du récit, il est important que l'auteur sème ici et là des **indices** pouvant révéler, non pas uniquement la nature ou l'identité des personnages, mais aussi leurs actions possibles ou probables. Ainsi, lorsqu'un personnage est présenté comme beau, séduisant, on peut présumer qu'il jouera le rôle de séducteur; s'il est agressif, on peut s'attendre à ce qu'il pose des gestes de violence. Ces indices, judicieusement placés, contribuent à créer une tension dramatique très favorable au récit.

### EXERCICE

À partir de lectures que vous avez faites (romans, contes, nouvelles), faites le schéma des personnages (principaux et secondaires), relevez leur attributs à l'aide des indices et déterminez leur fonction.

## Le cadre physique

L'espace du récit apparaît la plupart du temps à travers la description, parfois il est cité dans le dialogue. La localisation peut aller de la simple mention du lieu ou "théâtre" de l'action, jusqu'à la description détaillée de son décor, des objets.

Dans certains récits, il existe une corrélation, souvent même un rapport de force s entre l'espace, le décor et les personnages. Dans *Le Père Goriot* de Balzac, par exemple, à travers la longue description de la pension Vauquer, ce sont tous les personnages et la bourgeoisie de l'époque qui apparaissent. Dans *Le temps des jeux*, de Diane Giguère, la ville déserte du Midi crée une impression de vacuité à l'image du vide intérieur du personnage.

Les éléments de l'espace d'un récit sont, en général, un lieu (ville, village, pièce, appartement, etc.), un objet, la nature, etc. Voici quelques exemples:

### a) La ville

Dans *Poussière sur la ville* d'André Langevin, Macklin, le lieu où se déroule l'histoire, est une ville poussiéreuse (poussière d'amiante) cachant des forces obscures qui déterminent le destin des personnages. De même, le restaurant de Kouri, où se réfugie fréquemment Madeleine, représente la ville en petit: c'est là que se retrouvent les mineurs après leur travail.

### b) Un objet

Il s'agit ici d'un objet au sens large. Dans *Kamouraska*, les travestissements de la "fleur" rouge signifient le sang, le meurtre d'Antoine Tassy. Dans *Poussière sur la ville*, le divan rose est le "lieu" des rencontres de Madeleine avec son amant.

## c) La nature

Dans le roman *Agaguk* d'Yves Thériault, la nature sauvage et primitive façonne les personnages à son image: dans la toundra "plate et unie comme un ciel d'hiver", Agaguk lit son destin. L'hiver, dans *Kamouraska*, est plus qu'un paysage; il est l'image de ce froid intérieur qui anime les deux protagonistes Élisabeth d'Aulnières et George Nelson. L'hiver a à peu près la même signification dans *Une saison dans la vie d'Emmanuel* de Marie-Claire Blais.

# La chronologie
# ou séquence temporelle des actions

Tout récit suppose une organisation des événements racontés dans le temps. Mais il faut distinguer au moins deux aspects (ce ne sont pas les seuls) de la temporalité: le temps de la fiction et le temps de la narration.

## LE TEMPS DE LA FICTION

Le **temps de la fiction** réfère à l'époque, la date, le moment, la durée de l'histoire, ainsi que la place que les événements occupent les uns par rapport aux autres (antériorité, simultanéité, postériorité). Des moyens linguistiques permettent de déterminer ou de fixer le temps de la fiction. Ce sont les indications temporelles telles que: "cela se passait en 19..", "il était dix heures du soir...", "des semaines passèrent...", "deux mois plus tard...", "quelques jours après...", "avant", "pendant ce temps", "ensuite", etc.; les temps verbaux jouent également un rôle important: nous en parlerons plus loin. Mentionnons qu'un récit peut ne pas être daté, comme c'est le cas pour les légendes, les contes merveilleux ("il était une fois...", etc.).

## LE TEMPS DE LA NARRATION

Le **temps de la narration** est celui où se fait le récit par rapport aux événements racontés. Pour déterminer le temps de la narration, on peut se poser trois questions:
1. Les événements sont-ils racontés, comme il arrive la plupart du temps, après qu'ils se sont passés?
2. Les événements sont-ils racontés avant qu'ils se passent?
3. Les événements sont-ils racontés en même temps qu'ils se passent?

Pour chacun de ces cas, le récit possède des indications linguistiques (marques, temps verbaux, etc.) qui permettent de déterminer le temps de la narration comme celui de la fiction.

Todorov souligne qu'il existe une dissemblance entre le temps de la fiction qu'il appelle **la temporalité de l'histoire** (la durée mise par l'histoire pour avoir lieu) et le temps de la narration qu'il appelle **la temporalité du discours** (le temps mis pour raconter l'histoire). En d'autres termes, il faut moins de temps pour lire ou raconter l'histoire que pour la vivre: "On peut poser en principe que l'instance racontante est d'une durée inférieure au récit raconté." (*Rhétorique générale*) Cela est dû sans doute au fait que le temps dans le récit est nécessairement comprimé. Il y a des actions, des actes, des mouvements posés dans la réalité et qui ne sont pas pertinents à l'histoire. Ils sont, selon les besoins, soit évoqués, soit éliminés totalement du récit. On peut aussi raconter en quelques pages ou paragraphes, voire en quelques lignes des événements ou des faits qui ont mis deux, trois heures ou même davantage à se passer dans la réalité. C'est ce qui amène Gérard Genette, dans *Figures III*, à parler de la **vitesse d'un récit écrit** qu'il définit comme le rapport entre la durée de l'histoire, mesurée en années, mois, jours, heures, etc., et la longueur du texte, mesurée en lignes ou pages.

## LES TEMPS DU RÉCIT

Le temps, c'est la forme que prend un verbe pour indiquer à quel moment de la durée on situe le fait ou l'action dont il s'agit. Les temps utilisés dans un récit sont surtout le présent et les temps du passé (imparfait et passé simple). Le futur apparaît rarement et le passé composé figure surtout dans le récit oral. L'utilisation de ces temps repose sur des nuances, parfois subtiles, selon l'intention et les effets que l'on veut produire. Pour faire un bon récit, retenez qu'il faut savoir jouer sur le clavier du temps.

### Utilisez le passé simple et le présent pour la narration

C'est en faisant alterner le passé simple et le présent que l'on raconte un événement ou une action.

Le **passé simple** sert à décrire une action en train de se dérouler dans le passé, mais complètement terminée au moment où on l'évoque. Voilà pourquoi il est le temps par excellence du récit. Mais ce temps est employé surtout à l'écrit. À l'oral, on emploiera de préférence le passé composé (on dira: "J'allais reprendre ma place quand *j'ai entendu* du bruit.")On utilise encore le passé pour narrer une suite d'actions ou d'événements, ou les étapes successives de cette action: "Il se leva, prit son chapeau, marcha quelques instants puis sortit."

Pour exprimer une action passée, on peut encore utiliser le **présent** de l'indicatif, appelé aussi **présent historique** (ou **de narration**). Il équivaut à un passé simple. Son rôle est important dans le récit: il permet de raconter les événements ou les actions de façon plus vivante et plus réelle. C'est de lui que dépendent en grande partie le mouvement et la rapidité du récit.

Il importe d'utiliser toujours de façon harmonieuse ces deux temps. Très souvent, dans un récit, le changement de temps se prépare. À cette fin, veillez aux transitions: évitez les passages brusques de temps, à moins qu'ils ne soient commandés par la fiction.

## Utilisez l'imparfait pour la description

L'imparfait exprime une action qui a lieu en même temps qu'une autre. Comme, dans un récit, la description réfère à l'événement raconté, il y a pratiquement toujours simultanéité. L'imparfait devient alors le temps idéal pour décrire. En voici un exemple:

> **On remonta sur le pont après le dîner. Devant nous, la Méditerranée n'avait pas un frisson sur toute sa surface qu'une grande lune calme moirait. Le vaste bateau glissait, jetant sur le ciel, qui semblait ensemencé d'étoiles, un gros serpent de fumée noire; et, derrière nous, l'eau toute blanche agitée par le passage rapide du lourd bâtiment, battue par l'hélice, moussait, semblait se tordre, remuait tant de clartés qu'on eût dit de la lumière de lune bouillonnante.**

MAUPASSANT, *La peur*, "Contes choisis"

Parfois aussi on emploiera le présent comme dans la description de Pierre Turgeon (p. 420-421). Dans ce cas, on confère à la description un caractère d'actualité. Le lecteur a l'impression d'être devant l'objet décrit ou d'assister à la scène. Tout se passe "ici et maintenant".

En général, l'imparfait est utilisé lorsque l'action est narrée au passé simple. Il sert alors à décrire le décor, les pensées et les sentiments des personnages. Mais il a aussi une fonction proprement stylistique: il permet de varier les temps et de créer de nombreux effets de style.

# B. LA NARRATION (OU LE DISCOURS)

Nous abordons, dans cette partie, l'aspect proprement narratif du récit. C'est le **discours** par opposition à l'**histoire** (fiction ou contenu). À ce niveau, la narration repose essentiellement sur: 1) le narrateur (l'énonciateur du récit; 2) l'énonciation du récit.

## Le narrateur

Le narrateur est l'énonciateur du récit. Il peut raconter les événements selon différents points de vue que l'on appelle "visions". J. Pouillon classe ces visions en trois types principaux[6]:

### La vision "avec" (narrateur = personnage)

Dans cette pose, le narrateur se confond avec un personnage privilégié à travers lequel il transmet sa vision du monde: événements, milieux, faits et gestes des autres personnages. Il ne dit rien d'autre que ce que voit le personnage choisi. Dans ce cas, le choix de la personne narrative est double:
a) Le récit peut être mené à la *première personne*. C'est ce qui se produit le plus fréquemment en littérature moderne. Il faut se garder, dans ce cas, de confondre le "je" avec l'auteur. La première personne est fictive.
b) Le récit peut être mené à la *troisième personne*, c'est-à-dire à travers un personnage particulier qui constitue le prisme à travers lequel passe toute la perception du monde ou l'histoire narrée.

### La vision "par derrière" (narrateur > personnage)

Le narrateur est ici "derrière" son personnage dont il connaît les sentiments, les pensées, les désirs les plus profonds. Il le manipule à volonté, comme une marionnette. Le personnage n'a pas de secret pour lui. Le narrateur est omniscient.

### La vision du "dehors" (narrateur < personnage)

Le narrateur ici s'efface complètement derrière son personnage. Il le voit du "dehors". Il ne sait de lui que ce qu'il voit et entend, rien de plus. Il

---

6. Jean POUILLON, *Temps et roman*, Paris, Gallimard, 1946, p. 74 et suivantes.

n'a pas accès au domaine de la conscience. Il agit comme un témoin, laissant parler les faits. Il abandonne au lecteur le soin de les interpréter.

Le statut du narrateur dans le récit peut donc subir diverses modulations. Au scripteur de choisir la vision qui lui convient pour communiquer avec le lecteur. Ou bien il se place dans la perspective de celui qui distingue un "dedans", c'est-à-dire qu'il se place directement dans le personnage, et sa vision porte alors sur la réalité psychologique elle-même du personnage sans éliminer pour autant la réalité physique: c'est la vision "avec"; le narrateur ne dit que ce que voit son personnage. Il peut aussi se situer en marge de cette réalité et tenter de l'analyser: c'est la vision "par derrière"; il en dit alors plus que n'en sait son personnage. Ou bien le narrateur distingue un "dehors" et se contente de décrire la manifestation objective de la réalité; il en sait alors moins que son personnage.

# L'énonciation du récit

L'énonciation du récit comprend un certain nombre d'éléments relevant des conventions: le titre, l'introduction, le noeud, le dénouement, ou l'intrigue, la description, le portrait, le dialogue. Étudions chacun de ces éléments.

## LE TITRE

Le titre dans un récit joue un rôle important. C'est l'un des principaux éléments déclencheurs de la lecture. Sa première fonction est de solliciter le lecteur par l'utilisation de divers procédés stylistiques ou rhétoriques. Il relève donc de la fonction conative. Mais il permet en même temps au lecteur de présumer le texte en suggérant des informations concernant le contenu, ou en fournissant des indices relatifs au contenu (fonction référentielle). Il participe également de la fonction poétique du langage en créant des effets d'ordre esthétique par le jeu des évocations, des associations, des connotations, des images et même des sonorités. Il peut produire aussi des effets romanesques, pathétiques, humoristiques ou autres qui invitent le lecteur à en savoir davantage. L'importance du titre est analogue à celle du slogan dans le message publicitaire.

# L'INTRODUCTION

## La phrase d'introduction

Si le titre donne le sujet du récit, la première phrase en suggère le style et le ton. Elle doit donc être particulièrement travaillée pour produire le choc initial et soutenir aussi l'effet déclencheur du titre.

## L'introduction proprement dite

Les techniques d'introduction d'un récit sont multiples et variées. Elles dépendent de l'art du narrateur et engagent souvent toute une pratique. Néanmoins, il existe trois techniques souvent utilisées par le narrateur pour enclencher un récit:

a) **on peut amorcer le récit par une description:**

Les forces mises en jeu sont alors présentées immédiatement; on précise les circonstances de lieu et de temps de l'action. C'est aussi le moment de camper le (ou les) personnage(s), et de planter le décor.

Exemple:

> **Le premier matin d'avril, de l'an mil neuf cent trente-six, lançait ses souffles fleuris sur l'île grecque de Céphalonie. Des linges jaunes, blancs, verts, rouges, dansaient sur les ficelles tendues d'une maison à l'autre dans l'étroite ruelle d'Or, parfumée de chèvrefeuille et de brise marine.**
>
> **Sur le petit balcon filigrané d'une petite maison jaune et rouge, Salomon Solal, cireur de souliers, en toutes saisons, vendeur d'eau d'abricot en été et de beignets chauds en hiver, apprenait à nager. Cet Israélite dodu et minuscule — il mesurait un mètre quarante-cinq — en avait assez d'être, pour son ignorance absolue de la natation, l'objet des moqueries de ses amis. Après avoir combiné d'acheter un scaphandre, il avait pensé qu'il serait plus rationnel et plus économique de faire de la natation à domicile et à sec.**
>
> Albert COHEN, *Mangeclous*

b) **on peut aussi entrer de plain-pied dans le récit:**

Cette technique consiste à entrer directement dans le récit, quitte à faire un retour au passé en exposant la situation des personnages. On reprend ensuite le récit en respectant la chronologie. Cette technique du retour en arrière (flash-back) est fréquemment utilisée dans le roman.

Exemple:

> **Les anneaux du gros serpent à sonnettes se resserraient con-
> vulsivement sur la victime au moment où je levai les yeux.
> Jetant loin de moi le livre qui me captivait, je ne fis qu'un bond
> jusqu'à ma ceinture, je frappai le monstre au beau milieu de la
> tête.**
>
> **Pas une goutte de sang ne jaillit; le boa tué net tomba de lui-
> même en se déroulant à demi.**
>
> **Un homme parut alors, enjamba le corps du reptile et vint se
> mettre à genoux pour me serrer les mains avec émotion.**
>
> **Et qui reconnus-je à ce moment dans celui que je venais de
> sauver?**
>
> **Mon gros Fermoir lui-même, mon ami, mon brave Breton à
> boucles d'oreilles, mon poète, mon cher musicien surtout, qui si
> souvent m'avait ému par les sons de sa vieille trompe d'église si
> profondément mélancolique.**
>
> **L'histoire de Fermoir était touchante. Né dans un tout petit
> port du Finistère, il avait d'abord été enfant de choeur, puis
> sonneur, dans sa vieille église qu'il aimait tant. Et chaque di-
> manche il charmait les fidèles en jouant de lentes mélodies du
> pays sur sa trompe si étrangement biscornue.**
>
> Raymond ROUSSEL, *Comment j'ai écrit certains de mes livres*

### c) on peut commencer par le dénouement pour revenir en arrière:

Si l'on commence par le dénouement, à la fin du récit on peut (ce n'est pas obligatoire) évoquer ce qui a été raconté au début. Dans *Kamouraska* d'Anne Hébert, par exemple, le récit commence en montrant Élisabeth d'Aulnières au chevet de son second mari mourant, puis le roman se poursuit en racontant, par le procédé du rêve et du souvenir, la vie malheureuse qu'elle a vécue avec Antoine Tassy, son premier mari.

## LE NOEUD

Au sens littéral du mot, le noeud c'est le moment où l'action **se noue**. Il est constitué par la réalisation ou la non-réalisation de la possibilité d'action. Celle-ci est provoquée par l'opposition de "forces" qui entrent en conflit. Par exemple, la poursuite de la quête peut rencontrer un ou des obstacles: le héros ou le personnage se heurte à d'autres personnages, à des idées, etc. De même, le rétablissement de l'infraction à l'ordre peut rencontrer toutes sortes de résistances (revoyez ici le schéma élémentaire du récit que nous avons présenté à la page 396). Les forces ainsi mises en présence peuvent être d'origine physique, intellectuelle, morale, psychologique ou même spirituelle.

Un bon narrateur sait mettre très tôt ces forces en présence dans son récit. Il les exploite en les opposant et en ménageant l'intérêt jusqu'à la fin (attente, surprise, etc.) Le lecteur doit se demander tout au long du récit ce qui va arriver, de quelle façon tout cela va se dénouer. À cette fin, quelques rebondissements doivent être prévus, un, deux ou trois selon la longueur du récit. C'est ce qui constitue le **ressort de l'action** ou l'**intrigue.** Chacun des moments forme les **péripéties** qui doivent faire l'objet de paragraphes différents.

Mais revenons à *l'intrigue* qui constitue l'un des éléments les plus importants de la narration dans la dynamique du récit. C'est elle qui crée la tension dramatique, le suspense.

L'intrigue réside dans l'enchaînement des divers épisodes à travers l'histoire. Cet enchaînement peut être simple (conte, nouvelle) et complexe (roman). Dans ce dernier cas, deux ou plusieurs histoires peuvent se superposer, se développer en contrepoint ou en fugue. Lorsque la trame est complexe, il faut veiller à bien respecter l'unité de composition.

L'intrigue dans un récit peut emprunter diverses formes. Il est évidemment impossible de toutes les dénombrer. Celles que l'on rencontre le plus fréquemment se regroupent en deux catégories: 1) l'intrigue de personnage; 2) l'intrigue d'action.

## a) **L'intrigue de personnage**

L'intrigue de personnage est habituellement créée par un personnage central qui occupe une grande place dans le récit. Ce peut être un héros ou un personnage ordinaire, n'importe qui dans la rue, mais qui vit une aventure qui l'amène habituellement à aller jusqu'au bout de lui-même. Le lecteur est particulièrement friand de ces récits axés sur les défis, les événements heureux ou malheureux de l'existence.

Le personnage principal du récit est le plus souvent sympathique, parfois fort, parfois faible. Il passe à travers une série de malheurs ou une série d'événements heureux. Les événements heureux ou malheureux peuvent alterner dans le récit. Le lecteur après avoir éprouvé tantôt de la pitié, tantôt de l'admiration pour le personnage se demande comment il s'en sortira, ou comment tout cela finira. Parfois on assiste à la dégénérescence du héros ou du personnage.

L'intrigue peut être aussi idéologique, c'est-à-dire liée à une idée, une croyance, une conception, une philosophie que le personnage veut défendre ou imposer. Le lecteur est alors curieux de voir comment il réussira à imposer sa conception.

## b) **L'intrigue d'action**

L'intrigue d'action réside dans la présentation d'un problème et de sa solution. On rencontre souvent ce type d'intrigue dans le roman policier (on cherche à découvrir le meurtrier ou l'énigme) ou le roman d'aventure (trouver un trésor, explorer le monde, une autre planète, etc.).

## LE DÉNOUEMENT

Le dénouement du récit doit nous donner la résolution du problème: c'est l'échec ou le succès. Le dénouement peut être prévisible, mais il est toujours préférable de conclure de façon originale et inattendue. Une bonne façon de le faire est de retarder la conclusion de manière à créer un effet de "suspense" dramatique.

La fin inattendue peut aussi s'entendre dans le sens où le dénouement laisse le lecteur dans l'expectative, c'est-à-dire que la fin reste indéterminée, laissant la place à toutes les hypothèses ou tous les questionnements sur l'issue de l'histoire (l'action).

## LA DESCRIPTION

La tradition du récit exige que la narration contienne des descriptions, mais le récit moderne (roman populaire, roman policier) en contient très peu. L'auteur, en effet, évite d'enliser le récit dans des descriptions qui en perturberaient le rythme. Il sait que le lecteur est pressé, qu'il veut connaître l'histoire et qu'il n'hésitera pas au besoin à les ignorer. Néanmoins, la description demeure un élément important de la narration. Comme l'écrit Gérard Genette: "(...) la description est plus indispensable que la narration, puisqu'il est plus facile de décrire sans raconter que de raconter sans décrire" (*L'analyse structurale du récit*). Il faut bien de temps en temps représenter ou faire voir au lecteur les objets, les lieux, les personnages, bref les décrire.

Dans l'économie narrative, on convient que la description marque habituellement un arrêt, une pause dans l'action. L'auteur suspend le récit de façon plus ou moins prolongée pour décrire. Ces moments de moyenne ou de forte intensité descriptive permettent de diverses façons au récit de s'organiser. Il faut cependant préciser que la narration elle-même assume une certaine part de la description lorsqu'à travers les nombreux éléments descriptifs (mots, expressions, phrases, images, évocations) qui sillonnent le récit, l'auteur évoque des éléments spatio-temporels, présente rapidement certains détails physiques ou psychiques (personnages), exprime un point de vue, etc.

Mais revenons à la description comme pause dans le récit. On peut rencontrer des pauses descriptives où l'auteur en profite pour décrire un objet, un visage, un corps, un paysage, etc.; des pauses où l'auteur informe le lecteur sur l'attitude, le comportement d'un personnage ou la réalité d'une chose; parfois, l'auteur introduit une description uniquement en vue d'arrêter le temps de la narration, changer la vitesse du récit, en le ralentissant; ou bien il veut tout simplement orner le récit: la description prend alors une valeur décorative ou poétique.

C'est ainsi que les théoriciens du récit (Barthes, Genette, Hamon, etc.) ont répertorié cinq grandes fonctions principales de la description: 1) Une **fonction esthétique** ou **décorative** qui vise à séduire le lecteur par l'utilisation de procédés et d'effets littéraires; ce type de description répond plus à des fins esthétiques qu'aux besoins mêmes du récit; 2) une **fonction d'attestation** dont le but est tout simplement de rendre compte de la réalité de l'existence de certains êtres ou objets importants; 3) une **fonction de cohésion** qui vise à expliquer des éléments qui ont un rapport direct avec le récit et qui sont de nature à mieux l'éclairer; elle vise encore à décrire certains éléments extérieurs qui ont une signification symbolique dans le récit; par exemple, un paysage extérieur qui a certaines correspondances avec l'intérieur ou l'état d'âme d'un personnage; 4) une **fonction dilatoire**: cette fonction vise à retarder le récit, à le prolonger soit pour garder le lecteur en haleine, faire durer le plaisir ou l'inquiétude ou tout simplement gagner de l'espace; 5) une **fonction idéologique**: le fait de s'arrêter sur un personnage, un objet et de le décrire lui confère une valeur ou une signification soit positive, soit négative.

Il existe évidemment d'autres fonctions de la description. Pour en savoir davantage, le lecteur peut se référer à l'excellent numéro 34 de la revue *Pratique* ("Raconter et décrire"), de même qu'au numéro 12 de la revue *Poétique* ("Qu'est-ce qu'une description?", par Philippe Hamon).

## Comment faire une description?

Décrire, c'est faire voir. Mais pour bien faire voir, il faut auparavant observer ou imaginer. D'où le rôle éminemment important de **l'observation** ou de **la représentation mentale.** Si la description se fait d'après la réalité, les sens et l'observation jouent un rôle déterminant. Suivez alors le judicieux conseil que donne Maupassant, dans la préface de *Pierre et Jean*:

**La moindre chose contient un peu d'inconnu. Trouvons-le. Pour décrire un feu qui flambe et un arbre dans une plaine, demeurons en face de ce feu et de cet arbre jusqu'à ce qu'ils ne ressemblent plus pour nous à aucun autre arbre et à aucun autre feu.**

Si la description est imaginée, d'après mémoire ou non, il est important de bien visualiser mentalement l'objet de la description. On peut s'aider au besoin en décrivant certains objets ou paysages déjà vus ou remarqués.

Tous les sens doivent participer à la description. Il faut apprendre à nommer et à caractériser ses sensations, à traduire l'émotion ressentie en présence des objets. Les différentes notations visuelles (couleurs, formes), olfactives, auditives, tactiles peuvent être ici d'une grande utilité. Le choix des détails aussi est important. D'abord les détails typiques, propres à chacun des sens. Mais il ne faut pas tout noter et tout décrire; il faut éviter de surcharger. Quelques caractéristiques bien choisies suffisent souvent à évoquer un lieu, à décrire un décor ou un personnage.

Ceci nous amène à dégager deux caractéristiques majeures de la description: 1) **la pertinence**: la description doit apporter des éléments d'information qui sont inconnus du lecteur; il est inutile de dire qu'un personnage a deux jambes ou deux yeux si cela n'est pas nécessaire; 2) **le lien avec le récit**: la description doit être motivée ou légitimée par les besoins de l'histoire; elle doit servir les fins du récit.

Sur le plan linguistique, la description interrompt l'utilisation des verbes d'action au profit de l'emploi de noms, d'adjectifs, de verbes d'état et d'adverbes ou locutions marquant le temps (simultanéité, antériorité, postériorité) et le lieu.

## Les sortes de description

### a) La description "mobile" (itinérante)

La description mobile ou itinérante nous fait découvrir progressivement un lieu, un objet. L'ordre consiste à faire découvrir les différents éléments de façon naturelle, c'est-à-dire comme l'observateur les découvre. Voyez dans l'exemple suivant:

**Je suivais à pied, voici deux ans au printemps, le rivage de la Méditerranée. Quoi de plus doux que de songer, en allant à grands pas sur une route? (...)**

**Je suivais ce long chemin qui va de Saint-Raphaël à l'Italie, ou plutôt ce long décor superbe et changeant qui semble fait pour la représentation de tous les poèmes d'amour de la terre.**

Et je songeais que depuis Cannes, où l'on pose, jusqu'à Monaco où l'on joue, on ne vient guère dans ce pays que pour faire des embarras ou tripoter de l'argent, pour étaler, sous le ciel délicieux, dans ce jardin de roses et d'orangers, toutes les basses vanités, les sottes prétentions, les viles convoitises, et bien montrer l'esprit humain tel qu'il est, rampant, ignorant, arrogant et cupide.

Tout à coup, au fond d'une des baies ravissantes qu'on rencontre à chaque détour de la montagne, j'aperçus quelques villas, quatre ou cinq seulement, en face de la mer, au pied du mont, et devant un bois sauvage de sapins qui s'en allait au loin derrière elles par deux grands vallons sans chemins et sans issues peut-être. Un de ces chalets m'arrêta net devant sa porte, tant il était joli: une petite maison blanche avec des boiseries brunes, et couverte de roses grimpées jusqu'au toit.

Et le jardin: une nappe de fleurs, de toutes les couleurs et de toutes les tailles, mêlées dans un désordre coquet et cherché. Le gazon en était rempli; chaque marche du perron en portait une touffe à ses extrémités, les fenêtres laissaient pendre sur la façade éclatante des grappes bleues ou jaunes; et la terrasse aux balustres de pierre, qui couvrait cette mignonne demeure, était enguirlandée d'énormes clochettes rouges pareilles à des taches de sang.

On apercevait, par-derrière, une longue allée d'orangers fleuris qui s'en allait jusqu'au pied de la montagne.

Sur la porte, en petites lettres d'or, ce nom: "Villa d'Antan".

Guy de MAUPASSANT, *La petite Roque*

## b) **La description statique**

Contrairement à la description précédente, l'observateur est ici immobile. Il regarde un objet, un paysage, un tableau, une personne, etc., à la manière d'une caméra. Il va d'abord chercher une vue générale, puis procède aux détails, s'attarde souvent aux plus significatifs et termine parfois par une vue globale, différente de la première. Exemple:

Nocturne. La ville s'étire le long de la mer. Une pluie lourde transforme en miroirs sombres les rues où se réverbèrent les hauts immeubles. Les arches de l'autoroute se perdent dans le smog. Le vent siffle à petit bruit entre les façades. Des autobus vides roulent vers le terminus. Le boulevard du Crépuscule aligne ses signaux lumineux vers l'horizon embrumé. Les enseignes du quartier des plaisirs clignotent dans le vide. La cité existe en vertu de mathématiques inconnues. La pluie tombe sur les maisons des stars, à Beverly Hills, sur le parc de San Bernar-

dino avec ses grands palmiers et ses tables de pique-nique aban-
données, sur les gratte-ciel groupés près de la mer, sur les
faubourgs de l'est et du nord, sur le stade de hockey de Anaheim.

La gigantesque enceinte circulaire, avec ses colonnes
doriques, sa corniche ondulée, semble prête à tourner comme
une roulette de casino. Aux alentours, un parking s'étend comme
un lac noir et figé, peint de signes jaunes et blancs. Avant les
matchs, les spectateurs s'y attroupent en mangeant des hot-
dogs.

Pierre TURGEON, *La première personne*

# LE PORTRAIT

On pourrait définir le portrait comme la "description tant au moral
qu'au physique d'un être animé, réel ou fictif" (Fontanier, *Les figures du
discours*). Le portrait se fait à deux niveaux, physique et moral (nous
préférons le terme "psychologique"). Mais les deux aspects ne sont pas
toujours décrits concurremment ou successivement.

Dans le récit, le portrait sert à révéler au lecteur l'identité d'un personnage, parfois aussi ce qu'il fait. Il peut jusqu'à un certain point assumer les
mêmes fonctions que la description — le portrait n'est-il pas une description? Il peut aussi servir à rendre attachant ou faire haïr un personnage,
à le rendre sympathique ou antipathique selon les besoins du récit.

Le portrait d'un personnage peut être complet ou partiel. Dans le
premier cas, le récit de l'événement s'interrompt pour permettre la présentation du personnage; dans le deuxième cas, la description se fait à travers
la trame du récit, les dialogues, les remarques, les évocations; les éléments
descriptifs sont livrés de façon fragmentaire. À la limite, l'ensemble de ces
éléments pourrait constituer le portrait complet du personnage.

## Comment composer un portrait?

Le portrait doit obéir à la loi de **l'unité d'impression** ou de **la convergence.** Les traits physiques, moraux ou psychologiques, l'habillement,
les gestes, les actions qu'un personnage pose doivent produire chez le
lecteur une impression globale, qui contribue à le rendre tel que le veut le
narrateur.

Pour engendrer cette impression, il ne faut pas trop entrer dans les
détails. Cela risque de détruire l'impression générale, de supprimer le relief.
Ce qui intéresse le lecteur ce n'est pas la panoplie de ce que le personnage
est moralement ou physiquement, mais le type qu'il dégage et constitue. Il

en est d'un portrait comme d'un paysage, c'est le plus significatif qui compte. Les longues analyses psychologiques — à moins qu'il ne s'agisse d'un roman psychologique ou autobiographique qui focalise sur le personnage — lassent le lecteur, surtout si les détails exposés n'ont pas un lien nécessaire avec l'histoire.

## a) **Le portrait complet**

Le portrait complet existe quand l'auteur arrête momentanément le récit pour camper soit physiquement, soit moralement, soit les deux à la fois un personnage. En général, on situe rapidement le personnage dans une phrase d'introduction: nom ou prénom, âge, lieu de résidence, etc.; ensuite, on dégage l'impression générale qu'inspire sa présence en évoquant son allure, sa stature, puis son visage: forme générale, traits; on s'efforce de repérer le détail caractéristique qui attire le regard. Ceci vaut également pour l'ensemble de la personne.

Tantôt le portrait comprend les deux aspects physique et moral:

> **Bouboule, de son vrai nom Onésime Boulé, était un vieillard d'une soixantaine d'années, à la figure triste, à l'oeil éteint. Ses bras ballants et démesurés, sa démarche incertaine lui donnaient l'aspect d'un somnambule. Une énorme pomme d'Adam s'agitait sans cesse sous son menton. Mais, sous un dehors lymphatique, Bouboule cachait une âme de révolutionnaire. Il nourrissait une haine féroce contre les trustards en général et la Compagnie de Transport en particulier et il proférait contre eux, de sa petite voix calme, sans un geste, sans un tressaillement, des violences à faire se pâmer d'aise un communiste.**

Gérard BESSETTE, *La bagarre*

Tantôt le portrait comprend uniquement l'aspect physique:

> **Hyacinthe était dans la force de l'âge. Large d'épaules et puissant de poitrine, les bras noueux, les cheveux noirs rejetés de chaque côté de la tête, deux yeux qui voyaient à travers les choses, et un sourire, quand il le pouvait, propre à atténuer les plus grandes froidures de janvier, des lèvres généreuses, un nez bien à lui. La tête d'un homme du pays.**

Louis CARON, *Le canard de bois*

> **Elle avait un visage mince, délicat, presque enfantin. L'effort qu'elle faisait pour se maîtriser gonflait et nouait les petites veines bleues de ses tempes et en se pinçant les ailes presque diaphanes du nez tiraient vers elles la peau des joues, mate, lisse**

et fine comme de la soie. Sa bouche était mal assurée, et parfois esquissait un tremblement, mais Jean, en regardant les yeux, fut soudain frappé de leur expression. Sous le trait surélevé des sourcils épilés que prolongeait un coup de crayon, les paupières en s'abaissant ne livraient qu'un mince rayon de regard mordoré, prudent, attentif et extraordinairement avide. Puis les cils battaient et la prunelle jaillissait entière, pleine d'un chatoiement brusque. Sur les épaules tombait une masse de cheveux brun clair.

Gabrielle ROY, *Bonheur d'occasion*

Tantôt le portrait comprend uniquement l'aspect psychologique:

Ange-Albert avait toujours fait preuve d'une droiture exceptionnelle à l'égard de ses amis. La droiture, une bonne humeur à toute épreuve ainsi qu'une prodigieuse adresse dans le maniement des dés constituaient à peu près l'essentiel de ses qualités. S'il en avait déjà eu d'autres, elles s'étaient dissoutes dans la paresse. Cependant, chose curieuse, personne n'était porté à lui en tenir rigueur. Au contraire, il attirait les bonnes paroles et les bons procédés comme le chat attire les caresses et cela lui semblait d'ailleurs tout naturel. Il travaillait six mois sur douze et changeait continuellement d'emploi. Ses patrons, ahuris par sa force d'inertie, mais conquis par son bon caractère, lui réglaient généralement ses quinze jours au bout de cinq jours et, dans une grande ville comme Montréal, cela lui permettait de vivre sans trop de soucis financiers. Il était bien trop intelligent pour être tapeur. Jamais on ne le voyait emprunter. Il ménageait ainsi ses amis qui, par reconnaissance, lui rendaient la vie la plus douce possible.

Yves BEAUCHEMIN, *Le matou*

Parfois tout passe à travers un élément caractéristique du personnage. Ici les pieds de Grand-Mère Antoinette sont vus à travers le regard grossissant du petit Emmanuel:

Les pieds de Grand-Mère Antoinette dominaient la chambre. Ils étaient là, tranquilles et sournois comme deux bêtes couchées, frémissant à peine dans leurs bottines noires, toujours prêts à se lever: c'étaient des pieds meurtris par de longues années de travail aux champs, (lui qui ouvrait les yeux pour la première fois dans la poussière du matin ne les voyait pas encore, il ne connaissait pas encore la blessure secrète à la jambe, sous le bas de laine, la cheville gonflée sous la prison de lacets et de cuir...) des pieds nobles et pieux, (n'allaient-ils

423

**pas à l'église chaque matin en hiver?) des pieds vivants qui gravaient pour toujours dans la mémoire de ceux qui les voyaient une seule fois — l'image sombre de l'autorité et de la patience.**

Marie-Claire BLAIS, *Une saison dans la vie d'Emmanuel*

## b) Le portrait échelonné dans le récit

Souvent le portrait s'élabore au fur et à mesure des besoins du récit. Il correspond le plus souvent, dans ce cas, à la description d'un état d'âme, d'un comportement à un moment donné du récit. Par exemple, on en profitera pour parler de la démarche d'un personnage à l'occasion de son entrée ou de sa sortie d'une pièce, ou du déplacement qu'il effectue pour récupérer un objet ou se rendre à un endroit, etc.; ou l'on décrira ses yeux quand il sera immobile, fixant le vide ou un objet, ou bien au cours d'une émotion:

**Ce fut à mon tour de le dévisager. Son aspect me surprit. Toute coloration avait disparu de sa face. Une titillation agitait ses joues flasques. Ses yeux perçants, un peu hagards, me fixaient un instant pour glisser sur les rayons de livres et revenir à moi. Je compris soudain qu'il avait peur. Quelle autre raison d'ailleurs aurait-il eue de m'attaquer ainsi, de me supposer des projets de délation, de me menacer de renvoi?**

Gérard BESSETTE, *Le libraire*

On décrira sa bouche si on a à le présenter comme un individu sensuel:

**Elle le reconnut immédiatement. Nicky l'avait traité de vrai salaud, et cela lui allait comme un gant. Avant même de lui parler, elle savait exactement ce qu'elle pouvait attendre de lui, de ses regards insolents et scrutateurs, de cette bouche dure, sensuelle mais cynique.**

Charlotte LAMB, *Sous le voile du désir*

Il en est de même de ses caractéristiques morales ou psychologiques: qualités, défauts, attitudes, sentiments, idéologies, allégeances, idéaux, etc.:

**Et puis, soudain, il se mit à rire en marchant seul dans la rue déjà sombre. C'est qu'il venait de se voir à travers les yeux de Florentine: blagueur, méchant garçon, dangereux même, attirant sans doute, comme tout danger réel. Et c'est qu'il venait aussi de saisir toutes les contradictions qu'il y avait entre lui-même, le vrai Jean Lévesque, et le personnage qu'il s'était créé aux yeux de tous, celui d'un garçon astucieux, qui étonnait par ses vantar-**

dises, ses débauches supposées, un gars qu'on admirait. Le vrai
Jean Lévesque était tout autre. C'était un silencieux, un têtu, un
travailleur surtout. C'était celui-là qui lui plaisait davantage au
fond, cet être pratique qui aimait le travail, non pas pour lui-
même, mais pour l'ambition qu'il décuple, pour les succès qu'il
prépare, ce jeune homme sans rêve qui s'était donné au travail
comme à une revanche.

Gabrielle ROY, *Bonheur d'occasion*

Des éléments extérieurs au personnage peuvent aussi entrer dans l'élaboration d'un portrait. **L'habillement** sert souvent à révéler son statut
social ou son caractère. **Les habitudes de vie**: ce qu'il fait dans la vie,
comment il le fait. La façon d'agir révèle certains traits de sa personnalité.
**Le décor familier** dans lequel il vit est aussi révélateur de cette personnalité, car il reflète ses goûts, son sens de l'organisation de l'espace; de
même, les objets dont s'entoure le personnage, le mobilier aussi bien que le
quartier ou la maison qu'il a choisie.

Les **actes** et les **gestes** sont aussi révélateurs de la personnalité et, en
particulier, du caractère. Pour mettre ce dernier en évidence, il est bon d'apporter un ou plusieurs actes ou gestes typiques du personnage. La personnalité et le caractère peuvent également s'affirmer à l'occasion d'un
événement.

Il y a les **manifestations physiques des sentiments** qui se trahissent à travers le corps. Chaque sentiment a ses manifestations propres.
Dans l'exemple qui suit, tout se joue au niveau du regard: "Les deux
hommes échangèrent un regard, allumé d'une de ces haines d'instinct qui
flambent subitement. Étienne avait senti l'injure, sans comprendre encore."
(Zola, *Germinal*).

## EXERCICES

a) Cherchez dans un roman un ou plusieurs portraits complets de
personnages.

b) Faites, à travers un roman, la cueillette des éléments d'ordre physique, moral ou psychologique, de manière à constituer le portrait complet
d'un personnage.

c) Faites le portrait complet de l'un ou de l'une de vos amie(s) ou connaissances.

d) Faites d'après une image (revue, affiche, etc.) le portrait complet
d'une personne.

e) Faites le portrait d'un héros (homme politique, artiste, sportif, etc.).

f) Faites le portrait d'un personnage minable.

## LE DIALOGUE

Le dialogue constitue un excellent moyen de diversifier et de faire vivre la narration. Il y contribue de plusieurs façons, la plupart du temps en prenant le relai de la narration. C'est ainsi qu'on peut rencontrer le **dialogue narratif** à travers lequel les interlocuteurs révèlent une partie de l'histoire ou de l'action; le **dialogue descriptif** où sont livrées des informations caractérisant un personnage, un comportement, révélant une situation, un événement qui ont un lien avec le récit.

Un récit peut être partiellement ou presque entièrement dialogué. Il vaut mieux cependant créer un rapport équilibré entre le dialogue et la narration (dialogue/narré). De trop longues conversations écrites engendrent la monotonie et rendent la lecture ardue; de courts dialogues semés ici et là rendent plus vivante l'action.

### Comment faire parler les personnages

L'une des fonctions principales du dialogue est sans aucun doute de "faire parler" les personnages. À cette fin, on peut utiliser trois moyens: 1) soit leur donner directement la parole: c'est **le style direct**; 2) soit résumer leurs propos ou les reproduire indirectement: c'est **le style indirect**; 3) soit effectuer une heureuse combinaison du style direct et du style indirect: c'est **le style indirect libre**.

### Le style direct: le style du présent

Dans le style direct, l'énoncé ou le discours est reproduit selon la forme même qu'il prend dans la parole. Le style direct présente l'avantage de ramener au présent les paroles dites. Le lecteur a l'impression "d'assister" à la conversation. Cela se produit de six façons:

a) l'échange verbal peut se faire entre celui qui parle (le locuteur) et celui à qui il s'adresse:

> — **Quel âge avez-vous, Frank?**
> — **Vingt-deux ans.**
> — **Ah, évidemment! Avez-vous jamais été éloigné de votre famille?**
> — **Non.**

---

* Relire les caractéristiques du dialogue à la page 125 et suivantes.

— **Êtes-vous jamais allé au bal? Avez-vous une petite amie?**
— **Non, répéta Frank, qui se refusait à donner son titre au prêtre.**

Colleen McCULLOUGH, *Les oiseaux se cachent pour mourir*

Ce type de dialogue se retrouve évidemment au théâtre qui n'existe que par l'échange verbal.

b) celui qui parle (le locuteur) et celui qui raconte (le narrateur) peuvent être les mêmes: ils se confondent. L'auteur rapporte alors directement ses paroles, ses pensées ou ses actions. Le récit est écrit à la première personne: c'est le "je" de l'écrivain:

**C'est pénible cette conversation dont je fais les frais: je meuble, je dis n'importe quoi, je déroule la bobine, j'enchaîne et je tisse mon suaire avec du fil à retordre. Là vraiment j'exagère en lui racontant que je fais une dépression nerveuse et en me composant une physionomie de défoncé. Et toute cette histoire de difficultés financières (...)**

Hubert AQUIN, *Prochain épisode*

c) le locuteur peut être annoncé à l'intérieur du texte, la plupart du temps à l'aide d'une incise:

**"On ne fait pas toujours ce qu'on veut dans le monde", prononça-t-il sentencieusement.**

**Après un long silence, tandis qu'au couchant de la rivière, descendaient les riches dépouilles de la montagne:**
**"Anciennement, dit-il, on était les maîtres de tout cela..."**

Félix-Antoine SAVARD, *Menaud maître-draveur*

d) les paroles du locuteur peuvent être annoncées par un terme (syntagme) introducteur (dire, affirmer, etc.):

**(...) Cependant, il me semblait que quelqu'un aurait dû être du côté de Georgianna, à cause de tout cet orgueil dans sa voix quand elle reprenait: "Je l'aime, tu entends, je l'aime! Personne ne me fera changer d'idée."**

Gabrielle ROY, *Rue Deschambault*

e) les paroles du locuteur peuvent s'insérer dans le texte sans annonce préalable ni incise:

**Devant nous fuse un jet d'eau dont elle paraît suivre la courbe. "Ce sont tes pensées et les miennes. Vois d'où elles partent toutes, jusqu'où elles s'élèvent et comme c'est encore plus joli quand elles retombent. Et puis aussitôt elles se fondent, elles**

**sont reprises avec la même force, de nouveau c'est cet élan-
cement brisé, cette chute... et comme cela indéfiniment."**

André BRETON, *Nadja*

f) les paroles du locuteur peuvent être intégrées complètement au
texte sans signes de ponctuation.

Certains écrivains contemporains, se basant sur le modèle de James
Joyce ou de Faulkner, introduisent dans leur discours le style direct sans
avoir recours aux signes de ponctuation normalement employés dans ce cas
ou sans marques de passage au style direct:

**Mais voilà que cette tache rouge s'ébranle et disparaît dans
la noirceur, me privant ainsi d'un souvenir tonifiant. Bye Bye
Fusiliers Mont-Royal. Adieu aux armes! Ce calembour inattendu
me décourage (...)**

Hubert AQUIN, *Prochain épisode*

Les opinions restent partagées sur cette façon d'utiliser le style direct.
Certains la justifient en disant que cela fait plus naturel, plus souple ou
plus aisé, d'autres affirment que cette pratique ne favorise pas la lecture du
texte. À vous de juger.

Normalement, dans un récit, les paroles rapportées au style direct sont
encadrées de guillemets ("........"), précédées de deux points ( : ), sans changement de ligne; ou bien les paroles sont annoncées par un tiret, accompagnées ou non d'un retour à la ligne; mais les guillemets, dans ce cas ne
sont pas toujours employés:

**Iriook n'attendait pas Agaguk si tôt. Quand elle le vit arriver
portant encore ses pelleteries, et rien en échange, elle resta sans
parler un moment.**

**— Tu reviens les mains vides? dit-elle à la fin.**

**— Oui.**

**— Que s'est-il passé?**

**Il haussa les épaules et rangea son fusil près de l'embrasure
de la hutte.**

Yves THÉRIAULT, *Agaguk*

Lorsque l'échange verbal ne comporte qu'une ou deux répliques, on peut
les intégrer au texte:

**Florent se tourna vers son père: — Pourquoi l'appelles-tu
"l'homme aux banquets"? — Ah ça, je n'en dis pas plus long, fit
l'autre d'un air malin. C'est sa nouvelle marotte. Je vous souhaite**

d'être invités. — **Je le trouve bien charmant, ce garçon, poursuivit madame Boissonneault avec un soupir attendri. Il est peut-être un peu rêveur, mais quelle délicatesse et aussi quel jugement quand il veut bien parler! Il venait prendre des nouvelles de sa mère.**

Yves BEAUCHEMIN, *Le matou*

## Le style indirect: le style du récit

Le style indirect met de la distance entre le présent de la narration et l'événement; il rapporte un souvenir. C'est ce qui en fait le style privilégié du récit littéraire, une forme caractéristique de la narration. Dans le style indirect, l'énoncé n'est pas rapporté sous sa forme exacte. Par exemple, au lieu de dire: "Il répondit: "J'aime marcher dans le sable les pieds nus", on écrira: "Il répondit qu'il aimait marcher dans le sable les pieds nus." Ou bien: "Il répondit aimer marcher (ou la marche) dans le sable les pieds nus."

On constate que pour passer du style direct au style indirect, la phrase doit subir certaines modifications. Celles-ci se font:

1. Par l'ajout de termes introducteurs comme **affirmer, convenir, dire, exposer,** etc. (verbes déclaratifs); **croire, estimer, juger, penser,** etc. (verbes d'opinion); **comprendre, concevoir, se rendre compte, sentir,** etc. (verbes de perception); ou des substantifs (noms) comme **l'idée, le sentiment,** etc. ("L'idée me vint que je pourrais contester sa décision.")

2. Par la modification de deux marques en particulier: les pronoms, les modes et les temps.

Les pronoms (personnels, possessifs et démonstratifs) doivent subir certaines formes d'accommodation pour passer du style direct au style indirect. Exemples: "Il m'annonça: je serai là" devient "Il m'annonça qu'il serait là"; "Elle m'annonça: mon ami est venu" devient "Elle m'annonça que son ami était venu"; "Remets ceci à Denise de ma part" devient "Roger me recommanda de remettre cela à Denise de sa part."

De même, les modes et les temps subissent certaines transpositions en passant du style direct au style indirect. Concernant les modes, la transformation la plus importante est celle de l'impératif à l'infinitif ou au subjonctif. Exemples: "Pars! Partez!" devient "Il m'a dit (ou demandé) de partir"; "Faites attention..." devient "Je lui ai recommandé de faire (ou qu'il fasse) attention."

Les temps subissent également des transpositions. Ainsi, dans les exemples déjà évoqués: "Tu m'as dit: je partirai", on note le passage du futur au conditionnel; dans l'exemple "Il m'a dit qu'il était venu", on observe le passage du passé composé au plus-que-parfait.

429

3. Il y a, bien sûr, d'autres types de transposition à opérer concernant les adverbes, les phrases interrogatives. Les adverbes **ici, aujourd'hui, hier, demain** se transforment en **là, ce jour-là, la veille, le lendemain.** Exemples: "Viens me rencontrer ici" devient "Andrée m'ordonna de la voir là"; "Je suis allé te voir hier" devient "Il me dit qu'il était venu me voir la veille"; "J'arriverai chez moi aujourd'hui et je serai au travail dès demain" devient "Il me dit qu'il arriverait chez lui ce jour-là et qu'il travaillerait dès le lendemain."

Le passage de l'interrogation directe à l'interrogation indirecte se fait par le truchement de la conjonction **si** ou des adverbes (ou locutions adverbiales): **comment, pourquoi, où, quand, à quelle heure, à quel moment,** etc. Le sujet, inversé dans l'interrogation indirecte, reprend sa place devant le verbe dans l'interrogation indirecte. Exemple: "Comprends-tu?" devient "Il m'a demandé si je comprenais."

Le pronom interrogatif "que" est remplacé par "ce que" dans la proposition subordonnée de style indirect: "Que regardez-vous?" devient "Il me demanda ce que je regardais."

## Le style indirect libre: une plus grande liberté

Le **style indirect libre** tient à la fois du style direct et du style indirect. Cependant, par le fait qu'il ne comporte pas de syntagme introducteur, il se rapproche davantage du discours direct. Il jouit donc d'une plus grande souplesse que le style indirect tout court. De plus, il se prononce (quand on a à le faire) de la même façon que le style direct. Mais alors on sent constamment la présence du narrateur derrière le personnage. Le cas du style indirect libre est pratiquement analogue à celui rencontré en *f.* (voir page 428), lorsque les paroles rapportées ne sont pas encadrées de guillemets.

Exemples:

> **Élisa craignant, disait-elle, de ne pas trouver de place pendant l'hiver, n'avait demandé à cette famille que les deux tiers à peu près de ce qu'elle recevait chez M. le Maire.**
>
> STENDHAL, *Le rouge et le noir*

> **Daladier regardait le tapis, c'était un cauchemar, il ne pouvait pas se débarrasser de ce vertige qui l'avait saisi derrière les oreilles: qu'elle éclate! qu'elle éclate! qu'il la déclare donc, ce soir, le grand méchant loup de Berlin.**
>
> Jean-Paul SARTRE, *Le sursis*

## Comment introduire le style indirect libre

Il existe plusieurs façons d'introduire le style indirect libre dans un récit:

1) on peut utiliser un terme ou une expression jouant le rôle d'incise au milieu ou à la fin de la phrase:

> **Au dire du vieux Louis à Bélonie lui-même, ce rejeton des Bélonie né comme moi de la charrette, seuls ont survécu au massacre des saints innocents, les innocents qui ont su se taire. N'éveille pas l'ours qui dort, qu'il dit, surtout pas l'ours qui dort sur le marchepied de ton logis.**

Antonine MAILLET, *Pélagie-la-Charrette*

En style direct on aurait: "Le vieux Louis Bélonie dit: "N'éveille pas l'ours qui dort, surtout pas l'ours qui dort sur le marchepied de ton logis."

> **Eh bien, c'est ce qu'ils firent ou ce qui lui advint. A-t-on idée de tendre de pareilles perches sur sa table de mourant? Il mourut sec, "un accident opératoire" comme ils disent.**

Noël AUDET, *Quand la voile faseille*

En style direct, on aurait: Ils disent: "un accident opératoire".

2) les paroles du locuteur peuvent être introduites dans le texte sans être accompagnées d'aucun indice:

> **(...) j'avais beau leur dire qu'il s'agissait de mon cheval et de ma maison il n'y avait rien à faire je passais pour être un fou même si je ne vois toujours pas pourquoi les gens me moquaient parce que j'hébergeais chez moi mon cheval, il me semble que c'est normal, les gens n'ont aucune question à me poser là-dessus, ça ne les regarde pas, même mon Annabelle a pris leur parti (...)**

Victor-Lévy BEAULIEU, *La nuitte de Malcomm Hudd*

En style direct, la phrase "il me semble que c'est normal, les gens n'ont aucune question à me poser là-dessus, ça ne les regarde pas" deviendrait: "J'aurais pu leur dire: "Il me semble que c'est normal..." Voici un autre exemple:

> **(...) À environ un mille des plages de l'archipel, mes deux pirates se sont dégonflés. Ils ont jeté l'ancre et m'ont fait signe de me débrouiller, de faire mon possible. Si tu les veux, tes**

**poulpes blancs, va les chercher toi-même! J'ai attendu la nuit. Je n'avais pas nagé depuis des années.**

Réjean DUCHARME, *L'avalée des avalés*

En style direct, la phrase: "Si tu les veux, tes poulpes blancs, va les chercher toi-même!" deviendrait: "Ils (les deux pirates) m'ont dit: "Si tu les veux..."

## Pour assurer la variété: l'alternance des styles

Dans un récit, il est préférable, pour assurer la variété, de passer d'un style à l'autre. Cela crée des contrastes stylistiques, un peu à la façon des zones d'ombre et de lumière dans un paysage. Cette alternance est commandée aussi par la nature même du récit qui repose essentiellement sur la narration d'un événement, la description des êtres et des choses (style indirect) et l'insertion de paroles ou de dialogues (style direct).

## EXERCICES

a) Modifiez la rédaction de ce texte en substituant le style direct au style indirect.

**Deux amis, Claude et Marcel, qui ne s'étaient pas vus depuis qu'ils avaient quitté le cégep, se rencontrent. Marcel s'étonne de la maigreur de son ami et lui demande s'il ne serait pas devenu par hasard le directeur d'un studio pour maigrir. Claude lui répond qu'il est devenu artiste-peintre et lui demande s'il veut bien l'encourager en lui achetant un tableau. Marcel se rend avec empressement au désir de son ami, mais demande à Claude s'il veut bien en retour être payé avec le produit de son art. Claude accepte et après lui avoir demandé quel était son art, Marcel lui répond qu'il est chirurgien.**

b) Rédigez un dialogue entre deux personnes dont l'une arrive de voyage (ou a vécu un événement particulier).

c) Rédigez en style indirect le dialogue extrait de *Poussière sur la ville* que nous avons reproduit à la page 126.

d) Rédigez une interview sur un sujet d'actualité.

# C. EXERCICES SUR LA NARRATION

Avant d'entreprendre les exercices, fabriquez-vous une grille de production comportant les divers éléments du récit dont vous allez tenir compte dans la narration.

1. Prenez un article de presse relatant un événement, un fait (découverte, expérience, réunion, accident, etc.) et racontez-le sous forme de récit "littéraire". Vous pouvez évidemment inventer à volonté.

2. Composez un récit (conte ou nouvelle) illustrant un proverbe, une idée, un idéal, un message. Exemples: "Les paroles s'envolent, les exemples restent", "Avec de la volonté on vient à bout de tout", "L'homme se découvre quand il se mesure avec l'obstacle" (Saint-Exupéry), etc.

3. Écrivez un récit (conte ou nouvelle) sur l'un des grands thèmes de la vie: l'amitié, l'amour, la fidélité, la mort, etc.

4. Choisissez une fable de La Fontaine, dégagez-en la morale et illustrez-la différemment, soit à travers un court récit, soit à travers un poème (à la façon de La Fontaine).

5. Composez un récit illustrant des rapports de forces entre l'homme (ou la femme) et la nature: le froid, la neige, l'eau, la nuit, les saisons, l'aventure, etc.

6. Écrivez une lettre à un ami, dans laquelle vous lui raconterez un voyage que vous avez fait, une expérience que vous avez vécue, une histoire qui pourrait l'intéresser.

7. Racontez l'histoire d'un film vu à la télévision ou au cinéma.

8. Composez une nouvelle policière.

9. Composez un récit de science-fiction.

10. Composez une courte bande dessinée (10 pages environ).

433

# 11

# LE STYLE "EFFICACE"

## QU'EST-CE QUE LE STYLE

Nous avons déjà dit que le rôle du langage est de permettre à la pensée de prendre conscience d'elle-même, de s'organiser en fonction des besoins de la communication. Pour plusieurs cependant, le rapport entre la pensée et son expression varie en importance. Certains accordent la primauté à la pensée, et la forme passe alors au second plan. D'autres, se comportant davantage en esthètes, privilégient la forme. C'est le dilemme si bien exprimé par Paul Valéry:

> **La plupart des lecteurs attribuent à ce qu'ils appellent le fond une importance supérieure à ce qu'ils nomment la forme. Quelques-uns, toutefois, estiment audacieusement que la structure de l'expression a une sorte de réalité tandis que le sens ou l'idée n'est qu'une ombre (...) Ils considèrent dans les formes et l'élégance *des actes,* et ils ne trouvent dans les pensées que l'instabilité des événements.**
>
> Paul Valéry, *Variétés II*

Il est évident que la pensée a besoin de son support verbal pour s'exprimer. À ce niveau, le style entre dans la dynamique même de la pensée. Cela est si vrai qu'une idée banale peut prendre une importance ou une signification insoupçonnée lorsqu'elle est présentée avec ce qu'on appelle communément **du style.** Dans le roman, par exemple, les thèmes les plus communs deviennent souvent des foyers de rêveries et d'émotions lorsqu'ils sont transfigurés par la magie du style.

On convient que le style est personnel et qu'il rejoint les qualités les plus originales de celui qui écrit. C'est sa manière d'être en tant que sujet écrivant. Selon Barthes, sous le nom de style, se forme un langage "qui ne plonge que dans la mythologie personnelle et secrète de l'auteur[1]". Le style correspond au monde propre de celui qui écrit, avec son mouvement, son rythme, ses images, sa sensibilité, ses émotions.

Si le style est personnel, il n'est cependant pas pure donnée de la nature. Il peut s'apprendre et se développer. Comment? En lisant, bien sûr, de bons auteurs et avec la pratique. Mais il s'acquiert aussi et surtout en développant le goût du mot, des images, des belles tournures. Cet aspect a déjà été mis en évidence par Paul Valéry: "Le style résulte d'une sensibilité spéciale à l'égard du langage[2]." Celui qui est "doué" pour l'écriture est naturellement attentif aux structures verbales, aux images qu'il réinvestit à l'occasion dans sa pratique de l'écrit. Parfois aussi il crée, il invente de nouvelles façons de dire les choses.

Nous rejoignons ici quelque chose de fondamental à l'écrit. Les écrivains sont tous fascinés par le pouvoir magique du mot. Voyez avec quelle ferveur le romancier québécois Yves Thériault parle des rapports qu'il entretient avec le mot:

> **... ce miracle toujours renouvelé des mots qui s'alignent devant moi, issus de mes sens, de mes pensées, assujettis à ces règles que je connais et qui les régissent, mais aussi libres, parce que ce n'est pas de l'assemblage froidement constitué, mais une sorte de jet jaillissant, de source vive, comme une jetée chatoyante qui s'élance dans le soleil.**
>
> **Et la page qui était blanche, est devenue recouverte, parsemée de ces mots, et ces mots forment un tout, et ce tout est ma créature et ma chose; j'en ai été le créateur, j'en suis le maître.**[3]

C'est précisément cette sensibilité à l'égard des mots qu'il faut développer pour écrire. Si les grands écrivains possèdent naturellement cet état de grâce, l'artisan de l'écriture peut y accéder à divers degrés.

À cela s'ajoutent certaines qualités de style qui jouent un rôle déterminant à l'écrit. Ce sont: la clarté, la lisibilité, l'originalité et l'harmonie. Nous traiterons de chacune de ces qualités en donnant la technique à développer pour les acquérir.

## LA CLARTÉ

"Vous voulez m'apprendre qu'il pleut ou qu'il neige?", écrit La Bruyère, "Dites: il pleut, il neige." Le but de la clarté est de rendre le mes-

---

1. Roland BARTHES, *Le degré zéro de l'écriture*, Paris, Gonthier/Médiations, p. 14.
2. Paul VALÉRY, "Pensée et Art français", *Oeuvres* (La Pléiade).
3. Yves THÉRIAULT, "Pourquoi j'ai écrit *Agaguk*", *Conférences*, saison artistique 1958-59, Club musical et littéraire de Montréal.

sage **univoque**, c'est-à-dire faire en sorte qu'il soit interprété de la même façon par le récepteur et l'émetteur. Toute pensée qui se transforme en "discours" s'adresse à quelqu'un. On écrit pour un lecteur. D'où l'importance de choisir non seulement le vocabulaire le plus propre à traduire sa pensée, mais aussi le plus susceptible d'être compris. Si le lecteur ne comprend pas ce que vous voulez exprimer, l'écriture devient un acte purement gratuit, voire inutile. Dans cet acte de correspondance ou de communication entre l'auteur et le lecteur, le choix des mots revêt donc une importance capitale. Ce choix se fait surtout par un travail d'élagage et par la recherche de la concision et de la clarté.

## La clarté se joue d'abord au niveau du vocabulaire

### • Choisissez des mots simples et faciles

Valéry a donné ce conseil célèbre: "Entre deux mots, il faut choisir le moindre" (*Tel quel*). Le langage contient un très grand nombre de termes qui ne requièrent pas une explication de leur sens. C'est le cas pour ceux qui désignent les objets et les ustensiles de la vie de tous les jours, la nature, les besoins et les désirs qui traduisent les fonctions vitales de l'existence. Le cas est différent pour les termes qui expriment les choses ou les événements qui se situent au-delà du contexte pragmatique ou opérationnel dans lequel on les utilise. C'est ici qu'une certaine élasticité dans la compréhension (réduction ou extension du sens) peut apparaître, créant chez le lecteur l'ambiguïté bien souvent éprouvée dans le décodage d'un message écrit.

Ceci ne veut pas dire qu'il faille pour autant verser dans les lieux communs ou les clichés complètement vidés de leur sens à l'usage. La banalité n'est pas la clarté. Il y a certes moyen d'être "profond", tout en utilisant des mots simples. Paul Valéry en est un exemple frappant: "Mon [attitude, expression], écrit-il, n'est autre que celle qui résulte d'une volonté constante et obstinée de comprendre ce que je vous dis — c'est-à-dire de n'employer que des mots bornés comme je suis borné et de n'employer ces mots qu'à me décrire ou fixer ce que je puis observer" (*Cahiers*, chapitre "Ego scriptor").

Lorsqu'un ouvrage ou un article scientifique s'adresse à un public spécialisé, celui-ci possède la formation nécessaire pour comprendre ce qui est écrit. Se priver de l'utilisation de certains mots serait dans ce cas appauvrir considérablement sa pensée. Il faut comprendre que la règle exposée plus haut, "Choisissez des mots simples et faciles", vise davantage l'efficacité et la compréhension. Lorsqu'un texte est destiné à la masse des lecteurs, il est certain que la faible proportion de mots techniques ou scientifiques favorise la lisibilité. Dans ce cas, lorsqu'on doit employer un mot peu courant, abstrait, ou technique, il vaut toujours mieux le définir et, au besoin, l'illustrer par un exemple.

### • Utilisez les mots dans leur sens propre

Il faut utiliser le mot exact, celui qui correspond le mieux à la pensée que l'on veut exprimer. Beaucoup emploient des mots vagues, si peu précis qu'ils peuvent désigner une chose pour eux et quelque chose de tout à fait différent pour un autre. L'emploi de mots propres confère au style une clarté d'expression qui facilite grandement la compréhension du message par le lecteur.

Mais il faut savoir également que, si un mot possède un sens propre, il peut aussi avoir une valeur ou une signification contextuelle, des connotations affectives, satiriques, ironiques, sociales, politiques, économiques, culturelles, poétiques, etc. Par exemple, les mots "cuillère", "roche", "automobile" n'évoquent que des réalités quotidiennes. Mais "lune", "nuage", "paysage", "socialisme", "indépendance", "fédéralisme" prennent une valeur poétique ou sociale, selon le cas.

Un mot est un faisceau d'associations le plus souvent liées à l'expérience personnelle. Les gens réagissent spontanément à certains mots, alors qu'ils sont indifférents à d'autres. Si j'évoque, par exemple, les mots "école" ou "université", ceux-ci peuvent symboliser l'élite et l'avenir pour certains, mais pour d'autres ils sont synonymes de chômage, de contrainte, de perte de temps, de snobisme. Certains verront dans l'hiver la saison de l'inactivité, du cafard, de la mort, tandis que d'autres y découvriront une occasion merveilleuse de faire du sport, de sortir au grand air et de vivre pleinement.

Les mots ont une signification et une extension précisées par les notions de polysémie, de connotation et de dénotation. La compréhension et l'extension sont souvent déterminées par les synonymes qui jouent un rôle éminemment utile dans l'expression en général. Nous avons déjà défini ces notions à l'occasion de l'étude de la phrase poétique.

### • Employez des images et des exemples

L'image et, en général, les mots évocateurs permettent de clarifier le sens des mots et, ainsi, la pensée. Ils ajoutent de la nuance à l'expression. Ils attirent l'attention en frappant l'imagination du lecteur. Il en est de même des exemples, des explications et des définitions qui constituent aussi d'excellents procédés de clarification.

## La clarté se joue aussi au niveau de la pensée

Parfois on se fait une idée bien haute de ce qu'on veut dire. On a l'impression d'avoir une idée de génie et, une fois écrite, les résultats sont différents, médiocres. L'idée n'est plus auréolée du prestige qu'elle avait dans l'esprit. On pensait accoucher d'une montagne, et on accouche d'une souris. C'est que la pensée n'était pas aussi claire qu'on se l'était imaginée. C'est ici que les vers célèbres de Boileau prennent tout leur sens: "Ce qui se conçoit bien s'énonce clairement, et les mots pour le dire viennent aisément", ou encore "Avant donc que d'écrire, apprenez à penser." Pour écrire clairement, il faut penser clairement, quoi qu'on en dise.

Souvent, l'inverse se produit: c'est en essayant d'écrire que la pensée se clarifie. L'écrit, en effet, oblige à formuler exactement sa pensée, à la dépouiller de tout ce qu'elle a d'imprécis et d'obscur. La pensée prend forme en écrivant. Voilà pourquoi une idée, en apparence banale, peut prendre tout à coup de l'importance une fois écrite. Ne rejetez donc jamais une idée dans le premier jet de l'écriture.

## La clarté se joue
## finalement au niveau de la ponctuation

La ponctuation sert à rendre le texte intelligible. Elle permet de délimiter le sens de la phrase et de dissiper l'équivoque dans plusieurs cas. Le travail de clarification de la pensée ne peut donc se faire sans une ponctuation correcte et intelligente. Nous en verrons les règles au prochain chapitre.

# LA LISIBILITÉ

La lisibilité est l'un des aspects les plus importants de la communication. C'est ce qui rend un texte accessible et compréhensible. On remarquera que la plupart des facteurs qui assurent la clarté d'un texte en assurent également la lisibilité. Les uns sont d'ordre linguistique: le choix des mots et des structures de phrases, le respect du code orthographique, la ponctuation; d'autres sont extralinguistiques comme la bonne typographie ou la qualité de l'écriture. Certains enfin sont d'ordre psychologique comme la perception et la mémoire.

Dans son ouvrage intitulé *Le langage efficace*, François Richaudeau présente les principaux facteurs permettant d'assurer la transmissibilité d'un message écrit. Ces facteurs se résument dans **le choix des mots** et **l'organisation de la phrase**. Ainsi un texte informe plus rapidement s'il est écrit avec des mots brefs, simples, usuels, chargés affectivement, redondants (répéter certains mots importants facilite la compréhension du message). D'autre part, plus la phrase est courte, plus elle a de chances d'être lisible; mais la longueur d'une phrase est moins importante que sa structure. Cela signifie que lorsqu'un écran linguistique dépasse dix mots (un écran linguistique est défini comme le nombre de mots séparant, au sein d'une sous-phrase, deux mots corrélatifs, notamment un sujet et son verbe), la mémorisation et donc la lisibilité risquent d'être perturbées. De plus, les mots placés au début ou dans la première moitié d'une phrase ou d'une sous-phrase sont en moyenne mieux retenus. De même, une formule courante à intention affirmative, placée au début d'une sous-phrase ("c'est pourquoi...", "c'est ainsi que...", etc.) en facilite la mémorisation.

Précisons que ces règles concernent surtout les messages destinés à la grande masse des lecteurs, où l'on vise davantage l'efficacité. Il va sans dire que dans un écrit scientifique, philosophique ou littéraire, il n'est pas interdit d'élaborer des phrases complexes et d'utiliser des mots techniques ou recherchés. À notre avis, **même longues, les phrases bien structurées se lisent très bien.** Si le texte est destiné au lecteur moyen, il faut alors utiliser abondamment les exemples, les comparaisons, les descriptions et les définitions.

## L'ORIGINALITÉ

Pour le scripteur moyen, l'originalité consiste moins dans la recherche d'un style nouveau — ce qui relève surtout de l'écrivain — que dans la variété de son style. Ceci est motivé par les exigences mêmes de l'écriture.

En effet, à moins qu'il ne s'agisse d'un texte administratif qui requiert un style impersonnel, on ne peut se contenter de toujours livrer les données essentielles de son message de façon plate et prosaïque. C'est ce que nous fait comprendre Barthes à travers cette anecdote:

> **"Un ami vient de perdre quelqu'un qu'il aime et je veux lui dire ma compassion. Je me mets alors à lui écrire spontanément une lettre. Cependant les mots que je trouve ne me satisfont pas: ce sont des "phrases": je fais des "phrases" avec le plus aimant de moi-même, je me dis alors que le message que je veux faire parvenir à cet ami, et qui est ma compassion même, pourrait en somme se réduire à un simple mot: condoléances. Cependant la fin même de la communication s'y oppose, car ce serait là un message froid, et par conséquent inversé, puisque ce que je veux communiquer, c'est la chaleur même de ma compassion. J'en conclus que pour redresser mon message, il faut non seulement**

**que je le varie, mais encore que cette variation soit originale et comme inventée. On reconnaîtra dans cette suite fatale de contraintes la littérature elle-même. (...) Tout écrit ne devient oeuvre que lorsqu'il peut varier, dans certaines conditions, un message premier."**

Roland BARTHES, Préface des *Essais critiques*

Le "message premier" auquel fait allusion Barthes signifie sans doute le premier jet de l'écriture. C'est la "phrase sauvage" telle qu'elle se présente à l'esprit et qui attend d'être travaillée.

Il existe certains procédés pour varier son style. Nous en énumérerons quelques-uns parmi les plus courants. Ces procédés regardent le vocabulaire (figures de style et synonymes) et la syntaxe (l'ordre des mots).

# Pour varier l'expression:
## les figures de style et les synonymes

Les **figures de style** sont appelées fort justement "les ornements du discours". À ce titre, elles peuvent grandement assurer la variété dans l'expression. Nous en avons suffisamment parlé dans le chapitre sur la phrase pour ne pas y revenir ici. Rappelons que les figures de style sont au coeur même de l'expression.

L'utilisation de **synonymes** ou d'équivalents sémantiques s'avère également essentielle dans la pratique du discours écrit, étant donné la précision et la variété qu'ils apportent à l'expression. Manier le synonyme, n'est-ce pas, comme on dit souvent dans le langage courant, avoir du vocabulaire?

Certains mots ne peuvent être remplacés (sel, chlore, cuiller, etc.) parce qu'ils n'ont qu'un seul sens. D'autres, par contre, sont polysémiques: ils ont plusieurs sens. Dans ce cas, le dictionnaire des synonymes s'avère un outil indispensable pour écrire. L'utilisation du synonyme permet d'éviter la répétition et la redondance. Il y a des cas, cependant, où la répétition est nécessaire. Voyons-en les règles.

## Règles de la répétition

La répétition est parfois nécessaire:

1) Pour assurer l'efficacité du message. Nous avons vu que certains mots redondants facilitent grandement la communication. C'est le cas des mots importants qui contiennent le message, des articulations qui en assurent la cohésion et pour certaines figures de style comme le pléonasme.

440

2) Pour attirer l'attention du lecteur, notamment dans le discours politique ou en publicité pour frapper l'esprit du consommateur.

3) Lorsqu'il est difficile de trouver un équivalent à un terme technique.

4) On répète chaque fois qu'il y a danger d'équivoque: il vaut mieux répéter que de trahir la clarté.

5) On peut répéter lorsque le terme précédent ne termine pas la phrase.

6) Lorsqu'on veut créer par la répétition une figure de style; le procédé doit alors être motivé, c'est-à-dire voulu pour créer un effet.

7) Dans certains autres cas, cependant, il vaut mieux ne pas répéter, surtout lorsque la répétition est l'indice d'un manque de vocabulaire et d'originalité. Cela se produit souvent quand il y a prolifération des auxiliaires "être" et "avoir" ("il y a"), du pronom "on", des verbes comme "se trouver", "dire", "faire", "donner"; il faut éviter également les expressions usées comme "à toutes fins utiles", etc.

## Varier l'ordre des mots

L'ordre des mots dans la phrase regarde la syntaxe. Nous en avons déjà parlé (chapitre 2). On sait que l'ordre habituel S + V + C engendre la monotonie lorsqu'il est trop souvent utilisé. La permutation permet d'éviter cet écueil.

Le cas le plus fréquent de la variation dans l'ordre des mots est sans aucun doute **l'inversion.** Nous avons déjà vu que l'inversion sert à mettre en relief un mot, une expression, une proposition. On inverse le sujet ("sans doute, est-ce lui qui a fait cela"), un adjectif ("Excellent, ce plat!"), un complément ("De loin, on entendait avec netteté et puissance le chant des chutes"), une proposition ("Que le soleil pût briller si fort en hiver était étonnant"). L'inversion représente un procédé unique pour mettre en évidence certains mots ou membres de phrase. On obtient ainsi d'excellents effets stylistiques. Mais retenez que l'inversion doit toujours se faire dans les limites permises par la langue.

## L'HARMONIE

L'harmonie se définit en fonction des mots et des phrases. L'harmonie des mots veut que l'on évite les mauvais effets produits sur l'oreille par certaines correspondances de sons. La modulation de phonèmes doit se faire selon des règles dictées par l'ouïe. À cette fin, il faut: 1) bannir les hiatus (rencontre désagréable de deux voyelles; ex.: "il alla à Arvida"); 2) éliminer la répétition, à peu d'intervalle, du même mot (à moins que cela ne soit nécessaire), des mêmes sons, des mêmes consonnes ou des mots de même racine (ex.: "il est habillé d'habits foncés"); 3) éviter l'emploi trop fréquent des "qui" et des "que"; 4) éviter l'emploi abusif des conjonctions: "quand", "lorsque", "après que", "quoique", "bien que", etc.; 5) éviter l'emploi fréquent des participes présents, surtout accompagnés de la préposition "en" (ex.:"Ils accueillirent en chantant leurs parents"). Retenez, cependant, qu'il vaut mieux répéter que de sacrifier la clarté.

L'harmonie peut aussi être assurée par la disposition ordonnée et équilibrée des membres de phrases: 1) dans une proposition, les membres les plus courts doivent être placés en premier (ex.: "Dans ce petit village, le maire, le curé et tous les vaillants habitants ne forment qu'une grande famille"); 2) il en est de même des subordonnées, les plus courtes doivent figurer en premier. Exemple: "Il arriva, lorsqu'il fit nuit, au moment où la noirceur eut couvert le petit bois de son épais manteau de songe et d'épouvante."

Les quatre qualités dont il a été question dans ce chapitre, **clarté, lisibilité, originalité, harmonie,** ne sont pas les seuls aspects de l'écriture concernés par le style. Leur importance, cependant, fait qu'elles ne peuvent être ignorées dans l'élaboration d'un message écrit. Ce dernier y perdrait beaucoup en efficacité. Si ces qualités sont accessibles à tout scripteur, leur maîtrise ne peut être que le fruit d'une longue pratique et d'une préoccupation constante. Nous n'avons pas prévu à cette fin d'exercices spécifiques, car tous ceux que nous avons présentés à l'occasion de l'étude de la phrase y contribuent largement.

# 12

# QUINZE CONSEILS "MIRACLES" POUR ÉCRIRE

## LES RÈGLES D'OR DU SAVOIR-ÉCRIRE

Existe-t-il des moyens "miracles" pour écrire?

Si l'on entend par moyens miracles des recettes faciles qui éliminent tout effort ou qui ont pour effet de provoquer comme par enchantement l'acte d'écrire, il faut répondre tout de suite non. Il n'y a pas de méthodes faciles pour apprendre les choses difficiles. Il existe, cependant, des procédés très efficaces qui sont de nature à favoriser grandement l'expression. Ils ont, du reste, été éprouvés par nombre de scripteurs et d'écrivains.

### Écrivez d'abord comme vous parlez

Il est beaucoup plus facile de parler que d'écrire. D'abord, parce que les contraintes de la parole sont moins grandes que celles de l'écrit. C'est la raison pour laquelle on parle plus spontanément qu'on ne manie la plume. Certaines personnes peuvent même nous entretenir pendant des heures d'un sujet qui, s'il était écrit par la suite, donnerait un texte assez élaboré. Quand vous avez à écrire appliquez donc la formule de Jules Renard: faites comme si "écrire, c'était parler". Imaginez que vous êtes en train d'expliquer quelque chose ou de parler à quelqu'un. Inventez-vous un interlocuteur fictif. Vous éliminerez ainsi une bonne partie du blocage psychologique qui paralyse souvent l'acte d'écrire. Vous aurez tout le loisir par la suite de corriger votre travail et de l'adapter aux fins de la communication écrite.

## Écrivez tout ce qui vous vient à l'esprit

Lorsque vous êtes en présence d'un sujet à traiter ou d'un texte à composer, écrivez d'abord rondement tout ce qui vous passe par la tête, sans tri, sans censure, sans ordre, à mesure que les idées émergent dans le champ de la conscience. Au besoin, paraphrasez. C'est un bon moyen de faire "décoller" l'inspiration.

La difficulté ici vient souvent d'une attitude défensive que l'on développe en écrivant. Elle procède d'une espèce de conscience critique qui accompagne constamment l'acte d'écrire et qui s'exerce soit au niveau des idées, soit sur la façon de les exprimer. Dans le premier jet, le travail d'analyse critique est prématuré. Il faut, au contraire, faire feu de tout bois. Manifestez au besoin une certaine naïveté ou candeur. Travaillez avec une attitude mentale d'ouverture et d'accueil. Ces dispositions favorisent grandement la pensée et l'expression. Dans un deuxième temps seulement, on sélectionne ce qui mérite d'être retenu.

## Faites disparaître le "complexe de censure"

Des complexes pèsent parfois lourdement sur l'acte d'écrire. Ils agissent à la façon de censures qui paralysent l'inspiration. Les complexes les plus fréquents sont:
- la peur de faire des fautes d'orthographe;
- la peur de faire rire de soi: on éprouve une sorte de pudeur face à ce que l'on écrit;
- la conception "idéalisée" que l'on se fait de l'écriture: ce qui est écrit doit être nécessairement parfait.

Ces comportements négatifs bloquent l'imagination et la sensibilité. Ils font que les mots ne sont pas à la hauteur ou ne viennent pas au rythme de la pensée ou des idées. Ayez confiance en vous. Faites disparaître vos complexes. Dans l'écrit c'est comme dans la vie. Les attitudes positives favorisent la pensée, la créativité et l'action.

## Quand les idées sont rares, lisez quelques pages d'un bon livre

Il est parfois aussi difficile de faire jaillir des idées de son esprit que de faire pousser des plantes dans un sol aride et sans eau.

Quand les idées se font rares ou que vous manquez d'inspiration, lisez quelques pages d'un bon livre. Cela permettra de faire débloquer votre pouvoir d'expression et d'effectuer la relance. Ce procédé est bien connu des écrivains qui ne prennent souvent la plume qu'après une demi-heure ou plus de lecture entraînante. Mais alors, choisissez de préférence des lectures conformes au type d'écrit que vous avez à produire. S'il s'agit d'une lettre, lisez des lettres modèles, s'il s'agit d'un article, lisez des articles, s'il s'agit d'une narration, lisez quelques pages d'un bon roman ou d'un bon recueil de contes ou de nouvelles.

## Écrivez vos brouillons à la machine à écrire

La typographie du brouillon à la machine à écrire (ou la composition directe sur micro-ordinateur) permet de mieux visualiser son texte. Les fautes, les erreurs, les mauvaises articulations, de même que les idées mal conçues apparaissent alors plus clairement.

Prenez soin également de bien aérer votre texte. Écrivez toujours à double interligne pour faciliter les corrections et laissez une généreuse marge latérale à droite et à gauche. Bien plus, si vous disposez d'une machine à écrire dotée de plusieurs types de caractères, variez ces derniers. Le seul fait d'écrire son texte avec un caractère différent en fait mieux ressortir l'aspect formel.

## Mettez-vous à la place de votre lecteur

Mettez-vous toujours à la place de votre lecteur et gardez-le présent à l'esprit. En travaillant dans la perspective d'être compris, il est plus facile de clarifier sa pensée et son expression.

Mais l'un des principaux avantages de cette règle réside dans le phénomène **d'objectivation** qu'elle suppose. Le scripteur, en créant un recul face à ce qu'il écrit, voit alors son texte à distance. Ce dernier apparaît relativement nouveau, ou comme s'il était écrit par quelqu'un d'autre. Cette attitude critique ou objective favorise grandement la clarté et l'efficacité du message.

## Lisez votre texte à haute voix

La lecture peut se faire seul ou en présence d'une personne témoin. C'est ainsi que procédaient plusieurs écrivains, par exemple Balzac relisait souvent à haute voix ce qu'il écrivait. Les effets que l'on en retire sont analogues à ceux de la typographie du texte: on perçoit mieux les défauts d'articulation, de rythme, de structure, de vocabulaire.

## Faites lire votre texte par un autre

Souvent, on est tellement identifié à son texte qu'on n'en voit plus les erreurs. C'est alors qu'un lecteur témoin peut aider à déceler ce qui manque dans les idées ou ce qui ne va pas dans l'expression. Cela permet en même temps de mesurer immédiatement jusqu'à quel point le message est convaincant ou non. C'est le **feed-back** instantané, si utile dans la transmission d'un message.

## Laissez mûrir votre texte

Les textes du premier jet sont rarement satisfaisants. Aussi est-il bon de laisser reposer ou dormir son texte une journée ou deux, même davantage lorsqu'on n'est pas trop pressé. Si l'échéance est courte, relisez-le une, deux ou trois heures après la première version. Le recul du temps, fût-il très court, fera apparaître votre texte sous un éclairage différent. Vous verrez mieux ce qui ne va pas dans l'enchaînement, la progression des idées, les articulations, le vocabulaire, l'orthographe, le style, etc. Quand un texte a mûri, on le revoit avec des yeux neufs.

## Sentez émotivement ce que vous écrivez

"Si vous voulez me faire pleurer, écrivait le poète ancien Horace, dans son *Art poétique*, vous devez vous-même être triste." Quel que soit le type de message écrit, l'expression emprunte souvent le canal de la sensibilité. Ainsi en témoigne l'écrivain français Bernard Clavel pour qui écrire est d'abord **une émotion**: "Ce peut être la rencontre d'un personnage, d'un paysage. Sans émotions pas de création. Après, alors là c'est le boulot " (Entrevue accordée au journal *Le Quotidien*, le 21 octobre 1978). Beaucoup d'écrivains sentent même jusque dans leur chair l'acte d'écrire. Certains ont avoué vivre dans un état de transe pendant tout le temps de la gestation de leur récit. Il faut avoir de la passion pour ce que l'on écrit, même si le sujet est abstrait et cérébral comme dans le cas d'une dissertation.

## Travaillez inlassablement votre texte

À moins d'un hasard heureux, il est impossible d'obtenir la perfection dès les premières productions. À peu près tous les écrivains ont confié, à un moment ou l'autre de leur carrière, qu'ils reprenaient constamment leur texte, corrigeant, élaguant, ajoutant ici et là. Anne Hébert avouait lors d'une interview accordée au journaliste Jean Royer du journal *Le Devoir:* "En ce sens, l'écriture est une sorte de patience: non pas seulement une passion fulgurante de quelques instants mais une passion maintenue jour après jour. C'est cette passion qui m'a fait écrire *Les Fous de Bassan*. Même quand je n'arrivais pas à trouver la façon de prendre cette histoire, même quand tout ce que j'écrivais n'était pas juste, j'ai voulu quand même persévérer dans le noir pour la petite lumière au bout du tunnel." (Interview du 11 décembre 1982) On sait que ce roman lui a valu le prix Fémina.

Pour réussir, il faut, disons-le encore une fois, détruire le mythe de "l'écriture-parfaite-premier-jet". Le bon texte ne s'obtient qu'à travers un véritable combat pour l'écriture et le style. Ce combat a lieu en grande partie dans le travail de relecture pour corriger ou perfectionner votre texte. C'est l'application de la célèbre technique de Boileau: "Cent fois sur le métier, remettez votre ouvrage."

## Écrivez pour apprendre à écrire

L'apprentissage de l'écriture ne peut se faire efficacement que dans la pratique. C'est en forgeant qu'on devient forgeron et c'est en écrivant qu'on devient un écrivain ou un bon scripteur. "Écrire deux heures par jour, génie ou pas", disait Stendhal. Mais quoi écrire? C'est simple! Écrivez n'importe quoi, tout ce qui vous passe par la tête. Mieux encore, ayez toujours un projet d'écriture. Le journal personnel peut être ici d'une grande utilité.

À André Maurois qui venait lui faire part de son désir d'écrire, le grand penseur Alain conseille: "Commencez par copier les huit cents pages de *la Chartreuse de Parme*." Il n'est évidemment pas question de prendre ce conseil à la lettre! Il n'en représente pas moins un procédé fort efficace pour se perfectionner à l'écrit. Adonnez-vous à la simple copie de passages d'auteurs reconnus. Vous ferez en peu de temps de grands progrès. Non seulement parce que vous serez en contact avec des écrivains qui maîtrisent bien la langue, mais parce que le seul geste d'écrire fait prendre conscience beaucoup mieux que la simple lecture des idées et des moyens d'expression utilisés par l'auteur.

Dans cette perspective, nous recommandons fortement aux professeurs de français des niveaux primaire et secondaire de troquer la fastidieuse dictée orthographique, dont la rentabilité a été sérieusement mise en doute ces dernières années, contre ce que nous appelons la "dictée d'expression" constituée de textes choisis chez les bons auteurs. Nous croyons que c'est une excellente façon d'apprendre à l'élève à écrire et de l'entraîner à l'expression. Cette pratique donne des résultats étonnants.

Pour ce faire, diversifiez les genres de textes. Une fois, vous pouvez choisir une bonne introduction de dissertation; une autre fois, un point du développement ou un paragraphe avec transition, une conclusion, un extrait de lettre, d'article de journal ou de revue, un fragment de narration, une bonne description, un portrait, une strophe de poème, une séquence dialoguée d'une pièce de théâtre, etc. En donnant la dictée, prenez toujours soin de bien faire observer à l'élève des faits précis de langue, de style, de rhétorique et pourquoi pas, à l'occasion, d'orthographe.

## La lecture, une des clés du savoir-écrire

"Le désir d'écrire vient du plaisir de lire. Avant d'être écrivain, on est lecteur", affirment bon nombre d'auteurs. L'une des meilleures façons d'apprendre à écrire est sans aucun doute de lire beaucoup. Les écrivains sont tous de grands lecteurs.

Pourquoi lire?

D'abord parce que c'est à travers la lecture que l'on puise **les idées pour écrire.** Certains éprouvent beaucoup de difficulté à s'exprimer et à communiquer parce qu'ils font fi de ce qui s'est dit avant eux. C'est comme s'ils voulaient réinventer le monde à chaque fois.

Il faut lire aussi pour **perfectionner son style.** La "lecture-observation" donne en général d'excellents résultats. Elle consiste à observer les structures, les figures, les images, les stratégies linguistiques utilisées par l'auteur pour varier ses tournures, exprimer ses idées de façon originale. C'est affirmer en même temps l'importance de ne lire que de bons auteurs, ceux qui sont reconnus pour la qualité et la profondeur de la pensée et de l'expression.

Par-dessus tout, ayez le **culte du mot.** Lors de vos lectures, prenez conscience du mot écrit, de sa réalité physique et lexicale, de l'expression choisie par l'auteur. Observez, scrutez le texte. Lorsque vous rencontrez des tournures et des images originales, notez-les dans un cahier ou un calepin. Relisez-les de temps en temps, surtout avant d'entreprendre un projet d'écriture. Faites une collection de mots et de structures syntaxiques. La richesse de l'expression est là.

## Concentrez-vous pour écrire

Impossible d'écrire avec facilité et avec goût sans concentration. Cela est vrai, du reste, pour tout. Même si plusieurs écrivains avouent être conditionnés par le bruit, le public, beaucoup au contraire se retirent en campagne ou dans des endroits solitaires où règnent le silence et le recueillement. Pourquoi pas vous?

Il existe des techniques efficaces de concentration. Cela a fait l'objet de notre dernier ouvrage intitulé *Se concentrer pour être heureux*[4]. Nous vous le recommandons, non seulement pour éveiller votre créativité et disposer votre esprit à écrire efficacement, mais encore pour votre santé psychique et votre bien-être en général.

## LES "STIMULANTS" POUR ÉCRIRE

Ceux qui ont déjà vécu l'expérience de la rédaction d'un ouvrage savent, qu'à l'origine, il y a presque toujours un stimulant qui provoque le désir d'écrire. Il se produit à l'intérieur de l'être comme une palpitation, un mouvement qui incite à prendre la plume et à s'engager résolument dans le processus d'écriture. Ce mouvement est souvent appelé "inspiration", mais le terme est vague et trop idéalisé: il laisse entendre qu'on ne doit ou qu'on ne peut écrire que sous l'influence de l'inspiration. Nous préférons parler plutôt de "stimulants". Ceux-ci peuvent être d'ordre physique, psychologique et même physiologique.

Les stimulants **physiques** sont pour la plupart d'ordre sensoriel: la vue, l'ouïe, l'odorat, le toucher, le goût. On peut être fasciné par ce que l'on voit et vouloir le fixer sur papier: un paysage, un tableau, une scène, un visage, des yeux, etc. Parfois c'est l'ouïe qui entre en jeu: un son, une pièce musicale, la sonorité d'un mot. Certains ont été stimulés par les odeurs, celles des places publiques, de certains quartiers, de la campagne, des plages, des montagnes. Comme exemple de stimulation physique, lisez les premières pages de *Noces* d'Albert Camus. Vous verrez jusqu'à quel point on peut être subjugué par les sensations visuelles et olfactives.

Les stimulants **psychologiques** sont souvent appelés "motivations". Une émotion vigoureusement ressentie ou un événement profondément vécu peuvent naturellement trouver leur prolongement dans l'oeuvre écrite. Celle-ci permet en quelque sorte de "fixer", comme par un défi au temps, les êtres et les événements qui nous ont frappés ou qui ont joué un rôle important dans notre vie. On peut aussi écrire parce qu'on sent le besoin de s'analyser, de mettre de l'ordre dans sa vie. On peut encore vouloir défendre une idée, une thèse, une théorie, ou en faire la promotion. Les mobiles qui incitent à écrire sont nombreux et variés.

---

4. Jean-Paul SIMARD, *Se concentrer pour être heureux*, Montréal, Éditions de l'Homme, 1981, coll. "CIM".

Les stimulants **physiologiques** de la créativité aident à faire "décoller" l'acte d'écriture et à le soutenir en agissant directement sur les facultés: la mémoire, l'imagination, la sensibilité. On les classe en trois catégories: les drogues, les boissons et les aliments de la créativité.

Beaucoup d'écrivains faisaient usage de drogues pour écrire. Baudelaire se servait du haschisch; d'autres trouvaient l'inspiration dans les rêves suscités par l'opium. Rimbaud découvrit que l'absinthe engendrait des effets puissants qui stimulaient son imagination; plusieurs ont tiré leur inspiration de la mescaline. Freud s'adonna à la cocaïne pendant des années.

Il y a aussi les boissons comme l'alcool, la bière, le café et le thé. Combien d'écrivains, en travaillant, buvaient d'innombrables tasses de café ou de thé. Ces deux substances ont la propriété de faire disparaître l'asthénie intellectuelle et de disposer l'esprit au travail de l'écriture. Marcel Proust parle en ces termes de l'expérience du thé:

> **(...) Un jour d'hiver, comme je rentrais à la maison, ma mère, voyant que j'avais froid, me proposa de me faire prendre, contre mon habitude, un peu de thé... je portai à mes lèvres une cuillerée de thé où j'avais laissé s'amollir un morceau de madeleine. Mais à l'instant même où la gorgée mêlée des miettes de gâteau toucha mon palais, je tressaillis... Et tout d'un coup, le souvenir m'est apparu.**

Cette expérience fut à l'origine de son célèbre roman *Du côté de chez Swann*. En agissant sur le système nerveux central, le thé rend plus alerte; il favorise également la communication verbale ou écrite, mais semble-t-il, à un degré moindre que le café.

Il faut cependant faire une sérieuse mise en garde concernant l'utilisation de drogues ou de boissons pour chercher l'inspiration. **Ces substances comportent de graves dangers.** Outre qu'elles développent l'accoutumance (effet de doping), comme c'est le cas surtout des drogues, elles peuvent causer de graves intoxications, et surtout détruire irrémédiablement les cellules cérébrales. Quant au thé et au café, ces boissons provoquent un surcroît d'énergie artificielle qui se fait souvent au détriment des réserves d'énergies profondes du corps.

Il vaut mieux leur préférer les **aliments de la créativité.** Ce sont ceux qui contiennent beaucoup de vitamines, de minéraux et de protéines. On sait que plusieurs de ces éléments vitaux jouent un rôle essentiel dans l'activité cérébrale, et par conséquent dans la pratique de l'écriture. Mentionnons, en premier lieu, certains acides aminés des protéines comme le tryptophane, la phénylamine, la lysine et quelques autres qui conditionnent les fonctions cérébrales et sont indispensables au système nerveux. L'une des meilleures sources de protéines est sans aucun doute la farine de soya qui contient tous les acides aminés essentiels et surtout la lécithine, substance si importante dans le fonctionnement du système nerveux et cérébral.

Mentionnons aussi le rôle éminemment important des vitamines B et C, ainsi que du phosphore, du calcium et du magnésium. À ce titre, certains aliments devraient être consommés abondamment par le travailleur intellectuel. Ce sont le lait, le yogourt, le germe de blé et le blé entier, le gruau d'avoine, le millet, les haricots, les amandes, les noisettes et les noix, le chocolat pur, la figue et la datte. Leurs effets sont bénéfiques sur la vitalité du cerveau; ils stimulent favorablement les fonctions intellectuelles en les nourrissant. La figue et la datte, que l'on pourrait qualifier de "super aliments" du travailleur intellectuel, ont de plus l'avantage de constituer la source la plus naturelle de sucre. Elles en contiennent sous la forme la plus immédiatement assimilable par l'organisme, c'est-à-dire le glucose, élément indispensable au cerveau pour fonctionner. Il faudrait aussi parler du rôle éminemment important de la respiration qui apporte l'oxygène vital au cerveau et au corps en général.

En ce qui a trait à l'alimentation, il est préférable d'éviter les repas copieux ou la suralimentation. L'usage immodéré de nourriture agit à l'encontre des pulsations créatrices. L'une des formes privilégiées d'abstention de nourriture, le jeûne — à condition qu'il soit fait sur une courte période, comme passer un repas ou la collation — peut engendrer un état de conscience supérieur très favorable à l'inspiration et au travail intellectuel en général. Nous avons déjà traité de ces questions dans notre ouvrage intitulé *Comment déborder d'énergie*, dont nous vous conseillons la lecture [5]. Il ne peut que vous rendre d'excellents services.

Certaines **attitudes corporelles** sont également à surveiller. Les mauvaises postures en position assise sont fréquemment la cause de fatigue et de mauvais fonctionnement du corps et de l'esprit. Par exemple, travailler penché sur son bureau gêne considérablement la circulation sanguine dont le rôle est d'apporter les éléments nutritifs au cerveau, sans compter qu'une telle attitude coupe le circuit des influx vitaux et des courants énergétiques.

Enfin, il faut, dans la mesure du possible, exploiter les **moments favorables au travail de l'esprit.** Jean Guitton a parlé de ces "heures royales" pour le travail intellectuel où l'intelligence donne la pleine mesure de sa

---

5. Jean-Paul SIMARD, *Comment déborder d'énergie*, Montréal, Éditions de l'Homme, 1980, coll. "CIM"

capacité. Ces moments sont différents pour chaque individu. Certains, par exemple, excelleront le matin, tandis que d'autres seront plus efficaces le soir.

Concluons ce chapitre en disant que tous les stimulants, de quelque nature qu'ils soient, ne remplacent ni le talent ni la pratique. Les habitudes de travail, le patient labeur donnent souvent de meilleurs résultats que l'attente de l'inspiration dont le moment souvent ne nous appartient pas. "Il faut écrire plus *froidement*, écrivait le grand Flaubert. Méfions-nous de cette espèce d'échauffement, qu'on appelle l'inspiration, et où il entre souvent plus d'émotion nerveuse que de force musculaire." Il écrivait encore à Louise Colet: "*Tout dépend de la conception.* Cet axiome du grand Goethe est le plus simple et le plus merveilleux résumé et précepte de toutes les oeuvres d'art possibles." Et à propos d'inspiration, ne vaudrait-il pas mieux parler plutôt "d'aspiration", selon cette très belle formule de Pierre Reverdy: "Il n'y a pas inspiration mais aspiration. L'artiste aspire à l'expression, ses facultés sont aspirées par le désir d'exprimer à la plus haute tension."

# 13

# LA PONCTUATION

**La ponctuation c'est la respi-
ration de la phrase**

On ne saurait trop insister sur l'importance de la ponctuation. Elle fait partie des outils essentiels du savoir-écrire. C'est elle qui rend le texte intelligible. Pour s'en rendre compte il suffit de référer au rôle qu'elle joue en lecture. Le bon lecteur sait mettre en valeur le sens de la phrase en la découpant instinctivement en groupes de mots liés par le sens qui coïncident avec l'unité rythmique de la phrase. Cette unité est déterminée par des coupures (en particulier par la virgule) que l'on appelle ponctuation. Celle-ci permet de délimiter le sens de la phrase et d'éviter les erreurs d'interprétation, favorisant ainsi la bonne compréhension du message écrit. Dans certains cas, seule la ponctuation permet de déterminer le sens, comme dans les deux phrases suivantes:

**Le médecin dit: "Le malade est mon ami."**
**Le médecin, dit le malade, est mon ami.**

On peut apprendre à ponctuer de la même façon que l'on apprend à faire des phrases. Il suffit d'en connaître les règles. Il existe cependant un moyen extraordinaire pour bien ponctuer, c'est l'analyse. C'est elle qui permet de délimiter la phrase et ses divers constituants par le biais des fonctions syntaxiques. C'est elle, en même temps, qui permet de saisir les nuances et les subtilités de la pensée écrite. Un texte mal compris est nécessairement mal ponctué.

Les signes de ponctuation, que l'on appelle parfois "pauses", sont: la virgule, le point-virgule, les deux-points, le point d'interrogation et le point d'exclamation. À ces signes s'en ajoutent d'autres qu'il est d'usage d'étudier à l'occasion de la ponctuation. Ce sont le tiret, les parenthèses, les guillemets, les crochets, les points de suspension, l'alinéa, l'astérisque.

## SIGNES DE PONCTUATION ET AUTRES SIGNES

La virgule (,)         Le tiret —
Le point (.)            Les parenthèses ( )
Le point-virgule (;)     Les guillemets ("...")
Les deux-points (:)      Les points de suspension (...)
Le point d'interrogation (?)   Les crochets [ ]
Le point d'exclamation (!)    L'astérisque (*)
                                  L'alinéa

La ponctuation est une affaire de logique, de bon sens et de personnalité. Voilà pourquoi on lui attribue une double fonction: **grammaticale** ou **logique, stylistique** ou **de style.**

# A. LA PONCTUATION GRAMMATICALE

## LE POINT

Le point est, avec la virgule, le signe de ponctuation le plus utilisé. Il marque la fin d'une phrase. La langue moderne utilise de plus en plus le point, disséquant la longue phrase ou période classique. Il tend même à remplacer la virgule, le point-virgule, voire les deux-points. Exemple:

> **Le soleil s'est éteint au-dessus de la maison. Comme une lampe qu'on souffle. Il fait brusquement très noir. Mes trois petites tantes s'agitent, courent en tous sens. Montent et descendent l'escalier de la galerie. S'emparent de trois pots de géranium. Disparaissent à l'intérieur de la maison.**
>
> Anne HÉBERT, *Kamouraska*

Il ne faut pas cependant abuser du point, au détriment des autres signes de ponctuation qui ont chacun une fonction bien précise.

## Règles particulières du point

1) Le point se met à l'intérieur des guillemets ou des parenthèses si la phrase est indépendante, et à l'extérieur s'il ne s'agit pas d'une phrase mais d'une expression à mettre en évidence. Exemples:

> **Paul Valéry écrit: "La sagesse est dans l'acte et non dans la pensée."**
>
> **Selon Paul Valéry, la sagesse est dans "l'acte et non dans la pensée".**

2) On ne met pas de point après un titre ou un sous-titre, une raison sociale, une signature; après les mots disposés en colonne dans une énumération; après les symboles et les unités de mesure (20 g — 13 km).

3) Dans les abréviations, on ne met un point que si l'on n'utilise pas la dernière lettre du mot. Exemples: abr. (abréviation), pt (point).

4) La norme internationale préfère la virgule au point dans les nombres en français (3,5%, 454,50$).

# LE POINT-VIRGULE

Le point-virgule marque une pause intermédiaire entre la virgule et le point. Il sépare des propositions de même nature, liées par le sens; il indique que tout n'a pas été dit dans la phrase précédente; quelque chose reste en suspens.

## Rôle du point-virgule

1) Il sépare des propositions de même nature possédant par le sens un lien de parenté, telles des indépendantes:

> **Les uns proposèrent la levée de l'assemblée sur-le-champ; les autres préférèrent demeurer pour liquider la question.**
>
> **La centième partie du dollar est le cent; celle du franc est le centime.**

2) Il sert à séparer des propositions exprimant une opposition, une comparaison ou un contraste. Exemple:

> **Le pouvoir de la lecture sur la formation de la personnalité de l'enfant n'est pas un pouvoir spectaculaire, rapide; les lentes et**

> **rêveuses plongées dans les livres, dans les greniers ou les coins perdus de notre enfance, c'est parfois beaucoup plus tard qu'elles aboutiront à des actes conscients, décidés, organisés.**

Remarques:

a) On ne met pas de majuscule après un point-virgule, sauf s'il s'agit d'un nom propre.

b) Il ne faut pas multiplier le point-virgule, sauf dans les énumérations comme nous le verrons plus loin (p. 473).

# LES DEUX-POINTS

Les deux-points (ou le deux-points) marquent une relation entre les phrases qu'ils séparent. Ils introduisent une explication, une énumération, une conséquence ou annoncent la synthèse de ce qui précède. Ils servent également à introduire une citation.

## Rôle des deux-points

1) Annonce d'une explication ou d'une définition, d'un exemple ou d'une citation:

> **Plus j'acquiers d'expérience dans mon art, et plus cet art devient pour moi un supplice: l'imagination reste stationnaire et le goût grandit. (Flaubert)**

2) Annonce d'une conséquence:

> **Il se leva rapidement, fit un faux pas et chuta par derrière: son geste provoqua l'hilarité générale.**

3) Annonce d'une énumération:

> **Voici ce qui fait la une des journaux: la crise de l'énergie, le chômage, la politique.**

> **On peut dégager plusieurs aspects dans cette question:**
> — **l'aspect social;**
> — **l'aspect culturel;**
> — **l'aspect politique.**

4) La synthèse de ce qui précède:

> **Pour bien écrire, il faut avoir du vocabulaire et bien posséder sa grammaire: en somme, les éléments de base du savoir-écrire.**

5) Remplace le verbe "être":

> **Cet accident a été très violent. Total: cinq morts, deux blessés.**

6) Remplace une conjonction:

**Ne soyez pas si préoccupé: il n'y a aucune raison de l'être.**

7) Marque l'annonce d'un discours direct:

**L'individu à l'air louche s'avança et cria: "C'est un hold-up!"**

8) Se met après les expressions "à savoir", "suivant", "comme suit", "par exemple", etc., à condition que le membre de phrase qui suit soit d'une certaine longueur.

Remarques:

a) Il ne faut pas employer les deux-points plus d'une fois dans la même phrase, sauf dans le cas d'une citation qui comporte déjà un deux-points:

**Laurier dit: "Je ne serai pas seul dans cette affaire: mon père et ma mère m'appuieront."**

Certains auteurs cependant dérogent à cette règle. Exemple:

**Cependant les mots que je trouve ne me satisfont pas: ce sont des "phrases": je fais des "phrases" avec le plus aimant de moi-même (...) (Roland Barthes)**

b) On met une majuscule après les deux-points seulement s'il s'agit d'une phrase indépendante (entre guillemets ou non):

**Le proverbe suivant ferait une bonne citation: "Le silence est d'or, la parole est d'argent."**

**Retenez cette règle d'or: Le bonheur c'est la santé.**

Mais on écrira:

**Il a insisté sur trois points: l'efficacité, la rentabilité et l'investissement.**

# LA VIRGULE

De tous les signes de ponctuation, c'est la virgule qui est la plus difficile à utiliser. Énonçons un principe général: la virgule est essentiellement un outil de clarté et de précision, de rythme et en même temps une nécessité grammaticale: elle sert à mettre de l'ordre dans une phrase en découpant le sens et en assurant le rythme. Voilà pourquoi on distingue une virgule rythmique et une virgule grammaticale. S'il existe des règles pour la pose de la virgule grammaticale, l'emploi de la virgule rythmique est arbitraire.

Voici les règles d'utilisation de la virgule grammaticale:

## Règles de la virgule

1) On ne sépare jamais par une virgule le sujet du verbe, le verbe de son complément d'objet (direct ou indirect) qui le suit:

**À cette question il répondit catégoriquement (et non "À cette question, il répondit...").**

**Tu entends, Pierre? ("Pierre" est ici vocatif: il est interpellé).**

**Tu crois toujours en cet homme? (et non "Tu crois toujours, en cet homme?").**

En vertu de cette règle, quand le verbe a plusieurs sujets, le dernier n'est pas séparé par une virgule:

**Les femmes, les enfants, les malades furent évacués.**

Mais on écrit:

**La machine haletait, crachait, trépignait.**

Si le dernier mot (nom ou groupe nominal) de la série résume tous les autres, on met la virgule:

**Pierre, Gilles, Nicole, nos véritables amis, furent invités.**

Mais si le mot qui résume n'est pas un nom ou un groupe nominal on écrit:

**Hommes, femmes, vieillards, enfants, tous étaient descendus.**

Dans le cas de l'inversion du complément indirect ou déterminatif (du nom), on ne sépare pas ce complément par une virgule:

**À cet élève j'ai donné beaucoup de mon temps.**

Remarque:

La même règle s'applique aux cas suivants: on ne sépare jamais le nom de l'adjectif, le verbe de l'adverbe auxquels ils se rapportent, à moins qu'il ne s'agisse d'une incise placée entre deux virgules ou d'une espèce d'apposition. Dans ce cas, on veut mettre en évidence. Exemples:

**La jeune fille, radieuse, se promena longtemps dans le jardin.**

**Il travailla, docilement, sous la surveillance de son père.**

2) On met la virgule dans la juxtaposition de plusieurs termes ou propositions semblables (de même nature):

**Elle est petite, mince, brune et nerveuse.**

**On rit, on chante, on danse à chaque anniversaire.**

Le dernier terme ne prend pas de virgule s'il est suivi du verbe:

**Pierre, Jean et Jacques formèrent un trio remarquable.**

3) On met la virgule AVANT la conjonction lorsque la coordination de plusieurs termes ou propositions est introduite par **mais, car, or, donc, cependant, toutefois,** (excepté **et, ou, ni**):

> **Il ne faut pas faire cela, car la loi le défend.**
>
> **Il est très drôle, mais il exagère souvent.**
>
> **Je pense, donc je suis (différent de: il suit donc de très près...)**
>
> **Je travaille, donc je réussirai.**

Dans le cas de **mais** et **sinon**, s'il s'agit de marquer une étroite relation entre les idées, on ne met pas la virgule:

> **Il est volage mais intelligent.**
>
> **Cet instrument vous sera utile sinon nécessaire.**

Après **mais** on ne met pas de virgule, sauf si la proposition qui suit commence par une inversion:

> **Nous avons terminé le travail, mais, étant donné la vitesse d'exécution, nous ne pouvons le garantir.**

4) Les conjonctions **et, ou, ni** ne prennent pas la virgule, sauf:

a) s'il y en a trois et plus ou que les conjonctions sont éloignées l'une de l'autre:

> **Je vous ferai parvenir ou le premier modèle ou le second.**
>
> **Lors de l'incendie, il n'y avait ni policiers, ni sapeurs, ni témoins.**
>
> **Sa modestie n'acceptait ni les honneurs dont on aurait voulu le couvrir, ni les récompenses qui auraient pris figure de rétribution.**

Dans le dernier cas, le second **ni** est éloigné du premier; il prend donc la virgule.

b) lorsqu'elles unissent deux propositions de construction différente:

> **Il avait dit qu'il viendrait, et il est venu.**
>
> **Je ne peux vous recommander cet homme, ni vous donner sur lui des références.**

Si ces conjonctions coordonnent deux termes de même fonction ou deux propositions de même structure, on ne met pas la virgule:

> **Les jeunes et les vieux ont apprécié également ce film.**
>
> **Il devra accepter la décision ou renoncer à son poste.**

c) lorsqu'elles joignent deux propositions qui ont des sujets différents:

> **La femme tant attendue arriva, et son impatience se calma.**

d) lorsque les conjonctions **et, ou, ni** expriment une idée d'opposition:

> **J'irai, et personne ne m'arrêtera.**
> **Elle n'osa le contredire, ni même exprimer des réserves.**

Dans certains cas, là où normalement on ne devrait pas trouver de virgule devant la conjonction **et**, on peut utiliser la virgule rythmique qui a comme rôle de mieux marquer le rythme ou le caractère expressif d'un passage. Exemple: "Il prit son revolver, et tira." La virgule oblige ici le lecteur à faire une légère pause et marque en même temps l'hésitation normale devant un geste aussi important à poser. Il en serait de même dans d'autres cas comme: "Il regardait la femme, dissimulée derrière son voile." Remarquez, cependant, que cette utilisation particulière de la virgule n'est pas conforme à la règle générale.

e) on met obligatoirement la virgule avant des expressions comme: **et notamment, et particulièrement**, etc. (la conjonction n'a pas valeur réelle de coordination):

> **Elle possède de nombreuses qualités, et notamment la modestie.**

5) La conjonction **or**, en début de phrase, est suivie ou non d'une virgule, selon le rythme que l'on veut donner à la phrase:

> **Or, dans ce cas, il fallait agir.**
> **Or nous nous trouvons dans la situation où il faut agir.**
> **On aurait pu y aller. Or, personne ne l'a proposé.**
> **Or il arriva qu'à cette époque, tous ignoraient l'affaire.**

Concernant l'emploi de la conjonction **or**, on pourrait formuler une règle plus précise: on ne met pas de virgule après cette conjonction, sauf si elle est immédiatement suivie d'un complément en inversion ou d'une incise.

6) On met la virgule APRÈS les conjonctions, les adverbes ou les locutions qui établissent un lien avec ce qui précède et qui sont placés en tête de phrase (excepté avec **car, donc, mais, puis**):

> **Oui, j'ai bon espoir...**
> **Ainsi, vous me le promettez...**
> **Sans doute, il viendra...**

Il en est ainsi, en général, des autres expressions comme **en revanche, d'une part, d'autre part, pour sa part, de fait, en effet, ensuite, ainsi, aussi, cependant, néanmoins, d'ailleurs, par ailleurs, en outre, de plus, bien plus, dès lors, par conséquent, enfin,**

**certes, et pourtant, dans de tels cas, à première vue, du reste, à cet égard, par exemple, justement, certainement, précisément, sans doute,** etc. (sauf **c'est pourquoi** qui ne requiert pas de virgule).

Si **car, mais, donc, puis** commencent la phrase, on ne met pas de virgule:

> **Car c'est de cette façon qu'il procède.**
> **Mais il ne faudra pas se faire de souci.**

Les expressions **en effet, par exemple, d'une part, d'autre part, en l'occurrence, sans doute, cependant** et d'autres semblables, placées dans le corps de la phrase, sont encadrées de deux virgules:

> **Il ne restera plus, en effet, qu'à prendre la décision.**
> **Nous accorderons une augmentation de salaire aux ouvriers, d'une part, aux cadres, d'autre part, pour rendre justice à tout le monde.**

**Cependant** peut parfois ne pas être encadré de virgules.

7) La virgule dans les propositions ou les compléments circonstanciels.

On met une virgule avant une proposition circonstancielle introduite par **afin que, parce que, quoique, alors que, en sorte que,** etc., sauf si la proposition est intimement liée à la principale:

> **Tout lui est permis, puisqu'il est le plus fort.**

Mais on écrit:

> **Je lui parlerai avant qu'il prenne sa décision.**
> **Nous commencerons quand vous voudrez.**

Dans ces deux derniers exemples, la proposition est intimement liée à la principale.

> **Il sort sans qu'on le voie.**

Dans ces trois exemples, les subordonnées sont intimement liées à la principale, c'est pourquoi il n'y a pas de virgule.

Si le complément circonstanciel placé en tête de phrase (en inversion) est court, on ne met habituellement pas de virgule, surtout si le verbe suit immédiatement:

> **Ce soir nous serons là.**
> **Sur la table était posé un joli vase.**
> **Par la fenêtre entrait un vent glacial.**
> **Prudemment elle avança.**

On peut, cependant, mettre la virgule pour marquer l'insistance ou l'importance:

> **Un jour, vous serez heureux de me voir.**
> **Lentement, il s'avança vers moi.**

Quand c'est le sujet — à condition qu'il soit d'une certaine longueur — et non le verbe qui suit le complément circonstanciel, on préférera la virgule:

> **Par la fenêtre, un vent glacial entrait.**

Si le complément circonstanciel est d'une certaine longueur, on met la virgule. C'est une question de sens et de rythme:

> **Après un moment de discussion, il accepta la proposition.**

On met une virgule après la subordonnée circonstancielle placée en tête de phrase:

> **Puisqu'il fait beau, nous sortirons.**
> **Le calme revenu dans la salle, l'orateur continua son discours.**

La subordonnée circonstancielle peut être séparée de la principale par une virgule:

> **Je vous rencontrerai, comme je l'avais dit.**

8) La virgule devant les propositions relatives explicatives.

Les propositions relatives explicatives (ou appositives) sont celles qui ne sont pas indispensables au sens de la phrase par opposition aux propositions relatives déterminatives qui sont indispensables:

> **(1) Ce livre, que j'ai reçu hier, m'a beaucoup intéressé (explicative).**

> **(2) Le livre que j'ai reçu hier m'a beaucoup intéressé (déterminative).**

> **(3) Les ouvriers, qui étaient fatigués, demandèrent à s'arrêter (explicative).**

> **(4) Les ouvriers qui étaient fatigués demandèrent à s'arrêter (déterminative).**

C'est le sens qui détermine s'il s'agit d'une explicative ou d'une déterminative. Dans l'exemple (3), tous les ouvriers se sont arrêtés. Dans l'exemple (4), seuls ceux qui étaient fatigués se sont arrêtés.

Remarques:

a) on met la virgule avant un pronom relatif lorsque le mot placé immédiatement avant n'est pas son antécédent. Cela permet d'éviter l'équivoque:

**Les enfants ont joué dans le parc de notre quartier, qui vient tout juste d'être aménagé.**

**Tous admirèrent le tableau de ce peintre, qui est d'une rare beauté.**

b) la proposition relative se place entre deux virgules, si elle est considérée comme une incise, une sorte de parenthèse:

**La maison, qui représente un bien légitime, coûte très cher.**

On ne met pas la virgule, si elle est intimement liée à l'antécédent:

**Les maisons qui sont construites dans la plaine sont exposées aux quatre vents.**

9) On ne met pas de virgule après la conjonctive (ou subordonnée complétive):

**Je crois qu'il viendra.**

**Jean a déclaré qu'il s'opposait au projet.**

Mais on écrit:

**Il est évident que, dans ces conditions, je me retire de la course.**

Dans ce dernier cas, le complément circonstanciel "dans ces conditions" joue le rôle d'incise.

10) La virgule peut remplacer un verbe:

**Les places sont démantelées; les villes, désertes; les campagnes, désolées.**

**Les hommes donnaient leurs chevaux, les femmes leurs bijoux, les enfants leurs jouets.**

La virgule permet l'économie de mots. Ce procédé s'avère très utile dans la description ou la narration pour en assurer la rapidité.

11) L'incise se met entre deux virgules:

**"Venez avec moi, dit-il, vous serez plus en sécurité."**

On met également entre virgules les nuances de la pensée exprimées en forme d'incise:

**Les jeunes, et les moins jeunes, connaissent bien Astérix.**

12) L'apostrophe est toujours précédée ou suivie d'une virgule selon le cas:

**Amis, écoutez ce que j'ai à vous dire.**

**Écoutez ce que j'ai à vous dire, amis.**

463

13) La virgule est nécessaire chaque fois que l'on introduit une explication:

**Tous les soirs, ceux où il était à la maison, nous allions faire une promenade dans les bois.**

14) L'apposition se met entre virgules:

**Mon père, homme d'honneur, refusa le pot-de-vin.**

15) La virgule s'utilise chaque fois qu'il faut mettre en évidence ou en valeur, ou que l'on veut insister, et notamment avec certains termes ou expressions qui marquent la mise en évidence ou en relief, **d'une part, d'autre part, par exemple, sans doute, en effet, en l'occurrence,** etc.

**Pour elles, c'était se trahir que d'avouer.**
**La jeunesse, c'est quand on se sent en forme.**
**Il avait dit qu'il le ferait, et il l'a fait.**
**Voici, par exemple, ce que nous pourrions faire.**
**En effet, vous auriez dû intervenir.**

16) On met une virgule avant **c'est-à-dire**, mais pas après:

**Nous ferons notre possible, c'est-à-dire que nous fournirons tous les efforts nécessaires pour réussir.**

17) On met une virgule avant **c'est** dans les exemples du type suivant:

**Le bonheur, c'est chacun qui le fait.**

18) On met toujours une virgule avant **etc.**

**Vous réparerez le meuble, la table, la chaise, etc.**

Comme vous pouvez le constater, les règles d'utilisation de la virgule sont nombreuses et parfois complexes. Si toutes ces règles vous embarrassent, retenez celles de la **clarté** et du **bon sens.** Elles vous tromperont rarement. Gardez un juste milieu entre une utilisation excessive ou trop parcimonieuse.

## LE POINT D'INTERROGATION

Le point d'interrogation ne s'emploie qu'à la fin d'une interrogation directe: "Quand viendrez-vous me voir?", mais non après une interrogation indirecte: "Je me demande quand vous viendrez me voir."

On ne met pas la majuscule après le point d'interrogation lorsque la phrase qui suit fait partie de la phrase précédente:

**Tu veux savoir si je vais au théâtre? bien sûr, j'y vais.**
**Viendrez-vous après la représentation? Je vous le demande.**
**"Serez-vous capable de faire cela?", me demanda-t-il.**

Entre deux parenthèses, le point d'interrogation exprime le doute (?).

# LE POINT D'EXCLAMATION

Le point d'exclamation s'utilise après un mot (interjection), une expression ou à la fin d'une phrase pour exprimer un sentiment manifesté fortement:

**Quelle belle journée!**
**Qu'il était triste le visage de l'artiste!**
**Oh! ce serait bien mon désir le plus cher.**
**Au secours!, cria-t-il.**
**Enfin! Vous voilà!**
**Ah, ah, ah!**

Remarques:

Eh bien (parfois écrit "hé bien") peut prendre le point d'exclamation (Eh bien! que dites-vous?) ou la virgule (Eh bien, oui: je lui raconterai tout). Cela dépend si l'on veut exprimer une émotion ou enchaîner avec la phrase précédente.

En général, les interjections dont la lettre initiale est *h* servent à interpeller; celles dont la lettre finale est *h* indiquent l'admiration, l'étonnement, etc.

**Ho! l'ami!**                    **Oh! la belle maison**
**Hé! Julien!**                   **Eh! que c'est joli!**


# LE TIRET

Il y a une différence entre le tiret et le trait d'union: ce dernier unit, et le tiret sépare (il est plus long que le trait d'union: il comprend deux ou trois frappes alors que le trait d'union est constitué d'une frappe). Il y a deux types de tiret: le signe de ponctuation et le signe typographique.

## Le tiret comme signe de ponctuation

Le tiret remplace la virgule ou les parenthèses pour ajouter une explication, une nuance; pour isoler ou mettre en valeur un mot, un groupe de mots, une expression. Certains auteurs sont d'avis que le tiret a moins de force qu'une parenthèse; d'autres voient entre les parenthèses et le tiret une différence surtout esthétique. Le tiret cependant est plus fort que la virgule.

Exemples:

465

1. **Il est probable que la limitation des ressources poussera la population mondiale à se stabiliser dans un proche avenir — que ce soit volontairement ou à la suite d'une catastrophe.**

   Herbert A. SIMON, *Le nouveau management*

2. **La molécule d'une protéine — l'une des pièces maîtresses de l'organisme — est construite d'une structure plus ample, les amino-acides.**

3. **Si je porte cette cravate, je suis perdu, pensa Jean-Le Maigre — et il disparut sous les draps — Grand-Mère, épargne-moi le déshonneur de (...)**

   Marie-Claire BLAIS, *Une saison dans la vie d'Emmanuel*

Remarque:

On ne met pas de second tiret devant un point indiquant la fin d'une phrase.


## Le tiret comme signe typographique

Le tiret comme signe typographique s'emploie dans le dialogue (le changement d'interlocuteur) pour séparer les éléments dans une énumération, pour remplacer un mot qu'on ne veut pas répéter dans une énumération.


# LE TRAIT D'UNION ET LE TRAIT DE SÉPARATION

Le trait d'union et le trait de séparation ne sont pas des signes de ponctuation: le premier est un signe orthographique (-), le second un signe typographique. Même s'ils ne sont pas à proprement parler des signes de ponctuation, nous les traiterons ici à l'occasion de l'étude du tiret.

Le **trait d'union**, comme son nom l'indique, unit. Il joint deux ou plusieurs mots. Il permet de transformer un syntagme en mot composé (arc-en-ciel, quatre-vingt-un, mais vingt et un), d'associer plusieurs mots pour former une expression (c'est un "chevalier-sans-peur-et-sans-reproche" pour parler d'un homme honnête et brave). Il peut avoir aussi une fonction littéraire: "Elle répète in-trai-ta-bles, en séparant chaque syllabe, avec ostentation." (Anne Hébert)

Au trait d'union, il faut opposer le **trait de séparation** qui sert à diviser un mot à la fin de la ligne. Il existe à ce sujet des règles dont il faut parler ici.

# Règles d'emploi du trait de séparation

La règle de séparation d'un mot à la fin d'une ligne est la suivante: la séparation se fait toujours entre deux syllabes à l'aide du trait.

- **La division peut être syllabique**

La syllabe, en typographie, se découpe à partir de la consonne placée entre deux voyelles:

**ré-di-ger     vé-ri-té**

- **Le cas des consonnes**

a) s'il y a deux consonnes entre les deux voyelles, la première appartient à la syllabe précédente:

**ar-cade, grison-ner, ar-gent, at-ten-tion, con-for-mité, dic-tion-naire.**

Cependant, il y a des groupes figés qui sont inséparables lorsqu'ils commencent une syllabe (bl, cl, gl, pl, br, cr, dr, fr, gr, pr, tr, vr, ch, ph, gn, th). L'usage vous les fera distinguer facilement:

**no-ble**

**li-bre**

**ten-dre**

**dia-pré**

**en-tre-pren-dre**

**ache-ter**

**fâ-cher**

**or-tho-gra-phe**

b) s'il y a trois consonnes qui se suivent dans un mot, les deux premières appartiennent ordinairement à la syllabe précédente (sauf pour les groupes figés mentionnés précédemment):

**comp-ter     obs-tiné**

Mais on écrira:

**ap-plau-dir     ins-truit     ag-gra-ver**

c) on ne sépare pas deux consonnes qui se trouvent dans une syllabe muette:

**feuille** mais **com-mis-sion**

467

### • Le cas des voyelles

a) en typographie, une seule voyelle n'est pas considérée comme une syllabe. On ne peut donc séparer la première lettre d'un mot, même si elle est précédée d'une apostrophe.

Ainsi les séparations suivantes sont à rejeter:

**i-ronie**      **l'a-dresse**

b) s'il y a deux ou plusieurs voyelles consécutives, on ne doit pas faire de séparation entre les voyelles, à moins que l'étymologie ne le permette:

| | |
|---|---|
| **ayons** | **croyan-ce** |
| **jouait** | **curio-sité** |
| **bien** | **triom-phe** |
| **pied** | **paysan** |
| **ciel** | **créan-cier** |
| **lion** | **ou-vri-ère** |
| **citoyen** | **poè-me** |
| | **théâ-tre** |

Mais on écrira:

**pro-éminent (mot constitué du préfixe *pro* et de l'adjectif *éminent*)**

### • La division peut être étymologique

L'étymologie permet de déterminer la formation d'un mot en le divisant en ses éléments constitutifs: préfixe + corps du mot + suffixe.

La séparation d'un mot en fin de ligne se fait autant que possible en respectant ses éléments constitutifs, car la division étymologique suppose, dans la plupart des cas, une bonne connaissance de la langue, surtout lorsqu'il s'agit d'éléments latins ou grecs. On peut, dans ce cas, appliquer les principes de la séparation syllabique, mais ce n'est pas l'idéal. Il vaut mieux alors consulter le dictionnaire. Exemples:

| | |
|---|---|
| **con-science** | **trans-pirer** |
| **con-stant** | **sous-traire** |
| **des-cription** | **sub-stance** |
| **subs-tantif** | **sub-ordonner** |
| **désa-vouer** | **obses-sion** |
| **per-spective** | **sur-prendre** |
| **ins-truit** | **trans-porter** |
| **sous-cription** | **tran-saction** |
| **sy-métrique** | **chlor-hydrique** |
| **ex-trait** | |

● **Cas spéciaux de la séparation**

On ne sépare pas:

— après une apostrophe:

**aujourd'-hui (mauvais)**
**presqu'-île (mauvais)**

— dans les mots composés on ne sépare qu'au trait d'union:

**porte-bagage (et non porte-ba-gage)**
**timbre-poste (et non tim-bre-poste)**

S'il y a plusieurs traits d'union, on sépare le mot non pas après le dernier, mais après le premier trait d'union pour éviter d'avoir deux traits d'union rapprochés:

**sera-t-il    devient    sera-/t-il**
**c'est-à-dire    devient    c'est-/à-dire**

— il n'est pas conseillé de diviser une syllabe finale en position sonore (accentuée) de moins de trois lettres, ou une syllabe finale qui n'est pas en position sonore (muette) de moins de quatre lettres:

**incompatibili-té (mauvais)**

**informati-que (mauvais)**

— il est recommandé de séparer le moins possible le dernier mot d'un paragraphe.

— éviter de séparer plus de trois mots de suite en fin de ligne.

— on ne sépare pas les nombres quand ils sont écrits en chiffres.

— de même on ne sépare pas les sigles: UQUAC.

# LES PARENTHÈSES

Les parenthèses sont utilisées pour introduire dans la phrase une précision, une réflexion, une remarque, des indications de toutes natures. Les parenthèses assument à peu près la même fonction que la virgule et le tiret. Elles sont cependant moins fortes que la première et plus forte que la deuxième.

On ne met pas de ponctuation devant la parenthèse ouvrante, mais une ponctuation suit la parenthèse fermante: celle que l'on mettrait si l'on supprimait les parenthèses et leur contenu. Exemple:

**Beaucoup sont venus à la fête (même ceux qui n'avaient pas été invités).**

Si l'on met entre parenthèses une phrase complète ou indépendante, le premier mot prend la majuscule et la phrase se termine par un point placé à l'intérieur de la parenthèse. Exemple:

469

> **Beaucoup sont venus à la fête. (Nous avons même accepté ceux qui n'avaient pas été invités.)**

Pour intercaler une précision à l'intérieur des parenthèses, on utilise les crochets (... [...] ...).

Les parenthèses s'utilisent aussi pour indiquer que l'on omet une partie d'une citation:

> **Nous sommes venus il y a trois cents ans et nous sommes restés (...)**

> **Autour de nous des étrangers sont venus qu'il nous plaît d'appeler des barbares! ils ont pris presque tout le pouvoir! ils ont acquis presque tout l'argent (...)**

> Félix-Antoine SAVARD, *Menaud maître-draveur*

Il existe dans le style familier une utilisation particulière des parenthèses lorsqu'on dit: "Soit dit entre parenthèses..." ou "Je vous dirai entre parenthèses."

# LES GUILLEMETS

Les guillemets peuvent être utilisés:

a) pour introduire une citation ou des paroles:

> **Yves Saint-Arnaud définit le comportement comme "l'ensemble des réactions de la personne objectivement observables de l'extérieur". (*La personne humaine*)**

Voyez la règle des guillemets dans une citation au chapitre suivant.

b) pour indiquer les changements d'interlocuteur dans un dialogue ou une conversation rapportés par écrit en style direct:

> **Alors, il leur demanda:**
> **"Qu'est-ce que cela?"**
> **Ils lui répondirent: "Ce sont des images de ton pays."**
> **Puis ils ajoutèrent:**
> **"Si tu aimes la liberté, écoute!"**
> **"J'aime la liberté, dit Alexis, et je voudrais mourir pour elle."**

> Félix-Antoine SAVARD, *Menaud maître-draveur*

Dans la plupart des cas, cependant, les romanciers préfèrent utiliser les guillemets pour annoncer qu'un personnage va parler, mais les omettent dans un dialogue suivi. Dans ce cas, ils préfèrent le tiret.

Dans le cas d'une incise, si elle est courte, on l'intègre à la phrase entre virgules sans guillemets; si elle est longue, on la met entre virgules et les guillemets sont fermés avant elle et ouverts après:

**"Il serait bon, dit-il, d'examiner sérieusement la question."**

**"L'amour ne peut pas penser à l'amour", écrit Krishnamurti qui jouit d'une grande autorité spirituelle, "on ne peut pas le cultiver, on ne peut pas s'y exercer. S'entraîner à aimer, à sentir la fraternité humaine, est encore dans le champ de l'esprit, donc ce n'est pas de l'amour. Lorsque tout cela s'est arrêté, l'amour entre en existence et alors on sait ce qu'est aimer."**

c) les guillemets peuvent s'employer dans le titre d'un ouvrage:

Il peut s'agir d'un livre, d'un tableau, d'une pièce musicale, d'un film, etc.:

**"Contes pour un homme seul" d'Yves Thériault.**
**"Mon oncle Antoine", film de Claude Jutra.**

Remarques:

1) Dans le cas de textes écrits, il est préférable de réserver les guillemets pour le titre d'un article, et de souligner (ou d'écrire en caractères italiques) le titre d'un ouvrage.

2) On ne met pas d'espace entre l'apostrophe et le guillemet (Exemple: on le surnommait l'"homme fort".)

d) les guillemets peuvent faire ressortir un mot, un néologisme, un terme familier ou impropre, un mot étranger, un mot technique, un slogan:

**C'était "l'homme à tout faire" du quartier.**

**L'étape du "questionnement" est importante dans l'apprentissage scolaire.**

**L'expression "syntagme figé" signifie un groupement de deux ou plusieurs mots qui sont inséparables.**

Pour faire ressortir un mot, on peut aussi utiliser le souligné.

Remarques:

1) Les conjonctions *que* et *qu'* se placent avant les guillemets:

**Il annonça qu'"il serait candidat aux prochaines élections".**

2) Si la phrase entre guillemets exige une ponctuation, celle-ci se met avant les guillemets; dans le cas contraire, la ponctuation se met après les guillemets:

**On dit souvent: "Pierre qui roule n'amasse pas mousse." Ce proverbe est très vrai.**

471

**On dit souvent que "Pierre qui roule n'amasse pas mousse". Ce proverbe est très vrai.**

# LES POINTS DE SUSPENSION

Fondamentalement, les points de suspension (toujours au nombre de trois) indiquent que la pensée est incomplète. Ils ont deux fonctions principales:

a) une fonction expressive:

Ils servent à traduire toutes sortes de sentiments ou d'émotions: le désarroi, la confusion, l'étonnement, l'hésitation, le "suspense", le sous-entendu, etc. Ils créent ainsi un effet de style:

**Que puis-je dire?...**
**Quel spectacle!...**

Remarquez la ponctuation dans les exemples suivants:

**Faut-il continuer?... Mieux vaut se taire.**

**Faut-il continuer..., mieux vaut se taire.**

Dans le premier exemple, le point final est inclus dans les points de suspension; dans le second, il y a une virgule, donc pas de majuscule après.

b) une fonction indicative:

Ils indiquent qu'une partie a été retranchée dans une citation. Dans ce cas, on met les points de suspension entre parenthèses (...) ou entre crochets [...]. C'est facultatif.

Remarques:

1) On ne met pas de points de suspension après **etc.** (on n'écrit pas: **etc.**...) Si l'on veut vraiment insister, on écrit deux fois le mot: **etc., etc.**

2) Si **etc.** termine la phrase on ne met pas d'autre point, sauf si la phrase se termine par un point d'interrogation ou d'exclamation (...**etc.?** ou bien ...**etc.!**).

# LES CROCHETS

Les crochets remplacent les parenthèses pour encadrer une explication ou une référence dans une phrase déjà entre parenthèses (... [...] ...)

On utilise encore les crochets dans une citation pour indiquer ce qu'on ajoute à l'original:

**Pour lui seul [le peintre], tout était couleur.**

On utilise aussi les crochets pour signaler une erreur de l'auteur [sic].

## L'ASTÉRISQUE

La fonction la plus fréquente de l'astérisque est d'indiquer un renvoi au bas de la page.

## L'ALINÉA

L'alinéa indique qu'on va "à la ligne". Le premier mot se met alors en retrait, généralement à cinq ou six frappes de la marge. Il existe une règle qui veut que le premier paragraphe d'un texte ou d'un chapitre commence sans alinéa. Cette façon de procéder, d'origine américaine, n'est cependant pas toujours appliquée.

On utilise l'alinéa non pas uniquement au début d'un paragraphe, mais aussi pour mettre en évidence une idée ou une série d'éléments. On va alors à la ligne à chaque fois.

## LA PONCTUATION DANS UNE ÉNUMÉRATION

Deux cas peuvent se présenter:

### 1er cas:

Si l'on procède par alinéas, c'est-à-dire qu'on va à la ligne pour chaque élément de l'énumération, on met un deux-points après la phrase qui introduit l'énumération. Il existe alors plusieurs façons de procéder:

Exemple 1

Chaque élément de l'énumération commence par une majuscule:

**Le personnel pédagogique de la Direction régionale est au service du milieu scolaire:**

**1. En l'informant des règles et des normes pédagogiques.**

**2. En assurant l'implantation des programmes.**

**3. En contribuant au développement de projets éducatifs.**

Remarque: on peut remplacer le point qui termine chaque élément de l'énumération par un point-virgule. Cette façon de procéder est cependant moins bonne que la première.

Exemple 2

Chaque élément de l'énumération commence par une minuscule. On considère alors que la phrase n'est pas interrompue entre la phrase d'introduction et l'énumération:

**Le personnel pédagogique de la Direction régionale est au service du milieu scolaire:**

**1. en l'informant des règles et des normes pédagogiques;**

**2. en assurant l'implantation des programmes;**

**3. en contribuant au développement de projets éducatifs.**

Dans ce dernier cas, chaque élément de l'énumération se termine par le point-virgule (parfois une simple virgule le remplace), sauf le dernier élément qui se termine par un point. Le deux-points est facultatif après la phrase qui introduit l'énumération.

Exemple 3

Ici l'énumération se fait en commençant les éléments soit par une majuscule, soit par une minuscule, mais on ne met aucune ponctuation à la fin de chaque élément. Ce cas se rencontre la plupart du temps lorsque les éléments de l'énumération sont courts ou qu'il s'agit d'un choix multiple de réponses à une question.

**Outre l'établissement de ses propres critères, le juré considérera, dans le choix des manuscrits, les trois points suivants:**

**a) qualité**

**b) originalité**

**c) puissance de l'oeuvre**

**2ᵉ cas:**

Si on ne procède pas par alinéas, l'énumération se fait comme dans l'exemple suivant:

**Cette année, les principaux modes d'allocation des ressources financières sont orientés vers les dossiers suivants: 1) le nouveau mode d'allocation financière aux compagnies; 2) la vérification et le contrôle des clientèles; 3) la sécurité d'emploi.**

Remarque:

Dans chaque cas d'énumération, on peut substituer des lettres aux chiffres: **a)**, **b)**, etc.; mais alors l'énumération ne doit pas comporter plus de 5 ou 6 éléments. On peut aussi remplacer les chiffres ou les lettres par des tirets ou des points.

# B.  LA PONCTUATION EXPRESSIVE

La ponctuation expressive (ou de style) répond à un besoin de l'auteur de traduire des sentiments, des attitudes, d'attirer l'attention du lecteur sur le plan graphique. Elle se caractérise la plupart du temps par la multiplication des signes. Cette multiplication peut aller des combinaisons habituelles (!... ?... ?!) aux combinaisons les plus farfelues comme dans le passage suivant d'Alphonse Allais:

> **— (Cela) me rappelle la plus effroyable période de ma vie. — !!!???...!!! nous écriâmes-nous simultanément. — Ne me parlez jamais de la transmigration du moi.—!!! ... !!! insistâmes-nous. (ALLAISgrement)**

Dans l'exemple qui suit, la romancière québécoise, Marie-Claire Blais, utilise les parenthèses pour intercaler dans le texte, qui est écrit du point de vue de l'énonciateur, les paroles d'un personnage. Il s'agit, en l'occurrence, de Grand-Mère Antoinette:

> **Né sans bruit par un matin d'hiver, Emmanuel écoutait la voix de sa grand-mère. Immense, souveraine, elle semblait diriger le monde de son fauteuil. (Ne crie pas, de quoi te plains-tu donc? Ta mère est retournée à la ferme. Tais-toi jusqu'à ce qu'elle revienne. Ah! déjà tu es égoïste et méchant, déjà tu me mets en colère!) Il appela sa mère. (C'est un bien mauvais temps pour naître, nous n'avons jamais été aussi pauvres, une saison dure pour tout le monde, la guerre, la faim, et puis tu es le seizième...) Elle se plaignait à voix basse, elle égrenait un chapelet gris accroché à sa taille.**

> Marie-Claire BLAIS, *Une saison dans la vie d'Emmanuel*

Voici un passage assez original de Victor-Lévy Beaulieu:

> **(...)s¡lointainequejememetsàpleurerensouhaitantmourir!")))))), ((Annabelle! – – – Annabelle! – – – je suis si las de mon pauvre amour! – – – et si fatigué! – – – que deviendrons-nous ma pauvre fille? – – – que deviendrons-nous maintenant que nous nous détestons à mort et jouons aux dards sur les cibles de nos corps? – – – laisse-moi, Annabelle! – – – (tumerendsfoucommeunchienàquionacrevélesdeuxyeux) – – – va-t-en, Annabelle!**

> Victor-Lévy BEAULIEU, *La nuitte de Malcomm Hudd*

Remarques générales sur la ponctuation
- On ne reporte jamais en début de ligne suivante un signe de ponctuation d'une fin de ligne précédente.
- On n'ouvre jamais les guillemets ou les parenthèses en fin de ligne.

# C. EXERCICES

Dans les exercices qui suivent, mettez la ponctuation correcte et la majuscule quand c'est nécessaire.

## Exercice 1

**Je vous ai déjà dit le soin que prenait Flaubert pour écrire soit la phrase la plus belle soit le mot le plus juste il passait son temps à se relire à se corriger pour lui le STYLE dans sa signification la plus élevée était ce qui comptait l'harmonie la musique de la phrase voilà ce qu'il recherchait (...) en passant je remarque que Léautaud condamnait aussi les phrases commençant par "Et" et par "Mais" il est vrai que ce n'est pas non plus tellement indiqué la phrase française tient son haut degré de qualité de l'ordre direct comme a dit Rivarol sujet verbe complément il faut le plus possible respecter cette façon de voir le monde par l'écriture la chose son action et sa "suite" qui la précise et la complète**

D'après Louis-Paul BÉGUIN

Voir le CORRIGÉ à la fin du chapitre.

## Exercice 2

**L'homme qui aime vraiment son travail y revient après le repos le plus bref avec une curieuse et forte volupté quand un être fait corps avec son métier il lui semble dès qu'il cesse de travailler que sa vie s'arrête d'ailleurs cesse-t-il jamais de travailler il porte avec lui ses soucis l'écrivain en voyage tourne et retourne en son esprit une phrase imparfaite se réveille-t-il dans la nuit une répétition de mots lui apparaît le voici qui rature dans l'obscurité des pages imaginaires l'industriel éloigné de son**

bureau égaré sur quelque plage saisit un bout de papier un crayon et couché sur le sable refait un prix de revient s'il est à portée de son usine il y court le samedi matin bien que les ouvriers et les employés soient absents errant dans les ateliers vides il rêve de transformations de grands travaux de méthodes plus sûres

D'après André MAUROIS, *Un art de vivre*

Voir le CORRIGÉ à la fin du chapitre.

# Exercice 3

Le meilleur attire fixe modifie l'homme et cette action s'exerce à un degré ou à une profondeur inconnus mais nous savons cependant qu'elle lui impose des activités des habitudes lui suggère des entreprises des images des tendances le milieu en fait par exemple un pêcheur ou un navigateur si l'on a pu reprocher aux poètes grecs l'abus qu'ils font des métaphores maritimes c'est au milieu qu'il faut s'en prendre

D'après Paul VALÉRY, *Regards sur le monde actuel*

Voir le CORRIGÉ à la fin du chapitre.

# Exercice 52

Sur le plancher ciré les chaussons de feutre ont dessiné des chemins luisant du lit à la commode de la commode à la cheminée de la cheminée à la table et sur la table le déplacement des objets est aussi venu troubler la continuité de la pellicule (de poussière) celle-ci plus ou moins épaisse suivant l'ancienneté des surfaces s'interrompt même tout à fait çà et là net comme tracé au tire-ligne un carré de bois verni occupe ainsi le coin arrière gauche non pas à l'angle même de la table mais parallèlement à ses bords en retrait d'environ dix centimètres le carré lui-même mesure une quinzaine de centimètres de côté le bois brun-rouge y brille presque intact de tout dépôt

D'après A. ROBBE-GRILLET, *Dans le labyrinthe*

Voir le CORRIGÉ à la fin du chapitre.

# Exercice 4

La psychanalyse des foules est devenue dans les campagnes de persuasion le fondement d'une industrie puissante les spécialistes de la persuasion s'en sont emparés pour mieux nous inciter à acheter leurs marchandises qu'il s'agisse de produits d'idées d'opinions de candidats de buts ou d'états d'esprit ce que cherchent les sondeurs c'est évidemment le pourquoi de nos actes afin si faire se peut d'infléchir plus sûrement nos choix en leur faveur ce processus les a ainsi conduits à s'interroger sur les raisons de notre méfiance à l'égard des banques de notre goût pour les voitures énormes sur les raisons pour lesquelles les hommes fument le cigare sur la raison qui fait que le type de notre voiture détermine la marque d'essence que nous achetons sur la cause qui plonge les ménagères dans une sorte d'hypnose dès qu'elles ont pénétré dans un supermarché qui attire les hommes dans les magasins d'automobiles vers les voitures décapotables alors qu'ils achètent finalement une conduite intérieure qui porte les gens jeunes à préférer les céréales du petit déjeuner croustillantes et craquantes

D'après Vance PACKARD, *La persuasion clandestine*

Voir le CORRIGÉ à la fin du chapitre.

# D. CORRIGÉ DES EXERCICES

Nous reproduisons dans le corrigé le texte tel qu'il a été ponctué par l'auteur. Il est évident que, dans certains cas, d'autres formes de ponctuation peuvent être acceptables.

## Exercice 1

Je vous ai déjà dit le soin que prenait Flaubert pour écrire, soit la phrase la plus belle, soit le mot le plus juste. Il passait son temps à se relire, à se corriger. Pour lui, le STYLE, dans sa signification la plus élevée, était ce qui comptait. L'harmonie, la musique de la phrase, voilà ce qu'il recherchait. (...) En passant, je remarque que Léautaud condamnait aussi les phrases commençant par "Et" et par "Mais". Il est vrai que ce n'est pas non plus tellement indiqué. La phrase française tient son haut degré de qualité de l'ordre direct, comme a dit Rivarol: sujet, verbe, complément. Il faut, le plus possible, respecter cette façon de voir le monde par l'écriture: la chose, son action, et sa "suite" qui la précise et la complète.

Louis-Paul BÉGUIN

# Exercice 2

L'homme qui aime vraiment son travail y revient, après le repos le plus bref, avec une curieuse et forte volupté. Quand un être fait corps avec son métier, il lui semble, dès qu'il cesse de travailler, que sa vie s'arrête. D'ailleurs cesse-t-il jamais de travailler? Il porte avec lui ses soucis. L'écrivain en voyage tourne et retourne en son esprit une phrase imparfaite. Le voici qui rature, dans l'obscurité, des pages imaginaires. L'industriel éloigné de son bureau, égaré sur quelque plage, saisit un bout de papier, un crayon et, couché sur le sable, refait un prix de revient. S'il est à portée de son usine, il y court le samedi matin, bien que les ouvriers et les employés soient absents. Errant dans les ateliers vides, il rêve de transformations, de grand travaux, de méthodes plus sûres.

André MAUROIS, *Un art de vivre*

# Exercice 3

Le milieu attire, fixe, modifie l'homme, et cette action s'exerce à un degré ou à une profondeur inconnus, mais nous savons cependant qu'elle lui impose des activités, des habitudes, lui suggère des entreprises, des images, des tendances. Le milieu en fait, par exemple, un pêcheur ou un navigateur. Si l'on a pu reprocher aux poètes grecs l'abus qu'ils font des métaphores maritimes, c'est au milieu qu'il faut s'en prendre.

Paul VALÉRY, *Regards sur le monde actuel*

# Exercice 4

Sur le plancher ciré, les chaussons de feutre ont dessiné des chemins luisant, du lit à la commode, de la commode à la cheminée, de la cheminée à la table. Et, sur la table, le déplacement des objets est aussi venu troubler la continuité de la pellicule (de poussière); celle-ci, plus ou moins épaisse suivant l'ancienneté des surfaces, s'interrompt même tout à fait çà et là: net, comme tracé au tire-ligne, un carré de bois verni occupe ainsi le coin arrière gauche, non pas à l'angle même de la table, mais parallèlement à ses bords, en retrait d'environ dix centimètres. Le carré lui-même mesure une quinzaine de centi-

**mètres de côté. Le bois, brun-rouge, y brille, presque intact de tout dépôt.**

A. ROBBE-GRILLET, *Dans le labyrinthe*

# Exercice 5

La psychanalyse des foules est devenue dans les campagnes de persuasion le fondement d'une industrie puissante. Les spécialistes de la persuasion s'en sont emparés pour mieux nous inciter à acheter leurs marchandises, qu'il s'agisse de produits, d'idées, d'opinions, de candidats, de buts ou d'états d'esprit. (...) Ce que cherchent les sondeurs, c'est évidemment le pourquoi de nos actes afin, si faire se peut, d'infléchir plus sûrement nos choix en leur faveur. Ce processus les a ainsi conduits à s'interroger sur les raisons de notre méfiance à l'égard des banques, de notre goût pour les voitures énormes; sur les raisons pour lesquelles les hommes fument le cigare; sur la raison qui fait que le type de notre voiture détermine la marque d'essence que nous achetons; sur la cause qui plonge les ménagères dans une sorte d'hypnose dès qu'elles ont pénétré dans un "supermarché"; qui attire les hommes, dans les magasins d'automobiles, vers les voitures décapotables alors qu'ils achètent finalement une conduite intérieure; qui porte les gens jeunes à préférer les céréales du petit déjeuner croustillantes et craquantes.

Vance PACKARD, *La persuasion clandestine*

# 14

# COMMENT PRÉSENTER
# UN TRAVAIL ÉCRIT

Une bonne présentation matérielle possède un pouvoir de conviction et de persuasion certain. Elle fait partie des moyens extralinguistiques qui favorisent la transmission d'un message écrit. Du côté du scripteur, elle témoigne d'un esprit ordonné et rigoureux. Du côté du destinataire (lecteur), elle favorise une meilleure compréhension. L'application des règles de présentation technique repose sur des principes relevant de l'éthique même de la recherche scientifique. Précisons cependant qu'il existe plusieurs théories sur la présentation d'un travail écrit. Les règles qui font l'objet du présent chapitre sont considérées comme généralement admises. Elles valent pour tout type de travail écrit relevant de près ou de loin de la dissertation. Les principaux points considérés sont les **citations**, les **références**, la **bibliographie**, la **table des matières**, la **présentation matérielle**, les **graphiques et tableaux**.

## LES CITATIONS

Les citations consistent à insérer dans son texte une phrase, un passage ou même un mot d'un auteur. Les citations ne sont pas obligatoires dans une dissertation ordinaire. Cependant, on ne saurait s'en passer dans les travaux qui exigent une recherche, c'est-à-dire qui vont au-delà des simples faits et des exemples basés sur l'expérience ou le vécu.

Les citations peuvent servir à:
- expliquer la pensée;
- compléter la pensée;

- appuyer la pensée (par un argument d'autorité);
- formuler sa propre pensée en utilisant un mot, une expression ou une phrase de l'auteur, etc.

Précisons qu'il ne faut pas multiplier inutilement les citations. Un choix judicieux s'impose. On ne cite que lorsque la pensée est originale. On ne rapporte pas les paroles d'un auteur pour corroborer une évidence: pour dire que deux et deux font quatre. De même, il faut éviter de citer sans nécessité, par snobisme, des noms qui font autorité ou qui sont à la mode.

Dans un court article, les citations ne doivent être ni trop nombreuses ni trop longues. Dans un article de fond ou de recherche, un exposé critique, les citations peuvent être plus longues et plus nombreuses.

## Comment utiliser une citation?

Une citation est disposée à 5 frappes de la marge gauche et à 5 frappes de la marge droite. Dans un volume, cependant, on se rend la plupart du temps jusqu'à la marge droite.

Toute citation doit être reproduite exactement, sans modifier le sens ou l'orthographe.

1. La citation comporte-t-elle une erreur?

S'il s'agit d'une faute de ponctuation ou d'orthographe, on indique que l'on a vu l'erreur en la faisant suivre du mot latin [*sic*], souligné et entre crochets (ou entre deux barres parallèles: /*sic*/):

**Il répéta: "Je lui ai tout donné, tout ce qu'il [*sic*] avait besoin."**

On peut également utiliser ce mot lorsque l'on trouve un passage étrange.

2. La citation d'idées

Au lieu de citer textuellement la pensée d'un auteur, on peut l'abréger ou la résumer, ou reprendre les données dans ses propres mots. On doit alors respecter fidèlement et scrupuleusement la pensée de l'auteur. Ce type de citation est intégré au texte et porte évidemment la référence.

3. L'insertion d'une incise

L'incise est souvent très commode pour intégrer l'auteur à la citation. Si elle est courte, elle est placée entre virgules et à l'intérieur des guillemets:

**"L'homme primitif, écrit Louis Lavelle, parle peu; il semble qu'il ait plus de rapports avec la nature qu'avec ses semblables."**

Si l'incise est d'une certaine longueur, elle est placée hors des guillemets:

**"L'homme primitif", écrit le grand philosophe Louis Lavelle,**

**"parle peu; il semble qu'il ait plus de rapports avec la nature qu'avec ses semblables."**

4. La longueur et la place des citations

    a) les citations courtes:

— une citation de moins de trois lignes (on peut même aller jusqu'à cinq) doit être incorporée au texte; seuls les mots cités sont placés entre guillemets.

    b) les citations longues:

— une citation de plus de trois ou cinq lignes se place en évidence, à cinq espaces de chaque côté (ou à cinq espaces du côté gauche seulement) et s'écrit à interligne simple.

5. Les guillemets dans une citation

    Il existe plusieurs façons d'utiliser les guillemets dans une citation:

    a) lorsque la citation a moins de 3 ou 5 lignes, elle requiert obligatoirement les guillemets.

    b) dans une citation de plus de 3 ou 5 lignes, plusieurs cas peuvent se présenter:

— on peut mettre des guillemets ouvrants à chaque ligne de la citation, après avoir commencé par un alinéa:

        " _____

" _____

" _____

" _____

" _____ "

— on peut aussi ne mettre qu'une fois les guillemets ouvrants au début de la citation. Celle-ci se termine par des guillemets fermants; s'il y a plusieurs paragraphes, les guillemets se mettent au début de chaque alinéa;

— on peut enfin éliminer les guillemets; le fait que la citation soit disposée en retrait du texte, et à simple interligne, indique de façon non équivoque qu'il s'agit bien d'une citation.

    c) le point final:

— si la citation se termine par un signe de ponctuation, il n'est pas nécessaire d'ajouter de point après les guillemets:

**Il s'écria: "Ne vous avais-je pas averti de la situation?"**

— le point qui suit une citation de 3 à 5 lignes ou moins se place:

• avant la fermeture des guillemets, si la phrase citée est complète:

**"L'argent ne fait pas le bonheur."**

- après la fermeture des guillemets, si la phrase citée n'est pas complète:

**Il répondit qu'il n'avait aucunement l'intention "de céder aux pressions".**

d) lorsqu'un mot ou une expression entre guillemets termine une citation, on ne double pas les guillemets:

**"(...) Le Général connaissait bien notre symbolique nationale, il savait que la frite est le signe alimentaire de la "francité". (Roland Barthes, dans *Mythologies*)**

6. L'appel de note

L'appel de note se place avant la ponctuation et les guillemets qui ferment une citation.

**(...) le travail favorise les échanges sociaux (15). (postposé)**

**(...) le travail favorise les échanges sociaux $^{(15)}$. (postposé surélevé)**

**(...) le travail favorise les échanges sociaux $^{15}$. (postposé/surélevé)**

Si l'on a à utiliser les guillemets:

**(...) le travail favorise les échanges sociaux (15)".**

Dans tous les cas, la référence au bas de la page s'indique comme ceci:

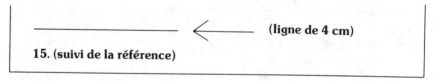

**(ligne de 4 cm)**

**15. (suivi de la référence)**

Dans un texte très élaboré (rapport, ouvrage, etc.), la numérotation se fait en commençant à (1) au début de chaque chapitre.

7. Comment indiquer des notes

Quelquefois on peut vouloir confirmer ou compléter les idées émises dans le texte. Les notes sont alors placées au bas de la page et s'inscrivent dans la continuité de la numérotation.

8. Une citation peut-elle commencer ou terminer un paragraphe?

Il ne faut pas commencer ou terminer un paragraphe ou un texte par une citation, sauf s'il s'agit d'une courte phrase utilisée à des fins esthétiques ou pour frapper le lecteur. Dans le cas contraire, il faut commencer et conclure soi-même.

# LES RÉFÉRENCES

La référence au bas de la page ou dans le texte indique la provenance ou la source d'où est tirée la citation. On doit indiquer la référence non seulement pour une citation, mais en principe pour une idée ou encore une théorie importante empruntée à quelqu'un. Dans ce cas, on met le chiffre de rappel à la fin de l'idée ou de la théorie rapportée. Si l'idée ou la théorie n'est pas rapportée dans les termes exacts de l'auteur, on ne met pas de guillemets.

## Référence à un ouvrage

Lorsqu'il s'agit d'un livre évoqué pour la première fois dans le travail, on mentionne les éléments suivants présentés dans l'ordre et séparés par une virgule:

1. Prénom et nom de l'auteur: le premier en minuscules, le second en majuscules. Dans la bibliographie, l'ordre est inverse: nom, prénom; cela est justifié par le fait que, dans la bibliographie, le classement se fait par ordre alphabétique.

2. Le titre, de même que le sous-titre, s'il y a lieu: les deux sont soulignés.

3. L'adresse bibliographique qui comprend le lieu, la maison et l'année d'édition.

4. La référence aux tome, volume, chapitre et page.

Cependant, dans le cas de la bibliographie:

a) on remplace les références au chapitre et à la page par le nombre de pages du volume (en général, le nombre de pages est déterminé par la dernière page numérotée par la maison d'édition);

b) on indique la collection, s'il y a lieu, entre parenthèses; le titre de la collection est placé entre guillemets; si le volume porte un numéro de collection, il se place après le titre de la collection; le mot "Collection" est abrégé (coll.) à moins qu'il ne fasse partie du titre de la collection.

5. Chaque élément de la référence est séparé par une virgule. La référence se termine par un point.

Exemples:
- s'il s'agit d'un auteur:

1. Denis PELLETIER, *L'arc-en-soi*, Paris/Laffont, Montréal/Stanké, 1981, p. 32-34.

- S'il s'agit de deux ou trois auteurs:

2. André GALLI, Robert LEDUC, *Les thérapeutiques modernes*, Paris, P.U.F., coll. "Que sais-je?", n° 922, 1972, p. 64.

- s'il s'agit de quatre auteurs ou plus:

On utilise l'expression latine **et alii** (et les autres) souvent abrégée (**et al.**)

3. E. de CORTE et alii, *Les fondements de l'action didactique*, Bruxelles, A. de Boeck, 1976, p. 122.

- les indications de qualificatifs (2$^e$ édition, nouvelle édition, revue, augmentée, corrigée, remaniée, refondue; traduction, avant-propos, préface, etc.) se placent immédiatement après le titre:

4 Anne HÉBERT, *Le torrent*, nouvelle édition augmentée, Montréal, HMH, coll. "L'arbre", 1963, p. 98.

- si l'on veut indiquer le tome:

5. Henry de MONTHERLANT, *Essais*, Bibliothèque de la Pléiade, Paris, Gallimard, 1963, t. 16, p. 504.

- avec la collection:

6. Mircea ÉLIADE, *Le sacré et le profane*, Paris, Gallimard, coll. "Idées", n° 76, 1965, p. 28.

- avec sous-titre:

7. Harold H. BLOOMFIELD et al., *La méditation transcendantale: ou comment parvenir à l'énergie intérieure*, traduit par Claire Dupond, Montréal, Éditions du Jour, 1976, p. 41.

8. Jean-Paul SARTRE, *Situation II: qu'est-ce que la littérature?*, Paris, Gallimard, p. 61.

## Référence à un article

La référence à un article de périodique (revue, magazine, journal, passages de dictionnaires et d'encyclopédies) se fait de la manière suivante:
- prénom de l'auteur en minuscules, nom en majuscules;
- titre de l'article entre guillemets et non souligné;
- titre du périodique duquel l'article est extrait souligné;
- référence au tome, volume, numéro en chiffres arabes; le mois et l'année figurent entre parenthèses;
- la ou les pages d'où est extraite la citation;
- chaque partie de la référence est séparée par une virgule.

Exemples:

1. Jean PARÉ, "Le charme discret de la bureaucratie", *L'actualité*, vol. 6, n° 8 (août 1981), p. 10.

2. Yves LACROIX, "Lecture d'*Agaguk*", *Voix et images*, vol. 5, n° 2, (hiver 1980), p. 245.

## Cas particuliers de la référence

1. Dans une étude portant sur un seul ouvrage d'un auteur, on ne répète ni le nom de l'auteur ni le titre. La page à laquelle on renvoie est mise dans le texte au bout de la citation ou de l'évocation de l'ouvrage. Exemples: (p. 35) ou (p. 35-40). On indique une seule fois la référence complète de l'ouvrage, lors de la première citation.

2. Le cas de la double référence: lorsqu'on cite un auteur cité par un autre, on indique le prénom et le nom de l'auteur, le titre suivi de "cité par" ou "cité dans" et la référence à l'ouvrage cité. Exemple:

Correl WERNER, *Psychologie de l'apprentissage*, Montréal, Éditions Paulines, 1976, p. 78-80, cité par Jean-Paul SIMARD dans *Se concentrer pour être heureux*, Montréal, Éditions de l'Homme, 1981, p. 71.

3. S'il n'y a pas d'auteur indiqué, c'est le titre que l'on place au début de la notice bibliographique.

4. S'il y a des carences de mention, on procède de la façon suivante: lorsque la date d'édition n'apparaît pas, on utilise la mention **s.d.** (sans date); lorsque c'est le lieu d'édition qui n'est pas précisé, on emploie l'abréviation **s.l.** (sans lieu). Lorsque ni la date ni le lieu n'apparaissent, on utilise la mention **s.l.n.d.** (sans lieu ni date). Lorsqu'un ouvrage est sans nom d'éditeur, c'est la mention **s.é.** qui figure. Toutes ces mentions sont disposées en lieu et place où normalement on devrait trouver les indications auxquelles elles font référence.

5. Lorsque dans un travail ou un livre on renvoie à un ouvrage pour la première fois, on donne toutes ses coordonnées. Les fois suivantes, on indique seulement le nom de l'auteur, le titre et la page. Exemple:

Yves THÉRIAULT, *Agaguk*, p. 80.

On tient compte également des règles de répétition de la référence que nous donnons ci-après.

Répétition de la référence

Dans les notes au bas de la page, on utilise certaines expressions latines pour remplacer l'un ou l'autre des éléments de la référence bibliographique. À moins qu'elles ne soient écrites en italique, ces expressions latines doivent de préférence être soulignées:

*Ibid.* (*ibidem*, au même endroit)

*Op. cit.* (*opere citato*, dans l'ouvrage cité)

*Loc. cit.* (*loco citato*, à l'endroit cité)

*Idem* (ne s'abrège pas; il signifie: le même auteur)

- **Idem**  renvoie au même auteur que celui de la référence précédente. Exemple:

1. Jacques LANGUIRAND, *Vivre sa vie*, Montréal, Éditions de Mortagne, 1979, p. 94.

2. *Idem, Mater materia*, Montréal, Les Productions Minos, 1980, p. 69.

3. *Idem, Vivre ici maintenant*, Montréal, Les Productions Minos, 1981, p. 32.

Dans la bibliographie, on remplace "idem" par un trait de huit espaces.

- **Ibid.** remplace l'auteur, le titre et l'adresse de la référence qui précède immédiatement, s'il s'agit de la même page. S'il s'agit d'une page différente, on indique la page. Exemple:

1. Louis LAVELLE, *La parole et l'écriture*, Paris, L'Artisan du livre, 1959, p. 55.

2. *Ibid.*, p. 132.

Ne confondez pas **Idem** et **Ibid.** Le premier désigne l'auteur, le second, l'ouvrage.

- **Loc. cit.** indique que l'on réfère à la même page de l'ouvrage ou de l'article que l'on vient de citer:

1. Martin BLAIS, *L'échelle des valeurs humaines*, Montréal, Fides, 1980, p. 94.

2. *Loc. cit.*

- **Op. cit.** s'emploie à la suite du nom de l'auteur en lieu et place du titre ou du dernier des titres du même auteur que l'on a cité précédemment:

Yves THÉRIAULT, *op. cit.*, p. 83.

Lorsque l'on doit répéter une référence éloignée de plus de quatre pages de l'emploi précédent, on doit répéter le nom de l'auteur et le titre souligné.

## LA BIBLIOGRAPHIE

La bibliographie témoigne des sources, des emprunts, des ouvrages, articles ou documents consultés dans l'élaboration d'un travail. Elle est présentée selon l'ordre alphabétique des noms d'auteurs.

Une autre façon de présenter la bibliographie (surtout dans les travaux très élaborés) consiste à subdiviser les documents en catégories: ouvrages généraux, ouvrages spécialisés présentés par sujet, articles, etc. Dans le cas où l'on fait référence à plusieurs ouvrages d'un même auteur, on les dispose par ordre chronologique de parution. Dans ce cas, le nom de l'auteur est remplacé, au deuxième volume, par huit (8) traits.

## L'ordre de présentation des éléments de l'adresse bibliographique

Nous en avons déjà parlé à la page 485. Rappelons cependant que les ouvrages ou articles qui figurent en bibliographie suivent les mêmes règles que les références au bas des pages, sauf trois cas:

    a) le nom précède le prénom;

    b) au lieu de la page de référence on indique le nombre de pages du volume; le nombre de pages est déterminé par la dernière page numérotée par la maison d'édition;

    c) s'il s'agit d'un article on met de quelle page à quelle page.

Exemples:

BERNARD Jean, *Grandeur et tentation de la médecine*, Paris, Buchet-Chastel, 1973, 332 p.

BLANCHET Madeleine, m.d., *Indices de l'état de santé de la population du Québec*, annexe 3 au rapport de la Commission d'enquête sur la santé et le bien-être, Québec, 1970, 569 p.

CARREL Alexis, *L'Homme cet inconnu*, Paris, Plon, coll. "Livre de poche", édition de 1971, 447 p.

ROYER Claire, "Plaidoirie pour l'enfant hospitalisé", *Nursing Québec*, vol. 2, n° 5 (juillet/août 1982), p. 19 à 25.

Remarque:

On peut mettre une virgule entre le nom et le prénom, surtout quand la bibliographie est écrite à la main et que l'on n'écrit pas le nom en capitales.

## LE SOULIGNEMENT

Il y a deux cas principaux de soulignement:

    a) pour marquer l'importance ou attirer l'attention du lecteur sur un mot, une expression ou même une phrase d'un texte. Dans ce cas, il ne faut pas abuser du soulignement. Il ne faut pas souligner tout ce que l'on croit important ou intéressant.

    b) le soulignement dans les titres:

    — lorsque le texte est dactylographié, on souligne toujours les titres de volumes, de périodiques et de journaux; on ne souligne pas le titre d'un article, qui doit être mis entre guillemets;

— les titres et les sous-titres dans un texte très élaboré peuvent être soulignés; cependant, on ne souligne pas un titre centré ou écrit en majuscules.

## LA TABLE DES MATIÈRES

La table des matières représente le plan du travail (parties, sous-parties, chapitres). Il existe plusieurs façons d'élaborer une table des matières. Nous présentons ici trois modèles courants.

### Modèle 1

## Modèle 2

(Les pages liminaires sont disposées comme dans le modèle 1)

  **(la fin comme le modèle 1)**

## Modèle 3

(Les pages liminaires sont disposées comme dans le modèle 1)

**Etc.**

**(La fin comme le modèle 1)**

Remarque:

On peut également aligner les nombres comme suit:

1.

1.1.

1.2.

1.3.

etc.

# LA PRÉSENTATION MATÉRIELLE

## L'ordre des parties

La présentation matérielle d'un travail écrit comprend, selon les besoins, les parties suivantes:

### I. Les pages préliminaires

1. La page de titre.
2. L'avant-propos:

C'est un court texte dans lequel on peut mentionner, selon les besoins, les raisons qui ont amené à étudier le sujet, les buts poursuivis; on peut également situer son travail dans l'ensemble de la recherche faite jusqu'à ce jour sur le sujet, en indiquer les limites s'il y a lieu.

3. La table des matières.
4. La liste des illustrations, des tableaux, des figures (on donne le numéro de la page où ils se trouvent).
5. La liste des sigles, des symboles, des abréviations s'il y a lieu.

### II. Le texte proprement dit

1. L'introduction
2. Le développement
3. La conclusion

### III. Les pages annexes

1. Les pages annexes comprennent les appendices, c'est-à-dire les notes, les renseignements complémentaires, les documents, les textes qu'il serait trop long de faire figurer dans le développement; les données statistiques, les plans (qu'on ne peut insérer dans les notes), les dessins, etc. Les appendices sont paginés en chiffres ou en lettres (A, B, C...), chacun portant un titre disposé comme le titre d'un chapitre.

2. L'index: table alphabétique des sujets traités, des noms de personnes (auteurs) ou de lieux, selon le cas.

3. La table des illustrations (figures, gravures, reproductions) placées selon l'ordre d'apparition dans le texte.

4. Les tableaux (graphiques, diagrammes, tables statistiques, pages modèles, etc.).

Dans le texte, les tableaux sont numérotés en chiffres romains et leur titre figure au-dessus.

5. La bibliographie: trois cas peuvent se présenter. On peut:

a) n'énumérer que les ouvrages consultés;

b) mentionner tous les ouvrages se rapportant au sujet traité;

c) faire accompagner chaque titre d'une appréciation personnelle.

Dans la bibliographie:

1) Les ouvrages ou les articles sont présentés selon l'ordre alphabétique des noms d'auteurs.

2) Si l'on fait référence à plusieurs ouvrages d'un même auteur, on les dispose par ordre chronologique de parution. À partir du deuxième volume, le nom est remplacé par huit frappes.

## La mise en page

### 1. Le papier

Le papier utilisé peut emprunter les deux grandeurs suivantes:

216 x 280 mm (mesure métrique)

8 1/2 x 11 (mesure anglaise)

Il faut écrire au recto seulement.

D'autres facteurs comme la qualité du papier sont également à considérer. Il existe sur le marché différentes **couleurs** de papier: blanc, pâle, crème, jaune, jaunâtre, bleu, rose, vert, etc. Il y a une couleur qui convient à chaque type d'écrit. Un travail de recherche doit être présenté sur du papier blanc. C'est lui qui fait le mieux ressortir les encres employées; c'est également lui qui donne le meilleur rendement à la reprographie. Telle compagnie utilisera le papier crème pour sa correspondance: cela fait plus élégant. Un message collectif (lettre, circulaire, etc.) attirera plus l'attention s'il est imprimé sur du papier de couleur. On sait que le jaune est la première couleur perçue par l'oeil.

On doit aussi considérer la **texture** et le **format** du papier: un papier glacé provoque la réverbération et rend souvent la lecture difficile. Le format doit être choisi en fonction des besoins du travail effectué.

## 2. La page de titre

## Modèle 1

| | |
|---|---|
| **ANALYSE DU ROMAN**<br>**L'ÉTRANGER**<br>d'Albert Camus | (sujet du travail) |
| **par**<br>**Marie-Christine Simard**<br>**Secondaire V** | (identification) |
| **Cours de français 522** | (nom et numéro<br>du cours) |
| **Polyvalente Arvida**<br>**29 mars 19..** | (institution)<br>(date) |

## Modèle 2

| | |
|---|---|
| **Jean-Pierre Tadros**<br>**Baccalauréat en linguistique**<br>**3e année** | (identification)<br>(programme)<br>(année) |
| **LA FONCTION APPOSITION** | (sujet) |
| **Travail de grammaire**<br>**(cours 2LIN807)**<br>**présenté à**<br>**monsieur Léopold Chomsky** | (nature du travail)<br>(sigle du cours)<br><br>(destinataire) |
| **Université du Québec à Montréal**<br>**Le 20 décembre 19..** | (institution)<br>(date) |

## Modèle 3

| | |
|---|---|
| **Nathalie Gauthier** | (identification) |
| **Certificat en nursing communautaire** | (programme) |
| | |
| **LA SANTÉ PAR LES MOYENS NATURELS** | (sujet) |
| | |
| **présenté à** | (destinataire) |
| **madame Suzanne Tadros** | |
| **dans le cadre du cours** | (sigle et titre |
| **4CS140 Milieu familial de l'individu** | du cours) |
| | |
| **Université du Québec à Chicoutimi** | (institution) |
| **Le 20 avril 19..** | (date) |

## Modèle 4: pour un rapport, mémoire, document

| | |
|---|---|
| **CONSEIL ÉTUDIANT** | (domaine général) |
| | |
| **PROJET D'ACTIVITÉS ÉTUDIANTES** | (domaine spécifique) |
| | |
| **Document présenté à la** | |
| **Direction de la polyvalente Saguenay** | (destinataire) |
| | |
| **Jean Gagné, président     Pierre Thériault,** | (auteurs) |
| **vice-président** | |
| | |
| **Le Conseil étudiant** | |
| **Polyvalente Saguenay** | |
| **280, rue de l'École** | |
| **Nordville** | (adresse) |
| **G3X 5Y6** | |
| | |
| **Septembre 19..** | (date) |

## Les marges

— S'il s'agit d'une page commençant une partie ou un chapitre, la marge supérieure est de 6 cm (du haut de la feuille au titre du chapitre) ou de 5 cm (du haut de la feuille à la mention "chapitre", si la mention est utilisée).

— S'il ne s'agit pas d'une page commençant une partie ou un chapitre, la marge supérieure est de 4 cm.

— La marge inférieure est toujours de 2,5 cm, même si la page contient des notes ou des références.

— La largeur des marges de gauche et de droite doit permettre une ligne d'écriture de 15 cm au moins (marge gauche: 4 cm; marge droite: 2,5 cm). Les 4 cm de la marge gauche permettent de laisser un espace assez large pour que le texte ne soit pas caché lorsque ce dernier est broché ou relié.

## Le texte

— Le texte s'écrit à double interligne, mais les longues citations (de plus de 3 ou 5 lignes), de même que les notes et références au bas des pages ou des tableaux, s'écrivent à interligne simple, en retrait par rapport au texte: à 5 espaces de la marge gauche et à 5 espaces de la marge droite. La plupart des ouvrages imprimés et édités par les maisons d'édition vont jusqu'à la marge droite pour présenter les longues citations.

— On laisse 4 interlignes entre les paragraphes et les alinéas commençant à 5 espaces de la marge gauche.

— On n'écrit jamais une ligne seule d'un paragraphe à la fin d'une page; on va à la page suivante, même si cela crée un espace plus long au bas de la page.

— On ne coupe pas un mot au bas d'une page.

## Modèle de mise en page

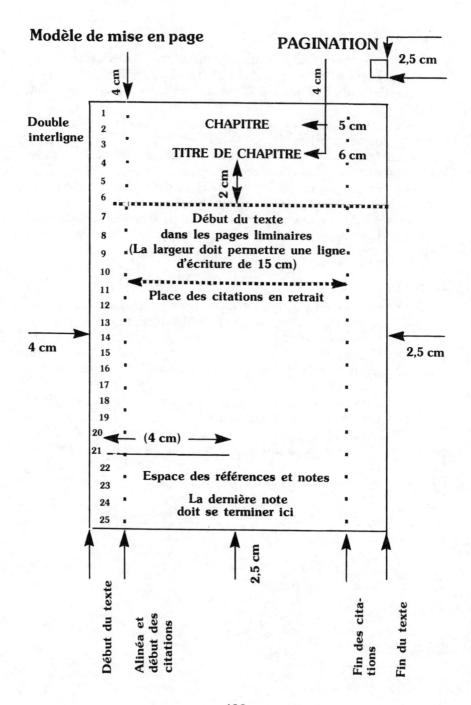

## Les titres

— Les titres des grandes parties ou des chapitres sont centrés à 6 cm du haut de la feuille. Le texte commence après deux doubles interlignes (2 cm).

— Les sous-titres sont disposés à gauche, précédés d'un triple interligne et suivis d'un double interligne.

— Les titres des grandes parties ou des chapitres sont écrits en majuscules non soulignées (on ne souligne jamais un titre en majuscules).

— Les sous-titres sont écrits en minuscules et sont soulignés.

— Les titres de paragraphes moins importants sont en minuscules et ne sont pas soulignés.

— Les titres de sous-paragraphes sont en minuscules et ne sont pas soulignés.

## La pagination

— La pagination s'indique en haut de la page, à droite, à 2,5 cm du haut et à 2,5 cm de la droite.

— Le chiffre se place seul, sans point ni tiret ni oblique ni parenthèses.

— Les pages préliminaires, c'est-à-dire celles qui précèdent l'introduction (page de titre, table des matières, etc.) sont paginées en chiffres romains minuscules (i, ii, iii, iv, etc.). Les autres pages, de l'introduction à la fin du travail, en incluant les appendices, les tableaux, les index et toutes les pages annexes, se paginent en chiffres arabes. Les pages préliminaires de même que la page de titre (c'est la page i) comptent dans la pagination. On ne pagine pas les pages qui commencent par un titre, mais elles comptent dans la numérotation. On peut choisir de ne pas paginer les pages liminaires, mais elles sont quand même comptées dans la pagination.

# LES GRAPHIQUES

Les graphiques et les tableaux servent à illustrer les données présentées dans un texte. Ils permettent une lecture aussi bien analytique que synthétique, en même temps qu'ils favorisent une prise de conscience plus rapide que dans un texte. Une image vaut mille mots, dit-on. Retenez cependant qu'un graphique, un tableau ou une illustration doivent toujours être accompagnés d'une légende, c'est-à-dire une courte explication. Il faut comprendre que si le graphique est clair pour l'auteur, il ne l'est pas nécessairement pour le lecteur.

## Les sortes de graphiques

Il existe différentes sortes de graphiques. Certains sont même très sophistiqués.

### a) **Le graphique linéaire**

Les données sont représentées par des lignes droites ou courbes. Ces lignes figurent dans l'aire comprise entre les deux coordonnées: abscisse (ligne horizontale) et ordonnée (ligne verticale).

## Le graphique peut être monolinéaire

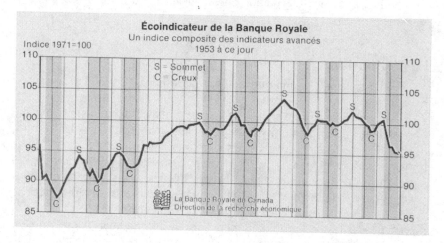

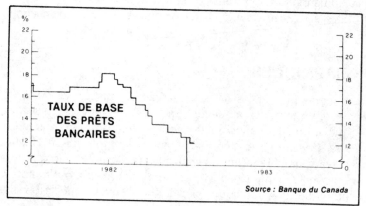

500

## • **Le graphique peut être bi ou multilinéaire**

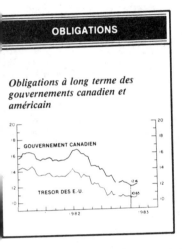

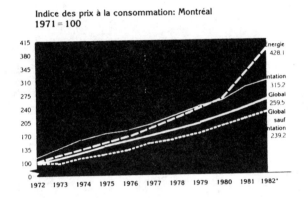

Ce type de graphique est dit "comparatif".

### b) **Le graphique en colonnes**

Il existe toutes sortes de modèles de graphiques en colonnes. Celles-ci peuvent être disposées à la verticale ou à l'horizontale.

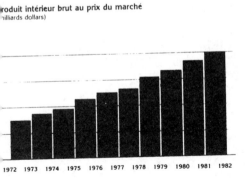

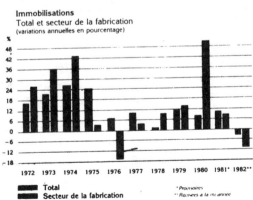

501

# DEMAIN LA SANTÉ

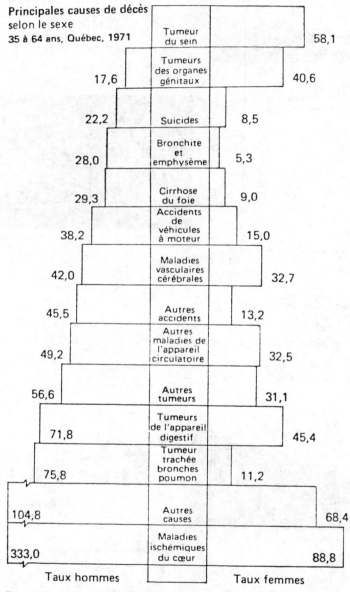

**Principales causes de décès selon le sexe**
**35 à 64 ans, Québec, 1971**

| | | Taux hommes | | Taux femmes | |
|---|---|---|---|---|---|
| Tumeur du sein | | | | 58,1 | |
| Tumeurs des organes génitaux | 17,6 | | | 40,6 | |
| Suicides | 22,2 | | | 8,5 | |
| Bronchite et emphysème | 28,0 | | | 5,3 | |
| Cirrhose du foie | 29,3 | | | 9,0 | |
| Accidents de véhicules à moteur | 38,2 | | | 15,0 | |
| Maladies vasculaires cérébrales | 42,0 | | | 32,7 | |
| Autres accidents | 45,5 | | | 13,2 | |
| Autres maladies de l'appareil circulatoire | 49,2 | | | 32,5 | |
| Autres tumeurs | 56,6 | | | 31,1 | |
| Tumeurs de l'appareil digestif | 71,8 | | | 45,4 | |
| Tumeur trachée bronches poumon | 75,8 | | | 11,2 | |
| Autres causes | 104,8 | | | 68,4 | |
| Maladies ischémiques du cœur | 333,0 | | | 88,8 | |

Source: Données tirées de *La géographie de la mortalité au Québec 1969-1972*, Ministère des Affaires sociales, décembre 1975

502

c) **Le graphique circulaire**

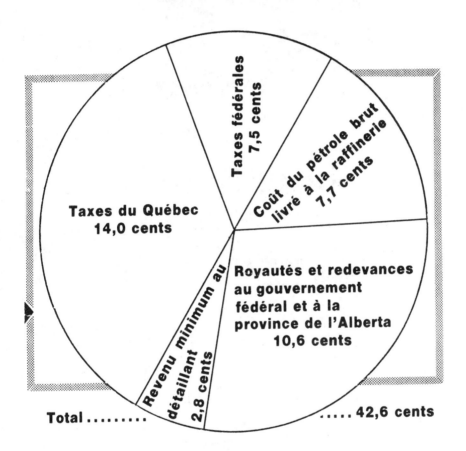

Composition du prix de l'essence. selon une étude effectuée par Shell Canada

Taxes fédérales 7,5 cents

Coût du pétrole brut livré à la raffinerie 7,7 cents

Taxes du Québec 14,0 cents

Royautés et redevances au gouvernement fédéral et à la province de l'Alberta 10,6 cents

Revenu minimum au détaillant 2,8 cents

Total ......... ..... 42,6 cents

## d) **Le graphique figuratif**

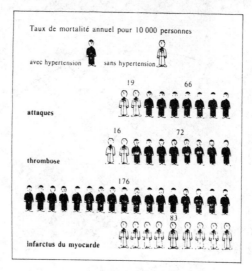

*L'hypertension
accroît les risques résultant d'autres maladies*

*Accroissement de la mortalité
en fonction du poids*

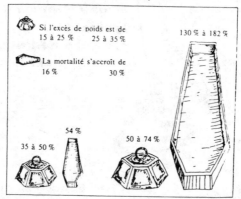

Tirés de *La malbouffe*, par Stella et Joël de ROSNAY, Seuil, coll. "Points".

## LES TABLEAUX

Les tableaux, comme les graphiques, peuvent présenter en même temps plusieurs données.

**roits d'achat sur les actions des compagnies juniors impliquées ans le gisement aurifère d'Hemlo**

*ous titres cotés à Vancouver)*

| mpagnie | Cours récents | | Date d'expiration des droits | Prix de souscription | prime ¢ | prime % | Note |
|---|---|---|---|---|---|---|---|
| | Actions | Droits d'achat | | | | | |
| miral Mines | $ 3,15 | 20¢-35¢ | 7 février 83 | $ 3,25 | 60 ¢ | 19 % | B |
| tic Red Resources | $ 1,48 | 45 ¢ | 23 février 83 | 88 ¢ | 30 ¢ | 20,3 % | B |
| tocrat Resources | 87 ¢ | 25 ¢ | 30 mars 83 | 63 ¢ | 26 ¢ | 29,9 % | B |
| ttle Energy | $ 1,10 | 35 ¢ | 18 avril 83 | 52 ¢ | 12 ¢ | 10,9 % | B |
| -Air Resources | $ 1,40 | $ 1,00 | 1er février 83 | 44 ¢ | 4 ¢ | 2,9 % | A |
| gade Resources | $ 2,20 | 69 ¢ | 16 mars 83 | $ 1,15 | 33 ¢ | 15,0 % | B |
| re Energy | $ 1,04 | 35 ¢ | 28 mars 83 | 81 ¢ | 47 ¢ | 45,2 % | B |
| kota Energy | $ 2,53 | $ 1,00 | 4 avril 83 | 80 ¢ | 27 ¢ | 10,7 % | B |
| vonion Resources | 75 ¢ | 20 ¢ | 4 avril 83 | 77 ¢ | 42 ¢ | 56,0 % | B |
| er-Continent Energy | 60 ¢ | 16 ¢ | 6 avril 83 | 51 ¢ | 23 ¢ | 38,3 % | B |
| erlake Development | $ 5,30 | $ 2,55 | 28 mars 83 | $ 2,86 | $ 2,66 | 50,2 % | B |
| ple Leaf Pete | 95 ¢ | 40 ¢ | 20 avril 83 | 47 ¢ | 32 ¢ | 33,7 % | B |
| ple Resources | 90 ¢ | 23 ¢ | 16 février 83 | 52 ¢ | 8 ¢ | 8,9 % | B |
| deo Resources | 73 ¢ | 35 ¢ | 9 mai 83 | 51 ¢ | 13 ¢ | 17,8 % | A |
| uthern Union Res. | 60 ¢ | 20 ¢ | 29 mars 83 | 67 ¢ | 47 ¢ | 78,3 % | B |

**te : A : un droit pour une action B : deux droits pour une action.**

Comme on peut le constater, les tableaux sont plus précis que les graphiques. Ils sont cependant moins visuels. Les deux modes de représentation, même s'ils exigent beaucoup de rigueur scientifique, ne laissent pas moins place à l'imagination et à la créativité. Leur fonction, en effet, n'est pas uniquement de démontrer ou d'illustrer, mais aussi, dans une certaine mesure, d'attirer l'attention du lecteur et de le convaincre.

# CONCLUSION

Nous serions heureux et comblé si ce livre pouvait atteindre l'objectif que nous nous étions fixé au début: permettre au lecteur de répondre à ses principaux besoins de communication personnelle et sociale, de même qu'aux exigences du métier ou de la profession. À cette fin, nous nous sommes efforcé de démystifier l'acte d'écriture, en le rendant accessible à tous ceux qui veulent s'exprimer et communiquer par écrit. Écrire, c'est moins un don qu'une habileté qui se développe par la connaissance et la pratique. Tout le monde peut donc écrire. Voilà pourquoi nous avons utilisé les termes "scripteur" ou "artisan de l'écriture" de préférence à celui d'"écrivain" qui évoque une conception élitique de l'acte d'écrire, celui-ci devenant une chasse gardée réservée aux seuls dieux du verbe.

Savoir écrire est non seulement utile, mais apporte aussi de grandes joies et de grandes satisfactions. Nous avons parlé à quelques reprises de la valeur éminemment thérapeutique de l'écriture. Écrire donne également un pouvoir certain. Ceux qui savent écrire sont plus libres, plus forts. Ils peuvent s'affirmer, défendre leurs droits, exprimer leur besoin d'imaginaire.

Pour développer l'habileté à écrire, nous avons axé la théorie et la pratique sur les deux composantes essentielles de tout message écrit: la linguistique (les conventions du code) et la rhétorique (les lois du discours). Le tout envisagé dans la perspective de la communication, fonction première de la langue. Les techniques exposées dans ce livre, nous l'espérons, vous amèneront à maîtriser les habiletés reliées à ces aspects fondamentaux de l'écrit. Mais rappelez-vous qu'écrire est une oeuvre surtout de patience, parfois de défi. C'est dans la mesure où vous persévérerez — et seulement à cette condition — que vous réussirez.

# BIBLIOGRAPHIE

Nous présentons ici les ouvrages utilisés ou consultés en rapport avec notre sujet.

ALBOU Paul, *Psychologie de la vente et de la publicité*, Paris, PUF, 1977, 255 p.

ARAMBOU Ch. et alii, *Guide de la contraction de texte*, Paris, Hachette, 1972, 185 p.

BARIL Denis et GUILLET Jean, *Techniques de l'expression*, tomes 1 et 2, Éditions Sirey, 1981.

BARTHES Roland, *S/Z*, Paris, Éditions du Seuil, 277 p.

BARTHES Roland et alii, *L'analyse structurale du récit, Communication 8*, Paris, Éditions du Seuil, 1981, coll. "Points", 178 p.

BEAUGRAND J. et COURAULT M., *Le français par les textes*, classes de 3e, 4e et 6e, Paris, Hachette, 1962.

BERNIER Benoît, *Guide de présentation d'un travail de recherche*, Montréal, Les presses de l'Université du Québec, 1973, 55 p.

BOISSONNAULT Pierre et alii, *La dissertation outil de pensée et de communication*, Les éditions La lignée, 1980, 255 p.

BOUCHER Raymond et MIGNEAULT Marcel, *Les étapes de la rédaction d'un travail en bibliothèque*, La Pocatière, 1978, 96 p.

CAJOLET-LAGANIÈRE Hélène, *Le français au bureau*, Office de la langue française, Québec, Éditeur officiel du Québec, 1983, 197 p.

CAJOLET-LAGANIÈRE Hélène et alii, *Rédaction technique*, Sherbrooke, Éditions Laganière, 1983, 281 p.

CLAS André et HOGUELIN Paul A., *Le français, langue des affaires*, Montréal, McGraw-Hill Éditeurs, 1969, 394 p.

CLAS André et SEUTIN Émile, *Recueil des difficultés du français commercial*, Montréal, McGraw-Hill, 1980, 118 p.

COCULA Bernard et PEYROUTET Claude, *Didactique de l'expression*, Paris, Delagrave, 1978, 319 p.

COILLIE-TREMBLAY Brigitte van, *Guide pratique de correspondance et de rédaction*, Gouvernement du Québec, 1976, 201 p.

DOLBEC Jean et OUELLON Conrad, *Structures de la phrase française*, Saint-Jean-sur-Richelieu, Éditions Préfontaine inc., 1982, 293 p.

DUBOIS Jean et alii, *Dictionnaire de linguistique*, Paris, Larousse, 1973, 516 p.

DUPRIEZ Bernard, *L'étude des styles* ou *la Commutation en littérature*, 2e édition, Paris, Didier Érudition; Montréal, Didier Canada, 1971, 366 p.

DUPRIEZ Bernard, *Gradus*, Paris, 10/18, 1980, 541 p.

ÉTIEMBLE René et Jeannine, *L'art d'écrire*, Paris, Seghers, 1970, 638 p.

GREVISSE Maurice, *Le bon usage*, Gembloux, Duculot, 1964, 1194 p.

JAKOBSON Roman, *Essais de linguistique générale*, Paris, Éditions de Minuit, 1963, coll. "Points", n° 17.

LAFLÈCHE Guy, "Céline, d'une langue l'autre", dans *Études françaises*, Les Presses de l'Université de Montréal, février 1974, p. 12-40.

LAFLEUR Normand, *Écriture et créativité*, Montréal, Leméac, 1980, 118 p.

LARIVIÈRE-DÉSAULNIERS Louise, *Français écrit*, Montréal, Guérin, 1977, 529 p.

LEFEBVRE Henri, *Langage et société*, Paris, Gallimard, 1966, 376 p.

MIGNAULT Marcel, *Les chemins du savoir*, tomes 1 et 2, La Pocatière, 1979.

MUCCHIELLI Roger, *Psychologie de la publicité et de la propagande*, Paris, ESF, 1970, 105 p.

PERRON Catherine et alii, *Le rapport de recherche dactylographié*, Québec, Gouvernement du Québec, 1982, cahier 1, 49 p.

POIRIER Léandre, *Au service de nos écrivains*, Montréal, Fides, 1964, 183 p.

POUILLON Jean, *Temps et roman*, Paris, Gallimard, 1946, 277 p.

RAMAT Aurel, *Grammaire typographique*, Montréal, Édition Aurel Ramat, 1982, 91 p.

RETZ, *Le savoir écrire moderne*, Paris, Retz, 1980, 640 p.

RICHAUDEAU François, *Le langage efficace*, Belgique, Éditions Marabout, 1973, 300 p.

SAÏDAH Jean-Pierre, *Savoir bien écrire*, Paris, Retz, 1976, 255 p.

SIMARD Claude et alii, *Cinq opérations linguistiques*, Québec, PPMF/LAVAL, 1981.

TODOROV Tzvetan, *Introduction à la littérature fantastique*, Paris, Éditions du Seuil, 1970, coll. "Points", 188 p.

TORESSE Bernard, *La nouvelle pédagogie du français*, Paris, O.C.D.L., 1975.

VANOYE Francis, *Expression Communication*, Paris, Armand Colin, coll. U, 1975, 241 p.

VANOYE Francis, *Récit écrit/récit filmique*, Paris, Cédic, 1979, 225 p.

WAGNER R. L. et PINCHON J., *Grammaire du français*, 2e édition, Paris, Hachette, 1962, 640 p.

*Communication 8*, *L'analyse structurale du récit*, Paris, Éditions du Seuil, coll. "Points", 1981, 178 p.

# INDEX DES SUJETS

# INDEX DES AUTEURS CITÉS

# TABLE ANALYTIQUE DES MATIÈRES

# 1re PARTIE
# LES TECHNIQUES DE BASE DU SAVOIR-ÉCRIRE

# 2e PARTIE
# LES DIFFÉRENTS TYPES D'ÉCRITS